TÜRKEI

TÜRKEI

**KULINARISCHE TRADITIONEN UND
REZEPTE AUS DER TÜRKEI**

MUSA DAĞDEVİREN

EINFÜHRUNG

Dieses Buch ist eine kulinarische Einführung in die türkische Kultur und ihre regionalen Ausprägungen. Die Kochkunst ist so alt wie die Menschheit. Unsere Neugier und Kreativität unterscheiden uns von den unzähligen anderen Organismen, mit denen wir uns diesen Planeten teilen. Doch wir alle benötigen Nahrung, um zu überleben.

Gemeinschaften nutzten von jeher regionale Nahrungsmittel. Kulturelle Errungenschaften verbreiteten sich durch Migration auf der ganzen Erde. So etablierten sich Nahrungsmittel und Techniken wie das Feuermachen, aber auch Elektrizität, Spiele und Musikinstrumente.

Ihre geografische Lage und ihr historisches Erbe, aber auch Wirtschaft und Religion prägen die kulinarische Kultur. In der Kochkunst spiegeln sich Reichtum und Fruchtbarkeit einer Region. Arme Gemeinschaften im Landesinneren verwenden notgedrungen einfache Zutaten. Die Auswahl ist begrenzt, die Gerichte sind eintönig und meist fleischarm. Dagegen bieten wirtschaftlich erfolgreiche Regionen eine bunte Palette an Nahrungsmitteln, darunter viel Fleisch und Gewürze.

Zivilisationen weisen Gemeinsamkeiten auf, die sie an nachfolgende Generationen weitergeben. Der Weizen wurde im Neolithikum 10 000 v. Chr. in Çatalhöyük (bei Konya) in Anatolien domestiziert. Die Urartäer, Phryger und Hethiter folgten ähnlichen Traditionen. Griechen und Römer, Byzantiner und anatolische Seldschuken hinterließen ihre Spuren. Das Osmanische Reich bestand 620 Jahre. Die heutige Türkei ist ein Produkt dieses reichen Erbes, das vom Mittelmeer bis Mesopotamien, von der Arabischen Halbinsel bis Afrika, von Zentralasien bis Anatolien, zum Kaukasus, nach Thrakien und zum Balkan reichte.

Die Welt ist eine freigiebige Tafel, deren Köstlichkeiten wir genießen sollten, ohne Trennendes in Geschmacks- und Glaubensrichtungen zu suchen. Anstatt die Armenier für ihre Olivenölgerichte zu preisen, die Kurden für ihre Fleischgerichte, die Türken für ihr Gebäck und die osmanischen Griechen für ihre Meeresfrüchte, sollten wir uns als eine Gemeinschaft begreifen, in der wir die Werte, den Glauben und den Lebensstil der anderen respektieren und in Ehren halten.

REGIONALE KÜCHE

Die Türkei umfasst sieben Regionen – Mittelmeer, Ägäis, Marmarameer, Schwarzes Meer, Zentralanatolien, Südostanatolien und Ostanatolien. Jede Region besitzt ihre eigene kulinarische Identität. Die Regionen Marmarameer und Ägäis grenzen an Griechenland und Bulgarien und stehen den Balkanländern nahe. Die Schwarzmeerregion ist mit Russland, Georgien, Armenien, Aserbaidschan und dem Iran verbunden. Südostanatolien hat die Nachbarländer Syrien, Irak und Iran, und die Mittelmeerregion ist mit Syrien und Zypern verknüpft. Zentralanatolien liegt im Herzen des Landes und grenzt an alle anderen türkischen Regionen.

Die Regionen Mittelmeer, Ägäis, Marmara und Schwarzes Meer besitzen lange Küsten. Die Einheimischen essen viel Fisch und Olivenöl. Die Schwarzmeerregion scheint sich jedoch von der intensiven Olivenölnutzung zu verabschieden und setzt heute mehr auf Butter, Haselnuss- und Maisöl. Butter und Tierfette spielen in Zentral-, Südost- und Ostanatolien eine wichtige Rolle. Südostanatolien ist ein bedeutender Olivenölproduzent und -konsument.

Der Schwerpunkt unserer Küche liegt auf Gemüse und Olivenölgerichten sowie an der Küste auf Fisch und Meeresfrüchten. Ebenso beliebt sind Weizenbrote, Bulgur und Backwaren, gefolgt von Pilaws, Hülsenfrüchten und Salaten. Die bevorzugten Fleischsorten sind Lamm und Ziege.

İstanbul bildet eine kulturelle Brücke zwischen Europa und Asien. Im Bosporus leben zahlreiche Fischarten. Im August beginnt die Zeit der Sardinen. Oktober und November ist Blaufischsaison. In Salz konservierter *Lakerda* (Gepökelter Bonito, Seite 286) wird saisonal hergestellt.

Tekirdağ in der Marmararegion ist bekannt für Oliven- und Sonnenblumenöl, *Şıra* (Traubensaftgetränk, Seite 456) und *Hardaliye* (Vergorene Trauben mit Senfkörnern, Seite 451), Wein und Rakı (Seite 503), Milch und Milchprodukte. Bursa ist berühmt für Maronendesserts und Oliven, *İskender-Kebab*, gegrillte Fleischbällchen und *Şıra*.

In den ländlichen Gegenden der Marmararegion wird vom 6. Mai an begeistert *Hıdrellez* (Seite 500) mit Ziege am Spieß und gefüllter Ziege gefeiert. Hausgemachte Nudeln, Lammconfit, Traubenmelasse und Marmeladen gibt es dort fast überall. In İstanbul verkaufen Straßenhändler *Sahlep* und *Boza*. *Sahlep* (Orchideenknollen-Milch, Seite 450) ist ein wärmendes Wintergetränk. *Boza* (Vergorener Hirse-Smoothie, Seite 454), ein Getränk aus weißer Millethirse und Reis, wird zimmerwarm getrunken. Himmlisch schmeckt die Verbindung von *Boza* und *Leblebi* (Seite 454). Pilaws, gefüllte Muscheln, geröstete Maronen, *Simit*, Mais, Fisch-Sandwiches, Kebabs und Böreks sind Teil der urbanen Streetfood-Szene von İstanbul. Kuttelsuppe wird das ganze Jahr über gern gegessen, besonders als probates Mittel gegen den Kater nach einer langen Nacht im *Meyhane*.

Die Marmararegion, besonders İstanbul und seine Umgebung, hat unsere traditionellen Gerichte geprägt und neu interpretiert. Verschiedene regionale Küchen und die multiethnische Gesellschaft dieser großen Metropole haben sich zu einer vielfältigen Küche verbunden. Straßenverkäufer, Bäckereien, Restaurants und Kebab-Häuser waren bei den Einheimischen stets beliebt. Die heutige Küche İstanbuls wurde von albanischen, bosnischen, bulgarischen, armenischen, osmanisch-griechischen, kurdischen, lasischen, tscherkessischen, georgischen, arabischen und persischen Einflüssen geformt. Das multiethnische und -nationale Osmanische Reich ist in der Küche dieser Stadt nach wie vor lebendig.

Menschen verschiedener Religionen bereiteten aus einheimischen Produkten rituelle Speisen zu. Bei den drei abrahamitischen Religionen gibt es jeweils eigene Ausprägungen von Weizengerichten: Die muslimischen Gemeinden kochen ein gemeinsames Trauermahl mit der Bezeichnung *Aşure* (Noahs Pudding, Seite 418), und zwar nach der Fastenzeit im Monat *Muharrem*. Die christlichen Armenier essen an Neujahr ein sehr ähnliches Gericht namens *Anuş Abur*. Der Brauch, zu religiösen Festen die Ahnengräber zu besuchen, wird in mehreren Religionen gepflegt. Rund um Antakya werden Blaubeerzweige gesammelt und an den Friedhofstoren verkauft. Christen, Juden und Muslime kaufen sie, um sie auf die Gräber ihrer Verwandten zu legen. Während sich die Zweige im Wind bewegen, steigen die Sünden der Toten in den Äther auf, wobei auch die Besucher gereinigt werden.

Die kulinarischen Traditionen, die wir von früheren Zivilisationen geerbt haben, beeinflussen unsere moderne Küche. Die Regionen weisen typische Aromen und Techniken auf. Für Neujahr, religiöse Feste, Hochzeiten und Begräbnisse existieren zahlreiche Speiserituale. Viele unserer Gerichte werden in Restaurants zubereitet, noch mehr aber in unseren heimischen Küchen. Die breite Auswahl an Broten und Gebäck, die Vielzahl an Bulgur- und Reisgerichten, die Beliebtheit von Hülsenfrüchten, die vielfältigen Zubereitungsarten für Fleisch und die Kombination von Hülsenfrüchten und Fleisch – all dies macht die türkische Küche unverwechselbar. Milchprodukte spielen in unserer Küche eine herausragende Rolle. Olivenöl ist für unsere Kochkunst so wichtig, dass wir sogar eine eigene Kategorie entwickelt haben, nämlich die „Olivenölgerichte". Butter, Butterschmalz, Olivenöl, das Fett der Fettschwanzschafe und Nierenfett werden überall verwendet. Auch Eintopfgerichte sind sehr beliebt. Traditionell werden Speisen oft im eigenen Saft gegart. Meist essen wir mit Besteck, doch einige Gerichte wie Schafskopf, Fisch und Hähnchen verspeisen wir traditionell mit der Hand.

DIE BEDEUTUNG DER KOCHKUNST

Nomadische Gemeinschaften sind essenstechnisch gegenüber Ackerbauern, die einen besseren Zugang zu Nahrungsmitteln haben, etwas im Hintertreffen. Die Entdeckung neuer Nahrungsmittel und Zubereitungsmethoden hat die Kochkunst stets vorangebracht, und die Urbanisierung spielt dabei eine große Rolle. Wohlhabendere Gesellschaften haben einen besseren Zugang zu Speisen anderer Kulturen, während arme Gemeinden mit dem Vorhandenen kreativer umgehen mussten. Die Wohlhabenden hatten mehr Fleisch, Reis und Bulgur, während die Armen die Gerichte mit den ihnen zur Verfügung stehenden Zutaten zubereiteten.

Im Laufe der Geschichte koexistierten Christentum, Judentum und Islam in derselben Region. Religiöse Regeln sorgten für unterschiedliche Essenskulturen. Muslime und Juden essen im Gegensatz zu den Christen kein Schweinefleisch. Manche Gläubigen dürfen Kaninchen essen, andere wiederum nicht.

Diese religiösen Vorgaben entwickelten sich im kulturellen Kontext der geografischen Gegebenheiten. Muslime und Christen, die in unmittelbarer Nachbarschaft leben, ernähren sich ähnlich. Christen in Gaziantep essen dieselben Speisen wie ihre muslimischen Nachbarn. Es ist also schwierig, ein bestimmtes Gericht mit einer religiösen Identität gleichzusetzen. *Topik* (Seite 85) beispielsweise, ein typisch armenisches Gericht, das in İstanbul aufwendig zubereitet wird, ist einem anatolischen Armenier womöglich völlig unbekannt.

Die Türkei ist eine multireligiöse Gesellschaft aus verschiedenen Kulturen, die ihre eigenen Traditionen haben. Das Ramadan-Fest und das Opferfest der Muslime, Friedensrituale, Regengebete, *Hıdrellez* und heilige Monate wie Ramadan und *Muharrem* haben unsere Küche bereichert, so zum Beispiel mit *Çöreks*, *Kandil simidi*, *Helva* und *Aşure*. Armenier, Rum (osmanische Griechen), Assyrer und andere Christen bereiten zum Osterfest spezielles Hefegebäck und rote Eier zu. Diese Köstlichkeiten teilen sie mit all ihren Freunden und Nachbarn, unabhängig von deren Religion.

In der Schwarzmeerregion regnet es viel, weshalb die Menschen oft um Sonnenschein beten. In anderen Gegenden wiederum existieren Regenrituale und -gebete. Ein Teller mit Essen, den man einem Nachbarn gegeben hat, wird stets gefüllt zurückgebracht. Einen leeren Teller zurückzugeben, gilt als respektlos. Wohltätigkeit spielt in unserer Gesellschaft eine herausragende Rolle, doch sie muss stillschweigend ausgeführt werden. In der Türkei gibt es eine Vielzahl von Sprichwörtern, in denen sich die Bedeutung des Essens für soziale Beziehungen spiegelt, zum Beispiel „Eine Tasse Kaffee wirkt 40 Jahre fort" oder „Wer satt zu Bett geht, während sein Nachbar hungrig ist, gehört nicht zu uns". Die Wohlhabenden sorgen unauffällig für die Bedürftigen und beschützen sie.

Essen ist der Schlüssel zu unserer Gesellschaft. Auf meinen Reisen verlasse ich oft die ausgetretenen Pfade und probiere authentische Gerichte. So erkunde ich die verschiedenen Regionen der Türkei. Das Essen stellt die Verbindung zu unserer Vergangenheit dar. Alle kulinarischen Traditionen haben ihren Wert. Wir sollten die unterschiedlichen Küchen kennenlernen und sie miteinander verbinden. Bedeutende Ereignisse wie Geburt, Tod und Heirat werden von Speiseritualen geprägt: Kurz vor der Hochzeit findet im Haus der Braut ein Abendessen statt. Dies bedeutet, dass die Braut ihr Schicksal in der Hand hat. Wenn es eine Frau während der Schwangerschaft nach einer bestimmten Speise verlangt, muss sie dieses Gericht unbedingt erhalten, weil der Körper des Kindes sonst ein Geburtsmal aufweisen wird. Junge Mütter werden mit *Kaynar* (Gewürzter Kräutertee, Seite 446) verwöhnt. Der Tee wird auch auf ihren

Bauch aufgetragen und dann wieder abgewaschen. Besuchern bietet man Sorbet und süßes *Kuymak* (Käsefondue) an. *Hedik* (Eintopf aus Vollkornweizen, Seite 329) wird zur Feier des ersten Babyzähnchens zubereitet. Der erste Schritt eines Babys wird *Köstek* genannt. Die Zehen des Babys werden mit einem Faden zusammengebunden, und rund um das Kind legt man Süßigkeiten und Snacks. Die anderen Kinder im Dorf bilden zwei Mannschaften und laufen um die Wette. Die Gewinner dürfen den Faden durchtrennen und das Baby auf die Beine stellen. Und sie bekommen die Süßigkeiten, die dann aber natürlich unter allen aufgeteilt werden. Auch für den ersten Haarschnitt gibt es ein eigenes Ritual. Je nachdem wie reich die Familie ist, wird das Haar gewogen und die entsprechende Menge in Gold, Zucker oder Nüssen verteilt.

Keşkek (Weizen und Lamm, Seite 317) ist ein traditionelles Hochzeitsessen. In Nizip wird ein Bräutigam am Tag der Hochzeit frühmorgens ins Türkische Bad geführt. Später wird Kebab gegessen. Der Bräutigam bringt der Braut Milz und *Küşneme*.

Die Familie und die Nachbarn sorgen gemeinsam für das Essen, wenn jemand gestorben ist. *Helva* (Krümeliges Grießhelva, Seite 408) soll den Verstorbenen ihren Seelenfrieden bringen. An den Gräbern legt man Süßigkeiten in Miniaturhäuschen, die später von Besuchern gegessen werden.

In diesem Buch präsentieren wir traditionelle und regionale Gerichte im geografischen und kulturellen Kontext und hoffen, damit die Aufmerksamkeit türkischer und internationaler Food-Liebhaber zu erregen.

GESCHICHTE

In der Türkei begegnen sich Mittelmeer und Schwarzes Meer, Europa und Naher Osten. Auf drei Seiten ist das Land von Meer umgeben; es spannt eine Brücke zwischen Asien und Europa. Anatolien (Sonnenaufgang oder Osten auf Griechisch) brachte zahllose Zivilisationen hervor. Die Hethiter, Assyrer, Phryger und Römer sowie die Seldschuken, Byzantiner und Osmanen haben diese Region nachhaltig beeinflusst.

1923 wurde die Türkei zur Republik, was zu einem intensiven Austausch mit dem Westen führte. Der wirtschaftliche Schwerpunkt verlagerte sich ganz allmählich von der Landwirtschaft zur Industrie. Während die Türkei ihren festen Platz in der globalisierten Welt einnahm, bewahrte sie zugleich ihre Traditionen. Die Geografie und das Klima prägten die Lebensumstände in den Regionen. In Zentralanatolien fällt wenig Regen, weshalb dort Getreide und Hülsenfrüchte angebaut werden.

Ägäis und Mittelmeer sind mit ihren endlosen Küsten und dem milderen Klima ein beliebtes Ziel für Urlauber. Hier werden Obst und Gemüse kultiviert. Die Schwarzmeerregion mit ihren konstanten Regenfällen versorgt uns mit Fisch, Tee und anderen Produkten. Die Marmararegion mit İstanbul ist industrialisiert und dicht bevölkert.

Ost- und Südostanatolien sind sehr bergig. In der östlichen Mittelmeerregion steht die Viehweidehaltung im Vordergrund. Südostanatolien hat viel zur türkischen Küche beigetragen. Land- und Viehwirtschaft haben hier eine große Bedeutung. Die verschiedenen klimatischen Zonen sorgen für eine Vielzahl unterschiedlicher Produkte und Gerichte.

Fleisch, Getreide, Gemüse und Gebäck bilden das Rückgrat der türkischen Küche. Im Westen wird Fleisch mit Bohnen kombiniert, im Osten dagegen mit aromatischen Kräutern und Getreide. Das auf dem *Saç* gebackene Fladenbrot und die aus *Yufka* zubereiteten Böreks wiederum verbinden alle Regionen miteinander. Der schwarze *Saç* ist ein Kochgerät, das im ganzen Land Verwendung findet. Es ist konkav und wird auch als Wok für *Kavurma* (Lammconfit, Seite 497) eingesetzt. Auch *Külbastı* (Koteletts) lassen sich darauf braten.

Die kulinarische Identität der Türkei basiert auf ihrem reichen Erbe. *Cigköfte* (Tatar), *Halka Tatlısı*, *Hamsili Pilav* (Reis-Pilaw mit Sardellen, Seite 302) und *Frik Pilavı* (Frikeh-Pilaw, Seite 326) haben sich von regionalen zu landesweit beliebten Speisen gewandelt. In den Metropolregionen lassen sich kulinarische Spuren aus allen sieben Regionen des Landes entdecken. Zuwanderer aus kleinen Orten leben in großen Städten gerne in unmittelbarer Nachbarschaft. So gelingt es ihnen, ihre regionale Küche am Leben zu erhalten.

Die geografische Lage prägt den einzigartigen Charakter der türkischen Küche. *Kıyma Kebabı* wurde in *Adana Kebap* (Scharfe Hackfleisch-Kebabs, Seite 206) umbenannt, nachdem aus jener Region zahlreiche Zuwanderer nach İstanbul gekommen waren. *Ciğ Börek* heißt heute *Tatar Böreği* (Frittierte Pastetchen, Seite 342). Die Urbanisierung verändert unsere Kochtraditionen. Wenn wir über unsere kulinarische Kultur sprechen, sollten wir sie nicht national verorten. Denn Essen unterliegt geografischen und nicht nationalen Einflüssen. Ich bezeichne Gerichte ungern als armenisch, türkisch, arabisch, tscherkessisch oder kurdisch. Es ist vielmehr die geografische Lage, die unsere Essgewohnheiten beeinflusst. Bei einem Ortswechsel ändert sich auch die Kultur – sie interagiert mit der bereits vorhandenen Kultur und bereichert sie.

MEINE ANFÄNGE IN DER KÜCHE

Meine Ahnen waren väterlicherseits Bauern, mütterlicherseits Bäcker. Mein Vater kümmerte sich um Pistazien-, Oliven- und Obstbäume. Noch heute erinnere ich mich an den wilden Honig, den ich einmal in einem Pistazienhain probieren durfte. Mein Vater war mein landwirtschaftlicher Lehrmeister, von Pistazien über Oliven bis Käse.

Meine älteren Brüder und ich sind Gastronomen mit Backerfahrung. In meinem Heimatort Nizip bei Gaziantep war das Essen für uns von immenser Bedeutung. In den Bäckereien wurden Brot, verschiedene Pides und Böreks gebacken. Die Einheimischen bereiteten zu Hause Backbleche voll Gebäck zu und brachten es in die Bäckerei, wo es gewürzt und gebacken wurde. Die Füllung für Lahmacun (Würziger Hackfleischfladen, Seite 380) stellte der Metzger her. Zusammen mit anderem Fleisch brachte er sie zum Bäcker, um sie dort backen zu lassen. Wir aßen das Fleisch mit frischem Fladenbrot und Pide. Es gab zahllose Straßenverkäufer, die Kichererbsen in Knochenbrühe kochten und am frühen Morgen vor den Bäckereien verkauften. Die Bäcker wussten, wer in Nizip am besten kochen konnte. Wenn sie von den Speisen, die sie für andere backen sollten, nichts abbekamen, waren sie verärgert.

Die Bäcker, Metzger, Obst- und Gemüsehändler, Kebab-Verkäufer und Konditoren hatten ihre Geschäfte nah beieinander. Geripptes Brot (eine Brotsorte) war unser Grundnahrungsmittel. Es wurde stets frisch gebacken. Mit Zucker, Sesam und hausgemachtem Lammconfit wurde daraus köstliches Pide. Frische Pide tauchte man in Olivenöl und aß es begleitet von einem Glas Milch zum Frühstück. Zum Frühlingsbeginn wurde aus Schafsmilch Frischkäse hergestellt, der ebenfalls zu Pide gereicht wurde. Die Arbeit in der Bäckerei war eine tolle Erfahrung. Die Zutaten, die Menschen und der Austausch mit Kunden ließen mich als Bäcker und als Mensch reifen. Die Bedeutung des Backens für die türkische Küche ist immens.

In der Grundschule verglichen wir öfter das Essen unserer Mütter. Jede Mutter hatte ein Gericht, das sie wirklich gut konnte. Ich hatte mich schon immer für Zutaten und Kochtechniken interessiert. Diese Neugier brachte mich schließlich dazu, mich intensiv mit der Beziehung von Essen und Folklore zu beschäftigen. Als ich historische Quellen über unsere kulinarische Geschichte auswertete, ergab schließlich alles einen Sinn und zeigte die kontinuierliche Entwicklung auf.

1979 kam ich nach İstanbul, um im Restaurant meines Onkels Ismet zu arbeiten. Die Meze, Grill- und Fischgerichte begeisterten mich. Von meinen älteren Brüdern und meinen Onkeln lernte ich viel über die Gastronomie. In den 1980er-Jahren kochten wir mit unterschiedlichen, meist regional erzeugten Zutaten. Die Straßenverkäufer und Restaurants bildeten gemeinsam eine lebendige und authentische Food-Szene, die heute leider nicht mehr existiert. Die regionale Essenskultur meiner Kindheit in Nizip wurde längst durch das Essen in Restaurants ersetzt, die nun regionale Spezialitäten wie geripptes Brot, Pide, Lahmacun, Schafskopf, Linsensuppe, *Karnıyarık* und *Moussaka* servieren. Verbesserte Kommunikationsmöglichkeiten und die Urbanisierung wirkten sich leider nachteilig auf die regionale Küche aus.

Im August fuhren wir immer in das nahe Nizip gelegene Dorf Özyurt zum Traubenpflücken. Wir verbrachten dort einige Tage, bis die Trauben getrocknet waren. Dort stellten wir auch unsere süße *Sucuk* (Scharf gewürzte Salami, Seite 496) und *Pestil* (Fruchtleder, Seite 439) her. Wir kochten *Menemen* (Rühreier mit Gemüse, Seite 116) aus unseren eigenen Tomaten und aus Eiern. Dies war das erste Gericht, das ich selbst zubereitete.

Ich arbeitete in verschiedenen Restaurants, bevor ich 1986 mit vier Freunden ein winziges Lokal eröffnete. Dieser Imbiss mit sechs Tischen wurde später zu Çiya umbenannt und ich wurde der alleinige Inhaber. Begeisterte Gäste erinnern sich noch heute an den schicken Straßenimbiss. Ich kochte für die Gäste, die ihre Gerichte bei klassischer Musik genießen konnten. Eine Frau, die häufig zu uns zum Essen kam, machte eine Bemerkung über die Bezeichnung der *İçli Köfte* (Kibbeh, Seite 184) auf der Speisekarte. Sie behauptete, es müsse richtig *Oruk* heißen. Sofort wusste ich, dass sie aus Antakya kam, da *Oruk* der regionale Name für Kibbeh war. So lernte ich meine Frau Zeynep kennen!

Das Çiya bekam den Ruf, ein kulinarisches Wunderland zu sein, in dem es viel zu entdecken gibt. Ich experimentierte eifrig mit neuen Nahrungsmitteln, las viel und erforschte obskure regionale Gerichte in Anatolien. 1998 eröffneten wir in der gleichen Straße Çiya Sofrası, allerdings mit einem neuen Konzept. Das Çiya Sofrası wurde zum Ziel für alle, die sich für die unbekanntere Küche Südostanatoliens und des östlichen Mittelmeers interessierten. Die Speisen stammten aus einem riesigen Gebiet zwischen Mesopotamien und Anatolien und umfassten u. a. georgische, türkische, arabische, armenische, kurdische, assyrische, tscherkessische und sephardische Gerichte. 2001 eröffneten wir ein größeres Kebab-Restaurant. Inzwischen besitzen wir auch einen Bauernhof, der unsere Restaurants mit frischen Produkten versorgt. Wir bauen Obst und Gemüse an, legen selbst ein und stellen unsere eigenen Tomaten- und Paprikapasten her.

Mein Wissen über die türkische Küche teile ich in Schulen, Universitäten und Gemeinden, nicht nur in der Türkei, sondern auf der ganzen Welt. Seit 2005 gebe ich gemeinsam mit einigen Wissenschaftlern – sie decken die Themen kulinarische Geschichte, Literatur, Etymologie und Volkskunde ab – die Zeitschrift *Yemek ve Kültür* (Essen und Kultur) heraus. Çiya Yayınları ist ein Verlag, der sich auf die Geschichte der Kochkunst spezialisiert hat. Die Çiya Foundation forscht zu unserer Kochkultur und plant, ein kulinarisches Wörterbuch unseres Landes zu erstellen und seine Essenskultur zu dokumentieren.

ÜBER DIESES BUCH

Ich habe lange über ein umfassendes Buch zur türkischen Küche nachgedacht. Als Phaidon wegen dieses Projekts auf mich zukam, nahm ich mit Freude die Gelegenheit wahr, für ein internationales Publikum zu schreiben. Am schwierigsten war für mich die Rezeptauswahl. Ich ergänzte sie durch Speiserituale und volkskundliche Erläuterungen sowie zum Teil durch die türkischen Bezeichnungen. Dieses Buch bietet nur einen Einblick in die türkische Küche. Am meisten Spaß hatte ich bei der Feldforschung. Ich besuchte die Leute in ihrer Küche und kochte für sie, woraufhin sie ebenfalls etwas für mich zubereiteten.

MILCHFREI

GLUTENFREI

ALLES IN EINEM TOPF

VEGAN

V

VEGETARISCH

BIS 30 MINUTEN

BIS ZU 5 ZUTATEN

SUPPEN

SUPPE IN DER TÜRKISCHEN KULTUR

Suppen spielen in der türkischen Kultur eine bedeutende Rolle: Für Feste oder je nach Saison existieren zahlreiche Varianten. Im Çiya haben wir Tausende unterschiedlicher Suppengerichte serviert. Manche sind regional und werden aus Zutaten der Umgebung zubereitet, aber viele Suppen isst man im ganzen Land.

Während meiner Kindheit galt Suppe als typisches Frühstücksgericht. Die Frühstückskultur hat sich in den Städten verändert, die Suppe wurde durch Tee mit Oliven, Käse, *Halva*, Tahin, Rahm, Butter, Eier, Honig, Marmeladen, Tomaten- und Gurkenscheiben, Chili, Kresse, Petersilie und Minze ersetzt. Dieser Trend beeinflusste in etwas geringerem Maße auch die Menschen auf dem Land. Doch die Suppe markiert nicht nur den Tagesbeginn, sondern auch sein Ende. Gerade die Nachtschwärmer lieben die eiweißreiche Kuttelsuppe. Die *Beyran Çorbası* (Suppe mit Lammfleisch und Reis, Seite 42) wird gerne von Frühaufstehern gegessen.

Türkische Suppen werden meist aus Knochenbrühe, Fleischbrühe oder Wasser zubereitet. Doch es gibt auch Rezepte mit Gemüse- oder Hühnerbrühe bzw. Fischfond. Für klare Suppen oder Suppen mit Tomatenmark verwendet man stets Fleisch- oder Hühnerbrühe bzw. Knochenbrühe. Aus einer hausgemachten Brühe wird eine fantastische Suppe. Wenn man der Suppe Milch oder Joghurt zugibt, ist keine Brühe nötig. Die Brühenmenge in den Suppenrezepten sollte immer im Verhältnis 1:2 (1 Teil Brühe : 2 Teile Wasser) verdünnt werden. Bei den Brüherezepten aus dem Kapitel „Vorräte" (Seite 478–497) wird dies ebenfalls erwähnt. Ich empfehle sehr, sich danach zu richten, obwohl man natürlich das Verhältnis ganz nach Belieben anpassen kann.

TARHANA

Der kulinarische Kanon der Türkei umfasst zahlreiche Varianten von *Tarhana* (Seite 503). *Tarhana* wird traditionell im August und September zubereitet und in den Wintermonaten Dezember, Januar und Februar verspeist. Es wird meist in Suppen gegessen oder aber in Pilaw oder Porridge, gegrillt, gebraten, auf Brot, im Salat, als Snack und zu *Frikeh*.

In Suppen verwendet man zwei Sorten von *Tarhana: Diş Tarhanası* (Graupen-Tarhana, Seite 495) und *Un Tarhanası* (Tarhanapulver, Seite 494). Grobes Graupen-*Tarhana* wird aus Bulgur und Joghurt hergestellt. Dazu können *Yarma*, Gerste, Kichererbsen, Linsen, Schwarzaugenbohnen, Dicke Bohnen, grüne Bohnen, Erbsen, Mais und grob gemahlener Reis kommen. Die Zutaten werden mit abgetropftem Joghurt gekocht, dann fermentiert und in verschiedenen Formen getrocknet. *Tarhana* in Pulverform besteht aus Mehl und Joghurt und kann zudem Gerstenmehl, Kichererbsen, Linsenmehl, Polenta, Reismehl und altbackenes Brot enthalten. Die Mischung wird in abgetropftem Joghurt gekocht.

Es gibt unterschiedlichste Aromen, denn außer mit Joghurt kann Tarhana auch mit Sauerrahm, *Çökelek,* Molke und Milch zubereitet werden. Auch Obst kommt zum Einsatz, so z. B. Sauerkirschen, Cranberrys, Hagebutten, Pflaumen, Wildbirne, saurer Apfel, überreifes Obst, Granatapfel oder Sumach. Fleisch und Gemüse werden ebenfalls verwendet: Lammconfit, Trockenfleisch, *Pastırma* (Gepökeltes Rindfleisch, Seite 497) und *Sucuk* (Scharf gewürzte Salami, Seite 494) sowie Kohl, Mangold, Spinat, Brennnessel, Erbsen, grüne Bohnen, Tomaten, Paprika, Zwiebeln, Minze, Dill, Thymian, Chiliflocken oder Paprikapulver. Und es werden verschiedene Fette eingesetzt: Olivenöl, Butter, Fett des Fettschwanzschafs und Nierenfett haben bei der Zubereitung von türkischem *Tarhana* ihren festen Platz.

SUPPE ALS SOZIALES GEDÄCHTNIS

Suppen sind der ganze Stolz der Türken. Eine Schüssel davon macht nicht nur satt, sie verkündet unsere Freude, unsere Trauer und unseren Schmerz und repräsentiert unser Leben. In der Türkei werden die Kranken mit Suppe geheilt und die Armen mit Suppe gespeist. *Tarhanas* (Seite 28), *Paça Çorbasi* (Suppe mit Ziegen- oder Lammfüßen, Seite 44) und *Beyran Çorbasi* (Suppe mit Lammfleisch und Reis, Seite 42) gelten als Erkältungsmittel. *Paça Çorbasi* soll bei Knochenbrüchen helfen. Zucchini-, Kartoffel-Joghurt-Suppe mit Minze, Orzo-Suppe und hausgemachte Nudelsuppe mit Milch gelten als besonders magenfreundlich.

Bei Totenwachen, Hochzeiten und Festen werden Suppen an Arme verteilt. *Bayram Çorbası* (Festsuppe, Seite 41) wird zu besonderen Gelegenheiten zubereitet. Wenn jemand gestorben ist, wird nach alter Tradition zum Wohle des Verstorbenen eine Suppe aus Lamm- oder Ziegenkopf und -füßen gekocht. Die Hinterbliebenen verteilen diese Suppe an mindestens sieben Nachbarn und an die Armen.

Die Menschen unseres Landes haben ein bemerkenswertes Talent dafür, aus nichts etwas Kostbares zu schaffen. Ein gutes Beispiel ist die Suppe mit Innereien. In der Türkei schlachtet man zu religiösen Festen traditionell Tiere als Opfergabe. Kopf, Kutteln, Füße und Innereien sind für viele Menschen nicht von Bedeutung, haben für die Armen aber einen hohen Wert, denn sie kochen daraus eine köstliche Suppe. Ebenso umsichtig verwenden sie Wildkräuter wie *Işkın*, *Gulik*, *Cincar*, *Jağ* und *Labada Doc* oder aber Pilze und Brunnenkresse in Suppen und anderen lokalen Gerichten. Einige Suppenbezeichnungen wie *Dulavrat Çorbası* (Witwensuppe, Seite 23) erinnern an diesen Einfallsreichtum und feiern so zum Beispiel die Kreativität und Findigkeit der Witwe.

Wenn ich eine Weile nicht in meiner Heimat war, möchte ich bei meiner Rückkehr als Erstes eine Suppe essen. Die Suppe nimmt einen zentralen Platz in unserer Kultur ein – und ich vermisse sie am meisten.

ALACA-SUPPE
ALACA ÇORBASI

Herkunft:	Gaziantep, Südostanatolien
Zubereitung:	10 Minuten zzgl. Einweichen über Nacht
Garzeit:	1 Stunde 20 Minuten
Personen:	4

80 g	Bulgur
80 g	ganze rote Linsen
1 (120 g)	mittelgroße Zwiebel, in Ringe geschnitten
2 EL	Kichererbsen, über Nacht eingeweicht und gekocht
¼ TL	gemahlener Kreuzkümmel

Für die Sauce:

60 ml	natives Olivenöl extra
4	Knoblauchzehen, fein gehackt
1 TL	Chiliflocken
1 EL	Tomatenmark (Seite 492)
3 ½ EL	getrockneter Estragon

  V   Seite 21 📷

Diese Wintersuppe verdankt ihren Namen den farbenfrohen Zutaten: *Alaca* bedeutet auf Türkisch „vielfarbig". Wenn ein Mann um die Hand einer Frau anhalten möchte, erwartet seine Familie, dass seine zukünftige Frau diese Suppe zubereitet. Von ihren Kochkünsten hängt es ab, ob sich der Bräutigam weiterhin um sie bemüht – so heißt es zumindest.

◆

Den Bulgur am Vortag in einem Topf mit 500 ml Wasser 5 Minuten köcheln lassen, einen Deckel auflegen und Bulgur über Nacht einweichen.

2 Liter Wasser in einem großen Topf zum Kochen bringen. Linsen und Zwiebeln zugeben und 10 Minuten köcheln lassen. Dann die Hitze reduzieren, einen Deckel auflegen und alles weitere 30 Minuten garen. Bulgur mit Einweichwasser, Kichererbsen, Kreuzkümmel, ¼ Teelöffel frisch gemahlenem Pfeffer und ½ Teelöffel Salz zufügen. Das Ganze erneut zugedeckt 20 Minuten köcheln lassen.

Für die Sauce das Öl bei mittlerer Hitze in einem kleinen Topf heiß werden lassen, den Knoblauch zugeben und 30 Sekunden braten. Chiliflocken und Tomatenmark zufügen, dann weitere 3 Minuten braten. Den Estragon zugeben und 1 weitere Minute braten. Die Sauce zur Suppe gießen und alles 4 Minuten kochen. Suppe in Schüsseln füllen und servieren.

◆

BULGUR-SUPPE
BULGUR AŞI ÇORBASI

Herkunft:	Konya, Zentralanatolien
Zubereitung:	10 Minuten
Garzeit:	35 Minuten
Personen:	4

2 l	Fleischbrühe (Seite 489)
90 g	grober Bulgur
200 g	frischer Spinat
1	Zitrone, geviertelt, zum Servieren

Für die Sauce:

70 g	Butter
60 g	Zwiebel, fein gehackt
4	Knoblauchzehen, fein gehackt
1 EL	Tomatenmark (Seite 492)
½ TL	Chiliflocken
3 ½ EL	getrockneter Estragon (oder 10 g frischer Estragon)

Dies ist eine Suppe für die Wintermonate.

◆

Die Fleischbrühe bei mittlerer Hitze in einem großen Topf mit 1 Teelöffel Salz erhitzen. Die Hitze reduzieren, den Bulgur zugeben und 20 Minuten kochen. Den frischen Spinat in feine Streifen schneiden, in den Topf geben und weitere 10 Minuten kochen.

Für die Sauce die Butter in einem kleinen Topf bei mittlerer Hitze zerlassen. Zwiebel und Knoblauch zugeben und 3 Minuten braten. Tomatenmark, Chiliflocken, ¼ Teelöffel frisch gemahlenen Pfeffer und Estragon zufügen und 2 Minuten braten.

Die Sauce zur Suppe gießen. Die Suppe umrühren und vom Herd nehmen. Mit den Zitronenspalten servieren.

VERMICELLI-SUPPE
TEL ŞEHRİYE ÇORBASI

Herkunft:	Kütahya, alle Landesteile
Zubereitung:	15 Minuten
Garzeit:	35 Minuten
Personen:	4

60 g	Zwiebeln
2	Knoblauchzehen
70 g	Karotten
1	Selleriestange
60 ml	natives Olivenöl extra
1½ TL	Tomatenmark (Seite 492)
2	Lorbeerblätter
1	scharfe Chilischote, zerdrückt
1½ l	Hühnerbrühe (Seite 489), heiß
70 g	Vermicelli (mitteldicke Spaghetti)

10 Stängel	glatte Petersilie
6 Stängel	Dill
1	Zitrone, geviertelt

Manche Köche verfeinern diese Suppe mit dem Fleisch gekochter Hähnchenschenkel samt Kochflüssigkeit. Soll die Suppe als Stärkungsmittel gereicht werden, ersetzt man Chili und Tomatenmark durch je 200 g Erbsen und Kartoffeln.

◆

Zwiebel, Knoblauch, Karotte und Sellerie fein aufschneiden. Das Öl bei mittlerer Hitze in einem großen Topf heiß werden lassen, Zwiebel, Knoblauch, Karotte und Sellerie zugeben und unter gelegentlichem Rühren 5 Minuten anbraten. Tomatenmark, Lorbeerblätter und Chili mit ¼ Teelöffel frisch gemahlenem Pfeffer und ½ Teelöffel Salz zufügen. 1 Minute vermengen und dann die Hühnerbrühe zugießen. Ohne Deckel 5 Minuten kochen. Dann die Hitze reduzieren, einen Deckel auflegen. Die Suppe weitere 10 Minuten köcheln lassen. Die Vermicelli zugeben, 10 Minuten köcheln lassen und Topf vom Herd nehmen.

Die Lorbeerblätter mit einem Schaumlöffel entfernen. Die Suppe in Servierschüsseln füllen. Petersilie und Dill fein hacken und darüberstreuen. Mit Zitronenspalten servieren.

◆

NUDELSUPPE
KESME ÇORBASI

Herkunft:	Bingöl, Ostanatolien
Zubereitung:	5 Minuten
Garzeit:	1 Stunde
Personen:	4

80 g	schwarze Linsen (Belugalinsen)
60 g	Butter
1 (120 g)	mittelgroße Zwiebel, fein gehackt
½ TL	Chiliflocken
1½ TL	Tomatenmark (Seite 492)
4 TL	getrocknetes rotblättriges Basilikum
	(oder 6 Stängel frisches rotblättriges Basilikum)
2 l	Gemüsebrühe (Seite 488), heiß
80 g	Hausgemachte Nudeln (Seite 493)

Diese Wintersuppe wird meist mit Bohnen, Lammconfit und Joghurt serviert.

◆

Die Linsen in einem großen Topf mit 500 ml Wasser 15 Minuten kochen. Dann abseihen und beiseitestellen.

Die Butter bei mittlerer Hitze in einem großen Topf zerlassen. Zwiebeln und Linsen zugeben und 5 Minuten braten. Chiliflocken, Tomatenmark und Basilikum mit 1½ Teelöffel Salz zufügen und unter ständigem Rühren weitere 2 Minuten braten. Die Gemüsebrühe zugießen und die Hitze reduzieren. Einen Deckel auflegen und die Suppe 30 Minuten köcheln lassen. Den Deckel abnehmen, die hausgemachten Nudeln zugeben und weitere 10 Minuten köcheln lassen. Suppe heiß servieren.

V

SAURE SUPPE
EKŞİLİ ÇORBA

Herkunft:	Kastamonu, Schwarzmeerregion
Zubereitung:	10 Minuten
Garzeit:	45 Minuten
Personen:	4

80 g	Butter
100 g	Pfifferlinge, fein gehackt
80 g	dunkler, grober Bulgur
½ TL	Chiliflocken
1 TL	getrockneter Oregano
2 l	Gemüsebrühe (Seite 488), heiß
25 g	Fruchtleder (Trockenpflaumen) oder
	2 EL Saurer Pflaumenextrakt (Seite 491)
1 TL	getrocknete Ringelblumenblütenblätter
	zum Servieren

Diese wärmende Suppe wird durch im Herbst gesammelte Pilze verfeinert. Für die Sommervariante lässt man Butter und Pfifferlinge weg. Wer will, kann Zwiebeln und Knoblauch zugeben.

◆

Die Butter bei mittlerer Hitze in einem großen Topf zerlassen. Die Pfifferlinge zugeben und 5 Minuten anbraten. Bulgur, Chiliflocken und Oregano mit ¼ Teelöffel frisch gemahlenem Pfeffer und 1 ½ Teelöffel Salz zufügen und weitere 10 Minuten braten. Die Hitze reduzieren, die Brühe zugießen, Fruchtleder oder Pflaumenextrakt zugeben und die Suppe 30 Minuten köcheln lassen. Vor dem Servieren mit Ringelblumenblütenblättern bestreuen.

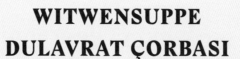

WITWENSUPPE
DULAVRAT ÇORBASI

Herkunft:	Adana, Mittelmeerregion
Zubereitung:	10 Minuten zzgl. Einweichen über Nacht
Garzeit:	55 Minuten
Personen:	4

4 EL	grüne Linsen, über Nacht eingeweicht
2 EL	natives Olivenöl extra
60 g	Zwiebeln, fein gehackt
4	Knoblauchzehen, fein gehackt
1	Mangoldblatt, fein gehackt
1 TL	Chiliflocken
2 TL	getrocknete Minze
¼ TL	gemahlener Kreuzkümmel
1 EL	Tomatenmark (Seite 492)
2 EL	Kichererbsen, über Nacht eingeweicht
	und gekocht
60 ml	Bitterorangensaft (Pomeranzensaft)
70 g	Hausgemachte Nudeln (Seite 493)

V

Der Name dieser Wintersuppe soll sich auf eine arme Witwe beziehen, die aus ihren mageren Vorräten köstliche Suppen für ihre Gäste zaubern konnte. Dies ist eine Ode an ihr Können.

◆

Die grünen Linsen abseihen. 20 Minuten in einem Topf mit köchelndem Wasser garen, bis sie weich sind. Abseihen und beiseitestellen.

Das Öl bei mittlerer Hitze in einem großen Topf heiß werden lassen. Zwiebel und Knoblauch zugeben und 3 Minuten anbraten. Mangold, Chiliflocken, Minze, Kreuzkümmel und Tomatenmark mit ¼ Teelöffel frisch gemahlenem Pfeffer und 1 Teelöffel Salz zufügen und 4 Minuten braten. Kichererbsen, grüne Linsen und 1,5 Liter heißes Wasser zugeben und alles 15 Minuten köcheln lassen. Bitterorangensaft und Nudeln zufügen und weitere 10 Minuten kochen. Suppe heiß servieren.

TOMATENSUPPE
DOMATES ÇORBASI

Herkunft:	Aydın, alle Landesteile
Zubereitung:	15 Minuten
Garzeit:	1 Stunde 5 Minuten
Personen:	4

500 g	Tomaten, geviertelt
1 (80 g)	kleine Zwiebel, geviertelt
1 (20 g)	Chilischote, geviertelt
60 ml	natives Olivenöl extra
70 g	Mittelkornreis
2	Knoblauchzehen, in dünne Scheiben geschnitten
½ TL	Chiliflocken
2 EL	Honig
6 Stängel	glatte Petersilie
4 Scheiben	Toastbrot, geröstet

V   Seite 25

Dieses Gericht eignet sich besonders für den Sommer, da dann die Tomaten am besten schmecken. Es gibt Varianten ohne Reis, mit Butter angedickt und mit Käse oder Tomatensaft aromatisiert.

♦

Den Backofen auf 200 °C vorheizen. Tomaten, Zwiebel und Chili gleichmäßig auf einem Backblech verteilen. Mit 2 Esslöffel Öl beträufeln und mit ½ Teelöffel Salz bestreuen. Gemüse 30 Minuten im Backofen rösten.

Das geröstete Gemüse im Mixer zu einer feinen Paste verarbeiten oder von Hand fein hacken.

Das restliche Öl bei mittlerer Hitze in einem Topf heiß werden lassen. Reis, Knoblauch und Chiliflocken mit ½ Teelöffel frisch gemahlenem Pfeffer zugeben und 1 Minute braten. Das zerkleinerte Gemüse mit ½ Teelöffel Salz zufügen. Unter ständigem Rühren 10 Minuten braten.

Die Hitze reduzieren, 1,5 Liter heißes Wasser zugießen und Suppe 20 Minuten kochen, bis sie andickt. Topf vom Herd nehmen, den Honig zugeben und gut vermengen.

Die Toastbrotscheiben würfeln. Die Suppe in Servierschüsseln füllen und mit Petersilie und Croûtons garnieren.

♦

ISOT-PFEFFERSUPPE
İSOT ÇORBASI

Herkunft:	Diyarbakır, Südostanatolien
Zubereitung:	10 Minuten
Garzeit:	30–45 Minuten
Personen:	4

100 g	kleine scharfe rote Chilischoten (rundlich)
300 g	kleine rote Paprikaschoten
2 (240 g)	mittelgroße Zwiebeln, geviertelt
200 g	Tomaten
60 ml	natives Olivenöl extra
6	Knoblauchzehen, fein gehackt
80 g	grober Bulgur
2 EL	Traubensirup
2 EL	Traubenessig
2 TL	getrocknetes Basilikum (oder 5 Stängel frisches Basilikum, fein gehackt)

Im Winter isst man diese Suppe warm, im Sommer dagegen kalt. Wer keinen Holzkohlegrill zur Hand hat, kann das Gemüse ebenso gut im Backofen grillen.

♦

Chilis, Paprikaschoten, Zwiebelviertel und Tomaten auf Spieße stecken und von jeder Seite 3 Minuten über der Holzkohle schwarz rösten. Oder im Backofen bei 200 °C 15 Minuten grillen. In eine Papiertüte geben, die Tüte dicht verschließen und das Gemüse 5 Minuten ruhen lassen. Dann die angeschwärzten Stellen abkratzen, die Samen entfernen und das Gemüse fein aufschneiden.

Das Öl bei mittlerer Hitze in einem großen Topf heiß werden lassen, den Knoblauch zugeben und 15–20 Sekunden anbraten. Den Bulgur zufügen und 4 Minuten braten. Gemüse zugeben und 3 Minuten sautieren. ¼ Teelöffel frisch gemahlenen Pfeffer, 1 Teelöffel Salz und 2 Liter heißes Wasser zugeben und die Hitze reduzieren. Einen Deckel auflegen und alles 10 Minuten köcheln lassen. Traubensirup und -essig zugießen, erneut den Deckel auflegen und Suppe weitere 7 Minuten köcheln lassen. Die Suppe in Servierschüsseln füllen und mit Basilikum garnieren.

SUPPE MIT TRAUBENSIRUP
DIMS ÇORBASI (ÜZÜM PEKMEZİ ÇORBASI)

Herkunft:	Adıyaman, Südostanatolien
Zubereitung:	1 Stunde 30 Minuten zzgl.
	Einweichen über Nacht
Garzeit:	1 Stunde 40 Minuten
Personen:	4

120 g	Bulgur
30 g	Kichererbsen
60 g	Butter
40 g	Sultaninen
1 TL	gemahlene Gewürznelken
½ TL	gemahlener Zimt
1 TL	gemahlener Piment
60 ml	Traubensirup
2 EL	Sesamsaat, geröstet und gemahlen

V

Diese schlichte, nahrhafte Suppe wird im Winter oft für Kinder und junge Mütter gekocht. Sie schmeckt warm ebenso gut wie kalt und passt perfekt als Beilage zu gebratenen Bulgurbällchen.

◆

Den Bulgur am Vortag in einem Topf mit 500 ml köchelndem Wasser 5 Minuten garen. Einen Deckel auflegen, Topf vom Herd nehmen und Bulgur über Nacht stehen lassen. Die Kichererbsen in einer anderen Schüssel über Nacht in Wasser einweichen.

Am nächsten Tag den eingeweichten Bulgur abseihen. Die Kichererbsen abspülen und in einem Topf mit reichlich Salzwasser 1 Stunde kochen. Danach abgießen.

Die Butter bei mittlerer Hitze in einem großen Topf zerlassen. Den Bulgur zugeben und 2 Minuten braten. Sultaninen, Nelken, Zimt und Piment mit 1 Teelöffel Salz zufügen und 1 Minute braten. Die Hitze reduzieren und 1,5 Liter heißes Wasser zugießen. Die Kichererbsen zugeben, einen Deckel auflegen und alles 20 Minuten kochen. Den Traubensirup zugießen und weitere 10 Minuten kochen. Vor dem Servieren die Suppe mit Sesamsaat bestreuen.

◆

RÜBENSUPPE
ÇELEM (ŞALGAM) ÇORBASI

Herkunft:	Erzurum, Ostanatolien
Zubereitung:	15 Minuten
Garzeit:	40 Minuten
Personen:	4

60 g	Butter
60 g	Zwiebel, fein gehackt
5	Knoblauchzehen, fein gehackt
1 TL	Chiliflocken
1	Karotte (70 g), gerieben
300 g	Speiserübe, gerieben
70 g	Bohnenmehl (oder 70 g getrocknete
	Cannellini-Bohnen, zerdrückt)
250 ml	Essigwasser (Seite 451)

80 g	*Kaymak* (Seite 486)
10 Stängel	glatte Petersilie
10 Stängel	Koriander

❀ V

Diese Suppe wird gerne im Winter gegessen, so wie auch andere Gerichte mit der schlichten Speiserübe. Wer diese Suppe nicht zubereiten kann, gilt nicht als echter Einheimischer.

◆

Die Butter bei mittlerer Hitze in einem großen Topf zerlassen. Zwiebel und Knoblauch zugeben und 2 Minuten anbraten. Die Chiliflocken mit ¼ Teelöffel frisch gemahlenem Pfeffer und 1 Teelöffel Salz zufügen. Geriebene Karotte und Speiserübe ausdrücken und zugeben. Unter ständigem Rühren 5 Minuten braten. 2 Liter heißes Wasser zugießen und Suppe 5 Minuten kochen. Dann die Hitze reduzieren, einen Deckel auflegen und alles weitere 10 Minuten kochen. Das Gemüse danach mit einem Holzlöffel zerdrücken.

Das Bohnenmehl mit dem Essigwasser vermengen und zur Suppe geben. Ohne Deckel 10 Minuten kochen.

Suppe in Servierschüsseln füllen und mit einem Klecks *Kaymak* und etwas fein gehackter Petersilie und Koriander garnieren.

BLATTKOHLSUPPE
KARALAHANA ÇORBASI

Herkunft:	Rize, Schwarzmeerregion
Zubereitung:	15 Minuten
Garzeit:	50 Minuten
Personen:	4

50 g	Nierenfett (möglichst getrocknet und geräuchert) oder anderes Fett
2	Lammknochen mit Mark, im Ofen geröstet und halbiert
4	Knoblauchzehen, fein gehackt
60 g	Zwiebel, fein gewürfelt
70 g	grober Maisgrieß
50 g	Borlotti-Bohnen, gekocht
300 g	Blattkohl
2 Stängel	Ringelblume oder Basilikum

Für die Sauce:	
30 g	Butter
2	Knoblauchzehen, gehackt
2 TL	getrocknete Minze
½ TL	Chiliflocken

Diese Wintersuppe wird traditionell mit geräuchertem Nierenfett zubereitet. Sie wird manchmal püriert oder mit Joghurt, Mehl und oder einer Mehlschwitze verfeinert.

◆

Das Nierenfett bei mittlerer Hitze in einem großen Topf heiß werden lassen, die Lammknochen zugeben und 2 Minuten anbraten. Knoblauch und Zwiebel zufügen und 3 Minuten braten. Maisgrieß und die Borlotti-Bohnen zugeben und 2 Minuten braten. 2 Liter kochendes Wasser zugießen, dann die Hitze reduzieren, einen Deckel auflegen und alles 30 Minuten köcheln lassen.

Inzwischen den Blattkohl in einem anderen Topf in kochendem Wasser 5 Minuten blanchieren. Abseihen und den Kochsud wegschütten.

Blattkohl hacken. Ringelblumen- oder Basilikumblätter fein schneiden. ¼ Teelöffel frisch gemahlenem Pfeffer und 1 Teelöffel Salz zur Suppe geben und 10 Minuten bei niedriger Hitze köcheln lassen.

Für die Sauce die Butter bei mittlerer Hitze in einem kleinen Topf zerlassen. Knoblauch, Minze und Chiliflocken zugeben und 10 Minuten braten.

Die Suppe in Servierschüsseln füllen, die Sauce unterrühren und servieren.

◆

KNOLLENSELLERIESUPPE
KEREVİZ ÇORBASI

Herkunft:	İzmir, Ägäisregion
Zubereitung:	15 Minuten
Garzeit:	35 Minuten
Personen:	4

400 g	Knollensellerie
60 g	Zwiebel
3	Knoblauchzehen
70 g	Karotten
2 EL	natives Olivenöl extra
1	getrockneter, langer grüner Pfeffer, zerdrückt
100 g	abgetropfter Joghurt
10 Stängel	Dill, fein geschnitten

Für die Sauce:	
2 EL	natives Olivenöl extra
2	Knoblauchzehen, gehackt
2 TL	getrocknete Minze

Diese Wintersuppe gilt als Magenheilmittel.

◆

Sellerie, Zwiebel, Knoblauch und Karotten fein hacken. Das Öl bei mittlerer Hitze in einem großen Topf heiß werden lassen. Sellerie, Zwiebel, Knoblauch, Karotten und Pfeffer zugeben. Mit ¼ Teelöffel frisch gemahlenem Pfeffer und 1 Teelöffel Salz würzen und 5 Minuten braten. 1,5 Liter heißes Wasser zugießen und die Hitze reduzieren. Einen Deckel auflegen und Gemüse 20 Minuten kochen. Anschließend mit einer Gabel fein zerdrücken.

Inzwischen den Joghurt in einem kleinen Topf mit 500 ml kaltem Wasser vermengen. Bei mittlerer Hitze 10 Minuten unter ständigem Rühren in die gleiche Richtung erhitzen. Sobald der Joghurt zu kochen beginnt, zur Suppe geben und 2 Minuten köcheln lassen. Dann Topf vom Herd nehmen.

Für die Sauce das Öl bei mittlerer Hitze in einem großen Topf heiß werden lassen, den Knoblauch zugeben und 5 Minuten anbraten. Die Minze zufügen und 5 Sekunden braten.

Die Sauce in die Suppe einrühren. Die Suppe mit Dill garnieren und servieren.

BULGUR-TARHANA-SUPPE
DÖVME TARHANA ÇORBASI

Herkunft:	Kahramanmaraş, alle Landesteile
Zubereitung:	10 Minuten zzgl. Einweichen über Nacht
Garzeit:	45 Minuten
Personen:	4

150 g	Graupen-Tarhana (Seite 495), über Nacht eingeweicht
2 EL	Kichererbsen, über Nacht eingeweicht und gekocht
1 (200 g)	Speiserübe, geschält und fein gewürfelt

Für die Sauce:

70 g	Ziegenbutter
5	Knoblauchzehen, zerdrückt
2 TL	getrocknete Minze
2 TL	Chiliflocken

V

Seite 29

Zu diesem beliebten Erkältungsmittel erzählt man sich folgende Geschichte. Nach einem Streit mit seiner Frau ging ein Mann in die Stadt. Seine Frau setzte eine Suppe mit Joghurt und Bulgur an. Bei seiner Rückkehr schüttete sie verärgert die Suppe auf den mit Binsen bedeckten Boden. Später stellte sie fest, dass die eingetrocknete Suppe nun besser schmeckte. In einer anderen Geschichte verlangt ein Sultan nach dieser Suppe, bevor er nach Maraş aufbricht. Die Einheimischen schütteten in Erinnerung an den Sultan die Suppe über die Binsen zum Trocknen. Seitdem heißt sie *Tarhana*.

♦

Tarhana abseihen, in eine Schüssel geben und 5 Minuten kneten. Mit 2 Liter Wasser in einen Topf geben, Kichererbsen, ¼ Teelöffel frisch gemahlenen Pfeffer und ½ Teelöffel Salz zufügen. Bei mittlerer Hitze 10 Minuten kochen. Die Hitze reduzieren, die Speiserübe zufügen und 30 Minuten köcheln lassen, bis die Suppe andickt.

Für die Sauce die Butter in einem Topf zerlassen, den Knoblauch zugeben und 5 Minuten braten. Minze und Chiliflocken zufügen und weitere 5 Sekunden braten.

Die Suppe in Servierschüsseln füllen. Zum Servieren mit der Sauce beträufeln.

♦

SUPPE MIT TARHANA-PULVER
TOZ TARHANA ÇORBASI

Herkunft:	Çorum, Schwarzmeerregion
Zubereitung:	10 Minuten
Garzeit:	30 Minuten
Personen:	4

30 g	Butter
60 g	Zwiebel, fein gehackt
1	milde grüne Spitzpaprika, fein gehackt
2	Knoblauchzehen, zerdrückt
200 g	Tomaten, fein gehackt
1½ TL	Tomatenmark (Seite 492)
½ TL	Chiliflocken
1,5 l	Hühnerbrühe (Seite 489)
70 g	*Tarhana*-Pulver (Seite 494)
1 TL	getrocknete Minze
2 EL	frisch gepresster Zitronensaft

Ein typisches Wintergericht. Tarhana-Pulver ist im türkischen und arabischen Lebensmittelgeschäft erhältlich.

♦

Die Butter bei mittlerer Hitze in einem großen Topf zerlassen. Zwiebel, Paprika und Knoblauch zugeben und 2 Minuten anbraten. Tomaten, Tomatenmark und Chiliflocken zufügen und weitere 3 Minuten braten. Die Hühnerbrühe zugießen und vermengen. Tarhana-Pulver in kleinen Mengen unter Rühren zugeben. Die Hitze reduzieren, Minze und Zitronensaft mit ½ Teelöffel Salz zufügen und die Suppe unter ständigem Rühren 20 Minuten köcheln lassen. Heiß servieren.

SPINATSUPPE
ISPANAK ÇORBASI

Herkunft:	Sinop, Schwarzmeerregion
Zubereitung:	10 Minuten zzgl. Einweichen über Nacht
Garzeit:	45 Minuten–1½ Stunden für die Bohnen, 30 Minuten für die Suppe
Personen:	4

100 g	Borlotti-Bohnen, über Nacht eingeweicht
300 g	frische Spinatblätter, gewaschen, trocken getupft und fein gehackt
2 EL	Butter
4	Knoblauchzehen, zerdrückt

Für die Sauce:	
1	Ei
150 g	abgetropfter Joghurt

Für die Garnierung:	
2 EL	Butter
2 TL	getrocknete Minze
½ TL	Chiliflocken

❧ V

Diese herbstliche Suppe lässt sich mit frischem oder getrocknetem Spinat zubereiten. Ohne Butter ist sie etwas leichter.

◆

Die Borlotti-Bohnen abseihen und in einem Topf mit köchelndem Wasser 45 Minuten bis 1½ Stunden (je nach Bohnenalter) garen, bis sie weich sind. Abseihen, pürieren und beiseitestellen.

Einen großen Topf bei mittlerer Hitze 1 Minute erhitzen. Den Spinat hineingeben, einen Deckel auflegen und Gemüse 10 Minuten dämpfen.

Die Butter bei mittlerer Hitze in einem anderen Topf zerlassen, den Knoblauch zugeben und 10 Sekunden anbraten. Bohnenmus und Spinat zufügen. 3 Minuten braten. 1 Liter Wasser mit 1¼ TL Salz zugießen. Weitere 10 Minuten köcheln lassen.

Für die Sauce 500 ml Wasser in einem großen Topf mit Ei und abgetropftem Joghurt 1 Minute gründlich verquirlen. Bei mittlerer Hitze unter ständigem Rühren in die gleiche Richtung zum Kochen bringen. Damit der Joghurt nicht gerinnt, muss unbedingt umgerührt werden. Sobald die Mischung kocht, weitere 2 Minuten kochen und dann zur Suppe gießen. Weitere 3 Minuten kochen und Topf anschließend vom Herd nehmen.

Für die Garnierung die Butter in einem Topf zerlassen. Minze und Chiliflocken zugeben und 5 Minuten braten.

Die Suppe auf Servierschüsseln verteilen, mit der Garnierung beträufeln und heiß servieren.

◆

BRENNNESSELSUPPE
ÇİNÇAR ÇORBASI

Herkunft:	Artvin, Schwarzmeerregion
Zubereitung:	5 Minuten
Garzeit:	20 Minuten
Personen:	4

300 g	frische Brennnesseln, gewaschen und fein geschnitten
40 g	Mehl
80 g	Blauschimmelkäse
1	Ei
2 EL	Butter

V ⏳

Çinçar ist die Bezeichnung für Brennnesseln. Den im Schatten wachsenden Exemplaren wird eine besondere Heilkraft bei Lungenerkrankungen nachgesagt. Dies ist eine typische Herbst- und Wintersuppe.

◆

1 Liter Wasser in einem großen Topf bei mittlerer Hitze zum Kochen bringen. Brennnesseln und Mehl zugeben und unter ständigem Rühren 10 Minuten kochen. Den Blauschimmelkäse zufügen. Falls er recht salzig ist, die Suppe nicht salzen. Ansonsten 1¼ Teelöffel Salz zugeben. Unter Rühren weitere 5 Minuten kochen und dann vom Herd nehmen.

Das Ei in einer Schüssel verquirlen. Langsam 2 Esslöffel Suppe unter das Ei rühren. Dann die Mischung nach und nach in die Suppe einrühren.

Die Butter in einem warmen Topf 1 Minute zerlassen. Die Suppe in Servierschüsseln füllen, mit der heißen Butter beträufeln und servieren.

SUPPE MIT AMPFER
TİRŞİK (YILAN PANCARI) ÇORBASI

Herkunft:	Osmaniye, Mittelmeerregion
Zubereitung:	10 Minuten zzgl. 2 Tage Fermentieren
Garzeit:	2 Stunden 15 Minuten
Personen:	4

40 g	Kichererbsen
120 g	Bulgur
600 g	Sauerampfer (oder Spinat oder Mangold), fein gehackt
100 g	Mehl
120 ml	Sumachextrakt (Seite 491)
2 EL	natives Olivenöl extra

In der Türkei wird das giftige Wildkraut *Yilan Pancari* (eine Art Krauser Ampfer) verwendet, das auch „Schlangenbete" genannt wird. Die Schlange überträgt ihr Gift angeblich auf das Kraut. Die Einheimischen kennen unzählige Namen und Zubereitungsarten für das Frühlingskraut. Am Schwarzen Meer nennt man es *Livik*, *Nivik* oder *Mivik*, in Ostanatolien *Gari*, in Südostanatolien *Yilan Pancari*, an der Ägäis *Yilan Yastığı*. Die Zubereitungsschritte müssen unbedingt alle befolgt werden, um die Pflanze bekömmlich zu machen. In Deutschland kommt diesem Ampfer geschmacklich der ungiftige Sauerampfer am nächsten.

◆

Einen Topf mit 4 Liter Wasser füllen. Kichererbsen, Bulgur und Sauerampfer zugeben. 5 Minuten kochen und dann Topf vom Herd nehmen.

Die Suppe mit Mehl bestreuen und einen Deckel auflegen. Den Topf komplett in ein Handtuch wickeln. Bei Zimmertemperatur 2 Tage fermentieren.

Danach den Deckel abnehmen und 90 Prozent des Mehls, das eine rahmähnliche Schicht bildet, abschöpfen.

1¼ Teelöffel Salz und Sumachextrakt zugeben und Deckel auflegen. Suppe bei mittlerer Hitze 10 Minuten kochen. Hitze reduzieren und alles 2 Stunden köcheln lassen.

Das Öl in einem kleinen Topf heiß werden lassen. Die Suppe damit übergießen und anschließend servieren.

◆

SUPPE MIT BRUNNENKRESSE
SU TERESİ ÇORBASI

Herkunft:	Bilecik, Marmararegion
Zubereitung:	10 Minuten
Garzeit:	40 Minuten
Personen:	4

100 g	Dicke Bohnen, enthülst
60 g	Zwiebel, fein gehackt
3	Knoblauchzehen, zerdrückt
¼ TL	gemahlener Kreuzkümmel
¼ TL	*Poy*-Paste(Seite 502), nach Belieben
300 g	frische Brunnenkresse
2 EL	frisch gepresster Zitronensaft

Für die Sauce:	
2 EL	natives Olivenöl extra
2	Knoblauchzehen, zerdrückt
½ TL	Chiliflocken

Brunnenkresse wächst im Frühjahr in Bächen. Sie schmeckt nicht nur pur, sondern wird auch in Suppen, Salaten und Sorbets verarbeitet.

◆

2 Liter Wasser in einem großen Topf bei mittlerer Hitze zum Kochen bringen. Dicke Bohnen, Zwiebel, Knoblauch, Kreuzkümmel und *Poy* (nach Belieben) mit 1 Teelöffel Salz zugeben. Einen Deckel auflegen und das Ganze bei niedriger Hitze 30 Minuten kochen, bis die Bohnen zu Mus zerfallen sind. Die Brunnenkresse fein hacken und mit dem Zitronensaft zufügen. Suppe weitere 5 Minuten kochen und Topf dann vom Herd nehmen.

Für die Sauce das Öl bei mittlerer Hitze in einem kleinen Topf heiß werden lassen. Knoblauch und Chiliflocken zugeben und 5 Sekunden anbraten.

Suppe in Servierschüsseln füllen und mit Sauce beträufelt servieren.

PUMPUM-SUPPE
PUMPUM ÇORBASI

Herkunft:	Bartın, Schwarzmeerregion
Zubereitung:	5 Minuten
Garzeit:	20 Minuten
Personen:	4

30 g	Butter
80 g	Polenta
1,5 l	Fleischbrühe (Kalb oder Lamm, Seite 489), heiß

Für die Garnierung:
200 g	Brot, getoastet
30 g	Butter
80 g	Pastırma (Gepökeltes Rindfleisch, Seite 497), fein gewürfelt
½ TL	Chiliflocken

Seite 33

Pumpum ist eindeutig onomatopoetisch. Der Teig ist recht flüssig, sogar ein wenig flüssiger als Pfannkuchenteig. Man taucht beide Hände hinein und wenn die Stückchen auf das heiße Öl treffen, klingt das eindeutig wie „pum".

Die Butter in einem Topf bei mittlerer Hitze zerlassen. Die Hitze reduzieren, die Polenta zugeben und 5 Minuten anbraten. Die heiße Brühe zugießen. Nicht salzen, falls das *Pastırma* recht salzig ist. Ansonsten 1¼ Teelöffel Salz zugeben. 10 Minuten kochen. Dabei ständig umrühren, damit sich keine Klümpchen bilden.

Für die Garnierung das getoastete Brot würfeln (5 mm große Croûtons). Die Butter in einem kleinen Topf bei mittlerer Hitze zerlassen. *Pastırma*, Chiliflocken und Croûtons zugeben und 2 Minuten braten.

Die Suppe auf Servierschüsseln verteilen und mit der Garnierung bestreuen.

HOCHZEITSSUPPE
DÜĞÜN ÇORBASI

Herkunft:	Afyon, alle Landesteile
Zubereitung:	5 Minuten
Garzeit:	2 Stunden 30 Minuten
Personen:	4

500 g	Lammnacken mit Knochen
60 g	Zwiebel, grob gehackt
40 g	Butter
2 gehäufte EL	Mehl
1 TL	Chilipulver

Für die Sauce:
1	Ei
50 g	abgetropfter Joghurt

Diese Suppe ist Standard in traditionellen Restaurants. In manchen Regionen verteilt man sie nach dem Freitagmorgengebet in der Moschee an die Armen. Die Zubereitung der Brühe braucht etwas Zeit. Schneller geht es mit einem Schnellkochtopf (ca. 50 Minuten für 2 Liter Wasser).

3,5 Liter Wasser, Lammnacken, Zwiebel und 2 Teelöffel Salz in einem sehr großen Topf bei mittlerer Hitze zum Kochen bringen. 5 Minuten kochen und dabei den Schaum abschöpfen. Auf niedrige Hitze reduzieren und ohne Deckel 2 Stunden kochen.

Den Lammnacken herausnehmen und zum Abkühlen beiseitestellen. Die Brühe aufbewahren. Das Fleisch in Stücken vom Knochen lösen. Die Butter in einem Topf bei mittlerer Hitze zerlassen. Das Mehl einrühren und 3 Minuten anbraten. Das Chilipulver zugeben und 10 Sekunden braten. Die Lammbrühe zugießen und verquirlen. Die Hitze reduzieren, das Fleisch und ¼ Teelöffel frisch gemahlenen Pfeffer zufügen und 10 Minuten kochen.

Für die Sauce Ei und Joghurt verquirlen. Dann 2 Esslöffel Suppe zugeben. Dabei kräftig umrühren, damit der Joghurt nicht gerinnt.

Die Sauce langsam in den Topf gießen. Die Suppe weitere 2 Minuten unter ständigem Rühren kochen. Sofort servieren.

JOGHURTSUPPE
ZOZAN (YAYLA) ÇORBASI

Herkunft:	Kars, alle Landesteile
Zubereitung:	5 Minuten
Garzeit:	40 Minuten
Personen:	4

1 l	Fleischbrühe (Seite 489)
100 g	Mittelkornreis
120 g	abgetropfter Joghurt
50 g	Butter
2 TL	getrocknete Minze

Diese Suppe wird auch kalt als Sommersuppe gegessen.

◆

Brühe und Reis in einem Topf zum Kochen bringen. Temperatur auf niedrige Hitze reduzieren, einen Deckel auflegen und Reis 25 Minuten köcheln lassen.

Den abgetropften Joghurt in einem anderen Topf bei mittlerer Hitze mit 1 Liter Wasser vermengen und zum Kochen bringen. Langsam und unter ständigem Rühren in den ersten Topf füllen, bis alles gut vermengt ist. 1¼ Teelöffel Salz und ¼ Teelöffel frisch gemahlenen Pfeffer zugeben. Die Suppe 5 Minuten kochen.

Die Butter in einem kleinen Topf bei mittlerer Hitze zerlassen. Die Minze zufügen, 10 Sekunden anbraten und dann das Gemisch zur Suppe geben. Weitere 5 Minuten kochen. Suppe heiß servieren.

◆

JOGHURT-LINSEN-SUPPE
PESKÜTAN (PESKİTAN)

Herkunft:	Sivas, Zentralanatolien
Zubereitung:	10 Minuten zzgl. Einweichen über Nacht
	zzgl. 2 Stunden Einweichen
Garzeit:	50 Minuten
Personen:	4

100 g	Bulgur
30 g	grüne Linsen
1	Lammknochen mit ein wenig Fleisch (80 g), geröstet
100 g	Peskütan (abgetropfter Joghurt mit Çökelek), Butter entfernt, mit Weizenmehl Type 1050 angedickt

Für die Sauce:	
60 g	Butter
60 g	Zwiebel, fein gewürfelt
2 TL	getrocknete Minze

Diese Suppe wird traditionell am Begräbnistag der Familie des Verstorbenen gebracht. Wer keinen Lammknochen zur Hand hat, kann stattdessen eine Knochenbrühe verwenden: Dafür 200 ml Knochenbrühe (Seite 490) zugeben und die Wassermenge auf 1,5 Liter reduzieren. *Peskütan* ist eine Art *Çökelek* (Trockener Hüttenkäse, Seite 484) aus Sivas und Umgebung. Dazu wird Ayran (Seite 452) gekocht und abgeseiht. Falls *Peskütan* nicht erhältlich ist, kann man es durch 50 g abgetropften Joghurt und 100 g *Lor* (Frischer Molkenkäse, Seite 485) ersetzen, die 2 Minuten mit 1 Esslöffel Mehl vermengt werden.

◆

Am Vortag den Bulgur 5 Minuten in 500 ml Wasser köcheln lassen. Zugedeckt über Nacht einweichen.

Am nächsten Tag die Linsen 2 Stunden in 250 ml Wasser einweichen. Linsen und Bulgur getrennt abseihen und beiseitestellen.

Linsen, Lammknochen und 1¼ Teelöffel Salz bei mittlerer Hitze in einem Topf mit 2,25 Liter Wasser 20 Minuten kochen. Mit einem Schaumlöffel den Schaum abschöpfen. Den Bulgur zugeben und weitere 10 Minuten kochen.

Peskütan und Wasser in einem anderen Topf 5 Minuten verquirlen. 2 Minuten unter ständigem Rühren in eine Richtung bei mittlerer Hitze kochen. Zur Suppe geben und weitere 8 Minuten kochen. Dabei immer in eine Richtung rühren.

Für die Sauce die Butter in einem Topf bei mittlerer Hitze zerlassen. Die Zwiebel zugeben und 1½ Minuten anbraten. Die Minze zufügen und 10 Sekunden braten. Die Sauce zur Suppe gießen und die Suppe servieren.

SUPPE MIT TROCKENJOGHURT UND LINSEN
ÇORTAN ÇORBASI

Herkunft:	Şanlıurfa, Südostanatolien
Zubereitung:	10 Minuten zzgl. 1 Stunde Einweichen
Garzeit:	50 Minuten
Personen:	4

70 g	Keş (Kaschk, Seite 485)
150 g	geschälte rote Linsen
40 g	getrocknete Schwarzaugenbohnen

Für die Sauce:	
50 g	Butterschmalz (Seite 485)
½ TL	Hanfsamen
1 (120 g)	mittelgroße Zwiebel, fein gehackt
2	Knoblauchzehen, fein gehackt
½ TL	Chiliflocken

4 Stängel	frischer Koriander, fein gehackt
1 Stängel	Basilikum, fein gehackt

❈ V

Das auch als *Kurut*-Suppe bezeichnete *Keş* (Kaschk, Seite 485) ist ein Produkt aus getrocknetem Joghurt, das in arabischen Lebensmittelgeschäften oder online erhältlich ist. Mit seinem säuerlichen Aroma ist es besonders bei Schwangeren beliebt. Es wird Suppen, Ayran (Seite 452) und anderen Gerichten zugesetzt und gilt als heilsam. Im Sommer isst man es kalt, im Winter warm mit Butter.

◆

Das *Keş* in 500 ml Wasser 1 Stunde einweichen, bis es sich auflöst. Dann beiseitestellen.

Linsen und Schwarzaugenbohnen in einem Topf mit 1,5 Liter Wasser bei mittlerer Hitze 5 Minuten kochen. Den Schaum mit einem Schaumlöffel abschöpfen. Die Hitze reduzieren, einen Deckel auflegen und alles 25 Minuten köcheln lassen. Das aufgelöste *Keş* und 1 Teelöffel Salz (kein Salz verwenden, falls das *Keş* bereits salzig ist) zugeben und weitere 10 Minuten kochen.

Für die Sauce das Butterschmalz in einem kleinen Topf bei mittlerer Hitze zerlassen, die Hanfsamen zugeben und 10 Sekunden anbraten. Zwiebel und Knoblauch zugeben und 3 Minuten braten. Die Chiliflocken zufügen und weitere 10 Sekunden braten.

Die Sauce zur Suppe gießen und die Suppe 5 Minuten kochen.

Die Suppe in Servierschüsseln füllen und mit frischem Koriander und Basilikum bestreut servieren.

◆

JOGHURT-BULGUR-SUPPE
AYRAN AŞI ÇORBASI

Herkunft:	Van, Ostanatolien
Zubereitung:	10 Minuten zzgl. Einweichen über Nacht
Garzeit:	40 Minuten
Personen:	4

100 g	Bulgur
250 g	abgetropfter Joghurt
1 (120 g)	Zucchino, fein gewürfelt
1 EL	Mehl (nach Belieben)
300 g	Spinat, fein gehackt
½ Bund	frischer Koriander, fein gehackt

V

Dieses Rezept kann man je nach Saison mit Zucchini oder frischen Chilis zubereiten. In manchen Gegenden ersetzt man den frischen Koriander durch Minze. Die Suppe schmeckt warm ebenso gut wie kalt – für die kalte Version wird das Mehl weggelassen.

◆

Am Vortag den Bulgur 5 Minuten in einem Topf mit 500 ml Wasser köcheln lassen, dann einen Deckel auflegen und über Nacht einweichen.

Am nächsten Tag den Bulgur abseihen und beiseitestellen.

Joghurt und 1,5 Liter Wasser in einem großen Topf gründlich verquirlen. Bulgur und Zucchini zugeben und bei mittlerer Hitze 20 Minuten kochen. Nach Belieben Mehl zugeben und gut vermengen. Den Spinat und 1¼ Teelöffel Salz zufügen und alles weitere 10 Minuten kochen. Zum Schluss den frischen Koriander unterrühren und die Suppe servieren.

SUPPE AUS ZERDRÜCKTEN LINSEN
SÜZME MERCİMEK ÇORBASI

Herkunft:	Eskişehir, alle Landesteile
Zubereitung:	10 Minuten
Garzeit:	45 Minuten
Personen:	4

150 g	halbe gelbe Linsen, gewaschen
100 g	Kartoffeln, geviertelt
1 (120 g)	mittelgroße Zwiebel, geviertelt
½ TL	gemahlener Kreuzkümmel
½ TL	gemahlene Kurkuma
¼ TL	weißer Pfeffer
1	Zitrone, geviertelt

Für die Sauce:	
2 EL	natives Olivenöl extra
¼ TL	weißer Pfeffer
1 TL	Paprikapulver

💧 🌿 💧 V Seite 37

Diese Suppe ist im ganzen Land beliebt. Traditionell isst man eine kleine Portion zu Beginn einer Mahlzeit – im Gegensatz zu manch anderen Suppen, die eher als Hauptgericht gelten. Statt kochendem Wasser kann man auch Rinder-, Hühner- oder Gemüsebrühe verwenden.

◆

1 Liter Wasser, Linsen, Kartoffeln und Zwiebel mit 1 Teelöffel Salz in einem großen Topf bei mittlerer Hitze zum Kochen bringen und 10 Minuten kochen. Die Hitze reduzieren und alles weitere 25 Minuten köcheln lassen, bis die Suppe andickt. Den Schaum mit einem Schaumlöffel abschöpfen.

Vom Herd nehmen und das Gemüse zerdrücken. 1 Liter kochendes Wasser, Kreuzkümmel, Kurkuma und weißen Pfeffer zugeben und 1 Minute verquirlen. Topf erneut auf den Herd stellen und Suppe weitere 5 Minuten kochen.

Für die Sauce das Öl bei mittlerer Hitze in einem großen Topf heiß werden lassen. Weißen Pfeffer und Paprikapulver zufügen und 5 Sekunden anbraten.

Die Sauce in die Suppe träufeln und die Suppe sofort mit Zitronenvierteln garniert servieren.

◆

SAURE LINSENSUPPE
EKŞİLİ MALHUTA ÇORBA

Herkunft:	Kilis, Südostanatolien
Zubereitung:	10 Minuten
Garzeit:	1 Stunde 5 Minuten
Personen:	4

100 g	rote Linsen, gewaschen
1 (120 g)	mittelgroße Zwiebel
6	Knoblauchzehen
50 g	grober Bulgur
100 g	Aubergine
1½ TL	getrocknete Minze
¼ TL	gemahlener Kreuzkümmel
150 g	frischer Spinat
2 EL	frisch gepresster Zitronensaft

Für die Sauce:	
2 EL	natives Olivenöl extra
1 TL	Chiliflocken
1½ TL	Tomatenmark (Seite 492)

💧 💧 V

Eine wärmende Suppe für die Herbst- und Wintermonate. In der Türkei erzählt man sich, dass es bald schneit, wenn man diese Suppe kocht und sie an die Armen verteilt.

◆

2,25 Liter Wasser und die Linsen in einem großen Topf bei mittlerer Hitze zum Kochen bringen und 5 Minuten kochen. Den Schaum mit einem Schaumlöffel abschöpfen. Die Hitze reduzieren und Suppe 30 Minuten köcheln lassen. Zwiebel und Knoblauch fein hacken und mit dem Bulgur in den Topf geben.

Die Aubergine fein würfeln und mit Minze und Kreuzkümmel in den Topf geben. Mit ¼ Teelöffel frisch gemahlenem Pfeffer würzen und Suppe 20 Minuten kochen. Den Spinat fein hacken und mit dem Zitronensaft zugeben. Mit 1 Teelöffel Salz würzen und weitere 5 Minuten kochen.

Für die Sauce das Öl bei mittlerer Hitze in einem kleinen Topf heiß werden lassen. Chiliflocken und Tomatenmark zugeben und 2 Minuten anbraten.

Die Sauce zur Suppe geben, 1 Minute vermengen und die Suppe dann servieren.

SUPPE DER BRAUT EZO

EZO GELİN ÇORBASI

Herkunft:	Kilis, Südostanatolien
Zubereitung:	10 Minuten
Garzeit:	1 Stunde
Personen:	4

200 g	rote Linsen

Für die Sauce:	
2 EL	natives Olivenöl extra
1 (120 g)	mittelgroße Zwiebel, fein gehackt
6	Knoblauchzehen, fein gehackt
1 TL	Chiliflocken
2 TL	getrocknete Minze
1 EL	Tomatenmark (Seite 492)
1	Zitrone, in Spalten geschnitten

💧 🌿 ♦ V   Seite 39

Diese ursprünglich südostanatolische Suppe wurde im ganzen Land unter dem Namen *Ezo Gelin* bekannt: Ezo musste einige Zeit im Krankenhaus verbringen. Gegen Ende ihres Aufenthalts hatte sie genug vom schlecht gewürzten Essen und kochte deshalb diese Suppe, die im Süden mit Bulgur oder Reis und Fleischbrühe zubereitet wird.

♦

1,5 Liter Wasser und die Linsen in einem Topf bei mittlerer Hitze zum Kochen bringen und 10 Minuten kochen. Den Schaum mit dem Schaumlöffel abschöpfen. Die Hitze reduzieren, einen Deckel auflegen und 30 Minuten köcheln lassen. 1 Liter kochendes Wasser, 1 Teelöffel Salz und ¼ Teelöffel frisch gemahlenen Pfeffer zugeben. Weitere 10 Minuten unter ständigem Quirlen köcheln lassen.

Für die Sauce das Öl bei mittlerer Hitze in einem Topf heiß werden lassen. Zwiebel und Knoblauch zugeben und 3 Minuten anbraten. Chiliflocken und Minze zufügen und 10 Sekunden braten. Die Tomatenmark zugeben und 1 Minute braten.

Die Sauce zur kochenden Suppe geben, weitere 2 Minuten kochen, dann den Topf vom Herd nehmen.

Die Suppe in Schüsseln füllen und mit Zitronenspalten servieren.

♦

WEIßE MAISSUPPE

AK MISIR ÇORBASI

Herkunft:	Ordu, Schwarzmeerregion
Zubereitung:	5 Minuten
Garzeit:	50 Minuten
Personen:	4

120 g	grober Maisgrieß
100 g	Weißkohl, fein gehackt
375 ml	Milch

Für die Sauce:	
2	getrocknete Chilischoten, fein gehackt
2	Knoblauchzehen
30 g	Walnusskerne
6 Stängel	frischer Koriander, fein gehackt
40 g	Butter

🌿 V

Diese Suppe ist ein winterliches Allheilmittel.

♦

Maisgrieß, Kohl, 1 Prise frisch gemahlenen Pfeffer und 1½ Teelöffel Salz mit 2 Liter Wasser bei niedriger Hitze in einem großen Topf heiß werden lassen. Einen Deckel auflegen und 40 Minuten köcheln lassen.

Die Milch in einem kleinen Topf fast zum Kochen bringen. Dann in den Suppentopf gießen und alles weitere 5 Minuten unter ständigem Rühren köcheln lassen.

Für die Sauce Chili, Knoblauch, Walnüsse und Koriander in einem Mörser mit dem Stößel 3 Minuten zu einer Paste verarbeiten.

Die Butter in einem kleinen Topf bei mittlerer Hitze zerlassen. Die Chilimischung zur heißen Butter geben und 10 Sekunden anbraten.

Die Sauce zur Suppe geben und die Suppe servieren.

KICHERERBSENSUPPE
NOHUT ÇORBASI

Herkunft:	İstanbul, alle Landesteile
Zubereitung:	5 Minuten zzgl. Einweichen über Nacht
Garzeit:	1 Stunde 30 Minuten für die Kichererbsen,
	20 Minuten für die Suppe
Personen:	4

200 g	Kichererbsen, über Nacht eingeweicht
1,5 l	Hühnerbrühe (Seite 489), kochend
¼ TL	gemahlener Kreuzkümmel
½ TL	gemahlene Kurkuma
1 EL	gemahlener Sumach

Für die Sauce:	
50 g	Butter
6	Knoblauchzehen, zerdrückt
½ TL	Chiliflocken

Während einer Dürre hoffen die Menschen auf Regen. Symbolisch wird Kichererbsensuppe auf die trockenen Felder geschüttet, um den Regen anzulocken. Bei einer Rezeptvariante verwendet man ganze Kichererbsen.

♦

Die Kichererbsen abseihen und in einem Topf mit köchelndem Wasser 1 Stunde 30 Minuten garen, bis sie weich sind. Abseihen und beiseitestellen, bis sie kühl genug zum Anfassen sind. Dann die Kichererbsen schälen.

Die Kichererbsen in einen Topf geben, 500 ml kochende Hühnerbrühe zugießen und die Kichererbsen zerdrücken. Restliche Brühe, Kreuzkümmel und Kurkuma mit 1 Teelöffel Salz zufügen. Suppe 5 Minuten bei mittlerer Hitze unter Rühren kochen. Temperatur auf niedrige Hitze reduzieren und die Suppe weitere 5 Minuten verquirlen.

Für die Sauce die Butter in einem kleinen Topf bei mittlerer Hitze zerlassen. Den Knoblauch zugeben und 1 Minute anbraten, dann die Chiliflocken zufügen und weitere 5 Sekunden braten.

Die Suppe auf Servierschüsseln verteilen, mit der Sauce beträufeln und mit Sumach bestreuen.

♦

ÄGYPTISCHE KRÄUTERSUPPE
MÜHLİYE ÇORBASI

Herkunft:	Mersin, Mittelmeerregion
Zubereitung:	10 Minuten
Garzeit:	45 Minuten
Personen:	4

2 EL	natives Olivenöl extra
1 (120 g)	mittelgroße Zwiebel, fein gehackt
5	Knoblauchzehen, fein gehackt
¾ EL	Tomatenmark (Seite 492)
½ TL	Chiliflocken
2	sonnengetrocknete Tomaten
1	getrocknete Chilischote
80 g	grober Bulgur
30 g	getrocknetes *Molokhia* (Seite 502), zerbröselt
	(oder 300 g frisches *Molokhia*)
¼ TL	gemahlener Kreuzkümmel
2 EL	frisch gepresster Zitronensaft

Das im Nahen Osten *Molokhia* (*Mühliye* Seite 502) genannte Kraut wird in einer Vielzahl von Gerichten verwendet. Die Sklaven im Ägypten der Pharaonen sollen auf der Flucht dieses Kraut bei sich getragen haben, weshalb es heute auch als „Pharaokraut" bekannt ist und Gesundheit und langes Leben garantieren soll.

♦

Das Öl bei mittlerer Hitze in einem großen Topf heiß werden lassen. Zwiebel und Knoblauch zugeben und 3 Minuten anbraten. Tomatenmark und Chiliflocken zufügen. Sonnengetrocknete Tomaten und Chili fein hacken, dann in den Topf geben und 3 Minuten braten. Den Bulgur zufügen und unter ständigem Rühren 2 Minuten braten.

Wenn frisches *Molokhia* verwendet wird, waschen und fein hacken. *Molokhia* zufügen und unter ständigem Rühren 3 Minuten braten.

2 Liter heißes Wasser, Kreuzkümmel und Zitronensaft mit ¼ Teelöffel frisch gemahlenem Pfeffer und 1 Teelöffel Salz zugeben. Dann Suppe 10 Minuten unter gelegentlichem Rühren kochen. Die Hitze reduzieren und weitere 20 Minuten köcheln lassen.

Die Suppe in Schüsseln füllen und servieren.

BULGUR-KICHERERBSEN-SUPPE
TOYGA ÇORBASI

Herkunft:	Çankırı, Zentralanatolien
Zubereitung:	5 Minuten zzgl. Einweichen über Nacht
Garzeit:	1 Stunde 30 Minuten für die Bohnen,
	30 Minuten für die Suppe
Personen:	4

100 g	Bulgur
1 EL	getrocknete Cannellini-Bohnen
30 g	Rosinen
100 g	abgetropfter Joghurt
2 EL	Kichererbsen, über Nacht eingeweicht
	und gekocht
50 g	Butter
2 TL	getrocknete Minze

V

Toyga Çorbası ist eines der Grundnahrungsmittel in Zentralanatolien. Sie wird in Çankırı auch auf Hochzeitsfeiern serviert und dann stets mit Rosinen zubereitet.

◆

Am Vortag den Bulgur in 500 ml Wasser 5 Minuten köcheln lassen. Dann einen Deckel auflegen, Topf vom Herd ziehen und Bulgur über Nacht einweichen. Zugleich die Bohnen und Rosinen in je eine Schüssel mit Wasser legen und über Nacht einweichen.

Am nächsten Tag Bulgur, Bohnen und Rosinen getrennt abseihen. Bohnen in einem Topf mit Wasser 1 Stunde 30 Minuten weich köcheln. Abseihen und beiseitestellen.

Den Joghurt in einem großen Topf mit 2 Liter Wasser gründlich vermengen. Bulgur, Bohnen, Rosinen, Kichererbsen, ¼ Teelöffel frisch gemahlenen Pfeffer und 1¼ Teelöffel Salz zugeben. Bei mittlerer Hitze unter kräftigem Rühren 5 Minuten kochen, damit der Joghurt nicht gerinnt. Hitze reduzieren und Suppe 20 Minuten köcheln lassen.

Die Butter in einem kleinen Topf zerlassen. Die Minze zufügen, 10 Sekunden anbraten und Gemisch zur Suppe geben. Weitere 5 Minuten kochen und dann servieren.

◆

FESTSUPPE (SÜSSE SUPPE)
BAYRAM ÇORBASI (TATLI ÇORBA)

Herkunft:	Sivas, Zentralanatolien
Zubereitung:	10 Minuten zzgl. Einweichen über Nacht
Garzeit:	1 Stunde 30 Minuten für die Bohnen,
	35 Minuten für die Suppe
Personen:	4

80 g	Bulgur
2 EL	getrocknete Cannellini-Bohnen
2 EL	Kichererbsen, über Nacht eingeweicht und gekocht
1	Zimtstange
50 g	Walnusskerne, grob gehackt
100 g	getrocknete Aprikosen, fein gewürfelt
60 g	Sultaninen
4	getrocknete Feigen, fein gewürfelt

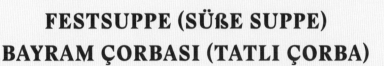

Diese zentralanatolische Suppe wird warm oder kalt gegessen und traditionell vor dem Lammconfit an *Eid-al-Adha* (*Kurban Bayramı* Seite 501) gereicht. Auch der Name der Suppe soll aus dieser Region stammen.

◆

Am Vortag den Bulgur in einem Topf mit 500 ml Wasser 5 Minuten köcheln lassen. Dann Topf vom Herd nehmen, einen Deckel auflegen und Bulgur über Nacht einweichen. Zugleich die Bohnen über Nacht in einer Schüssel mit Wasser einweichen.

Die Bohnen am nächsten Tag abseihen. In einem Topf mit Wasser 1 Stunde 30 Minuten köcheln lassen, bis sie weich sind. Abseihen und beiseitestellen.

Einen großen Topf bei mittlerer Hitze heiß werden lassen. 1,5 Liter heißes Wasser, Kichererbsen, Bohnen, Bulgur, Zimtstange und ½ Teelöffel Salz zugeben. Sobald das Wasser kocht, die Hitze reduzieren, einen Deckel auflegen und alles 20 Minuten köcheln lassen. Walnusskerne, Aprikosen, Sultaninen und Feigen zufügen und weitere 15 Minuten köcheln lassen. Die Zimtstange entfernen und Suppe zum Servieren in Schüsseln füllen.

SUPPE MIT LAMMFLEISCH UND REIS
BEYRAN ÇORBASI

Herkunft:	Gaziantep, Südostanatolien
Zubereitung:	10 Minuten
Garzeit:	2 Stunden 10 Minuten
Personen:	4

1 (600 g)	Lammhaxe mit Knochen, gewaschen
80 g	Mittelkornreis
40 g	Nierenfett oder anderes Fett
6	Knoblauchzehen, zerdrückt
1 TL	Chiliflocken
2 EL	frisch gepresster Zitronensaft zum Servieren

Seite 43

Dieses typische Frühstück kann man aus Resten zubereiten. Dazu Butter, Knoblauch, Chiliflocken, Reis und Fleisch (in dieser Reihenfolge) 5–10 Sekunden scharf anbraten und kochende Fleischbrühe zugießen. 1 Minute kochen und dann servieren.

◆

Die Lammhaxe in einem Topf mit 4 Liter Wasser bei mittlerer Hitze zum Kochen bringen und 5 Minuten kochen. Den Schaum abschöpfen. Die Hitze reduzieren, einen Deckel auflegen und das Fleisch 2 Stunden köcheln.

Inzwischen den Reis in einem Topf mit 500 ml Wasser 30 Minuten kochen. Abseihen und beiseitestellen.

Die Lammhaxe aus dem Topf nehmen und die Fleischbrühe aufbewahren. Das Lammfleisch in großen Stücken vom Knochen lösen. Das Nierenfett bei mittlerer Hitze in einem Topf zerlassen. Den Knoblauch zugeben und 5 Sekunden anbraten, dann die Chiliflocken zufügen und 5 Sekunden braten. Fleischbrühe, Lammfleisch, Reis, ¼ Teelöffel frisch gemahlenen Pfeffer und 1 Teelöffel Salz zugeben und 5 Minuten kochen. Die Hitze reduzieren und alles weitere 5 Minuten köcheln lassen.

Suppe in Schüsseln füllen und mit Zitronensaft verfeinern.

◆

SUPPE MIT LAMMHIRN
TERBİYELİ BEYİN ÇORBASI

Herkunft:	Manisa, Ägäisregion
Zubereitung:	15 Minuten zzgl. 1 Stunde Einweichen,
Garzeit:	40 Minuten
Personen:	4

4 (300 g)	Lammhirne
4	Lorbeerblätter
6	schwarze Pfefferkörner
1	unbehandelte Zitrone, halbiert und entkernt
2	Knoblauchzehen
90 g	frische Erbsen, enthülst
100 g	Joghurt
30 g	Mehl
1	Eigelb
2 EL	frisch gepresster Zitronensaft

Für die Sauce:	
10 Stängel	glatte Petersilie
4 Stängel	Dill
1	getrocknete Chilischote
2	Knoblauchzehen
2 EL	Traubenessig
2 EL	natives Olivenöl extra

Jedes türkische Kind wächst in dem Glauben auf, durch diese Suppe schlauer zu werden.
◆
Die Lammhirne 1 Stunde in 2 Liter kaltes Wasser legen. Abseihen und säubern. 2 Liter Wasser, Lorbeerblätter, schwarze Pfefferkörner, Zitronenhälften und ½ Teelöffel Salz bei mittlerer Hitze in einem Topf zum Kochen bringen. Die Lammhirne zugeben und 20 Minuten kochen. Den Schaum abschöpfen. Die Lammhirne mit dem Schaumlöffel herausheben und beiseitestellen.

Den Knoblauch mit ½ Teelöffel Salz im Mörser zerstoßen. 1 Lammhirn zugeben und zu einer Paste verarbeiten. In die Lammbrühe einrühren und 5 Minuten kochen. Lorbeerblätter und Zitronenhälften mit dem Schaumlöffel entfernen. Die Erbsen zugeben und 5 Minuten bei mittlerer Hitze kochen.

Joghurt, Mehl, Eigelb und Zitronensaft verquirlen. Einen Schöpflöffel Suppe zugeben und gründlich vermengen. Mischung langsam in die Suppe gießen und stetig in eine Richtung umrühren. 5 Minuten kochen, dann die Hitze reduzieren. Die restlichen Lammhirne würfeln und zur Suppe geben. Weitere 5 Minuten köcheln lassen.

Für die Sauce Petersilie und Dill hacken und mit Chili und Knoblauch im Mörser fein zerstoßen. Essig und Öl einrühren. Sauce zur Suppe gießen und sofort servieren.

KUTTELSUPPE
İŞKEMBE ÇORBASI

Herkunft:	Ankara, alle Landesteile
Zubereitung:	30 Minuten
Garzeit:	1 Stunde 50 Minuten
Personen:	4

700 g	Kutteln, gewaschen
500 g	Markknochen
1 (120 g)	mittelgroße Zwiebel, geviertelt
5	schwarze Pfefferkörner
1	Gewürznelke
2	Knoblauchzehen
1 (70 g)	Karotte, halbiert
2	Lorbeerblätter
1 Scheibe	altbackenes Brot
1	unbehandelte Zitrone, halbiert und entkernt

Für die Sauce:	
3 EL	Butter

2 EL	Traubenessig
6	Knoblauchzehen, gehackt
1 TL	rosenscharfes Paprikapulver

Seite 45

So manche lange Nacht in der *Meyhane* (Seite 502) endet mit einer Kuttelsuppe. Traditionell verwendet man Kutteln und Knochen vom Wasserbüffel, aber Schaf oder Lamm sind ein guter Ersatz.

◆

Kutteln und Knochen mit 1,5 Liter Wasser in einem Topf bei mittlerer Hitze zum Kochen bringen und 5 Minuten kochen. Abseihen und Kutteln und Knochen in kaltem Wasser waschen. Wieder in den Topf geben, 4 Liter Wasser, Zwiebel, schwarze Pfefferkörner, Gewürznelke, Knoblauch, Karotte, Lorbeerblätter, Brot und Zitronenhälften zufügen und 5 Minuten kochen. Den Schaum mit einem Schaumlöffel abschöpfen. Die Hitze reduzieren, einen Deckel auflegen und die Suppe 1½ Stunden kochen.

Die Kutteln mit dem Schaumlöffel herausnehmen und dann fein würfeln. Die Knochen aus der Suppe nehmen, das Mark herauskratzen und beiseitestellen. Die Brühe abseihen, wieder in den Topf gießen und bei niedriger Hitze erneut zum Kochen bringen.

Die Kutteln zur Brühe geben, 5 Minuten kochen und dann die Suppe vom Herd nehmen.

Für die Sauce bei mittlerer Hitze einen kleinen Topf heiß werden lassen. Butter und Mark darin 2 Minuten zerlassen.

Die Suppe mit 1 Teelöffel frisch gemahlenem Pfeffer würzen. Essig, Knoblauch und Paprikapulver dazu servieren. Alle können ihre Suppe nach Belieben selbst mit der Sauce verfeinern.

◆

SUPPE MIT ZIEGEN- ODER LAMMFÜßEN
PAÇA ÇORBASI

Herkunft:	Yalova, alle Landesteile
Zubereitung:	10 Minuten
Garzeit:	1 Stunde 45 Minuten
Personen:	4

8 (1 kg)	Ziegen- oder Lammfüße, gewaschen
5	schwarze Pfefferkörner
2 EL	frisch gepresster Zitronensaft
1 (120 g)	mittelgroße Zwiebel, geviertelt
2 Scheiben	altbackenes Brot
2 EL	Butter
2 EL	Traubenessig
8	Knoblauchzehen, gehackt
1	unbehandelte Zitrone, geviertelt

Diese Suppe soll gebrochene Knochen heilen. Wer will, kann das Fleisch vor dem Servieren vom Knochen lösen.

◆

Die Füße in einem Topf mit 2 Liter Wasser bei mittlerer Hitze zum Kochen bringen. 5 Minuten kochen und dann abseihen. Füße, 4 Liter Wasser, 1 Teelöffel Salz, schwarze Pfefferkörner, Zitronensaft und Zwiebel in den Topf geben. 5 Minuten kochen und dabei den Schaum mit einem Schaumlöffel abschöpfen. Die Hitze reduzieren, das Brot zufügen, Deckel auflegen und Suppe 1½ Stunden kochen.

Suppe abseihen und die Brühe aufbewahren. Zwiebel und Brot entfernen und wegwerfen. Die Brühe erneut in einem Topf zum Kochen bringen. Die Füße wieder zur Suppe geben. Die Butter bei mittlerer Hitze in einem kleinen Topf zerlassen und dann zur Suppe geben.

Die Suppe in Schüsseln füllen. In jede Schüssel ein wenig Essig und Knoblauch geben und Zitronenviertel dazu servieren.

SUPPEN

KNURRHAHN-FISCHSUPPE
ÇARPANA (İSKORPİT) ÇORBASI

Herkunft:	Giresun, Schwarzmeerregion
Zubereitung:	20 Minuten
Garzeit:	45 Minuten
Personen:	4

1 (400 g)	Knurrhahn oder ein anderer Fisch mit festem weißem Fleisch
150 g	Kartoffeln, geschält
1 (120 g)	mittelgroße Zwiebel, geviertelt
1 (70 g)	Karotte, geschält
4	Lorbeerblätter
6	schwarze Pfefferkörner
4	Fenchelsamen
10	Stängel glatte Petersilie
1	unbehandelte Zitrone, halbiert und entkernt
4	Knoblauchzehen, in feinen Scheiben
2 EL	natives Olivenöl extra
1	getrocknete Chilischote, zerdrückt

Seite 47

Manche essen diese Suppe lieber püriert. In der Türkei wird diese Suppe mit dem Feuerfisch zubereitet. Der Stich dieses Fischs fühlt sich wie ein elektrischer Schlag an!

♦

Den Fisch filetieren, das Fleisch in 5 mm große Würfel schneiden und beiseitestellen.

Kopf, Gräten und Haut des Fischs in einem Topf mit 1,5 Liter Wasser bedecken. Kartoffeln, Zwiebel, Karotte, Lorbeerblätter, schwarze Pfefferkörner, Fenchelsamen, 5 Stängel Petersilie, 1 Zitronenhälfte und die Hälfte des Knoblauchs sowie ½ Teelöffel Salz zugeben. Bei mittlerer Hitze zum Kochen bringen und 5 Minuten kochen. Den Schaum mit einem Schaumlöffel abschöpfen. Hitze reduzieren, einen Deckel auflegen und die Suppe 20 Minuten köcheln lassen. Abseihen und den Fond aufbewahren. Die Karkasse in eine Schüssel, Kartoffeln und Karotte in eine andere Schüssel legen. Das Fleisch ablösen und beiseitestellen. Das Gemüse zerdrücken.

Das Öl bei mittlerer Hitze in einem Topf heiß werden lassen, restlichen Knoblauch zugeben und 10 Sekunden anbraten. Gemüse zugeben und 1 Minute braten. Fond zugießen und gründlich verquirlen. Die Hitze reduzieren und Fischfleischwürfel, Chili und ½ Teelöffel Salz zufügen. 10 Minuten unter ständigem Rühren köcheln lassen. Suppe vom Herd nehmen und 5 Minuten ziehen lassen.

In Schüsseln füllen und vor dem Servieren mit Petersilienblättchen und 1 Spritzer Zitronensaft garnieren.

♦

WELSSUPPE
YAYIN BALIĞI ÇORBASI

Herkunft:	Erzincan, Ostanatolien
Zubereitung:	15 Minuten
Garzeit:	35 Minuten zzgl. 5 Minuten Ruhezeit
Personen:	4

500 g	Renekloden oder saure Pflaumen
2 EL	Walnussöl
4	Frühlingszwiebeln, fein gehackt
6	Knoblauchzehen, zerdrückt
400 g	Welsfilet, gesäubert und gewürfelt

Für die Sauce:	
300 g	Walnusskerne, gehackt
10 Stängel	glatte Petersilie, gehackt
10 Stängel	Basilikum, gehackt

Dieser Süßwasserfisch lebt in großer Zahl im Euphrat. Wels wird gebraten, als Kebab oder Confit zubereitet oder in Salz eingelegt.

♦

1 Liter Wasser und Renekloden bei mittlerer Hitze in einem Topf zum Kochen bringen. Einen Deckel auflegen und Obst 20 Minuten kochen. Dann abkühlen lassen und die Steine herausdrücken. Die Renekloden in einem Sieb zerdrücken, den Saft abseihen und beiseitestellen.

Das Öl bei mittlerer Hitze in einem Topf heiß werden lassen. Frühlingszwiebeln und Knoblauch zugeben und 3 Minuten anbraten. 1 Liter Wasser zugießen, mit 1 Teelöffel Salz und ¼ Teelöffel frisch gemahlenem Pfeffer würzen und zum Kochen bringen. Den Reneklodensaft zugießen, einen Deckel auflegen und alles 2 Minuten kochen. Den Wels zugeben und 8 Minuten kochen. Dann den Topf vom Herd nehmen.

Für die Sauce Walnüsse, Petersilie und Basilikum in einem Mörser mit dem Stößel zu einer feinen Paste zerstoßen.

Die Sauce zur Suppe gießen und vorsichtig vermengen. Suppe 5 Minuten ziehen lassen und dann servieren.

SALATE
&
VORSPEISEN

KALTE GERICHTE IN DER TÜRKEI

Dieses Kapitel umfasst verschiedene Vorspeisen- und Beilagenrezepte. Die Salate und Dips sollten stets erfrischend sein. Man könnte sie zwar als „Meze" bezeichnen, würde damit aber einen wichtigen Aspekt vernachlässigen: Meze gelten in der türkischen Gesellschaft als typische *Meyhane*-Gerichte (Wein- und Rakı-Bar, in der kleine traditionelle Speisen serviert werden), also kalte Gerichte mit Olivenöl.

Garten-, Gurken- und Tomatensalate, *Piyaz* (Zwiebelsalate), Bulgur- und Gemüsesalate, Joghurtgerichte und Tsatsiki, Pasten und Eingelegtes sind typische Beilagen der türkischen Küche. Und Gemüsegerichte wie *Humus* (Hummus, Seite 72), *Fava* (Dicke-Bohnen-Paste, Seite 76) und *Topik* (Seite 85) werden als eigenständige Mahlzeiten gereicht. An heißen Tagen servieren wir erfrischende Gerichte, die sich oft auf den Speisekarten türkischer Badehäuser finden, wie z. B. *Kaşik Salatasi* (Löffelsalat, Seite 59), *Bat* (Linsen-Walnuss-Salat, Seite 88), *Batırık* (Bulgur-Paprika-Dip, Seite 87) und *Kisir* (Taboulé, Seite 88). Diese kalten Gerichte werden jeweils mit Brot, Olivenöl, Oliven und Käse serviert. Die Rezepte sind nur saisonal zubereitet sinnvoll. Beispielsweise würde in der Türkei niemand Eingelegtes im Sommer essen. Ich bin sehr dafür, dass man sich eine Weile nach einem Gericht sehnt und sich ein wenig in Geduld üben muss, wenn die Zutaten nicht ständig verfügbar sind. Warten Sie lieber, bis die Zutaten zur Saison ihr intensivstes Aroma entfalten.

EINGELEGTES

Zum Einlegen nimmt man rohes oder gekochtes Gemüse, Obst oder Pilze und kombiniert sie mit Wasser, Salz und Essig. Zur Fermentierung werden altbackenes Brot, Kichererbsen oder Weizen zugefügt. Die Lake wird ebenso gerne verwendet wie die eingelegten Zutaten, die nicht nur als Beilage zu Pilaws oder anderen Gerichten gereicht werden, sondern im Winter auch als eigenständige warme Mahlzeiten auf den Tisch kommen. Ein wunderbares Beispiel ist Traubenmelasse und Tahin-Helva mit Brot. Rund ums Einmachen haben sich auch eigenartige Rituale entwickelt: Soll das Eingelegte perfekt gelingen, muss man bei der Zubereitung die Namen der Sieben Schläfer aus einer christlich-islamischen Legende aufsagen!

SALATE UND BLATTSALAT

Als „Salat" bezeichne ich Gerichte aus rohem Gemüse, Gartensalat und Blattsalat, die mit Olivenöl und Zitronensaft, Essig, Sumach oder Granatapfelsaft angemacht werden. Salate sind unsere Lieblingsbeilage – zu Pilaws, Kebabs, Köfte und Fisch wird stets Salat gereicht. Viele Salate gelten nicht nur als Beilage, sondern auch als traditionelles Frühstück, so z. B. *Zahter Salatasi* (Salat mit Wildthymian, Seite 56) und *Sürk Salatasi* (Salat mit Sürk-Käse, Seite 70).

Je nach regionaler Zutat existieren oft viele lokale Bezeichnungen für ein Gericht. Tomatensalat ist beispielsweise als „Tomatensalat", „saurer Tomatenextrakt" und in Städten als „Hirtensalat" bekannt. Blattsalat wird oft nur mit einem Spritzer Zitronensaft angemacht, so z. B. auch der Gartensalat, der unterwegs pur als Snack gegessen wird. Daheim verfeinert man ihn mit etwas Zucker, ein wenig Traubenmelasse oder Zitronensaft.

In meiner Heimatstadt Nizip (Gaziantep) verkaufen die Bauern ihren Gartensalat in Säcken, die von Mulis transportiert werden. Die Leute kaufen große Mengen ein und essen den Salat den ganzen Tag über als Snack. Wenn man den Salat für zu Hause kaufte, schnitt der Verkäufer die Wurzeln nicht ab. Wollte man den Salat dagegen sofort verspeisen, bat man den Bauern, die Wurzeln zu entfernen. Sobald das geschehen war, gab es kein Zurück mehr – der Kauf galt als abgeschlossen. War der Salat bitter, konnte man sich dann nur noch einen neuen Salat kaufen. Die äußeren Blätter wurden entfernt und den Eseln, Schafen und Ziegen als Futter gegeben. Dann wusch man die Salatherzen an einem öffentlichen Brunnen und aß sie auf der Stelle auf.

Die Frauen glaubten früher, dass ein Spaziergang durch die Salatfelder ihre Seelen reinigen und ihnen ewige Jugend verleihen würde. Und vor noch nicht allzu langer Zeit gab es spontane Straßenfeste zur Feier des Gartensalats. An diesem Tag ging es einfach darum, Salat zu essen. Wer einen bitteren Salat erwischte, wurde gnadenlos geneckt. Das wütende Opfer musste sich noch einen Salat kaufen in der Hoffnung, doch noch ein süßes Exemplar zu ergattern. War der zweite Salat jedoch ebenfalls bitter, kam es manchmal zu einem Duell, wobei der Salat dann als Waffe herhalten musste!

All diese Rituale zeugen von der bedeutenden Rolle, die rohes Gemüse und Blattsalate in der türkischen Kultur spielen.

TSATSIKI UND JOGHURTGERICHTE

Wir kombinieren Joghurt mit Gurke, Portulak, Distel oder Gartensalatwurzel und nennen die Mischung *Cacik* (Tsatsiki, Seite 78). Es gibt flüssigere und festere Varianten. Auf eine Rakı-Tafel gehört fester Joghurt, während Beilagen für Pilaws oder andere Gerichte eher flüssig sein sollten. Gurke, Minze, Joghurt und Knoblauch sind die klassischen Tsatsiki-Zutaten.

Verwirrenderweise gibt es auch Gerichte aus gebratenem Gemüse mit Chilischoten, Spinat und Joghurt, die Tsatsiki genannt werden. Sie heißen auch *Borani*, *Yoğurtlusu* oder *Yoğurtlama* – diese erfrischenden Alltagsgerichte werden in manchen Gegenden zum Frühstück serviert und sind fester Bestandteil bei jeder guten Rakı-Tafel.

PİYAZ

Piyaz bedeutet „Zwiebel" auf Farsi und Kurdisch, ist aber auch die Bezeichnung eines Salats. Dieses beliebte Gericht besteht aus gekochten getrockneten Bohnen, Zwiebelringen, Petersilie und gekochtem Ei und wird mit Essig und Olivenöl angemacht. Regional werden natürlich unterschiedliche Zutaten verwendet, aber Zwiebeln sind ein fester Bestandteil. Dazu kommen je nach Variante Schwarzaugenbohnen, grüne Oliven, gekochte Eier, Mungbohnen, Kichererbsen, Linsen, Kartoffeln, Blattsalate, Gewürze, saure Extrakte und Olivenöl. Die Zutaten werden roh oder gekocht verarbeitet.

Im Laufe der Zeit hat sich aus dem schlichten *Piyaz*, dem Namen der „Zwiebel", eine Bezeichnung für eine Zubereitungsmethode entwickelt. So hört man die Leute sagen, dass man die Zwiebel für ein *Piyaz* auf bestimmte Art aufschneiden muss. Oder ein Gast bestellt *Piyaz* „ohne Zwiebel" im Restaurant.

Piyaz ergänzt meist als erfrischendes Element Kebab- und Fleischbällchengerichte oder wird als eigenständige Speise gegessen. Manche *Piyaz* sind saisonal. So braucht man für *Maş Piyazı* (Salat mit Mungbohnen und Zwiebeln, Seite 68) unbedingt frischen (grünen) Knoblauch, weshalb man diesen Salat nur im Frühjahr essen kann, wenn der Knoblauch austreibt. *Hek-ê Piyazi* (Eiersalat, Seite 64) ist ebenfalls ein Frühlingsgericht und wird speziell für die *Nowruz* (Neujahrs)-Feier zubereitet.

PÜREES, HUMMUS UND ANDERE DIPS

Es gibt zahllose kalte Gerichte aus zerdrückten, rohen oder gekochten Gemüsesorten und Hülsensfrüchten. Je nach Region tragen die Gerichte andere Namen und werden unterschiedlich zubereitet, so z. B. *Tarama* (Taramasalat, Seite 71), *Tarator* (Mandel-Knoblauch-Sauce, Seite 79), *Fava* (Dicke-Bohnen-Paste, Seite 76) und *Humus* (Hummus, Seite 72). Manche Dips sind fein püriert, andere haben eine gröbere Konsistenz.

Diese Speisen werden nicht nur als Beilagen oder Vorspeisen, sondern auch als eigenständige Gerichte serviert. *Fava* gilt z. B. in manchen Gegenden als Frühstück, während Hummus woanders zum Mittagessen gereicht wird. Diese Gerichte werden in ländlichen Gebieten auf traditionelle Weise zubereitet. In der Stadt sind sie Bestandteil einer Rakı-Tafel. Die armenische Gemeinde in İstanbul kennt ein Kichererbsengericht namens *Topik* (Seite 85), das im *Meyhane* als „Armenische Meze" angeboten wird.

KALTE GERICHTE MIT BULGUR

Als typische Bulgurgerichte gelten Speisen wie z. B. *Kürt Köftesi* (Kurdische Bulgurbratlinge, Seite 84) und *Fellah Köftesi* (Bulgurbällchen, Seite 84). Wenn wir nicht gerade Bällchen daraus formen, kombinieren wir den Bulgur mit Blattsalaten, Olivenöl und einer säuerlichen Zutat zu Gerichten wie *Kisir* (Taboulé, Seite 88).

Ciğ Köfte (Pikanter Lammtatar, Seite 60) nimmt unter unseren Bulgurgerichten einen besonderen Platz ein und wird von speziellen Ritualen begleitet. Die Zutaten werden gehackt und dann auf dem Boden in einem großen Gefäß geknetet, aus dem danach mehrere Personen essen können. Die Mischung wird zu Frikadellen geformt und sofort verzehrt. Wer sich kein Fleisch leisten kann, ersetzt es oft durch Kartoffeln. Auch diese Variante muss sofort verspeist werden, bevor der Bulgur an Volumen zunimmt. Am liebsten trinkt man dazu Ayran (Seite 452). Zu diesem Gericht sollte kein Rakı serviert werden, da das komplexe Aroma dieser Speise sonst verloren ginge.

♦

HIRTENSALAT
ÇOBAN SALATASI

Herkunft:	Bolu, alle Landesteile
Zubereitung:	10 Minuten
Personen:	4

400 g	Tomaten, in 5-mm-Würfel geschnitten
150 g	Gurke, in 5-mm-Würfel geschnitten
2	milde grüne Paprika, in Halbringe geschnitten
1 (120 g)	mittelgroße Zwiebel, in Ringe geschnitten
¼ Bund	glatte Petersilie, fein gehackt
¼ Bund	Basilikum, fein gehackt

Für das Dressing:	
2 EL	natives Olivenöl extra
2 EL	frisch gepresster Zitronensaft
1 EL	Traubenessig

♦ ❀ V ♦ ⴵ   Seite 55 ◖

Bis in die 1950er-Jahre wird dieser beliebte Salat nirgendwo erwähnt. Die Hirten zerdrückten für ihr Mittagessen wahrscheinlich einfach eine Zwiebel und halbierten ein paar Tomaten, die sie dann als simplen Salat aßen. Die Restaurants in der Stadt verfeinerten den Hirtensalat, indem sie die Zutaten zerkleinerten. Manche Rezepte lassen das Olivenöl weg, andere geben Schafkäse hinzu.

♦

Alle Salatzutaten in einer großen, tiefen Schüssel verrühren.

Alle Zutaten für das Dressing mit ¼ Teelöffel Salz in einer anderen Schüssel vermengen und dann über den Salat träufeln. Vorsichtig vermengen und servieren.

♦

GARTENSALAT
MARUL SALATASI

Herkunft:	Malatya, Ostanatolien
Zubereitung:	10 Minuten
Personen:	4

500 g	Salatherzen, gewaschen, trocken getupft und in dünne Streifen geschnitten
4 Stängel	frisches rotblättriges Basilikum, fein geschnitten
80 g	Tulum-Käse (ein würziger, bröckliger Ziegenmilchkäse)
50 g	Walnusskerne, geröstet und gehackt
80 g	sonnengetrocknete Aprikosen, halbiert und fein aufgeschnitten
2 EL	natives Olivenöl extra

❀ V ⴵ

In Südostanatolien, besonders in den Städten Adıyaman und Malatya, gehen die Frauen im April in großen Gruppen ins türkische Bad. Ein ähnliches Reinigungsritual findet auch auf den Salatfeldern statt, da das Ernten Ruhe und Gelassenheit fördern soll. Die Frauen pflücken Salat, essen einige Blätter direkt auf dem Feld und nehmen den Rest mit nach Hause. Gartensalat wird so wie im Rezept verzehrt oder einfach mit Traubenmelasse, Zucker oder Honig beträufelt. Nach der Ernte sollte man den Gartensalat innerhalb von 7–10 Tagen essen, da er danach bitter wird. Der größte Albtraum eines Salatbauern sind Kinder, die seinen Salat stehlen.

♦

Salat und Basilikum in eine große, tiefe Schüssel geben. Den Käse mit den Händen darüberkrümeln. Walnüsse, ¼ Teelöffel Salz und getrocknete Aprikosen zugeben und mit dem Olivenöl beträufeln. Zutaten schnell vorsichtig vermengen und Salat sofort servieren.

SALAT MIT WILDTHYMIAN (ZA'ATAR)
ZAHTER SALATASI

Herkunft:	Hatay, Mittelmeerregion
Zubereitung:	20 Minuten
Personen:	4

150 g	frische Za'atar-Blätter (Wildthymian)
1 TL	Chiliflocken
1 TL	Tomatenmark (Seite 492)
1 Bund	Frühlingszwiebeln, in feinen Ringen
1 Bund	glatte Petersilie, fein gehackt
1	Granatapfel, Kerne ausgelöst
80 g	Walnusskerne, gehackt

Für das Dressing:	
2 EL	Granatapfelsirup
60 ml	natives Olivenöl extra

♦ ❧ V ♦ ✗   Seite 57 ◘

Der in der Türkei wild wachsende Thymian schmeckt intensiver als domestizierte Sorten. Za'atar wächst im April und Mai in Südostanatolien in großen Mengen. Die Blüten werden gepflückt und getrocknet. Dieser Salat stammt aus Antakya und Umgebung. Za'atar gilt als Heilmittel bei Unfruchtbarkeit und Diabetes und soll appetitanregend sein. Falls frischer Za'atar erhältlich ist, nimmt man die Stängel mit den größten Blättern. Die Blätter 1 Minute kochen und dann unter fließendes kaltes Wasser halten. Vor der Verwendung mit 1 Prise Salz vermengen.
♦

Za'atar und ¼ Teelöffel Salz in einer großen, tiefen Schüssel mit den Händen vermengen. Za'atar in ein feines Sieb geben und abwaschen. Dann mit Küchenpapier trocken tupfen. Die Blätter mit den Händen reiben. Dann erneut waschen und abtupfen.

Za'atar, ½ Teelöffel Salz, Chiliflocken und Tomatenmark in einer großen, tiefen Schüssel 2 Minuten mit den Händen vermengen. Frühlingszwiebeln, Petersilie, Granatapfelkerne und Walnüsse zugeben und vorsichtig vermengen.

Alle Zutaten für das Dressing in einer anderen Schüssel verrühren. Den Salat anmachen und servieren.

♦

AUBERGINE MIT JOGHURT
PATLICAN YOĞURTLAMASI

Herkunft:	Burdur, alle Landesteile
Zubereitung:	15 Minuten
Garzeit:	1 Stunde
Personen:	4

1 (750 g)	Aubergine
2 EL	natives Olivenöl extra
200 g	abgetropfter Joghurt aus Ziegenmilch
½ TL	Schwarzkümmelsamen
1 EL	Traubenmelasse

❧ V

Dieses Gericht schmeckt an heißen Sommertagen einfach herrlich. An der türkischen Mittelmeer- und Ägäisküste und in Südostanatolien wird es sehr gerne gegessen. Man kann es aus gegrillten oder gebratenen Auberginen zubereiten. Manche Leute lassen die Auberginen in der Dorfbäckerei backen. Wenn man Schwarzkümmel und Traubenmelasse durch Knoblauch ersetzt, erhält man eine neue Variante.
♦

Den Backofen auf 200 °C vorheizen.

Die Aubergine an einigen Stellen einstechen und dann 1 Stunde im Ofen backen. Nach dem Abkühlen die Haut abziehen.

Aubergine, ½ Teelöffel Salz und Olivenöl in einer großen Schüssel mit einer Gabel zerdrücken und gründlich vermengen. Joghurt, Schwarzkümmelsamen und Traubenmelasse zugeben und 3 Minuten vermengen. Auf Schüsseln verteilen und servieren.

ROTE-BETE-SALAT
ÇÜKÜNDÜR (KIRMIZI PANCAR) SALATASI

Herkunft:	Kastamonu, Schwarzmeerregion
Zubereitung:	20 Minuten
Garzeit:	1 Stunde 5 Minuten
Personen:	4

500 g	Rote Bete
10	Knoblauchzehen, geviertelt
2 EL	Apfelessig
2 EL	frisch gepresster Zitronensaft
2 EL	flüssiger Honig
½ Bund	glatte Petersilie
60 g	Mandeln, geröstet
50 g	grüne Oliven, entkernt
2 EL	natives Olivenöl extra
80 g	ungesalzener Schwarzkümmelsamen-Käse

✿ V

Dieser Salat ist eine beliebte Beilage zu Pilaws und *Keşkek* (Weizen und Lamm, Seite 317). Falls kein Schwarzkümmelsamen-Käse erhältlich ist, kann man auch 80 g ungesalzenen Hüttenkäse oder Panir verwenden und ihn mit ½ Teelöffel Schwarzkümmelsamen vermengen.

Die Beten 1 Stunde in einem Topf mit 2 Liter Wasser kochen. Nach dem Abkühlen schälen und in 5-mm-Würfel schneiden.

Den Knoblauch in einem Topf mit 200 ml Wasser 5 Minuten kochen. Dann abseihen und beiseitestellen.

Beten, Knoblauch und ¾ Teelöffel Salz in einer großen, tiefen Schüssel vermengen. Essig, Zitronensaft und Honig in einer anderen Schüssel verrühren und über die Bete-Knoblauch-Mischung träufeln. 3 Minuten gründlich vermengen. Die Petersilie fein und die Mandeln grob hacken. Petersilie, Mandeln, grüne Oliven und Olivenöl zum Salat geben und vorsichtig unterheben.

Den Schwarzkümmelsamen-Käse in 5-mm-Würfel schneiden, auf dem Salat verteilen und den Salat servieren.

HIRNSALAT
BEYİN SALATASI

Herkunft:	Kırklareli, alle Landesteile
Zubereitung:	10 Minuten zzgl. 30 Minuten Einweichen
Garzeit:	30 Minuten zzgl. 15 Minuten Abkühlen
Personen:	4

4 (325 g)	Lammhirne, gewaschen
1 EL	Apfelessig
4	Lorbeerblätter
5	schwarze Pfefferkörner
1	unbehandelte Zitrone, Schale abgerieben

Für das Dressing:	
2 EL	natives Olivenöl extra
1 EL	Apfelessig
2 EL	frisch gepresster Zitronensaft
2	Knoblauchzehen, gehackt

3 Bund	glatte Petersilie, Blätter abgepflückt
1 Bund	Frühlingszwiebeln, in feine Ringe geschnitten

● ✿

Dies ist ein sehr beliebtes *Meyhane*-Gericht. Es soll bei Menschen mit Hirnerkrankungen heilsam wirken.
◆
½ Teelöffel Salz in einer Schüssel mit 1 Liter eiskaltem Wasser auflösen. Die Lammhirne darin 30 Minuten einweichen. Blut von den Nervenenden entfernen, ohne die Hirne zu beschädigen. Dann die Hirne aus dem Wasser nehmen.

1 Liter Wasser in einen großen Topf füllen und Apfelessig, Lorbeerblätter, Pfefferkörner, ¼ Teelöffel Salz und Zitronenabrieb zugeben. Die Hirne vorsichtig einzeln nebeneinander in den Topf legen. 30 Minuten bei mittlerer Hitze kochen. Den Schaum mit einem Schaumlöffel abschöpfen.

Den Topf vom Herd nehmen und die Hirne im Topf 5 Minuten ruhen lassen. Dann mit einem Schaumlöffel herausnehmen, auf einen Teller legen und 10 Minuten abkühlen lassen.

Alle Zutaten für das Dressing mit 1 Prise frisch gemahlenem Pfeffer in einer anderen Schüssel verrühren.

Petersilienblätter und Frühlingszwiebel vermengen. Die Hälfte der Mischung auf vier Teller verteilen. Die Hirne in 1 cm breite Streifen schneiden und darauf verteilen. Restliche Petersilien-Frühlingszwiebel-Mischung darüberstreuen. Mit dem Dressing beträufeln und servieren.

SALATE & VORSPEISEN

LÖFFELSALAT
KAŞIK SALATASI

Herkunft:	Diyarbakır, Südostanatolien
Zubereitung:	15 Minuten
Personen:	4

100 g	Gurke
1 (120 g)	mittelgroße Zwiebel
1	frische, scharfe, grüne Chilischote
300 g	Tomaten
2 ½ TL	Chiliflocken
1 ½ TL	Tomatenmark (Seite 492)
2 EL	gemahlener Sumach
1 ½ EL	getrocknete Minze
½ Bund	Portulak (oder Wollziest)
6 Stängel	glatte Petersilie
50 g	Walnusskerne, geröstet
2 EL	Granatapfelsirup
1	Granatapfel, Kerne ausgelöst

Dieser erfrischende Sommersalat ist eine beliebte Beilage zu Bulgur-Pilaws und Tatar und wird auch zu Drinks serviert. In Urfa (Südostanatolien) nennt man ihn *Bostana Salatası* (Gartensalat), in Gaziantep *Pürpürüm Ekşisi* (Saurer Portulak) und in Diyarbakır *Kaşık Salatası* (Löffelsalat). Das Dressing enthält kein Olivenöl. Der Name dieses flüssigen Salats rührt daher, dass er mit dem Löffel gegessen wird.
♦
Gurke, Zwiebel, Chili und Tomaten fein aufschneiden. Mit Chiliflocken, Tomatenmark, Sumach, Minze und ½ Teelöffel Salz in einer großen, tiefen Schüssel 2 Minuten vermengen.

Portulak und Petersilie fein hacken. Die Walnüsse grob hacken. Mit Granatapfelsirup, Granatapfelkernen und 500 ml eiskaltem Wasser zum Salat geben und 2 Minuten gründlich, aber vorsichtig vermengen.

Den Salat auf Schüsseln verteilen und jeweils mit einem Löffel servieren.

♦

GARNELENSALAT
TEKE SALATASI

Herkunft:	Balıkesir, Marmararegion
Zubereitung:	20 Minuten
Garzeit:	15 Minuten zzgl. 20 Minuten Abkühlzeit
Personen:	4

600 g	Garnelen mit Schale
1	unbehandelte Zitrone, Schale abgerieben
1 (100 g)	Apfel, geviertelt
1 EL	Pinienkerne, geröstet
2 EL	Korinthen
1 (120 g)	mittelgroße rote Zwiebel
½ Bund	glatte Petersilie

Für das Dressing:	
2 EL	frisch gepresster Zitronensaft
4 EL	frisch gepresster Orangensaft
1 Prise	gemahlener Ingwer
1 Msp.	Safran
½ TL	gemahlener Zimt
2 EL	natives Olivenöl extra
2 EL	Traubenessig

Die kleinen türkischen Garnelen nennt man *Teke*. Dieser Salat wird gerne zu Hause, aber auch in vielen *Meyhanes* zubereitet.
♦
Die Garnelen abwaschen und trocken tupfen. Einen Topf mit 1,5 Liter Wasser füllen. Zitronenabrieb und Apfelviertel zugeben und 10 Minuten kochen. Die Garnelen zufügen, weitere 5 Minuten kochen und dann Topf vom Herd nehmen. Die Garnelen und Apfelviertel abseihen und bei Zimmertemperatur 20 Minuten abkühlen lassen.

Die Garnelen schälen und die Schalen wegwerfen. Die Garnelen in eine große Schüssel legen. Pinienkerne und Korinthen zugeben und vermengen. Die Apfelviertel aufschneiden und zum Salat geben.

Alle Zutaten für das Dressing in einer anderen Schüssel verrühren und mit ½ Teelöffel Salz abschmecken.

Die rote Zwiebel zu Halbringen aufschneiden. Die Petersilie fein hacken. Das Dressing über den Garnelensalat gießen und mit dem Salat vermengen. Zwiebel und Petersilie auf einem Servierteller verteilen, den Garnelensalat darauf anrichten und servieren.

SALAT MIT SALZMAKRELE
ÇİROZ SALATASI (KURU BALIK SALATASI)

Herkunft:	İstanbul, Marmararegion
Zubereitung:	10 Minuten (mit Räucherbox) oder
	40 Minuten (mit Holzkohlegrill)
Garzeit:	15 Minuten zzgl. 2 Tage Einweichen
	und Kühlen
Personen:	4

200 g	getrocknete Salzmakrele
60 ml	Traubenessig

Für das Dressing:

2 EL	natives Olivenöl extra
1 EL	Traubenessig

1 Bund	Dill, Spitzen abgepflückt
½ Bund	glatte Petersilie, Blätter abgepflückt

Seite 61

Diese Vorspeise wird gerne zu Drinks serviert. Salzmakrele ist online oder in türkischen/arabischen Lebensmittelgeschäften erhältlich.

♦

Eine Räucherbox mit Holz-Chips vorbereiten und hoch erhitzen. Die Hitze reduzieren, sobald das Holz zu glimmen beginnt. Den Fisch auf das Gitter legen, den Deckel schließen und Makrele 20 Sekunden räuchern. Oder einen Holzkohlegrill auf mittlere Hitze anfeuern. Inzwischen die Holz-Chips 30 Minuten in Wasser einweichen. Dann die Holz-Chips auf der Holzkohle verteilen, die Makrele auf das Grillgitter legen und 20 Sekunden räuchern.

Das Fleisch von den Gräten lösen und in ein Mulltuch geben. Das Mulltuch 3 Minuten durchkneten, bis das Fleisch zerfasert ist. Das Fleisch in eine Schüssel geben, 500 ml Wasser und den Traubenessig zugießen. Einen Deckel auflegen und 24 Stunden einweichen. Am nächsten Tag den Fisch abseihen und in eine andere Schüssel geben.

Für das Dressing Olivenöl und Traubenessig vermengen und über den Fisch träufeln. Einen Deckel auflegen und Salat 24 Stunden kalt stellen.

Dill und Petersilie auf 4 Teller verteilen und mit der Makrele krönen.

♦

PIKANTER LAMMTATAR
ÇİĞ KÖFTE

Herkunft:	Gaziantep, alle Landesteile
Zubereitung:	40 Minuten
Personen:	4

100 g	dunkler Bulgur
150 g	Lammhackfleisch
60 g	Zwiebel, in feinen Ringen
6	Knoblauchzehen, fein aufgeschnitten
¼ TL	Piment
1 Prise	gemahlener Kreuzkümmel
¼ TL	gemahlener Zimt
2 EL	Tomatenmark (Seite 492)
2 TL	Rote Paprikapaste (Seite 492)
1½ EL	Chiliflocken
2	Frühlingszwiebeln
2	frische (grüne) Knoblauchzehen
10 Stängel	glatte Petersilie
2 Stängel	frische Minze
1 EL	frisch gepresster Zitronensaft
2 EL	natives Olivenöl extra
16	Gartensalatblätter zum Servieren

Lammtatar ist besonders in Südostanatolien, Ostanatolien und am Mittelmeer beliebt. Er muss sofort nach der Zubereitung verzehrt werden. Ganz frisches, mageres Lammhackfleisch ohne Sehnen verwenden. Zu diesem Gericht wird gerne Gartensalat mit Kresse und frischer Minze gereicht.

♦

Bulgur, Lammhackfleisch, Zwiebel, Knoblauch, Piment, Kreuzkümmel und Zimt mit ¼ Teelöffel frisch gemahlenem Pfeffer und ½ Teelöffel Salz in einer großen, tiefen Schüssel oder auf einem Tablett vermengen und 20 Minuten durchkneten.

Rote Paprikapaste, Tomatenmark und Chiliflocken zugeben und weitere 5 Minuten kneten.

Frühlingszwiebeln und Knoblauch fein aufschneiden, zum Tatar geben und alles 2 Minuten kneten. Petersilie und Minze fein hacken, mit Zitronensaft und Olivenöl zufügen und vorsichtig vermengen. Mit den Fingern portionsweise zusammendrücken und sofort auf den Gartensalatblättern servieren.

SALAT MIT WEIßEN BOHNEN
FASULYE PİYAZI

Herkunft:	Antalya, alle Landesteile
Zubereitung:	20 Minuten zzgl. Einweichen über Nacht
Garzeit:	10 Minuten
Personen:	4

200 g	kleine Cannellini-Bohnen, über Nacht eingeweicht, weich gekocht und abgeseiht

Für das Dressing:

4	Knoblauchzehen, gehackt
1 EL	frisch gepresster Zitronensaft
60 g	Tahin (Sesampaste)
1 EL	Traubenessig

1 (120 g)	mittelgroße Zwiebel
4	Eier, in 12 Minuten hart gekocht
16	schwarze Oliven, entsteint
8	scharfe Chilischoten
8 Stängel	glatte Petersilie, gehackt
2 EL	natives Olivenöl extra

Seite 63

Dieses Gericht ist im ganzen Land beliebt. Bei manchen Versionen lässt man Tahin und Knoblauch weg. Tahin wird eher in Antalya verwendet. Falls die Sauce zu dickflüssig ist, kann man sie mit 60 ml Wasser verdünnen.

Die Bohnen auf vier Servierschüsseln verteilen.

Für das Dressing Knoblauch, Zitronensaft und ¼ Teelöffel Salz in einer kleinen Schüssel mit einem Holzlöffel verrühren. Nach und nach das Tahin zugeben. Dabei jedes Mal gut unterrühren. Den Essig zugießen und 1 weitere Minute rühren.

Die Sauce über die Bohnen gießen. Die Zwiebel fein aufschneiden und über die Bohnen streuen. Die Eier schälen und vierteln. Eier und Oliven am Schüsselrand verteilen. Jede Schüssel mit 2 Chilischoten garnieren. Mit Petersilie bestreuen, mit Olivenöl beträufeln und servieren.

PILZSALAT
EKŞİLİ MANTAR SALATASI

Herkunft:	Kastamonu, Schwarzmeerregion
Zubereitung:	15 Minuten
Garzeit:	1 Stunde
Personen:	4

500 g	Rote Bete
200 g	eingelegte Pilze, fein gewürfelt
2 EL	Traubenessig
2 EL	frisch gepresster Zitronensaft
2	frische (grüne) Knoblauchzehen, fein gewürfelt (oder 3 Knoblauchzehen, gehackt)
600 g	Salatherzen
1 Kästchen	Kresse, fein gehackt
60 ml	natives Olivenöl extra

In der Schwarzmeerregion ist im Oktober und November Pilzsaison. Edel-Reizker werden zur Saison frisch verzehrt, entweder gebraten, gebacken oder als Teigfülle, oder aber zur späteren Verwendung in Salaten eingelegt. Falls keine Edel-Reizker erhältlich sind, kann man auch Pfifferlinge nehmen.

Die Bete in einem Topf mit Wasser 1 Stunde köcheln lassen. Dann abseihen und abkühlen lassen. Sobald sie kühl genug zum Anfassen ist, in 5-mm-Würfel schneiden.

Bete, Pilze, Traubenessig, Zitronensaft, Knoblauch und ¼ Teelöffel Salz in einer großen Schüssel mit den Händen gründlich vermengen. Salatherzen in Blätter zerteilen, Kresse und Olivenöl zugeben. Salat vorsichtig vermengen und servieren.

KICHERERBSENSALAT
NOHUT PİYAZI

Herkunft:	Adıyaman, Südostanatolien
Zubereitung:	10 Minuten zzgl. Einweichen über Nacht
Garzeit:	1 Stunde 35 Minuten
Personen:	4

200 g	Kichererbsen, über Nacht eingeweicht
60 ml	natives Olivenöl extra
1 (120 g)	mittelgroße Zwiebel, in Halbringe geschnitten
2	Knoblauchzehen, grob gehackt
1	kleine, scharfe rote Paprika, in Halbringe geschnitten
2	sonnengetrocknete Tomaten, fein aufgeschnitten
½ TL	gemahlener Kreuzkümmel
½ TL	Chiliflocken
1 TL	gemahlener Sumach
2 EL	frisch gepresster Zitronensaft
½ Bund	glatte Petersilie, fein gehackt
6 Stängel	frisches Basilikum, fein gehackt

Seite 65

Dies ist ein beliebtes Streetfood. Die Verkäufer kochen die Kichererbsen in Lammbrühe und bereiten daraus diesen erfrischenden Salat. Vor Bäckereien werden Kichererbsen-brötchen verkauft, die man morgens isst. In Gaziantep, Şanlıurfa und Adıyaman hat sich diese Tradition erhalten.

Die Kichererbsen abseihen und 1½ Stunden in einem Topf mit Wasser köcheln lassen, bis sie weich sind. Abseihen und in eine große Schüssel geben.

Das Öl bei mittlerer Hitze in einem großen Topf heiß wer-den lassen. Zwiebeln und Knoblauch zugeben und 2 Minu-ten anbraten. Paprika und sonnengetrocknete Tomaten zufügen und 1 weitere Minute braten. ½ Teelöffel Salz zufügen, dann die Mischung über die Kichererbsen geben und vorsichtig vermengen. Kreuzkümmel, Chiliflocken, Sumach, Zitronensaft, Petersilie und Basilikum zufügen. Salat vorsichtig vermengen und servieren.

EIERSALAT
HEK-Ê PİYAZI

Herkunft:	Diyarbakır, Südostanatolien
Zubereitung:	10 Minuten
Garzeit:	12 Minuten
Personen:	4

8	Eier, in 12 Minuten hart gekocht
4 Stängel	frische Minze, fein gehackt
4 Stängel	Dill, fein gehackt
4	Frühlingszwiebeln, in feinen Ringen
4 Stängel	Kresse, fein gehackt
½ Bund	glatte Petersilie, fein gehackt
4 Stängel	frischer Koriander, fein gehackt
½ TL	gemahlener Kreuzkümmel
2 EL	natives Olivenöl extra

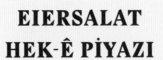

Dieses beliebte Frühlingsgericht wird besonders zu *Nowrouz* (Neujahrsfest) zubereitet. Es ist auch unter dem Namen *Nergisleme* bekannt und wird gerne mit *Lavash*-Brot serviert. Soll der Salat als Brötchenbelag dienen, lässt man das Olivenöl weg. Wenn man das Eigelb nicht verwendet, kann man es als Füllung für *Kıbbeh* oder als Zugabe zu *Kısır* ver-werten. Oder man nimmt für diesen Salat gleich die Eier im Ganzen.

Die Eier schälen, halbieren und Eigelb nach Belieben aus den Eiern lösen. Das Eiweiß in 5 mm breite Streifen schneiden und in eine große Schüssel geben.

Minze, Dill, Frühlingszwiebeln, Kresse, Petersilie, Koriander, Kreuzkümmel und ½ Teelöffel Salz zugeben. Salat vorsichtig vermengen, mit Olivenöl beträufeln und servieren.

SALAT MIT SONNENGETROCKNETEN TOMATEN UND ZWIEBELN
HIŞK (KURU TOMATOES) PİYAZI

Herkunft:		Mardin, Südostanatolien
Zubereitung:	15 Minuten zzgl. Einweichen über Nacht	
Garzeit:		1 Stunde 45 Minuten
Personen:		4

50 g	Kichererbsen, über Nacht eingeweicht
2 EL	natives Olivenöl extra
4	Knoblauchzehen, in feinen Scheiben
80 g	sonnengetrocknete Tomaten, 10 Minuten in Wasser eingeweicht, fein gehackt
8	Frühlingszwiebeln, in feinen Ringen
50 g	schwarze Oliven, in feinen Ringen
1	getrocknete rote Chilischote, fein gehackt
4 Stängel	frischer Za'atar (oder Thymian), fein gehackt
2 Stängel	frischer Koriander, fein gehackt
2 EL	Granatapfelsirup
60 g	Walnusskerne, geröstet, grob gehackt
5 Stängel	glatte Petersilie, fein gehackt

Das typische Wintergericht wird gerne für Wraps verwendet. An Ägais und Mittelmeer sowie in Südostanatolien gibt es lokale Varianten. Falls die sonnengetrockneten Tomaten nicht gesalzen sind, einfach ½ Teelöffel Salz zugeben.

Die Kichererbsen abseihen und dann 1½ Stunden in einem Topf mit Wasser köcheln lassen, bis sie weich sind. Abseihen und beiseitestellen.

Das Öl bei mittlerer Hitze in einem großen Topf heiß werden lassen. Den Knoblauch zugeben und 5 Sekunden anbraten. Sonnengetrocknete Tomaten, Frühlingszwiebeln und Kichererbsen zufügen und 3 Minuten braten. Oliven, Chili und Za'atar zugeben und unter stetigem Rühren 10 Minuten braten. Den Koriander zufügen und 1 Minute braten. Dann Topf vom Herd nehmen und Salat in eine Schüssel umfüllen. Mit Granatapfelsirup beträufeln und mit Walnüssen bestreuen. Salat vermengen und abkühlen lassen.

Zum Schluss mit Petersilie bestreuen und servieren.

ZERDRÜCKTE GURKE
HIYAR DÖVMESİ

Herkunft:	Bursa, alle Landesteile
Zubereitung:	30 Minuten
Personen:	4

300 g	Gurke, entkernt und zerdrückt
1 (150 g)	große Zwiebel, fein gehackt
2 EL	Pinienkerne, geröstet
2 Stängel	frisches Basilikum
2 EL	natives Olivenöl extra
60 ml	frisch gepresster Zitronensaft

Kalte, zerdrückte Gurke wird gerne im Sommer gegessen und ist eine beliebte Beilage auf der Rakı-Tafel. Statt Basilikum kann auch frische Minze verwendet werden.

Gurke, Zwiebel und ½ Teelöffel Salz 10 Minuten im Mörser mit dem Stößel zerstoßen. Gurke und Zwiebeln abseihen, den Saft wegschütten und das Gemüse in eine Schüssel geben.

1½ Esslöffel Pinienkerne und Basilikum in den Mörser geben und 2 Minuten zu einer Paste zerstoßen. Nach und nach Olivenöl und Zitronensaft zufügen, dann die Gurke-Zwiebel-Mischung zugeben. Alles zerstoßen, bis die Mischung weiß wird. In eine Schüssel füllen.

Mit den restlichen Pinienkernen bestreuen und servieren.

ZWIEBELSALAT (WIE IM KEBAB-HAUS)
PİYAZ SALATASI (KEBAPÇI SOĞAN SALATASI)

Herkunft:	Adana, alle Landesteile
Zubereitung:	10 Minuten
Personen:	4

1 (120 g)	mittelgroße Zwiebel, in feine Ringe geschnitten, dann in kaltem Wasser gerieben und abgeseiht
1	rote Paprika, sehr fein gehackt
1 EL	frisch gepresster Zitronensaft
2 ½ EL	gemahlener Sumach
1 Bund	glatte Petersilie, fein gehackt

◦ ☙ V ◦ ✕

Diese Beilage wird oft in Kebab-Häusern serviert. Petersilie oder Paprika wird teils weggelassen. Falls kein Sumach von guter Qualität erhältlich ist, nimmt man besser Zitronensaft.

◆

Zwiebel, Paprika, Zitronensaft, Sumach und ¼ Teelöffel Salz in einer großen Schüssel 1 Minute mit der Hand gründlich vermengen. Mit Petersilie bestreuen, vorsichtig vermengen und servieren.

◆

FRÜHLINGSZWIEBELSALAT (WIE IM KEBAB-HAUS)
TAZE SOĞAN SALATASI
(KEBAPÇI TAZE SOĞAN SALATASI)

Herkunft:	Gaziantep, alle Landesteile
Zubereitung:	10 Minuten
Personen:	4

6	Frühlingszwiebeln, in feinen Ringen
1	rote Paprika, fein gehackt
1 EL	frisch gepresster Zitronensaft
2 ½ EL	gemahlener Sumach
1 Bund	glatte Petersilie, fein gehackt
½ Bund	frisches Basilikum, fein gehackt

◦ ☙ V ◦ ✕

Dieser einfache Salat ist die perfekte Beilage zu Kebab, besonders in Wrap-Form.

◆

Frühlingszwiebeln, Paprika, Zitronensaft, Sumach, Petersilie und ¼ Teelöffel Salz in einer großen Schüssel mit der Hand 1 Minute gründlich vermengen. Mit dem Basilikum bestreuen und servieren.

SALAT MIT MUNGBOHNEN UND ZWIEBELN
MAŞ PİYAZI

Herkunft:	Gaziantep, Südostanatolien
Zubereitung:	20 Minuten zzgl. Einweichen über Nacht
Garzeit:	30 Minuten
Personen:	4

120 g	Mungbohnen, über Nacht eingeweicht
½ TL	Chiliflocken
1 TL	gemahlener Sumach
100 g	Walnusskerne, grob gehackt
2 EL	natives Olivenöl extra
2 EL	Granatapfelsirup
2	Frühlingszwiebeln
2	frische (grüne) Knoblauchzehen
2 Stängel	frische Minze
10 Stängel	glatte Petersilie
4 Stängel	frisches Basilikum
2 Stängel	frischer Estragon
100 g	Granatapfelkerne

Für das Dressing:

2	frische (grüne) Knoblauchzehen
4	Frühlingszwiebeln
50 g	ungesalzene grüne Oliven, entkernt
1	frische rote Chilischote
2 EL	natives Olivenöl extra

Seite 69

Dieser oft auch als Hauptgericht servierte Salat wird in Südostanatolien und Umgebung als *Maşik* oder *Maşk-e* bezeichnet.

◆

Die Mungbohnen abseihen und in einem Topf mit Wasser 25 Minuten kochen, bis sie weich sind. Erneut abseihen.

Die Mungbohnen in eine große Schüssel geben. ½ Teelöffel Salz, Chiliflocken, Sumach, Walnüsse, Olivenöl und Granatapfelsirup zufügen und alles vorsichtig vermengen.

Für das Dressing Knoblauch, Frühlingszwiebeln, Oliven und Chili fein hacken. Das Öl bei mittlerer Hitze in einem kleinen Topf heiß werden lassen, die gehackten Zutaten hineingeben und 3 Minuten braten.

Inzwischen Frühlingszwiebeln, Knoblauch, Minze, Petersilie, Basilikum und Estragon für den Salat fein hacken. Das warme Dressing über die Mungbohnen-Mischung geben. Die gehackten Salatzutaten und die Granatapfelkerne zufügen. Den Salat vorsichtig vermengen und servieren.

OLIVEN-ZWIEBEL-SALAT
ZEYTİN PİYAZI

Herkunft:	Gaziantep, Südostanatolien
Zubereitung:	20 Minuten
Personen:	4

150 g	ungesalzene grüne Oliven, entsteint
50 g	Walnusskerne
1 (120 g)	mittelgroße Zwiebel
1 TL	Tomatenmark (Seite 492)
1 TL	Chiliflocken
2 EL	natives Olivenöl extra
3	Frühlingszwiebeln
8 Stängel	glatte Petersilie
2 EL	Granatapfelsirup
100 g	Granatapfelkerne

Dieses typische Wintergericht wird in Südost- und Ostanatolien und in der östlichen Mittelmeerregion gerne zu Mittag gegessen.

◆

Die Oliven vierteln, die Walnüsse grob hacken und die Zwiebel fein würfeln. Oliven, Walnüsse, Zwiebel, Tomatenmark und Chiliflocken in einer großen Schüssel verrühren. Mit ¾ Teelöffel Salz abschmecken. 1 Esslöffel Olivenöl zugeben und alles vorsichtig mit den Händen vermengen.

Frühlingszwiebeln und Petersilie fein hacken. Die Frühlingszwiebeln in die Schüssel geben und vorsichtig unterheben. Dann die Petersilie dazugeben und alles erneut vermengen.

Den Salat mit dem restlichen Olivenöl und dem Granatapfelsirup anmachen und mit den Granatapfelkernen bestreuen. Sofort servieren.

SALAT MIT SÜRK-KÄSE
SÜRK (BAHARATLI KÜFLÜ PEYNİRLİ ÇÖKELEK) SALATASI

Herkunft:	Adana, Mittelmeerregion
Zubereitung:	20 Minuten
Personen:	4

1 (120 g)	mittelgroße Zwiebel, in dicke Halbringe geschnitten
1	scharfe grüne Chilischote, in Halbringe geschnitten
6 Stängel	glatte Petersilie, fein gehackt
4 Stängel	frisches Basilikum, fein gehackt
½ TL	Chiliflocken
40 g	*Sürk* (Würziger *Hatay*-Käse, Seite 484)
60 ml	natives Olivenöl extra
2 EL	Granatapfelsirup
400 g	Tomaten, in Halbscheiben geschnitten

Diesen sommerlichen Frühstückssalat findet man häufig auf den *Meyhane*-Speisekarten. Besonders beliebt ist er in Hatay und Antakya – dem Antiochia der Antike – sowie in Mersin.

◆

Zwiebel, Chili, Petersilie, Basilikum, Chiliflocken, *Sürk* und ¼ Teelöffel Salz in einer großen Schüssel vermischen. Olivenöl und Granatapfelsirup zugießen und alles 3 Minuten vermengen. Die Tomaten zugeben und 2 Minuten unterheben. Einen Deckel auflegen, die Schüssel 5 Minuten kalt stellen und Salat anschließend servieren.

◆

HIMMELSKÄSE (BLAUSCHIMMELKÄSE)
GÖK PEYNİRİ (KÜFLÜ PEYNİR) OVMASI

Herkunft:	Konya, Zentralanatolien
Zubereitung:	10 Minuten
Garzeit:	40 Minuten
Personen:	4

350 g	Zwiebeln
120 g	*Küflü*-Blauschimmelkäse (aus Schafsmilch)
2 EL	flüssiger Honig
50 g	Walnusskerne, grob gehackt
4 Scheiben	Weißbrot, getoastet, in 1-cm-Quadrate geschnitten (oder 1 Yufka-Teigblatt, in 1-cm-Quadrate geschnitten und frittiert)

Für diese Spezialität wird der erste frische Käse im Frühjahr in einen irdenen Topf, eine Schafs- oder Ziegenhaut gefüllt und einem Erdlochbesitzer (oder *Obrukcu*) übergeben. Der Käse wird dann zur Reifung in einem natürlichen Erdloch in den Bergen vergraben. Im Januar sieht der *Obrukcu* nach, ob der Käse fertig ist. Doch der Käse kann auch bis zu drei Jahre im Erdloch lagern. Sobald der Käsebesitzer seinen Käse wieder erhalten hat, verteilt er traditionell die ersten sieben Portionen an seine Nachbarn und bedeckt den Käse dabei mit Fladenbrot, um den bösen Blick abzuhalten.

◆

Den Backofen auf 180 °C vorheizen.

Die Zwiebeln auf ein Backblech legen und 40 Minuten backen, bis sie weich sind. Dann abkühlen lassen und schälen.

Küflü-Blauschimmelkäse, Zwiebeln, Honig und 1 Prise Salz in einer großen Schüssel 3 Minuten mit den Händen gründlich vermengen und verkneten.

Auf Teller verteilen, mit den Walnüssen bestreuen und mit den Toast- oder Teig-Croûtons servieren.

TARAMASALAT
TARAMA

Herkunft:	İstanbul, Marmararegion
Zubereitung:	25 Minuten
Personen:	4

100 g	altbackenes Brot (Kruste entfernt)
60 g	Zwiebel, in Stücke geschnitten
5	Knoblauchzehen, gehackt
200 g	frischer Karpfen- oder Hechtrogen, Membran entfernt
1 EL	frisch gepresster Zitronensaft
200 ml	natives Olivenöl extra

3 Stängel	glatte Petersilie
3 Stängel	Dill

◦ ✗

Taramasalat, eine Spezialität der osmanischen Griechen in İstanbul, wird das ganze Jahr über serviert. Dieses Gericht hat sich einen festen Platz auf allen *Meyhane*-Speisekarten erobert. Außer Karpfen- oder Hechtrogen kann man auch Lachs-, Wolfsbarsch- oder Meeräschenrogen verwenden. Bei manchen Rezeptvarianten wird das Brot weggelassen.
◦

Das Brot in ein wenig Wasser einweichen und dann ausdrücken. Zwiebel und Knoblauch im Mixer fein pürieren. Brot und ½ Teelöffel Salz zugeben und mithilfe der Pulse-Funktion kurz vermengen. Dann Rogen und Zitronensaft zufügen und weitere 5 Minuten mixen. Sobald die Farbe des Rogens blasser wird, nach und nach das Olivenöl bei laufendem Mixer zugießen. Ist das gesamte Olivenöl untergerührt, sollte die Mischung weißlich sein.

Petersilie und Dill fein hacken und miteinander vermengen. Entweder auf einen Teller geben und mit dem Taramasalat krönen oder den Taramasalat damit bestreuen.

◦

LINSENDIP
MERCİMEK (DONDURMASI) EZMESİ

Herkunft:	Muğla Ege, Ägäisregion
Zubereitung:	20 Minuten
Garzeit:	45 Minuten
Personen:	4

120 g	gelbe Linsen, gewaschen
1 (70 g)	Karotte, geschält
200 g	Kartoffeln, geschält und geviertelt
½ TL	gemahlener Kreuzkümmel
1 EL	frisch gepresster Zitronensaft

Für das Dressing:	
1 (120 g)	mittelgroße Zwiebel
1 EL	natives Olivenöl extra
2 TL	Paprikapulver

50 g	ungesalzener Fetakäse
1½ TL	Pinienkerne, geröstet
2 EL	Olivenöl
5 Stängel	glatte Petersilie, fein gehackt
5 Stängel	frische Minze, fein gehackt

❧ V

Diesen Linsendip bereiten wir im Herbst und Winter während der Olivenernte zu. Danach wird meist Tahin-Helva gereicht.
◦

Einen großen Topf mit 1 Liter Wasser füllen und Linsen, Karotte, Kartoffeln und ½ Teelöffel Salz zugeben. Zum Kochen bringen und den Schaum mit einem Schaumlöffel abschöpfen. Dann die Hitze reduzieren, einen Deckel auflegen und alles 30 Minuten köcheln. In den Mixer füllen, Kreuzkümmel und Zitronensaft zugeben und zu einer feinen Paste verarbeiten.

Für das Dressing die Zwiebel in Halbringe schneiden. Das Öl in einem kleinen Topf bei mittlerer Hitze heiß werden lassen, die Zwiebel und ¼ Teelöffel Salz zufügen und 10 Minuten unter ständigem Rühren braten. Das Paprikapulver zugeben und 10 Sekunden braten. Dann den Topf vom Herd nehmen.

Den Linsenbrei auf Teller verteilen, mit dem Dressing beträufeln und mit Fetakäse und Pinienkernen garnieren. Mit Olivenöl beträufeln und mit fein gehackter Petersilie und Minze bestreuen.

HUMMUS
HUMUS

Herkunft:	Mersin, alle Landesteile
Zubereitung:	30 Minuten zzgl. Einweichen über Nacht
Garzeit:	etwa 1 Stunde 30 Minuten
Personen:	4

200 g	Kichererbsen, über Nacht eingeweicht
4	Knoblauchzehen, gehackt
1 Prise	gemahlener Kreuzkümmel
60 g	Tahin (Sesampaste)
2 EL	Sesamöl
60 ml	frisch gepresster Zitronensaft

1 EL	gemahlener Sumach
½ TL	Chiliflocken
6 Stängel	glatte Petersilie, fein gehackt
2 EL	natives Olivenöl extra

◗ ❧ ◗ V   Seite 73 📷

In manchen Gegenden fügt man Butter hinzu, in anderen *Pastırma* (Gepökeltes Rindfleisch, Seite 497).

◆

Die Kichererbsen abseihen und in einem Topf mit Wasser in 1½ Stunden weich kochen. Abseihen und abkühlen lassen, dann die Häute entfernen.

Kichererbsen, Knoblauch, Kreuzkümmel und ½ Teelöffel Salz mit einer Gabel zerdrücken oder im Mixer zu einer Paste verarbeiten.

Tahin, Sesamöl und Zitronensaft in einer anderen Schüssel verquirlen. Nach und nach zur Kichererbsenpaste geben und alles zu einer glatten Paste vermengen. Für eine flüssigere Paste wenig Wasser zugeben und unterrühren.

Hummus auf Teller verteilen und mit Sumach, Chiliflocken und Petersilie bestreuen. Mit Olivenöl beträufeln und servieren.

◆

KÄSEDIP
PEYNİR EZMESİ

Herkunft:	Edirne, Marmararegion
Zubereitung:	10 Minuten
Personen:	4

150 g	*Tulum*-Käse (salzarm), gerieben
60 g	altbackenes Brot (Kruste entfernt), eingeweicht, abgeseiht und ausgedrückt
60 g	Zwiebeln, fein gehackt
2	Knoblauchzehen
½ Bund	glatte Petersilie, fein gehackt
100 g	Walnusskerne
2½ EL	getrockneter Dill
1 TL	rosenscharfes Paprikapulver
2 TL	getrockneter Oregano
2 EL	natives Olivenöl extra

V ✕

Zu *Hıdrellez* (Seite 500) – einer Feier zum Frühlingsbeginn im Mai – trägt das ganze Dorf zu einem gemeinschaftlichen Mahl mit Brot, Käse, Walnüssen und anderen Zutaten bei. Es wird Lammconfit zubereitet und zusammen mit Pilaw und diesem Käsedip an alle verteilt. Dieses Ritual soll das Kommen von Hızır (Schutzheiliger) und Ilyas (Elias) veranlassen, in der Hoffnung, dass sie allen Anwesenden ihre Wünsche erfüllen. Der Salat ist mancherorts auch als „Zigeunersalat", *Oğmac*-Salat und *Abdal Aşı* bekannt. Der Käsedip wird meist als Vorspeise gereicht. Serviert man ihn als Hauptspeise, verwendet man mehr Brot, ergänzt den *Tulum*-Käse durch Ziegenkäse und formt die Mischung zu Talern, die man in Ei wendet und danach brät.

◆

Käse und Brot im Mörser 3 Minuten zu einer Paste zerstoßen. Zwiebel, Knoblauch, Petersilie und Walnüsse zugeben und weitere 3 Minuten zerstoßen. Dill, Paprikapulver und Oregano zufügen und alles gut vermengen. Dip mit Olivenöl beträufeln und servieren.

TOMATENDIP
DOMATES EZMESİ

Herkunft:	Adana, Mittelmeerregion
Zubereitung:	20 Minuten
Personen:	4

400 g	Tomaten, sehr fein gehackt
60 g	Zwiebel, sehr fein gehackt
1	scharfe grüne Chilischoten, sehr fein gehackt
5 Stängel	glatte Petersilie, sehr fein gehackt
1½ EL	Chiliflocken
2 TL	getrocknete Minze
¼ TL	gemahlener Kreuzkümmel
2 EL	gemahlener Sumach
2 EL	Granatapfelsirup
100 g	Granatapfelkerne
100 g	Walnusskerne, grob gehackt
2 EL	natives Olivenöl extra

Dieses Gericht wird auch mit über Flammen gerösteten Tomaten oder mit Tomatenmark zubereitet. In manchen Rezepten wird Knoblauch hinzugefügt. Einige Köche hacken alle Zutaten gleichzeitig mit einem *Mezzaluna* (ein Wiegemesser), wodurch der Dip feiner wird. Der Tomatendip ist eine beliebte Kebab-Beilage.

◆

Tomaten, Zwiebel, Chili und Petersilie in einer großen Schüssel gründlich vermengen. Chiliflocken, Minze, Kreuzkümmel, Sumach, Granatapfelsirup und ½ Teelöffel Salz zugeben und vorsichtig vermischen.

Dip auf Teller verteilen und mit Granatapfelkernen und Walnüssen garnieren. Mit Olivenöl beträufeln und sofort servieren.

AUBERGINENDIP
PATLICAN EZMESİ

Herkunft:	İzmir, Ägäisregion
Zubereitung:	10 Minuten
Garzeit:	1 Stunde 3 Minuten
Personen:	4

600 g	Auberginen
1 EL	frisch gepresster Zitronensaft
¼ TL	weißer Pfeffer
60 ml	natives Olivenöl extra
6	Knoblauchzehen, gehackt

Man kann die Auberginen auch auf einem Holzkohlegrill rösten oder frittieren.

◆

Den Backofen auf 200 °C vorheizen. Die Auberginen an einigen Stellen mit dem Messer einstechen, auf ein Backblech legen und 1 Stunde im Ofen backen. Aus dem Backofen nehmen und 5 Minuten abkühlen lassen.

Die Auberginen schälen, das Fruchtfleisch in eine Schüssel geben und Zitronensaft, ¾ Teelöffel Salz und weißen Pfeffer zufügen. Mit einem Holzkochlöffel vermengen und zerdrücken.

Das Öl bei mittlerer Hitze in einem großen Topf heiß werden lassen. Den Knoblauch zugeben und 5 Sekunden anbraten. Die Auberginenmischung zufügen und 1 Minute braten. Dabei gründlich mit einem Holzkochlöffel verrühren.

Dip auf einer Servierplatte anrichten.

◆

PAPRIKA-WALNUSS-DIP
MUHAMMARA

Herkunft:	Kilis, Südostanatolien
Zubereitung:	15 Minuten
Personen:	4

400 g	frische, kleine, scharfe rote Paprika, fein gehackt
8	Knoblauchzehen
80 g	altbackenes Brot, Kruste entfernt
60 g	Walnusskerne
½ TL	gemahlener Koriander
½ TL	gemahlener Kreuzkümmel
1½ EL	Tahin (Sesampaste)
2 EL	Granatapfelsirup
2 EL	natives Olivenöl extra

💧 V ◆ X

Dieses Gericht ist typisch für Kilis, Halep und Umgebung und wird gerne zum Frühstück, als Beilage zum Rakı (Seite 503) und als Teil einer Hochzeitstafel serviert. Im Sommer verwendet man frische rote Paprika, im Winter dagegen getrocknete Paprika. Im August hat *Muhammara* Hauptsaison, da dann die wichtigste Zutat, die einheimische rote Paprika, ihre perfekte Reife erreicht. Bei manchen Varianten lässt man Tahin und Granatapfelsirup weg.

◆

Paprika, Knoblauch, Brot, Walnüsse, ½ Teelöffel Salz, Koriander und Kreuzkümmel im Mörser mit dem Stößel in 5 Minuten zu einer Paste zerstoßen. Tahin, die Hälfte des Granatapfelsirups und des Olivenöls zugeben und vermengen.

Dip auf Teller verteilen und mit dem restlichen Granatapfelsirup und Olivenöl beträufeln.

◆

CHILI-WALNUSS-DIP
CEVİZLİ BİBER

Herkunft:	Hatay, alle Landesteile
Zubereitung:	25 Minuten
Garzeit:	5 Minuten
Personen:	4

100 g	getrocknete rote Chilischoten, entkernt
1 (120 g)	mittelgroße Zwiebel, fein gehackt
60 g	Walnusskerne
80 g	Semmelbrösel
½ TL	gemahlener Kreuzkümmel
2 EL	gemahlener Sumach
60 ml	natives Olivenöl extra
4 Stängel	glatte Petersilie, fein gehackt

💧 V ◆ X

Die einheimischen, großen roten Chilis *(Baş Biber)*, die im Sommer an Schnüren getrocknet werden, isst man das ganze Jahr über zum Frühstück, als Snack oder mit *Öcce*. Dieses Gericht wird oft im *Meyhane* als Beilage serviert. In einer Rezeptvariante ersetzt man die Zwiebel durch 2 Esslöffel Tahin.

◆

500 ml Wasser in einem kleinen Topf zum Kochen bringen. Die Chilis zugeben und 5 Minuten kochen. Abseihen und dann unter kaltem Wasser abwaschen.

Zwiebel, Walnüsse und Semmelbrösel im Mörser mit dem Stößel 5 Minuten zerstoßen. Die Mischung in eine große Schüssel geben.

Chili, Kreuzkümmel, Sumach und ½ Teelöffel Salz in den Mörser geben und 5–10 Minuten zerstoßen. Chili- und Zwiebelpaste miteinander vermengen und 2 Esslöffel Olivenöl unterrühren.

Vor dem Servieren Dip mit Petersilie garnieren und mit dem restlichen Olivenöl beträufeln.

DICKE-BOHNEN-PASTE
FAVA

Herkunft:	İzmir, Ägäisregion
Zubereitung:	15 Minuten
Garzeit:	35 Minuten zzgl. 2 Stunden 10 Minuten Ruhezeit/Kühlen
Personen:	4

200 g	getrocknete Dicke Bohnen, gewaschen
1 (120 g)	mittelgroße Zwiebel, geviertelt
4	Knoblauchzehen
1 EL	frisch gepresster Zitronensaft
1 TL	abgeriebene Schale von 1 unbehandelten Zitrone
¼ TL	weißer Pfeffer
1½ EL	Honig
6 Stängel	Dill, fein gehackt
2 EL	natives Olivenöl extra

 ⬩ ✿ V   Seite 77 ◘

Dicke Bohnen sind nicht nur als Familienessen, sondern auch als *Meyhane*-Gericht beliebt. In İstanbul wird Dicke-Bohnen-Paste in Förmchen gefüllt, während die Variante aus İzmir eine flüssigere Konsistenz aufweist.

⬩

Einen großen Topf mit 1 Liter Wasser füllen und Dicke Bohnen, Zwiebel, Knoblauch, Zitronensaft und -schale, weißen Pfeffer und ½ Teelöffel Salz zugeben. Zum Kochen bringen und den Schaum mit einem Schaumlöffel abschöpfen. Die Hitze reduzieren, einen Deckel auflegen und Bohnen 30 Minuten kochen. Topf vom Herd nehmen und Bohnen 10 Minuten ruhen lassen.

Den Honig zufügen und alles fein pürieren. Den Dill zugeben und vorsichtig unterrühren. Die Mischung in eine eckige Auflaufform füllen und bei Zimmertemperatur abkühlen lassen. Anschließend einen Deckel auflegen und 2 Stunden kalt stellen.

Aus der festgewordenen Paste Stücke ausschneiden, auf Teller verteilen und vor dem Servieren mit etwas Öl beträufeln.

DICKE-BOHNEN-DIP
BAKLA EZMESİ

Herkunft:	Hatay, Mittelmeerregion
Zubereitung:	10 Minuten zzgl. 1 Stunde Einweichen
Garzeit:	2 Stunden 30 Minuten
Personen:	4

200 g	getrocknete Dicke Bohnen
60 ml	Tahin (Sesampaste)
8	Knoblauchzehen, gepresst
90 ml	frisch gepresster Zitronensaft
½ TL	gemahlener Kreuzkümmel
2 TL	Chiliflocken
2 EL	gemahlener Sumach
½ Bund	glatte Petersilie, fein gehackt
2 EL	natives Olivenöl extra

 ⬩ ✿ ⬩ V

Dieses Gericht wird in der Mittelmeerregion meist mit Eingelegtem, frischen Chilis und Radieschen gegessen. Traditionell wird der Dicke-Bohnen-Dip am Vorabend ins türkische Bad gebracht, damit er über Nacht langsam über den Feuern des Bades gegart wird. Anschließend verspeist man ihn zum Frühstück. Angeblich übersteht man mit einer Schüssel voll den Tag, ohne hungrig zu werden.

⬩

Die Dicken Bohnen in einer Schüssel in 500 ml Wasser 1 Stunde einweichen.

Die Bohnen abseihen und in einen großen Topf mit 3 Liter Wasser und ½ Teelöffel Salz geben. Zum Kochen bringen, dann die Hitze reduzieren und Bohnen 30 Minuten köcheln lassen. Den Schaum mit einem Schaumlöffel abschöpfen. Anschließend einen Deckel auflegen und Bohnen 2 Stunden kochen.

Die Bohnen abseihen und den Kochsud aufbewahren. Die Bohnen im Mixer zu einer Paste pürieren. Tahin, Knoblauch und Zitronensaft in einer großen Schüssel gründlich vermengen. Die Bohnenpaste und 2 Esslöffel des Kochsuds zugeben und verrühren.

Mit Kreuzkümmel, Chiliflocken, Sumach und Petersilie würzen. Mit Olivenöl beträufeln und servieren.

◆

TSATSIKI
CACIK (JAJİ)

Herkunft:	Van, alle Landesteile
Zubereitung:	15 Minuten
Personen:	4

200 g	Gurke, geschält, entkernt und fein geschnitten
4	Knoblauchzehen, gehackt
3	Frühlingszwiebeln, in feinen Ringen
4 Stängel	Dill, fein gehackt
300 g	Joghurt (Schafsmilch)
300 g	ungesalzener *Lor* (Frischer Molkekäse, Seite 485, oder Ricotta)
2 EL	natives Olivenöl extra

❧ V Ⅹ

Tsatsiki wird je nach Region unterschiedlich zubereitet. Das bekannteste Rezept (Joghurt, Wasser, Gurke, Knoblauch, getrocknete Minze und Salz) wird oft als Beilage gereicht. Doch diese Variante isst man meist zum Frühstück. Bei anderen Versionen verwendet man grüne Paprika anstelle von Gurke.

◆

Gurke, Knoblauch, Frühlingszwiebeln, Dill, Joghurt, ½ Teelöffel Salz und *Lor* in eine große Schüssel geben. Gut vermengen, auf kleine Schüsseln verteilen und vor dem Servieren mit Olivenöl beträufeln.

◆

TSATSIKI MIT FRISCHEN MANDELN
ÇAĞLA CACIĞI (TAZE BADEM CACIĞI)

Herkunft:	Malatya, alle Landesteile
Zubereitung:	15 Minuten
Personen:	4

200 g	frische Mandeln, fein gehackt
2	Knoblauchzehen, in feinen Scheiben
2 EL	natives Olivenöl extra
½ Kästchen	Kresse, fein gehackt
2 Stängel	frische Minze, fein gehackt
2 Stängel	glatte Petersilie, fein gehackt
300 g	abgetropfter Joghurt aus Schafsmilch

❧ V

Zur Mandelsaison wird dieses Tsatsiki als Beilage zu Fleischgerichten, Suppen, Lammconfit und Wraps gereicht.

◆

Mandeln, Knoblauch, 1 Esslöffel Olivenöl, Kresse, Minze, Petersilie und ½ Teelöffel Salz in einer großen Schüssel vermengen und 3 Minuten durchkneten. Den Joghurt unterrühren.

Tsatsiki mit dem restlichen Olivenöl beträufeln und sofort servieren.

MANDEL-KNOBLAUCH-SAUCE
TARATOR

Herkunft:	İstanbul, Marmararegion
Zubereitung:	10 Minuten
Personen:	4

150 g	Mandeln, gehäutet
6	Knoblauchzehen
70 g	Zwiebel
¼ TL	gemahlener weißer Pfeffer
2 EL	frisch gepresster Zitronensaft
100 g	altbackenes Brot (Kruste entfernt), eingeweicht, abgeseiht und ausgedrückt

Dieses Gericht wird an der Küste oft als Beilage zu Calamari und Garnelen serviert. Manche Köche aromatisieren damit Salate und gebratenes Gemüse. Es gibt auch Rezeptvarianten mit Joghurt oder Milch.

♦

Mandeln, Knoblauch, Zwiebel, weißen Pfeffer und ½ Teelöffel Salz im Mörser 5 Minuten zu einer Paste zerstoßen. 1 Esslöffel Zitronensaft und das Brot zugeben und weitere 2 Minuten zerstoßen. Den restlichen Zitronensaft unterrühren und Sauce servieren.

♦

DIP MIT GEMAHLENEM ÇEMEN
ÇEMEN

Herkunft:	Tokat, Schwarzmeerregion und Zentralanatolien
Zubereitung:	25 Minuten
Personen:	4

250 ml	Wasser, frisch aufgekocht
15	Knoblauchzehen, gepresst
40 g	gemahlenes *Çemen* (Bockshornklee)
1 TL	gemahlener Piment
1 TL	gemahlene Gewürznelken
3 EL	Chiliflocken
50 g	Paprikapulver
1½ TL	gemahlener Kreuzkümmel
½ TL	gemahlener Zimt
200 g	Haselnusskerne, gemahlen

Çemen ist eine beliebte Frühstückspaste und wird auch gerne als Snack mit Brot gegessen. Jede Familie aus Zentralanatolien hat ihr eigenes, ganz spezielles *Çemen*-Rezept; das Grundrezept aus Knoblauch, Kreuzkümmel, Paprikapulver, Chiliflocken und Pfeffer wird jeweils ganz nach Geschmack variiert. Zu *Pastırma* (Gepökeltes Rindfleisch, Seite 497) verwendet man eine Variante ohne Nüsse.

♦

250 ml kochendes Wasser, Knoblauch und *Çemen* in einer mittelgroßen Schüssel 1 Minute vermengen. Dann 10 Minuten durchziehen lassen.

Piment, Gewürznelken, Chiliflocken, Paprikapulver, Kreuzkümmel, Zimt, ½ Teelöffel frisch gemahlenen Pfeffer und ½ Teelöffel Salz zugeben und alles 5 Minuten verkneten. Zum Schluss die Haselnüsse zufügen und weitere 3 Minuten kneten.

Mit Brot und Gemüse servieren.

JOGHURTDIP
HAYDARİ

Herkunft:	İzmir, Ägäisregion
Zubereitung:	10 Minuten
Personen:	4

400 g	abgetropfter Joghurt aus Schafsmilch
2 TL	getrockneter Oregano
10 Stängel	Dill, fein gehackt
1 TL	getrocknete Minze
8	Knoblauchzehen, gehackt
1 EL	Apfelessig
2 EL	natives Olivenöl extra

❀ V Ⅹ   Seite 81 📷

Dieser Dip passt hervorragend zu Fladenbrot und Drinks.

◆

Joghurt, Oregano, Dill und Minze in einer großen Schüssel vermengen.

Knoblauch, ½ Teelöffel Salz und Essig in einer kleinen Schüssel verrühren. Zur Joghurtmischung geben und gut mischen.

Dip mit Olivenöl beträufeln und servieren.

◆

EINGELEGTE AUBERGINEN
PATLICAN TURŞUSU

Herkunft:	Ankara, alle Landesteile
Zubereitung:	30 Minuten zzgl. 20 Tage Fermentieren
Garzeit:	45 Minuten
Personen:	4

8	Mini-Auberginen
1 Bund	glatte Petersilie, nur die Stängel
2	rote Paprika
2	unbehandelte Zitronen, in feinen Scheiben
½ Bund	Dill

Für die Füllung:	
100 g	Karotten
100 g	Weißkohl
2	Selleriestangen
1	scharfe rote Chilischote
2 Stängel	frische Minze
15	Knoblauchzehen, geviertelt
5	schwarze Pfefferkörner
2 EL	frisch gepresster Zitronensaft

Für die Salzlake:	
500 ml	Traubenessig
2 EL	Traubenmelasse
½ TL	Stein- (Speisesalz) oder Meersalz
10	Knoblauchzehen, geviertelt

💧 ❀ ◆ V

Beim Einlegen der Auberginen in den irdenen Topf sollen dem Brauch nach die Namen von sieben rechtschaffenen Menschen genannt werden. Gelingen die Auberginen, wurden die richtigen Namen gewählt. Falls nicht, nun denn ... dann waren die Genannten wohl doch nicht so rechtschaffen. Bei manchen Rezeptvarianten wird das Wasser der Salzlake durch Öl ersetzt.

◆

Die Auberginen mehrfach mit einem Messer einstechen und in einen großen Topf mit 2 Liter Wasser legen. Wasser zum Kochen bringen, dann die Hitze reduzieren und 40 Minuten köcheln lassen. Abseihen und beiseitestellen.

Die Petersilienstängel in einem kleinen Topf in kochendem Wasser 5 Minuten blanchieren. Dann abseihen und beiseitestellen.

Für die Füllung Karotten, Kohl, Selleriestangen, Chili und Minze fein aufschneiden. Vorbereitete Zutaten in einer Schüssel gründlich vermengen und mit ½ Teelöffel Salz abschmecken.

Die Auberginen der Länge nach 4 cm tief einschneiden und die Tasche mit der Gemüsemischung füllen. Die roten Paprika längs vierteln und damit die Taschen abdecken. Jeweils mit einem Petersilienstängel festbinden.

Für die Salzlake alle Zutaten mit 1 Liter Wasser vermengen. Die gefüllten Auberginen in ein sterilisiertes Einmachglas (2 Liter) füllen. Die Zitronenscheiben an den Seitenwänden einschieben. Den Dill zufügen und die Lake darübergießen. Das Glas fest verschließen und Auberginen an einem dunklen, kühlen Ort 20 Tage fermentieren lassen. Die Auberginen sind im geschlossenen Glas im Kühlschrank bis zu 1 Jahr haltbar.

SALATE & VORSPEISEN

EINGELEGTE GURKEN
HIYAR TURŞUSU

Herkunft:	Bursa, alle Landesteile
Zubereitung:	20 Minuten zzgl. 20 Tage Fermentieren
Personen:	4

16	Einlegegurken (5 cm)
1	frische Chilichote, halbiert
16	Knoblauchzehen
2 EL	rohe Kichererbsen
½ Bund	Dill

Für die Salzlake:

3	Knoblauchzehen, gehackt
2 ½ TL	Stein- (Speisesalz) oder Meersalz

Einlegegurken werden im Herbst gepflückt und gerne roh oder als Pilaw-Beilage gegessen. Manche Menschen essen sie sogar zu Helva! Einlegegurken werden rund um Ankara und Bursa angebaut.

Einlegegurken, Chili und Knoblauch in ein sterilisiertes Glas (1,5 Liter) legen. Die Kichererbsen auf ein Stück Mulltuch legen, dieses zu einem Säckchen knoten und in das Glas legen. Mit der Hand fest nach unten drücken. Den Dill zugeben und erneut alles etwas zusammenpressen.

Für die Salzlake Knoblauch und Salz in einer großen Schüssel mit 1 Liter Wasser vermengen.

Die Lake in das Glas gießen. Das Glas fest verschließen und Gurken an einem dunklen, kühlen Ort 20 Tage fermentieren lassen.

Nach 20 Tagen das Säckchen vor dem Servieren herausnehmen. Die Gurken sind im geschlossenen Glas im Kühlschrank bis zu 1 Jahr haltbar.

EINGELEGTER WEIßKOHL
LAHANA TURŞUSU

Herkunft:	Niğde, alle Landesteile
Zubereitung:	20 Minuten zzgl. 21 Tage Fermentieren
Personen:	4

800 g	Weißkohl, in 5-cm-Stücke geschnitten
15	Knoblauchzehen
1 Stängel	frisches Fenchelgrün, gehackt
2	frische Chilischoten, geviertelt
150 g	Karotten, geschält und in 2,5-cm-Stücke geschnitten
1 (200 g)	Speiserübe, geviertelt
2 EL	rohe Kichererbsen
1 Scheibe	Brot, zerkrümelt

Für die Salzlake:

2 TL	Stein- (Speisesalz) oder Meersalz

Wenn es schnell gehen soll, kann man den Weißkohl zuerst in Wasser mit 200 ml Traubenessig blanchieren. Dann lässt man jedoch Brot und Kichererbsen weg.

Weißkohl, Knoblauch, Fenchel, Chilis, Karotten, Speiserübe und 2 Teelöffel Stein- (Speisesalz) oder Meersalz in einer großen Schüssel vermengen und 5 Minuten durchkneten. Die Schüssel mit einem Mulltuch abdecken und 1 Tag durchziehen lassen.

Die Mischung am nächsten Tag in ein sterilisiertes Glas (2 Liter) füllen.

Für die Salzlake das Salz in einer großen Schüssel mit 2,25 Liter Wasser vermengen.

Kichererbsen und Brot auf ein Stück Mulltuch legen, dieses zu einem Säckchen knoten und in das Glas legen. Die Salzlake darübergießen. Das Glas fest verschließen und Weißkohl an einem dunklen, kühlen Ort 20 Tage fermentieren lassen.

Nach 20 Tagen das Säckchen vor dem Servieren herausnehmen. Der Weißkohl ist im geschlossenen Glas im Kühlschrank bis zu 1 Jahr haltbar.

SALATE & VORSPEISEN

EINGELEGTE GRÜNE BOHNEN
FASULYE TURŞUSU

Herkunft:	Giresun, alle Landesteile
Zubereitung:	10 Minuten zzgl. 15 Tage Fermentieren
Garzeit:	20 Minuten
Personen:	4

600 g	frische grüne Bohnen (Fäden abgezogen), 20 Minuten in sprudelndem Wasser gekocht, abgeseiht
1	frische scharfe Chilischote, fein gehackt
10	Knoblauchzehen, in feinen Scheiben
4 Stängel	frisches Basilikum

Für die Salzlake:

90 ml	frisch gepresster Zitronensaft
2 TL	Stein- (Speisesalz) oder Meersalz

Die im Herbst gepflückten grünen Bohnen eignen sich am besten zum Einlegen, wobei sie 15–20 Tage nach dem Einlegen am aromatischsten schmecken. Sie sind eine beliebte Beilage und eine vielseitige Zutat. Meist werden sie mit Zwiebeln oder Eiern gebraten.

◆

Bohnen, Chili und Knoblauch in ein sterilisiertes Glas (1 Liter) füllen. Mit der Hand nach unten pressen und das Basilikum zugeben. Das Glas mit Wasser auffüllen. Dann Zitronensaft und Salz dazugeben. Das Glas fest verschließen und Bohnen an einem dunklen, kühlen Ort 15 Tage fermentieren lassen.

Die Bohnen sind im geschlossenen Glas im Kühlschrank bis zu 1 Jahr haltbar.

◆

EINGELEGTE PAPRIKA
BİBER TURŞUSU

Herkunft:	Uşak, alle Landesteile
Zubereitung:	10 Minuten zzgl. 20 Tage Fermentieren
Personen:	4

600 g	grüne kleine Paprikaschoten
15	Knoblauchzehen
200 g	Tomaten, halbiert

Für die Salzlake:

200 ml	Traubenessig
2 EL	frisch gepresster Zitronensaft
60 ml	Traubenmelasse
2 ½ TL	Stein- (Speisesalz) oder Meersalz
50 g	Gerste

In einigen Regionen werden die Zutaten bei mittlerer Hitze 10 Minuten gegart. Danach lässt man alles abkühlen und isst die Paprika noch am gleichen Tag, ohne sie fermentieren zu lassen.

◆

Die Paprika rundum mit einer Gabel einstechen und dann mit dem Knoblauch in ein sterilisiertes Glas (1,5 Liter) legen. Nach unten pressen und die Tomaten zugeben.

Für die Salzlake Essig, Zitronensaft, Traubenmelasse und Salz in einer großen Schüssel mit 1 Liter Wasser vermengen.

Die Gerste auf ein Stück Mulltuch legen, dieses zu einem Säckchen verknoten und in das Glas legen. Die Salzlake darübergießen. Das Glas fest verschließen und Paprikas an einem dunklen, kühlen Ort 20 Tage fermentieren lassen.

Nach 20 Tagen das Säckchen vor dem Servieren herausnehmen. Die Paprikas sind im geschlossenen Glas im Kühlschrank bis zu 1 Jahr haltbar.

BULGURBÄLLCHEN
FELLAH KÖFTESİ (ÇİFTÇİ KÖFTESİ)

Herkunft:	Adana, Mittelmeerregion
Zubereitung:	30 Minuten
Garzeit:	15 Minuten
Personen:	4

150 g	dunkler Bulgur
1 TL	Süße Paprikapaste (Seite 492)
1½ TL	Tomatenmark (Seite 492)
100 g	Tomaten, gerieben
1 Prise	gemahlener Kreuzkümmel
1½ EL	getrocknete Minze
2 EL	natives Olivenöl extra
6	Knoblauchzehen, in feinen Scheiben
1 TL	Chiliflocken
300 g	Spinatblätter
50 g	Walnusskerne, grob gehackt
2 EL	Granatapfelsirup

 V

Die Sunniten bezeichnen die Nusayris (Arabische Aleviten), die rund um Adana, Mersin und Antakya leben, als Fellah. Arabische Aleviten nennen dieses Gericht, das im Sommer kalt gegessen wird, *Sarımsaklı Köfte* (Knoblauch-Bulgurbällchen).

Bulgur, Paprikapaste, Tomatenmark, Tomaten, Kreuzkümmel, Minze und ¼ Teelöffel Salz in einer großen, Schüssel oder auf einem Tablett vermengen und 20 Minuten durchkneten. Sobald sich eine teigähnliche Masse gebildet hat, kleine Stücke davon abtrennen und zu Bällchen mit 1 cm Durchmesser rollen. Mit der Fingerspitze eindrücken.

1 Liter Wasser mit 1 Prise Salz in einem großen Topf zum Kochen bringen. Die Bulgurbällchen in den Topf geben und 5 Minuten köcheln lassen.

Das Öl bei mittlerer Hitze in einem Topf heiß werden lassen. Knoblauch und Chiliflocken zugeben und 10 Sekunden anbraten. Den Spinat und 1 Prise Salz zufügen und unter ständigem Rühren 5 Minuten dünsten. Topf vom Herd nehmen, Bulgurbällchen, Walnüsse und Granatapfelsirup zugeben und alles vor dem Servieren gut vermengen.

KURDISCHE BULGURBRATLINGE
KÜRT KÖFTESİ

Herkunft:	Van, Ostanatolien
Zubereitung:	30 Minuten
Garzeit:	25 Minuten
Personen:	4

150 g	feiner dunkler Bulgur
1	Ei
40 g	Butter
2 (240 g)	mittelgroße Zwiebeln, fein gehackt
50 g	grüne Linsen, gekocht
2 TL	getrocknetes Basilikum (oder 5 Stängel frisches Basilikum)

Für die Sauce:	
2 EL	Butter
½ TL	Chiliflocken

200 g	Joghurt

V

Die Kurden nennen dieses Gericht „zusammengedrückte Bulgurbällchen", der Rest der Türkei bezeichnet es als „Kurdische Bulgurbratlinge". Man kennt sie auch unter dem Namen *Çimdik Köfte* und *Sıkma Köfte*. Kinder lieben diese vegetarischen Bällchen.

Bulgur, Ei und ¼ Teelöffel Salz in einer großen, tiefen Schüssel oder auf einem Tablett vermengen und 20 Minuten kneten. Die Mischung in 24 gleich große Stücke teilen und flach drücken.

1 Liter Wasser in einem großen Topf zum Kochen bringen. Die Bulgurbratlinge zugeben und 5 Minuten köcheln lassen, bis sie an die Oberfläche steigen. Mit einem Schaumlöffel herausnehmen und auf Küchenpapier abtropfen lassen. Den Kochsud aufbewahren.

Die Butter in einem Topf bei mittlerer Hitze zerlassen. Die Zwiebel zugeben und 10 Minuten unter ständigem Rühren anbraten. Linsen und Basilikum zufügen. Dann die Bulgurbratlinge mit 200 ml Kochsud zugeben. 2 Minuten garen.

Den Topfinhalt in Servierschüsseln füllen.

Für die Sauce die Butter in einem kleinen Topf bei schwacher bis mittlerer Hitze zerlassen. Die Chiliflocken zugeben und 5 Minuten leicht anbraten.

Jede Portion Bratlinge mit etwas Joghurt krönen. Mit Sauce beträufeln und servieren.

SALATE & VORSPEISEN

TOPIK
TOPİK

Herkunft:	İstanbul, Marmararegion
Zubereitung:	30 Minuten zzgl. Einweichen über Nacht, zzgl. 2 ½ Stunden Ruhezeit und Kühlen
Garzeit:	2 ½ Stunden
Personen:	4

Für die Füllung:

8 (1 kg)	mittelgroße Zwiebeln, in Ringe geschnitten
40 g	Rosinen
3 EL	Pinienkerne, geröstet
½ TL	gemahlener Piment
¼ TL	gemahlene Gewürznelken
¼ TL	frisch gemahlener Pfeffer
60 ml	Tahin (Sesampaste)

Für die Hülle:

250 g	Kichererbsen, über Nacht eingeweicht

2 EL	natives Olivenöl extra
1 TL	gemahlener Zimt

 **V**

Dieses armenische Gericht wird in der Fastenzeit gegessen. Um Zeit zu sparen, verwendet man bereits gekochte Kichererbsen. Das folgende Rezept erklärt jedoch die ursprüngliche Vorgehensweise. Dazu benötigt man 8 Mulltücher (à 30 × 30 cm). *Topik* kann auch mit einem Spritzer Zitronensaft serviert werden.

◆

Für die Füllung Zwiebeln mit ½ Teelöffel Salz in einem großen, tiefen Topf bei mittlerer Hitze 20 Minuten unter ständigem Rühren anbraten. Die Hitze reduzieren, einen Deckel auflegen und Zwiebeln 1 Stunde braten. Dabei jeweils nach 15 Minuten umrühren, bis die Zwiebeln karamellisiert sind. Topf vom Herd nehmen, Rosinen, Pinienkerne, Piment, Gewürznelken und schwarzen Pfeffer zugeben und gründlich vermengen. Tahin zufügen und die Mischung in einer Schüssel 30 Minuten abkühlen lassen.

Für die Teighüllen die Kichererbsen abseihen und schälen. Dann durch einen Fleischwolf drehen und in eine Schüssel geben. ½ Teelöffel Salz zufügen und die Mischung 2 Minuten kneten, bis sich ein Teig bildet. Die Mulltuchstücke leicht anfeuchten und ¼ des Kichererbsenteigs in die Mitte eines Mulltuchs geben. Ein zweites Mulltuch darauflegen und vorsichtig drücken, bis aus dem Teig ein Kreis mit 20 cm Durchmesser entsteht. Das obere Mulltuch wieder abnehmen und mit dem restlichen Teig ebenso verfahren, bis vier Teigkreise entstanden sind.

Jeweils ¼ der Füllung auf eine Teighülle geben. Den Teig zu Kugeln formen, sodass die Füllung ganz umschlossen ist. Jede Kugel mit einem Mulltuchstück umwickeln und mit einem Stück Schnur zusammenbinden.

Wasser in einem großen Topf zum Kochen bringen. Die Mulltuchpäckchen ins Wasser gleiten lassen. Einen Deckel auflegen und Wasser erneut zum Kochen bringen. 1 Stunde kochen. Die Päckchen mit einem Schaumlöffel herausheben und 30 Minuten auf einem Tablett abkühlen lassen. Die Päckchen anschließend 1 ½ Stunden im Kühlschrank aufbewahren.

Die Päckchen öffnen und die Kugeln auf einer Servierplatte verteilen. Zur Garnierung mit etwas Olivenöl beträufeln. Mit dem Zimt ein Kreuz auf jede Kugel streuen.

LINSENTALER
MERCİMEKLİ KÖFTE

Herkunft:	Osmaniye, alle Landesteile
Zubereitung:	15 Minuten
Garzeit:	45 Minuten zzgl. 10 Minuten Ruhezeit
Personen:	4

100 g	rote Linsen, gewaschen
50 g	feiner Bulgur
1 (120 g)	mittelgroße Zwiebel
5	Knoblauchzehen
4 EL	natives Olivenöl extra
2½ TL	Chiliflocken
1½ EL	Tomatenmark (Seite 492)
1½ TL	Rote Paprikapaste (Seite 492)
1 Prise	gemahlener Kreuzkümmel
2	Frühlingszwiebeln
½ Bund	glatte Petersilie
2 Stängel	frisches Basilikum
2 Stängel	frischer Koriander

2 Kästchen	Kresse
150 g	Radieschen, in Scheiben geschnitten

💧 💧 V

Linsentaler sind besonders in Südostanatolien und in der östlichen Mittelmeerregion beliebt, werden aber auch im Rest der Türkei gegessen. Je nach Region bereitet man sie mild bis pikant zu. Zusammen mit Ayran (Seite 452) und Salat ergeben sie eine komplette Mahlzeit.

◆

1 Liter Wasser in einem Topf bei mittlerer Hitze heiß werden lassen. Die Linsen zugeben und 30 Minuten köcheln lassen. Dann Linsen und Wasser gut verquirlen. Bulgur und ½ Teelöffel Salz zufügen, einen Deckel auflegen und die Mischung 10 Minuten ruhen lassen.

Inzwischen Zwiebel und Knoblauch fein aufschneiden. Eine Pfanne gut erhitzen. 2 Esslöffel Öl zugeben und 1 Minute heiß werden lassen. Zwiebel und Knoblauch zufügen und 3 Minuten anbraten. Die Chiliflocken, die Hälfte der Tomaten- und der Paprikapaste zugeben und 2 Minuten braten.

Restliches Öl, restliche Tomaten- und Paprikapaste mit Kreuzkümmel und 1 Prise frisch gemahlenem Pfeffer zu den Linsen geben und 1 Minute durchkneten. Frühlingszwiebeln, Petersilie, Basilikum und Koriander fein hacken und zur Zwiebel-Knoblauch-Mischung geben. Weitere 5 Minuten vorsichtig durchrühren.

Alles zusammenmischen. Aus der Mischung walnussgroße Stücke formen und zu Talern flach drücken. Mit Kresse und Radieschenscheiben garnieren und servieren.

BUTTRIGE TALER
YAĞLI KÖFTE

Herkunft:	Şanlıurfa, Südostanatolien
Zubereitung:	40 Minuten
Personen:	4

100 g	Tomaten, gerieben
1 (120 g)	mittelgroße Zwiebel
8	Knoblauchzehen
150 g	dunkler Bulgur, gekocht
50 g	Walnusskerne, gehackt
4 TL	Rote Paprikapaste (Seite 492)
1 EL	Tomatenmark (Seite 492)
2 TL	Chiliflocken
1 Prise	gemahlener Kreuzkümmel
70 g	Ghee (Seite 485)
½ Bund	glatte Petersilie
4 Stängel	frisches Basilikum

½ Kästchen	Kresse, nur die Blätter, gewaschen
½ Bund	frische Minzeblätter, gewaschen
1 Rezept	*Kaşik Salatası* (Löffelsalat, Seite 59)

Dieses Gericht schmeckt an heißen Sommertagen besonders erfrischend.

◆

Die Tomaten in einer großen Schüssel reiben. Zwiebel und Knoblauch fein aufschneiden und zu den Tomaten geben. Dann mit Bulgur, Walnüssen, Paprika- und Tomatenmark, Chiliflocken, Kreuzkümmel und Ghee vermengen. Mit ½ Teelöffel Salz und ¼ Teelöffel frisch gemahlenem Pfeffer abschmecken. Die Mischung mit den Händen 20 Minuten gut durchkneten.

Petersilie und Basilikum fein hacken, zur Mischung geben und weitere 5 Minuten durchkneten.

Masse in 16 gleich große Stücke teilen. Jedes Stück zu einem Taler flach drücken. Taler auf Teller verteilen und mit Kresse und Minze garnieren. Mit *Kaşik Salatası* als Beilage servieren.

BULGUR-PAPRIKA-DIP
BATIRIK

Herkunft:	Mersin, Mittelmeerregion
Zubereitung:	30 Minuten
Garzeit:	5 Minuten
Personen:	4

80 g	dunkler Bulgur
1½ TL	Rote Paprikapaste (Seite 492)
1½ TL	Tomatenmark (Seite 492)
200 g	Tomaten, fein gehackt
1¾ TL	Chiliflocken
60 g	Zwiebel, fein gehackt
2 TL	sonnengetrocknete Tomaten
1	frische grüne Chilischote, fein gehackt
1 Prise	gemahlener Kreuzkümmel
1 EL	getrocknete Minze
100 g	Erdnüsse, geröstet
2 EL	Sesamsaat, geröstet
2 EL	Tahin (Sesampaste)
2 EL	frisch gepresster Zitronensaft
2 EL	Granatapfelsirup
4	Frühlingszwiebeln
70 g	Gurke
¼ Bund	glatte Petersilie
2 Stängel	frisches Basilikum
2	Romanasalatblätter
6	Romanasalatblätter
2 EL	natives Olivenöl extra

⁝ ♦ V

Dieses Gericht serviert man an heißen Sommertagen. Durch die Zugabe von Wasser wird der Dip so dünnflüssig, dass er mit einem Löffel gegessen werden muss.

♦

Bulgur, Pasten, Tomaten, Chiliflocken und Zwiebel in einer großen Schüssel vermengen. Die sonnengetrockneten Tomaten im Mörser mit dem Stößel zerstoßen und dann mit Chili, Kreuzkümmel und Minze zur Bulgurmischung geben. Mit ½ Teelöffel Salz abschmecken. Alles gründlich vermengen und mit den Händen 10 Minuten durchkneten.

Erdnüsse und Sesamsaat zerdrücken. In die Schüssel geben und die Mischung erncut 2 Minuten durchkneten. Tahin, Zitronensaft und Granatapfelsirup zufügen und nochmals 2 Minuten kneten.

Frühlingszwiebeln, Gurke, Petersilie, Basilikum und 2 Salatblätter fein aufschneiden. In die Schüssel geben und die Masse weitere 2 Minuten durchkneten. 400 ml eiskaltes Wasser zugießen und die Mischung durchkneten. Dann auf 4 Teller verteilen und 10 Minuten kalt stellen.

6 Salatblätter kurz in kochendem Wasser blanchieren. Abseihen und sofort unter fließendem kaltem Wasser abschrecken. Die Salatblätter in 4-cm-Streifen schneiden und auf die Teller verteilen. Mit dem *Batırık* krönen, mit Olivenöl beträufeln und servieren.

♦

BULGUR MIT JOGHURT
MASTEDEN (YOĞURTLU DÖVME)

Herkunft:	Hakkâri, Ostanatolien
Zubereitung:	5 Minuten zzgl. Einweichen über Nacht
Garzeit:	10 Minuten
Personen:	4

150 g	Bulgur
200 g	abgetropfter Joghurt aus Schafsmilch
50 g	duftende rosa Rosenblütenblätter, fein gehackt
2 EL	Traubenmelasse

V 𝕀

Dieses Gericht kann auch mit 1 Liter eiskaltem Wasser zubereitet und in den Sommermonaten kalt serviert werden.

♦

Einen Topf mit Wasser in einem Topf zum Köcheln bringen. Den Bulgur zugeben und 10 Minuten leicht köcheln lassen. Topf vom Herd nehmen, einen Deckel auflegen und Bulgur über Nacht einweichen.

Den Bulgur am nächsten Tag abseihen und in eine große Schüssel füllen. Joghurt und Rosenblätter zugeben, mit ½ Teelöffel Salz abschmecken und alles gut vermengen. Mit Traubenmelasse beträufeln und servieren.

TABBOULÉ
KISIR

Herkunft:	Hatay, Mittelmeerregion
Zubereitung:	40 Minuten
Personen:	4

120 g	feiner dunkler Bulgur, gekocht
1 EL	Rote Paprikapaste (Seite 492)
1 EL	Tomatenmark (Seite 492)
2 ½ TL	Chiliflocken
¼ TL	gemahlener Kreuzkümmel
200 g	Tomaten, gerieben
1 (120 g)	mittelgroße Zwiebel, fein gehackt
4	Frühlingszwiebeln
½ Bund	frische Minze
1 Bund	glatte Petersilie
2 EL	Granatapfelsirup
60 ml	natives Olivenöl extra
16	Romanasalatblätter

Dies ist der beliebteste Bulgursalat der Türkei, der allerdings in jeder Region anders interpretiert wird. Er wird auch mit gekochten frischen Weinblättern serviert.

◆

Bulgur, Paprika- und Tomatenmark, Chiliflocken, Kreuzkümmel, Tomaten und Zwiebel in einer großen, tiefen Schüssel oder auf einem Tablett vermengen. Mit ½ Teelöffel Salz abschmecken. Die Mischung mit den Händen 20 Minuten kräftig durchkneten.

Frühlingszwiebeln, Minze und Petersilie fein aufschneiden. Zur Mischung geben und weitere 5 Minuten durchkneten.

Granatapfelsirup und Olivenöl in einer anderen Schüssel verrühren. Zu den anderen Zutaten geben und vorsichtig vermengen. Tabboulé auf Romanasalatblättern servieren.

i ◆ V   Seite 89 📷

LINSEN-WALNUSS-SALAT
BAT

Herkunft:	Tokat, Schwarzmeerregion
Zubereitung:	20 Minuten
Garzeit:	10 Minuten
Personen:	4

100 g	grüne Linsen, gekocht und abgekühlt
300 g	Tomaten, fein gehackt
60 g	Zwiebel, fein gehackt
4	Frühlingszwiebeln, in feinen Ringen
1 ½ TL	Tomatenmark (Seite 492)
2 ½ TL	Chiliflocken
60 g	Walnusskerne, gehackt
6 Stängel	Dill, fein gehackt
2 Stängel	Basilikum, fein gehackt
4 Stängel	glatte Petersilie, fein gehackt
2 EL	Cranberryextrakt (Seite 491)
40	knackige, frische Weinblätter

Bat wird das ganze Jahr über gegessen. Wenn keine frischen Weinblätter erhältlich sind, nimmt man eingelegte Weinblätter.

◆

Linsen, Tomaten, Zwiebel, Frühlingszwiebeln, Tomatenmark, Chiliflocken und Walnüsse in einer großen Schüssel vermengen. Mit ½ Teelöffel Salz abschmecken. Dill, Basilikum und Petersilie zugeben und alles vorsichtig vermengen. Anschließend 400 ml eiskaltes Wasser und den Cranberryextrakt zugießen.

Mit den frischen Weinblättern als Beilage in Schüsseln servieren.

i ✿ ◆ V X

GEMÜSE, EIER & HÜLSENFRÜCHTE

GEMÜSE UND OLIVENÖLGERICHTE

OLIVENÖL

Fleischfreie Speisen wurden früher traditionell als „Olivenölgerichte" bezeichnet. Doch dieser Name beschränkt sich heutzutage nicht nur auf Gemüserezepte – Olivenöl wird in den meisten Fleisch-, Geflügel- und Fischgerichten und sogar in einigen Nachspeisen verwendet. Die klassischen „Olivenölgerichte" sollen ihren Ursprung in den christlichen Speiseverboten der Fastenzeit haben. Tatsächlich nennen wir sie manchmal „Fastengerichte".

Grüne Bohnen, Okra, Lauch und Knollensellerie, die mit Zwiebeln und ein klein wenig Wasser in Olivenöl gebraten werden, sind im ganzen Land beliebt. Diese Gerichte und andere Speisen mit blanchiertem Blattgemüse kommen in Restaurants kalt auf den Tisch. Sie werden sofort nach der Zubereitung oder zumindest am gleichen Tag verzehrt.

Kräuter und saisonales Blattgemüse können blanchiert oder pochiert und anschließend mit Olivenöl verfeinert werden. Oder man gart sie direkt in Olivenöl. Meerfenchel, Wolfsmilch (*Sütleğen*, doch Vorsicht: Die meisten Arten sind giftig) und Nesseln werden pochiert und mit Olivenöl und Essig oder Zitronensaft angemacht und sofort gegessen. Kräuter wie Malven und Stechwinde (*Diken Ucu*) brät man mit Eiern in Olivenöl.

Zu den warmen Olivenölgerichten gehören folgende Eierspeisen: *Menemen* (Rühreier mit Gemüse, Seite 116), *Çılbır* (Pochierte Eier mit Joghurt, Seite 96) und *Ayvanet* (Omelettwürfel mit Joghurtsauce, Seite 105). Sie werden sofort nach der Zubereitung verzehrt, da man sie nicht aufbewahren kann.

In Olivenöl gebratenes Gemüse schmeckt sowohl warm als auch kalt hervorragend. Doch am aromatischsten ist es natürlich ganz frisch. „Eine Mahlzeit kann man nicht zweimal kochen", heißt es bei uns. Es ist einfach üblich, dass man Olivenölgerichte noch am Tag der Zubereitung genießt.

Die Olivenölgerichte werden je nach Region, Klima und persönlichen Vorlieben variiert. An der Ägäis werden Schwarzaugenbohnen pochiert und mit einem Knoblauch-Olivenöl-Dressing angemacht, während man sie anderswo mit Zwiebeln, Knoblauch, Paprika und Tomate brät.

Olivenöl spielt in der türkischen Kultur eine tragende Rolle. Die Olivenhaine sind die Zentren der Oliven- und Olivenölproduktion der Türkei. Wir schätzen und verehren den Olivenbaum. Die Heilwirkung von Olivenöl und Oliven ist allgemein bekannt. Früher wurde das Öl sogar als Brennmittel verwendet.

Noch immer ist die Olivenproduktion in der Marmararegion, an Ägäis und Mittelmeer und in Südostanatolien beheimatet. Auch am Schwarzen Meer wurden früher Oliven angebaut, doch inzwischen findet man nur noch wenige Haine. Vor 1923 hatte die Olivenölproduktion dort eine größere Bedeutung, doch der kulturelle Wandel und die Urbanisierung führten in jener Region zum Niedergang der Olivenölkultur.

MEINE KINDHEIT

In meiner Heimatstadt Nizip (Gaziantep) begann die Arbeit in den Bäckereien in aller Frühe! Als junger Lehrling fing ich bereits um 2 Uhr morgens mit der Arbeit an. Meine Backkarriere nahm ihren Anfang bereits in der Grundschule. Ich habe sogar noch dunkle Erinnerungen an meinen täglichen Besuch in der Bäckerei, die noch aus meiner Vorschulzeit stammen müssen. Auf dem Weg zur Arbeit fürchtete ich mich jedoch vor der Dunkelheit. Die Meisterbäcker nahmen mir jedoch die Furcht, und dabei kam das Olivenöl ins Spiel.

In Nizip wurden im November die Oliven gepflückt und zu frischem Olivenöl verarbeitet. Die Olivenölpressen standen bei den benachbarten *Masmana* (Seifensieder). Die Einheimischen brachten ihre frisch gepflückten Oliven, und dann begann man in den frühen Morgenstunden mit dem Pressen. Der Duft des frischen Öls zog bis zur Bäckerei, in etwa zu der Zeit, als die gerippten Brote aus dem Backofen kamen, meist gegen 4 Uhr morgens. Das noch warme Brot wurde in Zeitungspapier gewickelt. „Lauf schnell zu den *Masmana*", pflegte mein Meister zu sagen, „bevor das Brot kalt wird, los, los ..." Warmes Brot und Olivenöl sind ein himmlisches Paar.

So schnell ich nur konnte, lief ich los. Der Aufseher dort wartete schon sehnsüchtig auf seine „Ration". Er tauchte das warme Brot in das frische Olivenöl, legte einige Brote für sich zur Seite und gab mir den Rest wieder zurück. Bis zu meiner Rückkehr standen Tee und Milch bereit. Alle in der Bäckerei stürzten sich auf das Brot mit Olivenöl. Der Geschmack war unvergleichlich – und wird mir für immer im Gedächtnis bleiben. Aus diesem Grund haben Oliven und Olivenöl für alle Zeiten eine besondere Bedeutung für mich.

Zur Olivensaison backte meine Mutter stets *Bazlama* (Bazlama-Fladen, Seite 394) oder *Pişi* (Frittiertes Brot, Seite 395) und briet es im Olivenöl aus unseren eigenen Oliven. Wir aßen es pur oder mit Salz, Pfeffer, Zucker und gemahlenen Gewürznelken bestreut. Manchmal gaben wir Salz und zerdrückten Knoblauch zum frischen Olivenöl und tunkten das frische *Bazlama* darin ein.

DICKE BOHNEN UND EIER IN OLIVENÖL

Als meine Mutter starb, briet die Frau meines Neffen Dicke Bohnen und Eier in Olivenöl und sagte: „Tante Feride [meine Mutter] liebte dieses Gericht und konnte es so gut zubereiten. Zur Erinnerung an sie habe ich es nach meinem Rezept gebraten."

Meine Mutter kochte tatsächlich oft *Yumurtali Bakla Kavurmasi* (Frische Dicke Bohnen mit Eiern, Seite 104), aber nur zur Saison von Februar bis März. Wir setzten uns also alle bei der Frau meines Neffen an den Tisch. In dem Moment, als ich ein Stück *Yufka Ekmeği* (Dünnes Fladenbrot, Seite 378) abbrach und ein wenig der Dicken Bohnen damit aufnahm, wurde mir bewusst, dass es dem Gericht meiner Mutter in keiner Weise ähnelte. So, als ob meine Mutter sagen würde: „Die Tage meiner Dicken Bohnen sind vorbei und kehren niemals wieder!"

Die Dicken Bohnen mit Eiern, die meine Mutter zubereitete, waren ein echter Genuss. Kein Krümel blieb davon übrig. Aber uns gelang es nie, sie perfekt nachzukochen. Deshalb glaube ich, dass man von einer Meisterköchin oder einem Meisterkoch nicht wirklich lernen kann. Wir können unsere Mütter nur nachahmen.

POCHIERTE EIER MIT JOGHURT
ÇILBIR

Herkunft:	Bilecik, alle Landesteile
Zubereitung:	5 Minuten
Garzeit:	10 Minuten
Personen:	4

1 EL	Apfelessig
8	Eier

Für die Joghurtsauce:

400 g	griechischer Joghurt
4	Knoblauchzehen, gehackt

Für die Sauce:

2 EL	Olivenöl
½ TL	Chiliflocken

❀ V ✕   Seite 97 📷

Man legt ein pochiertes Ei pro Person auf ein Tablett und platziert unter einem der Eier eine Perle gegen den bösen Blick. Wer sie findet, hat Glück. Dieses Gericht kann mit Joghurt, Milch, Tomatenmark, Hackfleisch oder Spinat zubereitet werden.

◆

3 Liter Wasser mit Essig und ½ Teelöffel Salz in einem Topf bei hoher Hitze zum Kochen bringen. Dann die Hitze reduzieren, sodass das Wasser leise köchelt. Die Eier einzeln in eine Schüssel aufschlagen und vorsichtig ins Wasser gleiten lassen. Das Eigelb sollte ganz bleiben. Eier 3 Minuten pochieren, wobei sie einander nicht berühren sollten – 4 Eier sollten gleichzeitig in den Topf passen. Die ersten 4 Eier mit einem Schaumlöffel herausnehmen und direkt in Servierschüsseln legen. Dann die nächsten 4 Eier pochieren.

Für die Joghurtsauce Joghurt, Knoblauch und ¼ Teelöffel Salz in einer Schüssel vermengen.

Für die Sauce das Öl bei mittlerer Hitze in einem kleinen Topf heiß werden lassen. Die Chiliflocken zugeben und 5 Sekunden anbraten.

Die Joghurtsauce über die Eier gießen, mit der Sauce beträufeln und die Eier servieren.

◆

POCHIERTE FRISCHE SCHWARZAUGENBOHNEN
TAZE BÖRÜLCE HAŞLAMASI

Herkunft:	Muğla, Ägäisregion
Zubereitung:	10 Minuten
Garzeit:	20 Minuten
Personen:	4

600 g	frische Schwarzaugenbohnen
6	Knoblauchzehen, gehackt
60 ml	Verjus (Seite 494)
60 g	Brösel aus altbackenem Weißbrot
100 g	Walnusskerne, grob gehackt
60 ml	Olivenöl

💧 ◆ V ✕

Dieses Sommergericht wird u. a. in der Mittelmeerregion mit Schwarzaugenbohnen, Zwiebel, Knoblauch, Paprika und Tomaten zubereitet. Diese Variante nennt man dort *Löbye*. Manchmal lässt man das altbackene Brot und die Walnüsse weg.

◆

1 Liter Wasser in einen großen Topf gießen. Schwarzaugenbohnen und ¼ Teelöffel Salz zugeben, einen Deckel auflegen und Bohnen bei mittlerer Hitze 20 Minuten kochen. Abseihen und beiseitestellen.

Knoblauch, Verjus, Semmelbrösel, Walnüsse, Olivenöl und ¼ Teelöffel Salz in einer großen Schüssel 2 Minuten gründlich vermengen. Die Schwarzaugenbohnen zugeben, alles gut vermengen und servieren.

GEDÄMPFTE BRENNNESSELN
ISIRGAN BUĞULAMASI

Herkunft:	Denizli, alle Landesteile
Zubereitung:	5 Minuten
Garzeit:	20 Minuten
Personen:	4

600 g	frische Brennnesseln, gewaschen
60 ml	natives Olivenöl extra
4	Knoblauchzehen, zerdrückt
200 g	*Lor* (Frischer Molkenkäse, Seite 485, oder Ricotta)

❁ V ꙮ

Statt *Lor* kann man auch Joghurt oder Eier verwenden.

♦

1 Liter Wasser in einen Dampfgarer oder einen großen Topf mit Dämpfeinsatz oder feuerfestem Sieb (sie dürfen das Wasser nicht berühren) gießen. Zum Kochen bringen und die Brennnesseln in den Dämpfeinsatz legen. Einen Deckel auflegen und Brennnesseln 15 Minuten dämpfen.

Das Öl bei mittlerer Hitze in einer Pfanne heiß werden lassen. Den Knoblauch zugeben und 10 Sekunden anbraten. Die Brennnesseln in die Pfanne geben und mit ½ Teelöffel Salz und ¼ Teelöffel frisch gemahlenem Pfeffer abschmecken. 2 Minuten unter ständigem Rühren braten. *Lor* zugeben und unter Rühren 1 weitere Minute braten. Vom Herd nehmen und servieren.

BORRETSCH MIT WALNÜSSEN
CEVİZLİ HODAN

Herkunft:	Bolu, Marmara und Schwarzmeerregion
Zubereitung:	10 Minuten
Garzeit:	20 Minuten
Personen:	4

400 g	Borretschblätter, gehackt
6	Knoblauchzehen
100 g	Walnusskerne
1 EL	zerdrückte getrocknete Rosenblütenblätter
2 EL	natives Olivenöl extra
2 EL	frisch gepresster Zitronensaft

⚫ ❁ ♦ V ꙮ

In der Türkei zeigt wilder Borretsch zur Schneeschmelze den Frühling an. Er schmeckt nach Pilzen und ist besonders in der Marmara- und westlichen Schwarzmeerregion beliebt. Man kennt ihn auch als *Zılbıt*, *Zıbıdık*, *ıspıt*, *Tomara* oder *Galdirik*. Die Stängel werden oft eingelegt und die Blüten für *Kaygana*, *Maya* und Mus verwendet. Für dieses Rezept kann man auch wunderbar Borretschblüten nehmen. Dieses Gericht wird auch gebraten oder mit Lammconfit, Eiern und *Pastırma* (Gepökeltes Rindfleisch, Seite 497) verfeinert.

♦

1,5 Liter Wasser in einem großen Topf zum Kochen bringen. Den Borretsch zugeben und 20 Minuten kochen. Abseihen und gut abtropfen lassen.

Inzwischen Knoblauch, Walnüsse, Rosenblütenblätter und ½ Teelöffel Salz 5 Minuten im Mörser mit dem Stößel zerstoßen. Olivenöl und Zitronensaft zugießen und unterrühren.

Warmen Borretsch und Walnusssauce in einer großen Schüssel vermengen und sofort servieren.

SAUTIERTE DICKE BOHNEN
İÇ BAKLA HAŞLAMASI

Herkunft:	Manisa, alle Landesteile
Zubereitung:	5 Minuten
Garzeit:	25 Minuten
Personen:	4

2 EL	natives Olivenöl extra
1	mittelgroße Zwiebel (120 g), fein gehackt
2 Stängel	Fenchelgrün, fein gehackt
400 g	frische Dicke Bohnen, enthülst
1 EL	frisch gepresster Zitronensaft

Dieses auch als „Eselsbohnen" bekannte Gericht ist zur Saison ein beliebtes Streetfood. Die Straßenverkäufer pochieren die Bohnen (in der Hülse) in gesalzenem Zitronenwasser. An Ägais und Mittelmeer und in der Südosttürkei finden berühmte Bohnenesswettbewerbe statt – ein Übergangsritual für die einheimische Jugend, die es mit dem Bohnenessen meist übertreibt. Auch Wahrsagerinnen verwenden gerne Dicke Bohnen. Wenn man eine Dicke Bohne unter sein Kopfkissen legt, werden Wünsche wahr!

◆

Das Öl bei mittlerer Hitze in einem großen Topf heiß werden lassen. Zwiebel und Fenchel zugeben und unter ständigem Rühren 10 Minuten braten.

Dicke Bohnen, Zitronensaft und ½ Teelöffel Salz zugeben und 5 Minuten braten. Einen Deckel auflegen und alles weitere 10 Minuten garen. Sofort servieren.

SAUTIERTE AUBERGINEN
BAŞ KAVURMASI

Herkunft:	Adana, Mittelmeerregion
Zubereitung:	10 Minuten zzgl. 15 Minuten Einweichen
Garzeit:	50 Minuten
Personen:	4

4	kleine Auberginen, geschält, längs geviertelt, aber Stielansatz nicht durchgeschnitten
60 ml	natives Olivenöl extra
1	mittelgroße Zwiebel (120 g), in Halbringe geschnitten
10	Knoblauchzehen, geviertelt
2	grüne Paprika, gehackt
2	grüne Chilischoten, gehackt
2 TL	Rote Paprikapaste (Seite 492)
1 TL	Chiliflocken
1 TL	getrocknete Minze
750 g	Tomaten, gehackt
2 EL	Granatapfelsirup (Seite 490)

Für dieses Gericht verwendet man die kleinen, länglichen Auberginen, die regional im August erhältlich sind. Japanische oder italienische Auberginen (5 × 10 cm) eignen sich dafür am besten.

◆

Die Auberginen in einer Schüssel mit 1 Liter gesalzenem Wasser bedecken und 15 Minuten einweichen. Abseihen und abspülen. Dann mit Küchenpapier trocken tupfen.

Das Olivenöl in einem großen Topf bei mittlerer Hitze auf 150 °C erhitzen. Auberginen zugeben und 8 Minuten braten. Dabei alle 2 Minuten wenden. Auf einen Teller legen.

Zwiebel, Knoblauch und Paprika im gleichen Topf unter ständigem Rühren 10 Minuten braten. Chili, Paprikapaste, Chiliflocken, Minze und 1 Teelöffel Salz zugeben und 1 Minute braten. Die Tomaten zufügen und unter ständigem Rühren 5 Minuten braten. Die Auberginen zur Mischung geben und alles vorsichtig, aber gründlich vermengen. Mit dem Granatapfelsirup beträufeln. Die Hitze reduzieren, Deckel auflegen und alles 20 Minuten garen.

Heiß oder kalt servieren.

MEERFENCHEL
DENİZ BÖRÜLCESİ

Herkunft:	İzmir, Ägäisregion
Zubereitung:	10 Minuten
Garzeit:	10 Minuten
Personen:	4

600 g	Meerfenchel
4	Knoblauchzehen, gehackt
60 ml	natives Olivenöl extra
2 EL	frisch gepresster Zitronensaft

♦ ❀ ♦ V ✛ ✕   Seite 101

Dieses Gericht wird im Frühling und Sommer zubereitet. Das auch als Meerdistel bekannte Gemüse schmeckt von Natur aus salzig, sodass man kein Salz zugeben muss.

♦

1,5 Liter Wasser in einem Topf zum Kochen bringen. Den Meerfenchel zugeben und 10 Minuten bei mittlerer Hitze kochen.

Den Meerfenchel abseihen und unter fließendem kaltem Wasser abschrecken. Den Meerfenchel jeweils am Stängel festhalten, das harte Innere herausziehen und wegwerfen und den weichen Teil in eine Schüssel geben.

Knoblauch, Olivenöl und Zitronensaft in einer anderen Schüssel gründlich vermengen. Den Meerfenchel damit anmachen und dann servieren.

♦

VEGETARISCHE GEFÜLLTE AUBERGINE
İMAMBAYILDI

Herkunft:	İstanbul, alle Landesteile
Zubereitung:	25 Minuten zzgl. 15 Minuten Einweichen
Garzeit:	1 Stunde–1 Stunde 15 Minuten zzgl. Abkühlen
Personen:	4

4	Auberginen (jeweils 6 × 20 cm) mit Stängel, streifenweise längs abgeschält (1 Streifen schälen, 1 Streifen mit Schale usw.)
550 ml	natives Olivenöl extra, zum Braten
500 g	Zwiebeln, gehackt
16	Knoblauchzehen, in feine Scheiben geschnitten
4	milde, grüne Paprika, entkernt und gehackt
2 TL	Zucker
2 Stängel	Petersilie, gehackt
200 ml	frischer Tomatensaft, aufgewärmt

 ♦ ❀ ♦ V

Bei einer Rezeptvariante nimmt man statt Auberginen Zucchini. Das Gericht kann im Backofen oder auf dem Herd fertiggegart werden.

♦

Die Auberginen in einer Schüssel mit 1 Liter gesalzenem Wasser bedecken und 15 Minuten einweichen. Abseihen und abspülen. Dann mit Küchenpapier trocken tupfen.

500 ml Olivenöl bei mittlerer Hitze in einem großen Topf auf 150 °C erhitzen. Jede Aubergine mit dem Messer 3 Mal einstechen. Dann die Auberginen im heißen Öl 5 Minuten braten. Nach jeweils 1 Minute umdrehen. Mit einem Schaumlöffel herausheben und in einem Sieb abtropfen und abkühlen lassen.

Das restliche Olivenöl in einem anderen Topf (falls das Gericht im Backofen gegart werden soll, einen feuerfesten Topf nehmen) erhitzen. Zwiebel, Knoblauch, Paprika, ¼ Teelöffel frisch gemahlenen Pfeffer, Zucker und ¾ Teelöffel Salz zugeben und unter ständigem Rühren 30 Minuten braten. Vom Herd nehmen und die Mischung in eine große Schüssel füllen. Die Petersilie zufügen und gründlich untermischen.

Falls die Auberginen gebacken werden sollen, den Backofen auf 160 °C vorheizen.

Die Auberginen in den Topf geben, in dem die Zwiebeln gebraten wurden. In jede Aubergine eine lange Tasche schneiden, ohne sie ganz zu durchtrennen. Die Auberginen mit der Zwiebelmischung füllen. Den Tomatensaft zugießen und Auberginen 30 Minuten im Backofen garen. Oder bei niedriger Hitze auf dem Herd 15 Minuten braten.

Auberginen auf eine Servierplatte geben und heiß oder kalt servieren.

GEBRATENE AUBERGINE MIT KNOBLAUCHSAUCE
PATLICAN PAÇASI

Herkunft:	İstanbul, Marmara
Zubereitung:	15 Minuten zzgl. 15 Minuten Einweichen
Garzeit:	10 Minuten
Personen:	4

4	kleine japanische oder italienische Auberginen (600 g), geschält
100 g	Mehl
500 ml	natives Olivenöl extra, zum Frittieren

Für die Sauce:

60 ml	Traubenessig
10	Knoblauchzehen, gehackt
8 Stängel	glatte Petersilie, fein gehackt

◌ V ◌

Kein echter Sommer ohne dieses Gericht!

◆

Die Auberginen in einer Schüssel mit 1 Liter gesalzenem Wasser bedecken und 15 Minuten einweichen. Abseihen und abspülen. Dann mit Küchenpapier trocken tupfen. In 1 cm dicke Scheiben schneiden und die Scheiben im Mehl wenden.

Das Olivenöl bei mittlerer Hitze in einem großen Topf auf 150 °C erhitzen. Die Auberginenscheiben portionsweise von jeder Seite 2 Minuten braten. Mit einem Schaumlöffel herausheben und in einem Sieb abtropfen lassen.

Für die Sauce Traubenessig, Knoblauch und Petersilie in einer Schüssel mit ¼ Teelöffel frisch gemahlenem Pfeffer und ¾ Teelöffel Salz vermengen. Die Auberginenscheiben in einer großen Pfanne auslegen. Mit der Sauce beträufeln und bei niedriger Hitze 5 Minuten garen.

Heiß oder kalt servieren.

◆

GEBRATENE „PIRÇIKLI"-KAROTTEN
PİRÇİKLİ KIZARTMASI

Herkunft:	Kilis, Südostanatolien
Zubereitung:	10 Minuten
Garzeit:	35 Minuten zzgl. 5 Minuten Ruhezeit
Personen:	4

60 ml	natives Olivenöl extra
8	kleine gelbe Karotten mit Stängelansatz (500 g), geschält, längs geviertelt
1	mittelgroße Zwiebel (120 g), fein gewürfelt
6	Knoblauchzehen, in feine Scheiben geschnitten
1 TL	Tomatenmark (Seite 492)
1 TL	Chiliflocken
½ TL	gemahlener Koriander
2 EL	Granatapfelmelasse (Seite 490)
4 Stängel	frischer Koriander, fein gehackt

◌ ❀ V ◌

Die in Südostanatolien im Winter erhältlichen gelben Karotten sind die Hauptzutat dieses Gerichts. Ihr regionaler Name lautet *Pirçikli*.

◆

Das Öl bei mittlerer Hitze in einem großen Topf heiß werden lassen. Die Karotten zugeben und 6 Minuten braten. Nach der Hälfte der Garzeit wenden. Zwiebel und Knoblauch zufügen und unter ständigem Rühren 5 Minuten braten. Tomatenmark, Chiliflocken, gemahlenen Koriander, ¼ Teelöffel frisch gemahlenen Pfeffer und ½ Teelöffel Salz zugeben und weitere 2 Minuten braten.

Die Hitze reduzieren, 200 ml Wasser zugießen, einen Deckel auflegen und alles 15 Minuten garen. Den Granatapfelsirup zugießen, den Herd ausschalten und die Karotten 5 Minuten ruhen lassen.

Karotten mit frischem Koriander bestreuen und servieren.

GEMÜSE, EIER & HÜLSENFRÜCHTE

GEBRATENER LAUCH IN TARATOR-SAUCE
TARATORLU PIRASA KIZARTMASI

Herkunft:	Çanakkale, Marmara
Zubereitung:	10 Minuten
Garzeit:	25 Minuten
Personen:	4

800 g	Lauch, in 2,5-cm-Stücke geschnitten
6	Eier
100 g	Mehl
250 ml	natives Olivenöl extra

Für die Tarator-Sauce:

50 g	altbackenes Brot
50 g	Mandeln
5	Knoblauchzehen
2 EL	frisch gepresster Zitronensaft
4 Stängel	glatte Petersilie
1 Stängel	frisches Basilikum
1 Prise	weißer Pfeffer

V

In der Marmara- und Mittelmeerregion und an der Ägäisküste wird geröstetes oder gebratenes Gemüse meist mit Tarator-Sauce serviert, die man auch über Teig- und Fleischgerichte träufelt. Statt Mandeln kann man Pinienkerne, Walnüsse oder Haselnüsse nehmen. Bei einigen Rezepten kommen Joghurt oder Tahin hinzu.

◆

1 Liter Wasser mit ¼ Teelöffel Salz in einem großen Topf bei hoher Hitze zum Kochen bringen. Den Lauch zugeben und 15 Minuten kochen. Dann abseihen.

Eier in einer Schüssel verquirlen, Mehl in eine andere Schüssel geben. Lauchstücke im Ei, dann im Mehl wenden.

Das Olivenöl bei mittlerer Hitze in einem großen Topf auf 150 °C erhitzen. Die Lauchstücke von jeder Seite 2 Minuten braten. Mit einem Schaumlöffel herausheben und auf Küchenpapier abtropfen lassen.

Für die Tarator-Sauce das Brot in Wasser einweichen und dann ausdrücken. Die Saucenzutaten im Mixer pürieren und mit ¼ Teelöffel Salz abschmecken.

Die Sauce vorsichtig mit dem Lauch vermengen. Lauch auf Teller verteilen und heiß oder kalt servieren.

◆

GEGRILLTES GEMÜSE
SACA BASMA

Herkunft:	Şanlıurfa, Südostanatolien
Zubereitung:	10 Minuten
Garzeit:	25 Minuten
Personen:	4

12	getrocknete Paprika
12	sonnengetrocknete Tomaten
12	getrocknete Auberginen, in 1-cm-Stücke geschnitten
1	mittelgroße Zwiebel (120 g), in Ringe geschnitten
60 ml	natives Olivenöl extra
6	Knoblauchzehen, gehackt
½ TL	Chiliflocken
1 TL	getrockneter Oregano (oder gemahlener getrockneter Zatar)

2	*Açık Ekmek* (gerilltes Brot, Seite 394), halbiert
4 Stängel	glatte Petersilie, nur die Blätter
2 Stängel	frische Minze, nur die Blätter

◉ V ◉

Ein *Saç* ist eine leicht gewölbte Eisenschale oder ein Art Backblech, das man in der Türkei zum Grillen verwendet. Falls man keinen zur Hand hat, kann man das Gericht in einer gusseisernen Pfanne oder einem Wok zubereiten. Wer will, kann das Olivenöl weglassen oder das Öl erst vor dem Servieren darüberträufeln. Getrocknete Auberginen und Paprika sind in manchen türkischen oder arabischen Lebensmittelgeschäften erhältlich.

◆

1 Liter Wasser in einem großen Topf zum Kochen bringen. Die Paprika zugeben und 5 Minuten kochen. Mit einem Schaumlöffel herausheben, auf Küchenpapier legen und trocken tupfen. Tomaten und Auberginen in das noch kochende Wasser geben und 10 Minuten kochen. Abseihen und mit Küchenpapier trocken tupfen.

Paprika, Tomaten, Auberginen, Zwiebel, Olivenöl, Knoblauch, Chiliflocken, Oregano und ½ Teelöffel Salz in einer Schüssel vermengen.

Einen großen *Saç* (gusseiserne Pfanne oder Wok) sehr stark erhitzen. Das Gemüse darin verteilen und 1 Minute grillen. Wenden und von der anderen Seite 1 Minute braten. 3 Mal wiederholen, insgesamt also 6 Minuten braten.

Das *Açık Ekmek* mit dem gegrillten Gemüse füllen, mit Petersilie und Minze bestreuen und als Wraps servieren.

BOHNEN MIT BULGUR
FASULYE DİBLE

Herkunft:	Giresun, Schwarzmeerregion
Zubereitung:	10 Minuten
Garzeit:	50 Minuten zzgl. 10 Minuten Ruhezeit
Personen:	4

60 ml	natives Olivenöl extra
1	mittelgroße Zwiebel (120 g), fein gehackt
1½ EL	Tomatenmark (Seite 492)
500 g	frische grüne Bohnen, Fäden abgezogen, längs halbiert, dann fein gehackt
50 g	grober Bulgur

ᵢ V ᵢ

Die Einheimischen in Ordu und Giresun nennen diese Zubereitungsart *Dible*. Das Getreide wird in die Mulde zwischen die Bohnen gelegt und mit ganz wenig Wasser begossen. Das Gericht muss während des Garens nicht umgerührt werden. Viele Obst- und Gemüsesorten werden so zubereitet. Statt Bulgur kann man auch Mittelkornreis (wie Baldo) oder Mais nehmen.

◆

Das Öl bei mittlerer Hitze in einem großen Topf heiß werden lassen. Die Zwiebel zugeben und 3 Minuten sautieren. Die Tomatenmark zufügen und 2 Minuten braten. Die Bohnen zugeben und unter ständigem Rühren 10 Minuten sautieren. ¾ Teelöffel Salz zugeben und alles weitere 5 Minuten sautieren.

Die Hitze reduzieren. In der Mitte der Bohnen eine Mulde mit 4 cm Durchmesser formen und den Bulgur hineingeben. 200 ml Wasser darübergießen, einen Deckel auflegen und alles 30 Minuten garen. Topf vom Herd nehmen und Bulgur sowie Bohnen 10 Minuten ruhen lassen.

Bulgur und Bohnen gründlich vermengen und sofort servieren.

FRISCHE DICKE BOHNEN MIT EIERN
YUMURTALI BAKLA KAVURMASI

Herkunft:	Nizip, Gaziantep, Südostanatolien
Zubereitung:	20 Minuten
Garzeit:	40 Minuten
Personen:	4

200 ml	natives Olivenöl extra
200 g	Zwiebeln, geschält, fein gewürfelt
750 g	frische Dicke Bohnen in der Schale, Enden entfernt, fein gewürfelt
5	Frühlingszwiebeln, fein gehackt
5	frische Knoblauchzehen, fein gehackt
¾ TL	Chiliflocken
5	Eier
5 Stängel	Minze, fein gehackt

ᵢ ᵛ V

Dies war das Spezialgericht meiner Mutter.

◆

Das Öl bei mittlerer Hitze in einem Topf heiß werden lassen. Die Zwiebeln zugeben und 2 Minuten sautieren. Dabei mit einem Holzlöffel umrühren. Die Dicken Bohnen zufügen und weitere 3 Minuten braten. Die Hitze reduzieren, den Topf mit Papier abdecken und die Bohnen 20 Minuten bei niedriger Hitze garen.

Das Papier entfernen, Frühlingszwiebeln und Knoblauch zugeben. Chiliflocken, 1 Teelöffel Salz und ¼ Teelöffel frisch gemahlenen Pfeffer zufügen und alles unter vorsichtigem Rühren 5 Minuten braten. Einen Deckel auflegen und Mischung weitere 5 Minuten bei niedriger Hitze garen.

Die Eier in eine Glasschüssel aufschlagen und mit einer Gabel verquirlen. Die Minze in die Pfanne geben und die Mischung unter Rühren 10 Sekunden braten. Die Eier über die Zutaten in der Pfanne gießen. Einen Deckel auflegen und Eier 1 Minute garen. Weitere 3 Minuten offen unter vorsichtigem Rühren braten.

Mit *Yufka Ekmeği* (Dünnes Fladenbrot, Seite 378), weiteren Frühlingszwiebeln nach Belieben und einem Glas Ayran (Seite 452) servieren. Dieses Gericht wird in kleine Brotstücke gewickelt.

OMELETTWÜRFEL MIT JOGHURTSAUCE
AYVANET

Herkunft:	Bitlis, Ostanatolien
Zubereitung:	5 Minuten
Garzeit:	10 Minuten
Personen:	4

8	Eier
2 EL	Mehl
2 EL	natives Olivenöl extra

Für die Joghurtsauce:	
200 g	griechischer Joghurt
4	Knoblauchzehen, gehackt
2 Stängel	Basilikum, fein gehackt

Für die Knoblauch-Chili-Sauce:	
2 EL	natives Olivenöl extra
1	Knoblauchzehe, gehackt
½ TL	Chiliflocken

V X

Traditionell bereiten wir dieses Gericht zum Winterbeginn zu. Als Teil eines Rituals stellen wir eine Portion dieses Gerichts an den Gräbern unserer Ahnen ab. Die Menschen glauben, dass die Seelen der Verstorbenen die Häuser ihrer Lieben an den Tagen besuchen, an denen dieses Gericht zubereitet wird. Sie hoffen, dass so ihre Wünsche erfüllt werden. Dieses Ritual wird mehrmals im Jahr wiederholt.

◆

Eier, Mehl und ¼ Teelöffel Salz in einer großen Schüssel 2 Minuten gründlich verquirlen.

Eine Pfanne bei mittlerer Hitze heiß werden lassen und 1 Esslöffel Olivenöl hineingeben. Die Eimischung in die Pfanne gießen und gleichmäßig verteilen. Das Omelett 2 Minuten braten und dann auf einen Teller geben. Das restliche Olivenöl in der Pfanne erhitzen, das Omelett mit der noch nicht angebratenen Seite nach unten in die Pfanne legen und weitere 2 Minuten braten.

Das Omelett auf ein Brett legen und in 1 cm große Würfel schneiden.

Für die Sauce Joghurt, Knoblauch, Basilikum und ¼ Teelöffel Salz in einer anderen Schüssel vermengen.

Für Knoblauch-Chili-Sauce das Öl bei mittlerer Hitze in einem Topf heiß werden lassen. Knoblauch und Chiliflocken zugeben und 10 Sekunden anbraten.

Omelettwürfel anrichten, die Joghurtsauce darüber gießen. Dann mit Sauce beträufeln und sofort servieren.

GESALZENER JOGHURT MIT ZWIEBELN
BEZİRGAN KEBABI (TUZLU YOĞURT KAVURMASI)

Herkunft:	Hatay, Mittelmeerregion
Zubereitung:	10 Minuten
Garzeit:	20 Minuten
Personen:	4

60 ml	natives Olivenöl extra
3 mittelgroße Zwiebeln (360 g), in Halbringe geschnitten	
1 TL	Chiliflocken
300 g	gesalzener griechischer Joghurt aus Ziegenmilch oder abgeseihter Ziegenmilchjoghurt
2 Stängel	frisches Basilikum, gehackt

✿ V X

Am Mittelmeer werden im Frühjahr fast überall Joghurt und Käse aus Ziegenmilch zubereitet. Der Joghurt wird in großen Kupferkesseln mit Salz gekocht und in Einmachgläsern für den Winter aufbewahrt. Er wird morgens gerne zu Brot gegessen oder im Laufe des Tages als Snack verzehrt. Laut der einheimischen Bezeichnung *Bezirgân Kebabı* steht dieses Gericht für Reichtum.

◆

Das Öl bei mittlerer Hitze in einem großen Topf heiß werden lassen. Die Zwiebeln zugeben und unter gelegentlichem Rühren 15 Minuten braten. Die Chiliflocken zufügen und 2 Minuten braten. Den Joghurt zugeben und weitere 2 Minuten garen. Mischung mit Basilikum bestreuen und sofort servieren.

GEFÜLLTE ARTISCHOCKEN IN OLIVENÖL
ZEYTİNYAĞLI ENGİNAR

Herkunft:	Yalova, alle Landesteile
Zubereitung:	10 Minuten
Garzeit:	45 Minuten zzgl. 10 Minuten Ruhezeit
Personen:	4

60 ml	natives Olivenöl extra
2	mittelgroße Zwiebeln (240 g), gewürfelt
6	Knoblauchzehen, geviertelt
100 g	Karotten, fein gewürfelt
150 g	frische Dicke Bohnen, enthülst
4	frische Artischockenherzen, auf 10 cm Durchmesser zurechtgeschnitten
2 EL	frisch gepresster Zitronensaft
60 g	frische Erbsen, enthülst
2 TL	Zucker
4 Stängel	Dill, zerzupft

Seite 107

Dies ist ein typisches Frühlingsgericht. Die Artischocken werden im Sommer für den Verzehr im Winter eingelegt. Die frischen Artischockenherzen bis zur Zubereitung in gesäuertem Wasser aufbewahren.

◆

Das Öl bei mittlerer Hitze in einem großen Topf heiß werden lassen. Die Zwiebel zugeben und 5 Minuten sautieren. Knoblauch, Karotte, Dicke Bohnen, und ½ Teelöffel Salz zufügen und 5 Minuten braten. Die Artischockenherzen zugeben und unter ständigem Rühren weitere 5 Minuten braten. Topf vom Herd nehmen und den Zitronensaft einrühren.

Die Artischockenherzen aus dem Topf nehmen und in einen anderen größeren Topf geben.

Die Erbsen zu der im kleineren Topf verbliebenen Mischung geben und unterrühren. Dann die Artischockenherzen mit dieser Mischung füllen. 500 ml Wasser, ¼ Teelöffel Salz und den Zucker in den großen Topf mit den Artischocken geben. Mit Backpapier bedecken und einen Deckel auflegen. Artischocken bei niedriger Hitze 30 Minuten garen. Topf vom Herd nehmen und Artischocken zugedeckt 10 Minuten ruhen lassen.

Artischocken mit Dill garnieren und servieren.

◆

KNOLLENSELLERIE UND KAROTTE MIT ORANGE
ZEYTİNYAĞLI KEREVİZ

Herkunft:	İzmir, alle Landesteile
Zubereitung:	15 Minuten
Garzeit:	30 Minuten zzgl. 10 Minuten Ruhezeit
Personen:	4

60 ml	natives Olivenöl extra
1	mittelgroße Zwiebel (120 g), in 1-cm-Halbringe geschnitten
150 g	Karotte, längs halbiert, in 2-cm-Stücke geschnitten
600 g	Knollensellerie, geschält, in 2-cm-Spalten geschnitten
2 EL	frisch gepresster Zitronensaft
100 ml	frisch gepresster Orangensaft
1 Prise	abgeriebene Schale von 1 unbehandelten Orange
1 TL	Zucker

Dieses aromatische Gericht mit Knollensellerie wird in der Ägäis und der Marmararegion im Herbst und Winter gegessen. Gerne serviert man es Gästen zu Hause als Beilage. Bei manchen Varianten wird keine Flüssigkeit zugegeben, sondern der Knollensellerie im eigenen Saft gegart.

◆

Das Öl bei mittlerer Hitze in einem großen Topf erhitzen. Zwiebel und Karotte zugeben und 5 Minuten sautieren. Den Knollensellerie zufügen und 5 Minuten braten.

Die Hitze reduzieren. Zitronen- und Orangensaft, Orangenabrieb, Zucker, ½ Teelöffel Salz und 200 ml Wasser zugeben. Einen Deckel auflegen und Mischung 20 Minuten garen. Topf vom Herd nehmen und Gemüse 10 Minuten ruhen lassen. Sofort servieren.

PIKANTER SOMMERKÜRBIS
KABAK ÇİNTMESİ

Herkunft:	Diyarbakır, Südostanatolien
Zubereitung:	15 Minuten
Garzeit:	40 Minuten zzgl. 10 Minuten Ruhezeit
Personen:	4

60 ml	natives Olivenöl extra
1	mittelgroße Zwiebel (120 g), in dünne Ringe geschnitten
4	Knoblauchzehen, in dünne Scheiben geschnitten
2	frische Chilischoten, fein gehackt
3	Sommerkürbisse (500 g), in dünne Scheiben geschnitten
½ TL	Chiliflocken
1 TL	getrocknete Minze
300 g	Tomaten, gewürfelt
6 Stängel	frischer Koriander, fein gehackt
6 Stängel	glatte Petersilie, fein gehackt

V

Dieses typische Sommergericht, ein köstliches vegetarisches Rezept, wird mit Fladenbrot gegessen.

Das Öl bei mittlerer Hitze in einem großen Topf heiß werden lassen. Zwiebel, Knoblauch und Chilis zugeben und unter ständigem Rühren 5 Minuten braten. Sommerkürbis, ¾ Teelöffel Salz, Chiliflocken und Minze zufügen und unter ständigem Rühren 10 Minuten braten. Die Tomaten zugeben und unter gelegentlichem Rühren 5 Minuten garen.

Die Hitze reduzieren, einen Deckel auflegen und Gemüse 20 Minuten garen. Topf vom Herd nehmen und alles 10 Minuten ruhen lassen.

Koriander und Petersilie zum Gemüse geben, vorsichtig unterrühren und servieren.

SAURE OKRASCHOTEN
BAMYA

Herkunft:	Konya, alle Landesteile
Zubereitung:	10 Minuten
Garzeit:	45 Minuten zzgl. 10 Minuten Ruhezeit
Personen:	4

2 EL	natives Olivenöl extra
1	mittelgroße Zwiebel (120 g), fein gehackt
10	Knoblauchzehen, geviertelt
500 g	frische Okraschoten, Stielansatz entfernt
1 TL	Chiliflocken
2 EL	frisch gepresster Zitronensaft
1 kg	Tomaten
1 Stängel	Basilikum, nur Blätter

V

Okraschoten sind eine beliebte Eintopf- und Suppenzutat. Sie werden aber auch gebraten und gegrillt oder getrocknet verwendet. Die von der Okra abgegebene Substanz gilt als heilsam. Dennoch sollte das Gericht am Ende nicht zu schleimig sein.

Das Öl bei mittlerer Hitze in einem großen Topf heiß werden lassen. Zwiebel und Knoblauch zugeben und 5 Minuten anbraten. Okraschoten, Chiliflocken, 1 Teelöffel Salz und ¼ Teelöffel frisch gemahlenen Pfeffer zufügen und unter ständigem Rühren 3 Minuten braten. Zitronensaft und Tomaten zugeben und unter ständigem Rühren 5 Minuten garen. Die Hitze reduzieren, einen Deckel auflegen und Gemüse 30 Minuten garen. Topf vom Herd nehmen und Okraschoten 10 Minuten ruhen lassen.

Auf Teller verteilen, mit Basilikum bestreuen und sofort servieren.

GESCHMORTE TOMATEN
DOMATES TAVASI

Herkunft:	Gaziantep, Südostanatolien
Zubereitung:	15 Minuten zzgl. 10 Minuten Einweichen
Garzeit:	50 Minuten
Personen:	4

150 g	Aubergine, geschält und fein gewürfelt
60 ml	natives Olivenöl extra
1	mittelgroße Zwiebel (120 g), fein gewürfelt
10	Knoblauchzehen, in feine Scheiben geschnitten
3	grüne Chilischoten, fein gewürfelt
1 TL	Tomatenmark (Seite 492)
1 TL	Rote Paprikapaste (Seite 492)
1 TL	Chiliflocken
1,5 kg	Tomaten, fein gewürfelt
40 g	grober Bulgur
6 Stängel	glatte Petersilie, fein gehackt
5 Stängel	frisches rotblättriges Basilikum, fein gehackt

❧ V ❧

In den Sommermonaten bereitet man aus den reifen Tomaten dieses Gericht zu.

♦

Die Aubergine in einer Schüssel mit 1 Liter gesalzenem Wasser 10 Minuten einweichen. Dann abseihen, abspülen und beiseitestellen.

Das Öl bei mittlerer Hitze in einem großen Topf heiß werden lassen. Zwiebel, Knoblauch und Chilis zugeben und 5 Minuten anbraten. Tomatenmark, Rote Paprikapaste und Chiliflocken zufügen und 5 Minuten braten. Die Aubergine zugeben und unter ständigem Rühren 5 Minuten braten.

Die Hitze reduzieren. Tomaten, Bulgur, 1 Prise frisch gemahlenen Pfeffer und ¾ Teelöffel Salz zugeben und alles 35 Minuten schmoren.

Topf vom Herd nehmen. Petersilie und Basilikum vorsichtig unterrühren und Tomaten servieren.

♦

SAURER LAUCH
EKŞİLİ PIRASA

Herkunft:	Afyon, alle Landesteile
Zubereitung:	10 Minuten
Garzeit:	35 Minuten
Personen:	4

60 ml	natives Olivenöl extra
600 g	Lauch, in Ringe geschnitten
150 g	Karotte, fein gewürfelt
1 ½ EL	Tomatenmark (Seite 492)
1 TL	Rote Paprikapaste (Seite 492)
1 TL	Zucker
40 g	Mittelkornreis
2 EL	frisch gepresster Zitronensaft

❧ ✿ V ❧

Dieses Wintergericht ist im ganzen Land beliebt. Ein typisches Gericht für zu Hause. Manche verwenden Traubenessig statt Zitronensaft.

♦

Das Öl bei mittlerer Hitze in einem großen Topf heiß werden lassen. Lauch, Karotte, Tomatenmark, Rote Paprikapaste, Zucker und ½ Teelöffel Salz zugeben und unter vorsichtigem Rühren 5 Minuten braten.

Die Hitze reduzieren. Reis, Zitronensaft und 500 ml heißes Wasser zufügen, einen Deckel auflegen und alles 30 Minuten garen. Sofort servieren.

GRÜNE BOHNEN IN OLIVENÖL
ZEYTİNYAĞLI TAZE FASULYE

Herkunft:	Ankara, alle Landesteile
Zubereitung:	15 Minuten
Garzeit:	45 Minuten zzgl. 10 Minuten Ruhezeit
Personen:	4

60 ml	natives Olivenöl extra
2	mittelgroße Zwiebeln (240 g), fein gehackt
4	Knoblauchzehen, in feine Scheiben geschnitten
1	grüne Paprika, entkernt und fein gehackt
600 g	grüne Bohnen, Fäden entfernt, längs halbiert und in 3 Stücke geschnitten
1 kg	Tomaten, fein gewürfelt

 Seite 111

Dies ist ein typisches Sommergericht.

♦

Das Öl bei mittlerer Hitze in einem großen Topf heiß werden lassen. Zwiebel, Knoblauch und Paprika zugeben und 5 Minuten anbraten.

Die Bohnen zufügen und 5 Minuten braten. Tomaten und ½ Teelöffel Salz zugeben und unter Rühren 5 Minuten garen.

Einen Deckel auflegen und Gemüse weitere 30 Minuten schmoren. Topf vom Herd nehmen und Gemüse vor dem Servieren 10 Minuten ruhen lassen.

♦

GRÜNE PAPRIKA IN MILCH
SÜTLÜ BİBER YEMEĞİ

Herkunft:	Tekirdağ, Marmararegion
Zubereitung:	5 Minuten
Garzeit:	40 Minuten zzgl. 10 Minuten Ruhezeit
Personen:	4

2 EL	natives Olivenöl extra
1	mittelgroße Zwiebel (120 g), fein gehackt
8	milde grüne Paprika, fein gewürfelt
1 l	kochend heiße Milch

Ein Sommerrezept.

♦

Das Öl bei mittlerer Hitze in einem großen Topf heiß werden lassen. Die Zwiebel zugeben und 5 Minuten anbraten. Die Paprika zufügen und unter ständigem Rühren 15 Minuten braten. ¾ Teelöffel Salz und ¼ Teelöffel frisch gemahlenen Pfeffer zugeben und 1 Minute braten.

Dann die Milch zugießen. Paprika unter gelegentlichem Rühren 15 Minuten garen. Topf vom Herd nehmen und Gemüse vor dem Servieren 10 Minuten ruhen lassen.

GEMÜSE, EIER & HÜLSENFRÜCHTE

MAYA (GRÜNE TOMATEN)
MAYA (YEŞİL DOMATES YEMEĞİ)

Herkunft:	Bartın, alle Landesteile
Zubereitung:	15 Minuten
Garzeit:	45 Minuten
Personen:	4

60 ml	natives Olivenöl extra
1	mittelgroße Zwiebel (120 g), fein gehackt
4	Knoblauchzehen, in feine Scheiben geschnitten
1	frische scharfe Chilischote, fein gehackt
40 g	grober Bulgur
600 g	grüne Tomaten, fein gewürfelt
100 g	rote Tomate, gerieben
1 TL	getrocknete Minze

Im Winter, wenn keine frischen Tomaten erhältlich sind, verwendet man eingelegte Tomaten.

◆

Das Öl bei mittlerer Hitze in einem großen Topf heiß werden lassen. Zwiebel, Knoblauch und Chili zugeben und 5 Minuten anbraten.

Bulgur, grüne und rote Tomaten, Minze und ¾ Teelöffel Salz zufügen und unter ständigem Rühren 10 Minuten garen. Die Hitze reduzieren, einen Deckel auflegen und alles 30 Minuten schmoren. Sofort servieren.

◆

SAURER PORTULAK
PÜRPÜRÜM EKŞİSİ

Herkunft:	Elazığ, alle Landesteile
Zubereitung:	15 Minuten
Garzeit:	50 Minuten
Personen:	4

80 g	getrocknete Schwarzaugenbohnen
2 EL	natives Olivenöl extra
1	mittelgroße Zwiebel (120 g), fein gehackt
6	Knoblauchzehen, in feine Scheiben geschnitten
1	rote Chilischote, fein gehackt
1 ½ EL	Tomatenmark (Seite 492)
1 TL	Chiliflocken
300 g	Tomaten, fein gehackt
2 EL	frisch gepresster Zitronensaft
600 g	frischer Wildportulak, gehackt
2 TL	getrocknete Minze

Der Wildportulak, der im Sommer überall wächst, schmeckt sehr aromatisch. Portulaksalat mit Joghurt, Portulaksuppe und -wraps sind im ganzen Land beliebt, da die Pflanze als knochenstärkend gilt. Wenn der Wildportulak üppig wächst, soll nach dem Volksglauben der Storch sehnsüchtig wartenden Paaren ein Baby bringen. Die türkische Redewendung „den Storch in der Luft sehen" bedeutet, dass man viel reisen wird. Dieses Gericht wird gerne kalt oder warm in Südostanatolien und in der Mittelmeerregion gegessen. Bei Hitze wird die eiskalte Variante ohne Öl bevorzugt.

◆

1 Liter Wasser in einem großen Topf zum Kochen bringen. Die Schwarzaugenbohnen zugeben und 20 Minuten kochen. Dann abseihen und beiseitestellen.

Das Öl bei mittlerer Hitze in einem großen Topf heiß werden lassen. Zwiebel, Knoblauch und rote Chili zufügen und 5 Minuten anbraten. Tomatenmark und Chiliflocken zugeben und 2 Minuten braten. Tomaten, Schwarzaugenbohnen, ¼ Teelöffel frisch gemahlenen Pfeffer und ½ Teelöffel Salz zufügen und unter gelegentlichem Rühren 10 Minuten garen.

Die Hitze reduzieren. Zitronensaft, Portulak, Minze und 500 ml Wasser zugeben. Einen Deckel auflegen und Gemüse 10 Minuten garen. Sofort servieren.

GEMÜSE, EIER & HÜLSENFRÜCHTE

GEBRATENE FRÜHLINGSZWIEBELN
SOĞAN TAVASI

Herkunft:	Karaman, Zentralanatolien
Zubereitung:	10 Minuten
Garzeit:	25 Minuten zzgl. 10 Minuten Ruhezeit
Personen:	4

2 EL	natives Olivenöl extra
600 g	Frühlingszwiebeln, geputzt
60 g	Mandeln, blanchiert
50 g	getrocknete Aprikosen, geviertelt
2 EL	Traubenessig

❧ ☙ V ◆

Die Einheimischen vergraben die äußeren Schichten der Frühlingszwiebeln in der Hoffnung, dass sich dadurch ihre Wünsche erfüllen.

◆

Das Öl bei mittlerer Hitze in einem großen Topf heiß werden lassen. Frühlingszwiebeln und Mandeln zugeben, 10 Minuten braten und dann die Hitze reduzieren.

Aprikosen, Traubenessig, ¼ Teelöffel frisch gemahlenen Pfeffer, ½ Teelöffel Salz und 200 ml heißes Wasser zufügen, einen Deckel auflegen und Frühlingszwiebeln 15 Minuten garen. 10 Minuten ruhen lassen und dann servieren.

◆

AUBERGINENBÄLLCHEN
PATLICANLI KÖFTE

Herkunft:	Malatya, Ostanatolien
Zubereitung:	35 Minuten zzgl. 10 Minuten Ruhezeit
Garzeit:	40 Minuten
Personen:	4

Für die Bällchen:

150 g	feiner Bulgur
1 EL	Mehl
2 TL	getrocknetes Basilikum

2 EL	natives Olivenöl extra
1	mittelgroße Zwiebel (120 g), fein gehackt
1 EL	Tomatenmark (Seite 492)
1 TL	Chiliflocken
200 g	Aubergine, geschält, fein gewürfelt
1 EL	getrocknetes Basilikum
60 ml	Verjus (Seite 494)

❧ V

Dieses beliebte Gericht wird warm oder kalt serviert.

◆

Für die Bällchen Bulgur, ¼ Teelöffel Salz und 2 Esslöffel Wasser in einer großen Schüssel oder auf einem Tablett vermengen und 10 Minuten ruhen lassen. Mehl und Basilikum zugeben und die Mischung 20 Minuten kneten. Die Hände dabei mehrfach befeuchten. Die Mischung zu Bällchen mit 1 cm Durchmesser rollen, auf ein Tablett legen und beiseitestellen.

Das Öl bei mittlerer Hitze in einem großen Topf heiß werden lassen. Die Zwiebeln zugeben und 3 Minuten braten. Tomatenmark und Chiliflocken zufügen und 2 Minuten braten. Die Aubergine zugeben und unter Rühren 5 Minuten braten. Basilikum, Verjus, ½ Teelöffel Salz und 1,5 Liter Wasser zufügen, einen Deckel auflegen und alles 20 Minuten kochen.

Die Bällchen zugeben und ohne Deckel 10 Minuten kochen. Sofort servieren.

ZUCCHINIPUFFER
MÜCVER

Herkunft:	Sinop, alle Landesteile
Zubereitung:	15 Minuten
Garzeit:	25 Minuten
Personen:	4

500 g	Zucchini
1	mittelgroße Zwiebel (120 g)
4	Frühlingszwiebeln
1	frische Knoblauchzehe
½ Bund	glatte Petersilie
½ Bund	Dill
1 TL	getrocknete Minze
5	Eier
50 g	Mehl
250 ml	natives Olivenöl extra zum Frittieren

Für die Sauce:	
400 g	Joghurt
4	Knoblauchzehen, gehackt
1 Stängel	Dill, nur die Spitzen

V   Seite 115 📷

Wenn man zuvor gefüllte Zucchini zubereitet hat, kann man das beim Aushöhlen anfallende Fruchtfleisch gleich für dieses Sommergericht verwerten – so ist es üblich. Bei manchen Rezeptvarianten gibt man 50 g Fetakäse hinzu.

◆

Die Zucchini schälen und in eine Schüssel reiben. Zwiebel, Frühlingszwiebeln, Knoblauch, Petersilie und Dill fein hacken und zur Zucchini geben. Minze, ¼ Teelöffel frisch gemahlenen Pfeffer und ½ Teelöffel Salz zufügen und Mischung 3 Minuten gründlich kneten.

Eier und Mehl in einer anderen Schüssel verquirlen. Die Eimischung zu den anderen Zutaten geben und weitere 2 Minuten kneten.

Das Olivenöl in einem großen Topf bei mittlerer Hitze auf 150 °C erhitzen. 1 gehäuften Esslöffel der Mischung ins heiße Öl geben und von jeder Seite 2 Minuten braten. Mit einem Schaumlöffel herausheben und auf Küchenpapier legen. Dann mit der restlichen Mischung ebenso verfahren, bis sie aufgebraucht ist.

Für die Sauce Joghurt und Knoblauch in einer anderen Schüssel vermengen. Mit ¼ Teelöffel Salz abschmecken und mit Dillspitzen garnieren. Die Puffer auf einer Platte anrichten und mit der Joghurtsauce servieren.

◆

KRÄUTER-KÄSE-PUFFER
SÖCCE

Herkunft:	Kilis, Südostanatolien
Zubereitung:	15 Minuten
Garzeit:	25 Minuten
Personen:	4

4	Frühlingszwiebeln
4	frische (grüne) Knoblauchzehen
½ Bund	glatte Petersilie
½ Bund	frische Minze
2 Stängel	frisches Basilikum
1 TL	Chiliflocken
¼ TL	gemahlener Kreuzkümmel
½ TL	gemahlener Koriander
80 g	Käse (am besten ungesalzen und aus Schafsmilch)
5	Eier
50 g	Mehl
250 ml	natives Olivenöl extra zum Frittieren

V

Dieses Gericht wird zum Frühlingsbeginn zubereitet, wenn der Knoblauch zu sprießen beginnt. Je nach Saison ergänzt man die Kräuter mit Gemüse. Es gibt eine Variante mit Fleisch (meist Lamm oder Hähnchen) oder auch mit Fisch.

◆

Frühlingszwiebeln, Knoblauch, Petersilie, Minze und Basilikum fein hacken und dann in einer großen Schüssel mit Chiliflocken, Kreuzkümmel, Koriander und ¼ Teelöffel frisch gemahlenem Pfeffer vermengen. Den Käse in die Schüssel reiben und die Mischung mit ½ Teelöffel Salz abschmecken. 5 Minuten gründlich kneten. Eier und Mehl in einer anderen Schüssel verquirlen. Zur Käsemischung geben und alles gründlich kneten.

Das Olivenöl in einem großen Topf bei mittlerer Hitze auf 150 °C erhitzen. 1 gehäuften Esslöffel der Mischung ins heiße Öl geben und von jeder Seite 2 Minuten braten. Mit einem Schaumlöffel herausheben und auf Küchenpapier legen. Dann mit der restlichen Mischung ebenso verfahren, bis sie aufgebraucht ist.

Puffer sofort servieren.

RÜHREIER MIT GEMÜSE
MENEMEN

Herkunft:	İzmir, alle Landesteile
Zubereitung:	15 Minuten
Garzeit:	30 Minuten
Personen:	4

60 ml	natives Olivenöl extra
1	mittelgroße Zwiebel (120 g), fein gehackt
4	Knoblauchzehen, in feine Scheiben geschnitten
4	milde grüne Paprika, fein gehackt
2 TL	Rote Paprikapaste (Seite 492)
1 TL	Chiliflocken
600 g	Tomaten, gewürfelt
4	Eier
10 Stängel	glatte Petersilie, fein gehackt

Seite 117

In manchen Regionen bereitet man dieses Gericht nur mit Tomaten und Paprika zu. Das typische Junggesellen- oder Studentenessen wird als Hauptgericht oder Beilage gegessen.

Das Öl bei mittlerer Hitze in einer großen Pfanne heiß werden lassen. Zwiebel und Knoblauch zugeben und 5 Minuten anbraten. Die Paprika zufügen und 2 Minuten braten. Paprikapaste, Chiliflocken, ¼ Teelöffel frisch gemahlenen schwarzen Pfeffer und ½ Teelöffel Salz zugeben und 2 Minuten braten. Die Tomaten zufügen und weitere 15 Minuten garen.

Die Eier in eine Schüssel schlagen und über die Gemüsemischung gießen. 1 Minute braten, ohne sie umzurühren. Dann weitere 2 Minuten braten, dabei die Eier verrühren. Anschließend vom Herd nehmen.

Die Petersilie über das Rührei streuen und vorsichtig unterheben. Rührei mit ¼ Teelöffel frisch gemahlenem Pfeffer bestreuen und servieren.

ABTSBOHNEN
VARTABED

Herkunft:	Adana, Mittelmeerregion
Zubereitung:	10 Minuten zzgl. Einweichen über Nacht
Garzeit:	1½ Stunden für die Bohnen zzgl. 5 Minuten
Personen:	4

120 g	getrocknete Cannellini-Bohnen, über Nacht eingeweicht
60 ml	Tahin (Sesampaste)
90 ml	frisch gepresster Zitronensaft
6	Knoblauchzehen, gehackt
2 EL	natives Olivenöl extra
1 TL	Chiliflocken
6 Stängel	glatte Petersilie, nur Blätter
¼ TL	gemahlener Kreuzkümmel

Vartabed ist die armenische Bezeichnung für einen Priester. Bei einer anderen Rezeptvariante werden die Bohnen auf Toast mit einem Klecks Tahini serviert.

Die Bohnen abseihen und in einem großen Topf mit Wasser 1½ Stunden köcheln, bis sie weich sind. Abseihen, auf einen Servierteller geben und mit ½ Teelöffel Salz würzen.

Tahin, Zitronensaft, Knoblauch und 60 ml Wasser in einer kleinen Schüssel vermengen und dann über die Bohnen träufeln.

Das Öl bei mittlerer Hitze in einem kleinen Topf heiß werden lassen. Die Chiliflocken zugeben und 10 Sekunden anbraten. Die Bohnen damit beträufeln, mit Petersilie und Kreuzkümmel bestreuen und dann servieren.

BORLOTTI-BOHNEN-PILAKI
KIRMIZI LOBYE (BARBUNYA PİLAKİ)

Herkunft:	Artvin, alle Landesteile
Zubereitung:	20 Minuten zzgl. Einweichen über Nacht
Garzeit:	1 Stunde 40 Minuten
	zzgl. 10 Minuten Ruhezeit
Personen:	4

160 g	Borlotti-Bohnen, über Nacht eingeweicht
60 ml	natives Olivenöl extra
2	mittelgroße Zwiebeln (240 g), fein gehackt
8	Knoblauchzehen, geviertelt
200 g	Karotte, in 1-cm-Würfel geschnitten
1 ½ TL	Tomatenmark (Seite 492)
4	getrocknete Chilischoten, zerdrückt
½ TL	Chiliflocken
150 g	Kartoffeln, in 1-cm-Würfel geschnitten
1 EL	getrocknetes Basilikum
2 EL	frisch gepresster Zitronensaft
2 EL	Honig
½ Bund	glatte Petersilie

◦ ☙ V   Seite 119 ◻

Dieses Gericht ist im Sommer fester Bestandteil der *Meyhane*-Speisekarten. Die Borlotti-Bohnen kann man auch durch andere Hülsenfrüchte ersetzen.
♦
Die Bohnen abseihen. In einem großen Topf mit Wasser 1 Stunde weich kochen und dann abseihen.

Das Öl bei mittlerer Hitze in einem großen Topf heiß werden lassen. Zwiebeln, Knoblauch und Karotte zugeben und 10 Minuten braten. Tomatenmark, Chilis und Chiliflocken zufügen und 1 Minute braten. Borlotti-Bohnen, Kartoffeln, Basilikum und ½ Teelöffel Salz zugeben und 3 Minuten braten.

Die Hitze reduzieren. 500 ml heißes Wasser und den Zitronensaft zugeben, einen Deckel auflegen und Gemüsemischung 20 Minuten kochen.

Topf vom Herd nehmen und ¼ Teelöffel frisch gemahlenen Pfeffer und Honig zufügen. Die Petersilie fein hacken und vorsichtig mit den Bohnen vermengen. Bohnen 10 Minuten ruhen lassen und dann servieren.

◆

GEBACKENER KNOLLENSELLERIE
FIRINDA KEREVİZ

Herkunft:	Edirne, Marmara
Zubereitung:	15 Minuten
Garzeit:	40 Minuten
Personen:	4

400 g	Knollensellerie
100 g	Karotte
1	mittelgroße Zwiebel (120 g)
10	Knoblauchzehen
100 ml	frisch gepresster Orangensaft
2 EL	abgeriebene Schale von 1 unbehandelten
	Orange
2 EL	frisch gepresster Zitronensaft
60 ml	natives Olivenöl extra
½ Bund	Dill, fein gehackt

◦ ☙ V ◦

Ein typisches Wintergericht aus den Regionen Edirne, Marmara und Ägäis. Knollensellerie gilt als Allheilmittel – er wird zur Saison gefüllt oder gebraten serviert. Dazu wird Joghurt gereicht.
♦
Den Backofen auf 180 °C vorheizen.

Knollensellerie und Karotte schälen und in 2-cm-Spalten schneiden. Dann die Zwiebel in dünne Spalten schneiden. Alle Zutaten außer dem Dill in einem großen Bräter mit ¼ Teelöffel frisch gemahlenem Pfeffer und ½ Teelöffel Salz gut vermengen. Gemüse im Ofen 40 Minuten backen und dabei alle 10 Minuten durchrühren. Bräter aus dem Backofen nehmen und Sellerie vor dem Servieren mit dem Dill bestreuen.

FEIGEN-PISTAZIEN-EINTOPF
ÇATLAK (HAM ERKEK İNCİR) KAVURMASI

Herkunft:	Gaziantep, Südostanatolien
Zubereitung:	15 Minuten
Garzeit:	35 Minuten
Personen:	4

60 ml	natives Olivenöl extra
1	mittelgroße Zwiebel (120 g)
1 EL	Tomatenmark (Seite 492)
1 TL	Chiliflocken
300 g	kleine unreife Feigen
80 g	Pistazienkerne
6	Frühlingszwiebeln
4	frische (grüne) Knoblauchzehen
2 EL	Granatapfelsirup (Seite 490)
6 Stängel	glatte Petersilie, fein gehackt

◐ ☘ V ◆   Seite 121 ▢

Die männliche Feige (Capri- oder Bocksfeige) wird von den Einheimischen als *Çatlak*, *Patlak* und *Tum* bezeichnet, was an das Kaugeräusch erinnert. Für dieses Gericht verwendet man die im Frühling gepflückten Feigen.

◆

Das Öl bei mittlerer Hitze in einem großen Topf heiß werden lassen. Die Zwiebel fein hacken, in den Topf geben und 5 Minuten anbraten. Tomatenmark und Chiliflocken zufügen und 2 Minuten braten. Die Feigen halbieren, mit den Pistazien in den Topf geben und 5 Minuten braten.

Frühlingszwiebeln und Knoblauch fein hacken. Mit ¼ Teelöffel frisch gemahlenem Pfeffer und ½ Teelöffel Salz in den Topf geben und unter gelegentlichem Rühren 15 Minuten braten. Den Granatapfelsirup zugießen und die Mischung unter gelegentlichem Rühren 5 Minuten braten. Die Petersilie zufügen und Eintopf servieren.

◆

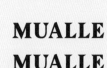

MUALLE
MUALLE

Herkunft:	Hatay, Mittelmeerregion
Zubereitung:	30 Minuten
	zzgl. 20 Minuten Einweichen
Garzeit:	1 Stunde 15 Minuten
	zzgl. 1 Stunde 10 Minuten Ruhezeit
Personen:	4

600 g	Auberginen, in 4-cm-Stücke geschnitten
80 g	grüne Linsen
1 kg	Tomaten
2	grüne Paprika
1	mittelgroße Zwiebel (120 g)
6	Knoblauchzehen, geviertelt
2 TL	Rote Paprikapaste (Seite 492)
1 TL	Tomatenmark (Seite 492)
1 TL	getrocknete Minze
2 EL	Granatapfelmelasse (Seite 490)
½ Bund	rotblättriges Basilikum
60 ml	natives Olivenöl extra

◐ ☘ V ◆

Dies ist ein Sommergericht aus saisonalem Gemüse. Bei einer anderen Variante wird es wie *Imambayıldı* (Gefüllte Auberginen) zubereitet.

◆

Die Auberginen in einer Schüssel mit 1,5 Liter Wasser und 2 Teelöffeln Salz 20 Minuten einweichen. Abseihen und abspülen.

Inzwischen 1 Liter Wasser in einem Topf zum Kochen bringen. Die Linsen zufügen und 15 Minuten kochen. Den Herd ausschalten, die Linsen 10 Minuten ruhen lassen und dann abseihen.

Tomaten, Paprika und Zwiebel fein würfeln und in einer Schüssel mit Knoblauch, Paprikapaste, Tomatenmark, Minze, Granatapfelsirup und ½ Teelöffel Salz vermengen. 5 Minuten gründlich kneten.

Den Boden eines Schmortopfs mit der Hälfte der Auberginen bedecken. Dann die Hälfte der Linsen und anschließend die Hälfte der Gemüsemischung darauf verteilen. Den gesamten Vorgang wiederholen. Zum Abschluss mit einer Schicht Basilikum bedecken und alles zusammendrücken, bis die Flüssigkeit nach oben steigt. Das Olivenöl darübergießen. Einen Deckel auflegen und Auflauf bei niedriger Hitze 1 Stunde schmoren.

Vor dem Servieren 1 Stunde ruhen lassen.

♦

GEFÜLLTE
&
GEROLLTE
KÖSTLICHKEITEN

♦

DOLMAS

SARMAS

Gefüllte und gerollte oder gewickelte Gerichte (*Dolmas*) sind in unserer Kultur kulinarische Lieblinge: Die Krönung, eine Ode an die Vereinigung der vielen Kulturen, die unser Land bilden. Die Variationen sind endlos und gehen von scharf, süß, sauer, salzig bis hin zu würzig. Man liebt und genießt sie im ganzen Land. Kein Fest, keine Feier wäre komplett ohne sie. Kein *Dolma* heißt ganz einfach keine Feier!

Dolma ist alles, was man mit einer Mischung aus Fleisch, Reis, Bulgur oder ähnlichem Getreide füllt. Klassische Beispiele sind gefüllte Paprika, Auberginen und Kutteln. Auch gefülltes und zugenähtes Gemüse heißt *Dolma*, und natürlich hat jeder Ort seine eigenen Varianten davon. Die Vielzahl an *Dolmas* wird noch größer durch die endlosen lokalen Zubereitungsarten und saisonalen Zutaten. Die Füllungen mit Fleisch, Butter, Olivenöl, Milch, Joghurt, Tomatenmark, Tahin, Blättern, Früchten und Gemüse macht sie alle auf eigene Weise einzigartig köstlich. In meiner Heimatstadt Nizip hat gefülltes getrocknetes Gemüse Tradition. Zucchini, Auberginen und Paprika eignen sich hierfür gleichermaßen gut. Was die Größe angeht, so gilt „je kleiner, desto besser", da dies ein Zeichen von Könnerschaft ist. Meister des Füllens und Aufrollens sind die Frauen unseres Landes. Ich möchte Männer davon nicht komplett ausschließen, doch die wahren Engel der *Dolma*-Zubereitung sind unsere Mütter.

Sarmas sind Gerichte, bei denen eine Füllung in Blätter oder Gemüse eingerollt bzw. eingewickelt ist wie Weinblätter, Kirschbaumblätter oder Auberginenscheiben. Alles kann gefüllt werden: Blüten, Früchte, Gemüse, verschiedenste Blätter, Fisch, Geflügel, Schafe, Ziegen, Innereien (Schlachtnebenprodukte) und sogar Kattunsäcke.

In den Städten heißen heute alle Speisen *Dolmas* oder *Sarmas*, in denen Fleisch und Reis oder Bulgur eingerollt oder -gewickelt sind. Im osmanischen İstanbul nannte man sie jedoch einfach *Dolma*. Das Gleiche gilt für Ostanatolien, wo *Dolmas* wie *Sarmas* unabhängig von den Zutaten und der Zubereitung nur *Dolmas* sind. Ein *Dolma* kann Fleisch enthalten oder vegetarisch sein. Fleischlose *Dolmas* und *Sarmas* mit Olivenöl heißen „falsche *Dolmas*".

DOLMA-DEKADENZ IM HAMAM

Dolmas sind beliebte Alltagsgerichte, geben aber auch der türkischen Badetradition im Hamam noch etwas mehr Dekadenz. Am Tag vor dem Hamam-Besuch wird eifrig gerollt und gewickelt. Die fertigen *Dolmas* nimmt man dann mit und lagert sie in den Kühlschränken des Bads. Nach den Schwitzraumritualen geht der Spaß im kühleren Bereich weiter, in dem man die *Dolmas* mit anderen Gerichten wie *Piyaz* zu kalten Getränken genießt.

Für den Hamam ist jeder Tag gut, es braucht keinen speziellen Anlass dafür. Traditionell werden hier der vierzigste Tag nach der Geburt eines Kindes oder auch Hochzeiten gefeiert. Ich ging schon sehr jung regelmäßig dorthin und liebe es noch heute. Der Spaß und die Stimmung bei den Vorbereitungen haben sich mir unauslöschlich eingeprägt. Der Trick war es, sich an die besten *Dolmas* heranzumachen und zuzuschlagen! Obwohl die Kühlschränke immer unter Aufsicht standen, tauchten wir regelmäßig dort auf und gaben vor, unsere Schwestern, Mütter oder Tanten wünschten die *Dolmas*, die wir dann heimlich verschlangen. Die *Dolmas* meiner Mutter waren mit die besten.

Besonders köstlich, vor allem im Hamam, waren die Olivenöl-*Dolmas* mit Bulgur. Es war, als ob sie dort noch besser schmeckten, weil sie dem Hamam die Hitze nahmen, uns belebten und das Erlebnis noch freudvoller machten.

GEFÜLLTE KATTUNSÄCKE

Gefüllte Kattunsäcke (*Çuval dolmasi*) gehören traditionell zu unserer kulinarischen Kultur. In der Provinz Corum İskilip bezeichnet *Dolma* oder *Ca dolmasi* speziell dieses einzigartige Gericht. Es wird zu besonderen Gelegenheiten gekocht, Wohltätigkeitsveranstaltungen und Hochzeiten. In der Region gibt es *Dolma*-Meister, die Bestellungen im Voraus aufnehmen. Der Prozess ist langwierig. Vorgekochter Reis wird in Kattunsäcke eingenäht. Diese legt man auf ein Tablett, das auf einen Dreifuß in einem großen Kupferkessel gelegt wird. In den Kessel werden Fleisch, Zwiebeln, Salz und Wasser gefüllt. Nun wird alles mit Pergamentpapier bedeckt und ein Deckel aufgelegt. Die Ränder zwischen Kessel und Deckel werden mit Teig versiegelt. Der Meister bohrt ein kleines Loch in den Teig hinein, damit der Dampf vom Inneren abziehen kann, und beschwert den Topf mit einem Stein. Dann gart das Gericht 18 Stunden über einem Holzfeuer.

Çuval dolmasi ist definitiv für große Gesellschaften gedacht. Je nach Gästezahl können fünf, zehn oder sogar 20 Kessel gleichzeitig garen. Jeder Sack enthält vier bis fünf Kilogramm Reis, und jeder Kessel zwei bis drei Säcke, zuzüglich 10 bis 15 Kilogramm Schaf- oder Kalbfleisch. Die *Dolmas* werden am Vortag vorbereitet und eine Person wacht immer über einen ausreichenden Feuerholzvorrat. Das ist entscheidend: Wenn hier nicht sorgfältig gearbeitet wird, bekommt die verantwortliche Person einen schlechten Ruf und das *Dolma* muss entsorgt werden.

Am nächsten Tag erscheint der *Dolma*-Besitzer mit den Würdenträgern des Orts, und der Deckel wird unter Gebeten und Segnungen abgehoben. Traditionell beschwert sich der *Dolma*-Koch darüber, dass der Stein zu schwer zum Aufheben ist. Der *Dolma*-Besitzer versteht den Wink und gibt dem Koch, der den Topf bewacht hat, ein großzügiges Trinkgeld. Und siehe da! Der Stein ist jetzt federleicht. Dreifuß und Tablett kommen heraus, und der Reis wird in die Kessel gekippt. Nun schöpft man den Kochsud des butterzarten Fleischs darüber. Eine beliebte Beilage ist Essig-*Cacık*, in der Region *Salata* genannt.

GEFÜLLTE ÄPFEL
ELMA DOLMASI

Herkunft:	Niğde, alle Landesteile
Zubereitung:	20 Minuten zzgl. 15 Minuten Einweichen
Garzeit:	50 Minuten
Personen:	4

4	große Äpfel
2 EL	frisch gepresster Zitronensaft

Für die Füllung:	
70 g	Butter
300 g	durchwachsenes Kalbshackfleisch
60 g	Mittelkornreis, gekocht
100 g	Walnusskerne, grob gehackt
1 TL	gemahlener Zimt
2 EL	frisch gepresster Zitronensaft
1 EL	Apfelmelasse
2 EL	Apfelessig

Seite 129 ◘

Ein Derwisch, der nach Teney (Yeşilyurt) in der Provinz Niğde kam, bemerkte, dass niemand die Moschee besuchte. Die Einwohner erklärten, dass die Stadt einst christlich war und die alten Seelen unruhig würden, wenn sie das täten. Der Derwisch empfahl, *Helva* zuzubereiten, um die Seelen zu segnen. Die gefüllten Äpfel wurden dafür zum Symbol.
♦

An der Oberseite der Äpfel jeweils einen Deckel abschneiden und aufheben. Die Äpfel aushöhlen, die Kerngehäuse entsorgen und das Fruchtfleisch fein zerkleinern. In eine Schüssel füllen. Zitronensaft in eine Schüssel mit Wasser geben und die Apfelgehäuse 15 Minuten darin einweichen.

Den Backofen auf 160 °C vorheizen.

Für die Füllung die Butter in einem Topf auf mittlerer Temperatur erhitzen. Das Fleisch dazugeben und mit ½ Teelöffel Salz würzen, dann 15 Minuten braten. Die restlichen Zutaten zugeben. 1 Minute weitergaren und dabei gründlich durchmischen.

Apfel aus dem Zitronenwasser nehmen und Löcher hineinbohren. Gleichmäßig mit der Fleischmasse füllen. Die Mischung festdrücken, die Deckel aufsetzen und die Äpfel in eine Auflaufform setzen. 200 ml des Zitronenwassers angießen und die Äpfel 30 Minuten im Ofen backen.

♦

GEFÜLLTE SCHWARZKOHLRÖLLCHEN
KARALAHANA SARMASI

Herkunft:	Rize, Schwarzmeerregion
Zubereitung:	35 Minuten zzgl. Vorrösten der Knochen
Garzeit:	1 Stunde 20 Minuten
Personen:	4

40	Schwarzkohlblätter (à 8 × 3 cm; restliche Blätter aufheben)
50 g	Butter

Für die Füllung:	
200 g	nixtamalisierte Maiskörner
300 g	Kalbshackfleisch aus der Brust
3 (360 g)	mittelgroße Zwiebeln, fein gewürfelt
½ TL	Chiliflocken
1 TL	getrocknete Minze
2 Stängel	frischer Dill, fein gehackt
4	vorgeröstete Kalbsbrustknochen mit Fleisch (à 10 cm Länge)

Schwarzkohl wird vor allem im Winter gegessen. Den Mais (in der Region als *Korkota* bekannt) können Sie durch Reis oder Bulgur ersetzen.
♦

Den Schwarzkohl portionsweise 5 Minuten in 2 Liter Wasser blanchieren. Abschrecken und abtropfen lassen, dann beiseitestellen.

Den Mais spülen. Mit Kalbshack, Zwiebeln, Chili, Minze und Dill in einer Schüssel oder auf einem Tablett verkneten. Mit ½ Teelöffel Pfeffer und ¼ Teelöffel Salz würzen. Die Mischung in 40 gleichmäßige Portionen aufteilen.

Ein Kohlblatt mit Blattadern nach oben auf die Arbeitsfläche legen. An der langen Seite 1 Portion Füllung linienförmig verteilen. Das Blatt einmal um die Füllung rollen, dann die Seiten nach innen einschlagen. Fertig aufrollen. Die ganze Füllung so verarbeiten. Die Kalbsknochen in einen Topf legen, mit dem restlichen Kohl abdecken und die fertigen Röllchen darauflegen.

Die Butter mit 1 Liter Wasser und ¼ Teelöffel Salz in einem Topf 5 Minuten erhitzen. Über die Röllchen gießen. Einen Teller umgekehrt auf die Röllchen legen und diese größtenteils abdecken. Bei mittlerer Temperatur ohne Deckel 10 Minuten kochen. Dann die Hitze reduzieren und die Röllchen mit Deckel 1 Stunde fertig garen. Servieren.

GEFÜLLTE & GEROLLTE KÖSTLICHKEITEN

GEFÜLLTER KÜRBIS
BALKABAĞI DOLMASI

Herkunft:	Sakarya, alle Landesteile
Zubereitung:	20 Minuten zzgl. 20 Minuten Einweichen
Garzeit:	1 Stunde 40 Minuten zzgl. 15 Minuten Ruhezeit
Personen:	4

1	Kürbis (12 × 8 cm), Deckel quer abgeschnitten, ausgehöhlt und entkernt
2 EL	Traubenmelasse
¼ TL	gemahlener Zimt
200 ml	Orangensaft

Für die Füllung:

150 g	Mittelkornreis
2 EL	natives Olivenöl extra
1 (120 g)	mittelgroße Zwiebel, gewürfelt
60 g	Mandelkerne, geröstet
1 TL	gemahlener Zimt
6 Stängel	frische glatte Petersilie, fein gehackt
4 Stängel	frischer Dill, fein gehackt

Je nach Familiengröße des Kochs werden hierfür 8–10 kg schwere Kürbisse verarbeitet.

Den Backofen auf 160 °C vorheizen. Den Kürbis mit Traubenmelasse, Zimt und ¼ Teelöffel Salz füllen. Den Deckel aufsetzen und Kürbis im heißen Ofen 30 Minuten backen. Herausnehmen und beiseitestellen.

Den Reis mit ½ Teelöffel Salz 20 Minuten in 600 ml Wasser einweichen. Abgießen und unter kaltem Wasser spülen. Das Öl in einem großen Topf auf mittlerer Temperatur erhitzen. Die Zwiebel darin 3 Minuten glasig dünsten. Mandeln und Reis zugeben und 3 Minuten mit andünsten. Zimt, ¼ Teelöffel Pfeffer und ½ Teelöffel Salz unterrühren und Topf vom Herd nehmen. Petersilie und Dill unterheben. Den Kürbis mit der Mischung füllen. Den Orangensaft hineingießen und den Kürbisdeckel gut aufsetzen. Kürbis 1 Stunde im heißen Ofen garen.

Den Kürbis aus dem Ofen holen und 10 Minuten ruhen lassen. Den Deckel abnehmen und die Füllung noch einige Minuten auskühlen lassen. Den Kürbis vierteln und mit der Füllung servieren.

GEFÜLLTE RUNDE ZUCCHINI
SAKIZ KABAĞI DOLMASI

Herkunft:	Muğla, alle Landesteile
Zubereitung:	25 Minuten zzgl. 20 Minuten Einweichen
Garzeit:	1 Stunde zzgl. 10 Minuten Ruhezeit
Personen:	4

8	Zucchini (5 × 10 cm)
150 g	Tomaten, in feine Scheiben geschnitten
1½ TL	Tomatenmark (Seite 492)
2	Knoblauchzehen
2 EL	natives Olivenöl extra

Für die Füllung:

120 g	Mittelkornreis
100 ml	natives Olivenöl extra
4	große Zwiebeln, fein gewürfelt
50 g	Walnusskerne, grob gehackt
1 TL	getrocknete Minze
½ Bund	frische glatte Petersilie, fein gehackt
½ Bund	frischer Dill, fein gehackt

Runde Zucchini genießt man im ganzen Land in vielen Variationen – gebraten, in Olivenöl gegart und gefüllt. Mit Fleisch gefülltes Gemüse gilt als das einzig Wahre, Varianten ohne Fleisch als schnelle Lösung! Türkische sephardische Juden haben ein charakteristisches Rezept: Die Füllung wird aus karamellisiertem Zucker, altbackenem Brot und Hackfleisch hergestellt.

Für die Füllung den Reis mit ½ Teelöffel Salz in 500 ml Wasser 20 Minuten einweichen, dann abseihen und spülen. Das Öl bei mittlerer Temperatur in einem Topf erhitzen und die Zwiebeln darin 10 Minuten andünsten. Reis und Walnusskerne zugeben und 10 Minuten garen. Mit Minze, ¼ Teelöffel frisch gemahlenem Pfeffer und ½ Teelöffel Salz würzen. 1 Minute weitergaren, dann vom Herd nehmen. Petersilie und Dill behutsam unterziehen.

Von den Zucchini den Stängelansatz als Deckel abschneiden und beiseitestellen. Die Zucchini aushöhlen und die Schalen flach einritzen. Mit der Reismischung füllen und die Deckel aufsetzen. Die Zucchini so eng wie möglich aufrecht in einen Topf stellen. Tomatenscheiben, Tomatenmark, Knoblauch, Olivenöl und ½ Teelöffel Salz darüber verteilen und 200 ml Wasser angießen. Bei schwacher Temperatur mit Deckel 30 Minuten garen. 10 Minuten durchziehen lassen und servieren.

GEFÜLLTE ARTISCHOCKEN
ENGİNAR DOLMASI

Herkunft:	İzmir, Ägäisregion
Zubereitung:	25 Minuten zzgl. 20 Minuten Einweichen
Garzeit:	40 Minuten zzgl. 10 Minuten Ruhezeit
Personen:	4

4	zarte Artischocken (à 6 × 8 cm)
2 EL	frisch gepresster Zitronensaft
4	Weinblätter
5	Knoblauchzehen
20	Renekloden (saure Pflaumen)
½ TL	Zucker

Für die Füllung:	
120 g	Mittelkornreis
1 (120 g)	mittelgroße Zwiebel, fein gewürfelt
2	Frühlingszwiebeln, in feine Ringe geschnitten
6 Stängel	frische glatte Petersilie, fein gehackt
4 Stängel	frische Minze, fein gehackt
1½ EL	Pinienkerne, geröstet
2½ EL	Rosinen

Bei den zarten, eierkleinen Frühlingsartischocken muss das Heu nicht entfernt werden. Anstatt die Blätter zu stutzen und die Mitte zu füllen, lassen Sie die Blätter ganz und füllen die Hohlräume dazwischen.

◆

Die äußeren Blätter der Artischocken entfernen bzw. stutzen. Das Heu auskratzen und die Früchte in einer Schüssel mit 1,5 Liter mit dem Zitronensaft gesäuertem Wasser einweichen.

Für die Füllung den Reis mit ½ Teelöffel Salz in 1 Liter Wasser 20 Minuten einweichen. Abseihen und unter kaltem Wasser spülen, bis es klar abläuft.

Den Reis mit den restlichen Füllungszutaten und ¼ Teelöffel Salz in einer großen Schüssel oder in einem tiefen Tablett mit den Händen mischen. In 4 gleich große Portionen teilen. Die Artischocken aus dem Zitronenwasser nehmen und die Hohlräume mit der Masse füllen. Mit den Weinblättern abdecken.

Die Artischocken in einen Topf setzen. Knoblauch und Renekloden darüber verteilen. 800 ml des Zitronenwassers mit ½ Teelöffel Zucker und ¼ Teelöffel Salz dazugießen. Den Topf mit einer Schicht Backpapier und dem Deckel verschließen und die Artischocken 40 Minuten bei schwacher Temperatur garen. Topf vom Herd nehmen und Artischocken vor dem Servieren 10 Minuten ruhen lassen.

GEFÜLLTE ZUCCHINIBLÜTEN
KABAK ÇİÇEĞİ DOLMASI

Herkunft:	Balıkesir, alle Landesteile
Zubereitung:	25 Minuten zzgl. 1 Stunde Einweichen
Garzeit:	40 Minuten zzgl. 10 Minuten Ruhezeit
Personen:	4

20	Zucchiniblüten
2 EL	frisch gepresster Zitronensaft
2 EL	natives Olivenöl extra

Für die Füllung:	
160 g	Mittelkornreis
2 (240 g)	mittelgroße Zwiebeln, fein gewürfelt
4	Frühlingszwiebeln, in feine Ringe geschnitten
2 Stängel	frische Minze, fein gehackt
200 g	Tomaten, klein gehackt
10 Stängel	frische glatte Petersilie, fein gehackt
½ TL	Chiliflocken
2 EL	natives Olivenöl extra

Zucchiniblüten öffnen sich im Sommer bei Sonnenaufgang und schließen sich, wenn sie nicht sofort gepflückt werden. Die Füllung bereiten Sie vorher zu und füllen die Blüten damit, sobald sie aufmachen.

◆

Den Reis mit ¼ Teelöffel Salz 1 Stunde in einr Schüssel mit 500 ml Wasser einweichen. Abseihen und unter kaltem Wasser spülen, bis es klar abläuft.

Für die Füllung Zwiebeln, Frühlingszwiebeln, Minze, Tomaten und Petersilie mit Reis, Chiliflocken, Olivenöl, ¼ Teelöffel Pfeffer und ½ Teelöffel Salz in einer großen Schüssel oder einem tiefen Tablett gründlich vermengen.

Die Zucchiniblüten gleichmäßig mit der Mischung füllen. Die Blüten zudrehen und dicht nebeneinander aufrecht in einen großen Topf stellen, sodass die zugedrehten Enden nach oben zeigen. Zitronensaft und Öl mit ¼ Teelöffel Salz und 500 ml Wasser verrühren und über die Blüten träufeln. Mit Backpapier und dem Deckel bedecken und bei kleiner Hitze 40 Minuten garen. Vor dem Servieren 10 Minuten ruhen lassen.

ZUCCHINI MIT FLEISCHFÜLLUNG
ETLİ KABAK DOLMASI

Herkunft:	Bursa, alle Landesteile
Zubereitung:	25 Minuten zzgl. 30 Minuten Einweichen
Garzeit:	45 Minuten zzgl. 10 Minuten Ruhezeit
Personen:	4

8	kleine Zucchini (à 10 × 5 cm), Spitzen abgeschnitten und beiseitegestellt, im Ganzen ausgehöhlt
2 kg	Lammkarree

Für die Füllung:

80 g	Mittelkornreis
50 g	grober Bulgur
250 g	Kalbshackfleisch aus der Brust
1 (120 g)	mittelgroße Zwiebel, fein gewürfelt
10 Stängel	frische glatte Petersilie, fein gehackt
5 Stängel	frischer Dill, fein gehackt
2 EL	natives Olivenöl extra
1 ½ TL	Tomatenmark (Seite 492)
½ TL	Chiliflocken
¼ TL	gemahlener Kreuzkümmel

Für die Tomatensauce:

150 g	Tomaten, fein gehackt
1 ½ TL	Tomatenmark (Seite 492)
2	Knoblauchzehen, gehackt

Für die Knoblauchsauce:

400 g	griechischer Joghurt
5 Stängel	frischer Dill, fein gehackt
1	Knoblauchzehe, gehackt

Manche Rezepte verwenden für dieses Sommergericht nur Reis oder Bulgur.

◆

Den Reis für die Füllung in einer Schüssel mit 200 ml Wasser mit ¼ Teelöffel Salz 30 Minuten einweichen. Abgießen und unter kaltem Wasser spülen, dann beiseitestellen.

In der Zwischenzeit die Zucchini mit je ¼ Teelöffel Salz und frisch gemahlenem Pfeffer 15 Minuten in einer Schüssel mit 1,5 Liter Wasser einweichen. Abgießen und beiseitestellen.

Für die Füllung Reis, Bulgur, Kalbshack, Zwiebel, Petersilie, Dill, Olivenöl, Tomatenmark, Chiliflocken, ¼ Teelöffel Pfeffer, Kreuzkümmel und ½ Teelöffel Salz in einer großen Schüssel oder einem tiefen Tablett gründlich verkneten.

Die Füllung gleichmäßig in die Zucchini füllen.

Das Lammkarree in einen großen Topf legen. Die Zucchini mit Öffnung nach oben darauf anrichten. Die Zucchinideckel verkehrt herum auf die Füllung setzen.

Für die Tomatensauce in einer Schüssel Tomaten, Tomatenmark, Knoblauch und ¼ Teelöffel Salz mit 400 ml Wasser verrühren.

Die Sauce um die Zucchini im Topf herumgießen. Zucchini mit Deckel bei niedriger Hitze 45 Minuten garen. Topf vom Herd nehmen und Zucchini noch 10 Minuten ziehen lassen.

Für die Knoblauchsauce Joghurt, Dill und Knoblauch in einer Extraschüssel mit ¼ Teelöffel Salz verrühren. Die Zucchini auf Tellern anrichten und mit dem Lammkarree und der Joghurtsauce servieren.

GEFÜLLTE AUBERGINEN MIT OLIVENÖL
ZEYTİNYAĞLI PATLICAN DOLMASI

Herkunft:	İstanbul, alle Landesteile
Zubereitung:	30 Minuten zzgl. 45 Minuten Einweichen
Garzeit:	1 Stunde 30 Minuten
Personen:	4

8	hohle, getrocknete Auberginen
150 g	Tomaten, in 8 Scheiben geschnitten
2 EL	natives Olivenöl extra

Für die Füllung:	
160 g	Mittelkornreis
60 ml	natives Olivenöl extra
1½ EL	Pinienkerne
4 (480 g)	mittelgroße Zwiebeln, fein gewürfelt
30 g	Korinthen
1½ TL	gemahlener Zimt
1½ TL	gemahlener Piment
2 TL	Paprikapulver
1 TL	getrocknete Minze
½ Bund	frischer Dill, fein gehackt

Ausgehöhlte, getrocknete Auberginen bekommt man bisweilen in türkischen Lebensmittelgeschäften. Alternativ verwenden Sie japanische oder italienische Auberginen (à 5 × 8 cm).

♦

Von frischen Auberginen die Stielansätze entfernen. Früchte längs streifenweise schälen (einen Streifen schälen, einen Streifen stehen lassen usw.), halbieren und aushöhlen. Mit 2 Teelöffel Salz 15 Minuten in 1,5 Liter Wasser einweichen. Abseihen, kalt abwaschen und beiseitestellen.

Für die Füllung den Reis in einer Schüssel mit kochendem Wasser übergießen. ¼ Teelöffel Salz zugeben und 30 Minuten einweichen. Unter kaltem Wasser spülen.

Das Öl bei mittlerer Temperatur in einem Topf erhitzen. Die Pinienkerne darin 1 Minute anbraten. Die Zwiebeln zugeben und unter ständigem Rühren 10 Minuten andünsten. Den Reis hineinschütten und 13 Minuten garen. Korinthen, Zimt, Piment, Paprikapulver, Minze und ¼ Teelöffel Salz untermischen, dann 2 Minuten weitergaren. Vom Herd nehmen und den Dill unterheben.

Die Auberginen mit der Mischung füllen und nebeneinander mit Füllung nach oben in einen Topf setzen. Mit je einer Tomatenscheibe bedecken. 500 ml Wasser mit dem Olivenöl in den Topf gießen. Mit Deckel 1 Stunde bei schwacher Hitze garen, dann servieren.

♦

AUBERGINEN MIT KALBS- & LAMMHACKFÜLLUNG
MÜLEBBES DOLMASI

Herkunft:	Mardin, Südostanatolien
Zubereitung:	20 Minuten zzgl. 15 Minuten Einweichen
Garzeit:	45 Minuten
Personen:	4

8	japanische oder italienische Auberginen (à 5 × 10 cm), ausgehöhlt
6	Eier
500 ml	natives Olivenöl extra
5	Holzspieße, à 25 cm Länge
300 g	unreife, saure Trauben
400 ml	Fleischbrühe (Seite 489)

Für die Füllung:	
80 g	Mittelkornreis
2 (240 g)	mittelgroße Zwiebeln, fein gewürfelt
150 g	Kalbshackfleisch
150 g	Lammhackfleisch

Dieses *Dolma* bereitet man mit den kleinen Auberginen Südostanatoliens zu. Es wird bereits in den ältesten Aufzeichnungen zur türkischen Küche erwähnt.

♦

Die Auberginen 15 Minuten in 1,5 Liter Wasser mit 2 Teelöffel Salz einweichen. Abgießen, kalt abspülen und die Stielansätze als Deckel abschneiden. Alles beiseitestellen.

Für die Füllung Reis, Zwiebeln, Kalbs- und Lammhack mit ¼ Teelöffel frisch gemahlenem Pfeffer und ½ Teelöffel Salz vermengen. Die Auberginen mit der Masse füllen. Die Deckel aufsetzen und fest andrücken. Die Oberseiten mehrmals mit einem Messer anstechen. Die Eier in einer Extraschüssel verquirlen.

Das Öl in einem Topf auf 155 °C erhitzen. Die Auberginen in dem Ei wenden und im heißen Öl 2 Minuten pro Seite anbraten.

Die Holzspieße auf dem Boden eines Topfs verteilen und die Auberginen darauflegen. Die Trauben darauf verteilen. Die Brühe mit ¼ Teelöffel Salz darübergießen. Auberginen bei schwacher Hitze mit Deckel 30 Minuten garen. Den Kochsud darüberträufeln und servieren.

GEFÜLLTE GETROCKNETE PAPRIKA, ZUCCHINI UND AUBERGINEN KOFİK DOLMASI
(KURU BİBER VE KURU PATLICAN DOLMASI)

Herkunft:	Elazığ, alle Landesteile
Zubereitung:	30 Minuten
Garzeit:	1 Stunde 10 Minuten
	zzgl. 10 Minuten Ruhezeit
Personen:	4

4	getrocknete Paprika
4	getrocknete Zucchini
4	getrocknete Auberginen
1 Reihe	Lammrippenknochen
1	Lammknochen aus der Brust
2 EL	Butter
2 EL	natives Olivenöl extra
2	Knoblauchzehen, in dünne Scheiben geschnitten
60 g	Zwiebel, in feine Ringe geschnitten
1½ TL	Tomatenmark (Seite 492)
½ TL	Chiliflocken
200 ml	Sumachextrakt (Seite 491)
4	Frühlingszwiebeln, in Ringe geschnitten
250 g	griechischer Joghurt

Für die Füllung:	
80 g	Mittelkornreis
60 g	feiner Bulgur
400 g	Lammhackfleisch
2 (240 g)	mittelgroße Zwiebeln, fein gewürfelt
6 Stängel	frische glatte Petersilie, fein gehackt
1½ TL	Tomatenmark (Seite 492)
2 TL	Rote Paprikapaste (Seite 492)
½ TL	Chiliflocken
30 g	Butter
2 EL	natives Olivenöl extra
100 ml	Sumachextrakt (Seite 491)

Seite 135 📷

Von dem Rezept gibt es auch vegetarische Varianten, mit Olivenöl und Reis oder Bulgur.

◆

In einem großen Topf 1 Liter Wasser aufkochen. Die Paprika hineinlegen und 5 Minuten sprudelnd kochen. Mit einem Schaumlöffel auf Küchenpapier heben. Zucchini und Auberginen im gleichen Wasser 10 Minuten sprudelnd kochen. Herausheben, auf Küchenpapier abtropfen lassen und beiseitestellen.

Für die Füllung Reis, Bulgur, Lammhack, Zwiebel, Petersilie, Tomatenmark, Paprikapaste, Chiliflocken, Butter, Olivenöl, Sumachextrakt, ¼ Teelöffel frisch gemahlenen Pfeffer und ½ Teelöffel Salz in einer großen Schüssel oder auf einem tiefen Tablett 1 Minute vermischen, bis die Zutaten gleichmäßig verteilt sind.

Die Füllung gleichmäßig auf das getrocknete Gemüse aufteilen. Jedes Stück sollte zu drei Vierteln gefüllt sein. Lammrippen- und Brustknochen in einen großen Topf legen und die gefüllten Gemüsestücke darauf verteilen.

Butter und Olivenöl in einem großen Topf bei mittlerer Temperatur erhitzen. Knoblauch und Zwiebeln zugeben und 1 Minute andünsten. Tomatenmark, Chiliflocken und ¼ Teelöffel Salz einrühren und 1 Minute andünsten. Topf vom Herd nehmen, Sumachextrakt angießen und 1 Minute einrühren.

Die Mischung über dem Gemüse verteilen. Das Gemüse mit einem Teller nicht ganz abdecken und 10 Minuten bei mittlerer Hitze garen, bis die Sauce kocht. Die Hitze reduzieren und alles mit Deckel weitere 40 Minuten garen.

Topf vom Herd nehmen und Gemüse 10 Minuten ruhen lassen. Mit Frühlingszwiebeln und Joghurt servieren.

MIT KÄSE GEFÜLLTE SAUERAMPFERRÖLLCHEN
LOR DOLMASI

Herkunft:	Bayburt, Schwarzmeerregion
Zubereitung:	25 Minuten
Garzeit:	35 Minuten
Personen:	4

Für die Füllung:

150 g	feiner Bulgur
400 g	*Lor* (frischer Molkenkäse, Seite 485, oder Ricotta)
50 g	*Kaymak* (Seite 486)
60 g	Zwiebel, fein gewürfelt
1 EL	getrocknetes Basilikum
2 EL	Butter, zerlassen
40	frische Sauerampferblätter (à 6 × 15 cm)

Für die Sauce:

50 g	Butter
2 (240 g)	mittelgroße Zwiebeln, in 5-mm-Scheiben geschnitten
500 ml	Milch
50 g	*Kaymak* (Seite 486)

V   Seite 137 📷

Dieses Gericht ist eine Frühlingsspezialität, da es von frischen, saisonalen Sauerampferblättern und *Lor* lebt (ein Schafsmolkenfrischkäse ähnlich Ricotta). Ein Lieblingsgericht in der Region um Erzurum und Kars.

◆

Den Backofen auf 160 °C vorheizen.

Für die Füllung den Bulgur in heißem Wasser erst waschen, dann kalt abspülen. Bulgur, *Lor*, *Kaymak*, Zwiebel, Basilikum und Butter mit ¼ Teelöffel frisch gemahlenem Pfeffer und ½ Teelöffel Salz in einer großen Schüssel oder auf einem tiefen Tablett gründlich verkneten. In 40 gleich große Portionen teilen.

Den Sauerampfer in kochendem Wasser blanchieren und abtropfen lassen. Ein Blatt mit Blattadern nach oben auf die Arbeitsfläche legen, 1 Portion Füllung hineinsetzen und Blatt von einer Ecke her aufrollen. Die Seiten einschlagen, um die Füllung einzuschließen und Blatt fertig aufrollen. Die Röllchen in eine große Auflaufform legen.

Für die Sauce die Butter in einer Pfanne bei mittlerer Temperatur erhitzen. Die Zwiebeln zugeben und mit ¼ Teelöffel Salz unter Rühren 5 Minuten andünsten. Über den Röllchen verteilen. Milch und *Kaymak* mit ¼ Teelöffel Pfeffer verrühren und ebenfalls über die Röllchen gießen. Röllchen 30 Minuten im Backofen garen. Auf einen Servierteller legen und servieren.

◆

GEFÜLLTE WEIßKOHLBLÄTTER
BEYAZ LAHANA SARMASI

Herkunft:	Gaziantep, alle Landesteile
Zubereitung:	30 Minuten
Garzeit:	50 Minuten zzgl. 10 Minuten Ruhezeit
Personen:	4

40	Weißkohlblätter (à 6 × 10 cm; restliche Blätter aufheben)
1	ganzes Lammkarree
60 ml	natives Olivenöl extra

Für die Füllung:

150 g	grober Bulgur
2 (240 g)	mittelgroße Zwiebeln, fein gewürfelt
6	Knoblauchzehen, in dünne Scheiben geschnitten
450 g	Lammfleisch, fein gewürfelt
1 EL	Rote Paprikapaste (Seite 492)
1 EL	Tomatenmark (Seite 492)
½ TL	Chiliflocken

Ein typisches Wintergericht.

◆

Die Kohlblätter 5 Minuten in kochendem Wasser blanchieren, dann abtropfen lassen und beiseitestellen.

Für die Füllung den Bulgur gründlich abbrausen und mit Zwiebel, Knoblauch, Lammfleisch, Paprikapaste, Tomatenmark, Chiliflocken, ¼ Teelöffel frisch gemahlenem Pfeffer und ¾ Teelöffel Salz in eine große Schüssel oder auf ein tiefes Tablett geben und sanft mit den Händen durchmischen. In 40 gleichgroße Portionen teilen.

Ein Kohlblatt mit Blattadern nach oben auf die Arbeitsfläche legen. 1 Portion der Füllung in einer Linie an der langen Seite verteilen. Das Blatt einmal komplett um die Füllung wickeln, dann die Seiten einschlagen und Blatt fertig aufrollen. Die Lammrippchen auf dem Boden eines Topfs verteilen, mit den restlichen Kohlblättern bedecken und die Kohlröllchen darauf verteilen.

Öl und ¼ Teelöffel Salz mit 500 ml Wasser 5 Minuten erhitzen. Über die Röllchen gießen und diese mit einem Teller fast vollständig abdecken. Zugedeckt bei niedriger Hitze 40 Minuten garen. 10 Minuten ruhen lassen und servieren.

GEFÜLLTE & GEROLLTE KÖSTLICHKEITEN

GEFÜLLTE FISCH-DOLMAS
BALIK DOLMASI

Herkunft:	İstanbul, Marmararegion
Zubereitung:	45 Minuten zzgl. 20 Minuten Einweichen
Garzeit:	30 Minuten
Personen:	4

4	Makrelen (à 5 × 20 cm)
3	Eier
50 g	Mehl
400 ml	natives Olivenöl extra zum Frittieren

Für die Füllung:	
60 g	Mittelkornreis
100 ml	natives Olivenöl extra
3 (360 g)	mittelgroße Zwiebeln, fein gewürfelt
1½ EL	Pinienkerne
40 g	Korinthen
1 TL	gemahlener Zimt
¼ TL	gemahlene Gewürznelken
¼ TL	gemahlener Kardamom
½ TL	gemahlener Piment
3 Stängel	frischer Dill, fein gehackt
5 Stängel	frische glatte Petersilie, fein gehackt

In İstanbul heißt es, die Tavernenbesitzer des Rum-Millet (osmanische Griechen) hätten dieses Gericht zubereitet und ihren muslimischen Kunden nach Hause geliefert, die während des Ramadan die *Meyhanes* oder Tavernen nicht besuchten. Die Wirte hofften, das Gericht würde sie daran erinnern. Daher auch der Alternativname „Vergiss-mein nicht". Manche ersetzen den Reis durch Bulgur, und auch Süßwasserfisch funktioniert gut.

♦

Zur Vorbereitung der Fische die Schwanzflosse durchbrechen, aber nicht entfernen. Die Fische durch die Kiemenspalte ausnehmen. Mit kaltem Wasser durchspülen und trocken tupfen, dann das Fleisch 5 Minuten massieren. Die Wirbelsäule ebenfalls durch die Kiemenspalte entfernen: Dazu mit einer Hand Druck darauf geben und mit der anderen die Wirbelsäule mit den Gräten herausziehen. Hängen gebliebenes Fleisch von den Gräten abzupfen und in einer Schüssel beiseitestellen. Mit einem Messer mit gebogener Klinge das halbe Fischfleisch entfernen und ebenfalls in die Schüssel geben. Alternativ die Fische vom Händler zum Füllen vorbereiten lassen.

Für die Füllung den Reis 20 Minuten in einer Schüssel mit ¼ Teelöffel Salz und 1 Liter Wasser einweichen. Abseihen und kalt abspülen.

Olivenöl in einer großen Pfanne bei mittlerer Temperatur erhitzen. Die Zwiebeln zugeben und 15 Minuten unter ständigem Rühren braten. Die Pinienkerne zufügen und 5 Minuten mitbraten. Das beiseitegestellte Fischfleisch, Reis, Korinthen, Zimt, Gewürznelken, Kardamom, 1 Prise Pfeffer, Piment und ½ Teelöffel Salz zugeben und 3 Minuten mitgaren. Pfanne vom Herd nehmen. Dill und Petersilie unterziehen und gut durchmischen.

Die Fischbäuche gleichmäßig mit der Mischung füllen. Dabei aufpassen, dass die Bauchdecke nicht aufreißt. Die Eier in einer flachen Schüssel verquirlen. Das Mehl in eine zweite flache Schüssel geben.

Zum Frittieren das Olivenöl in einem großen Topf auf 155 °C erhitzen. Die Fische erst im Ei, dann im Mehl wenden. In das heiße Öl legen und 2 Minuten pro Seite frittieren. Sofort servieren.

GEFÜLLTES LAMMKARREE
KABURGA DOLMASI

Herkunft:	Mardin, alle Landesteile
Zubereitung:	30 Minuten zzgl. 1 Stunde Einweichen
Garzeit:	4 Stunden 30 Minuten
Personen:	4

2 kg	Lammkarree (Stielkoteletts am Stück), Rippen ungeputzt
2 EL	natives Olivenöl extra
1 (120 g)	mittelgroße Zwiebel, geviertelt
1½ TL	Tomatenmark (Seite 492)
2	Lorbeerblätter
10	Pfefferkörner
1 EL	Paprikapulver

Für den Teig zum Versiegeln:

100 g	Mehl

Für die Füllung:

200 g	Mittelkornreis
70 g	Butter
200 g	Karotten, in dünne Scheiben gschnitten
1 Stängel	Petersilie, fein gehackt
1 TL	getrockneter Oregano
100 g	Mandeln
½ TL	gemahlener Koriander
1½ TL	Tomatenmark (Seite 492)
1 TL	Paprikapulver
2 EL	natives Olivenöl extra

Für gewöhnlich wird das Lammkarree als Aha-Effekt erst ohne Sauce aufgetragen. Die Sauce wird auch gerne als Suppe gegessen. Ein weiterer Serviervorschlag wäre es, den Reis fertig zu machen, das Karree auszulösen und auf dem Reis zu servieren. Das Rezept können Sie auch ohne Dreifuß oder Rost in einem großen, tiefen Bräter zubereiten (dann nur 2 Liter Wasser zugegeben) oder im Backofen. Sie schmoren es dann 2 Stunden mit Deckel bei 180 °C.

♦

Für die Füllung den Reis in einer Schüssel in 1 Liter Wasser mit ¼ Teelöffel Salz 1 Stunde einweichen. Abseihen und kalt abbrausen, bis das Wasser klar abläuft.

Butter in einem großen Topf bei mittlerer Hitze zerlassen. Den Reis zugeben und 15 Minuten braten. Karotten, Petersilie, Oregano, Mandeln, ¼ Teelöffel frisch gemahlener Pfeffer, Koriander, Tomatenmark, Paprikapulver, Olivenöl und ¼ Teelöffel Salz Salz zufügen und 5 Minuten garen.

Mit einem scharfen Messer das Lammkarree zwischen Rippen und Fleisch tief einschneiden, aber nicht ganz durchschneiden, sodass ein Hohlraum entsteht. Diesen mit der Reismischung füllen und mit Küchengarn und Dressiernadel wieder zunähen.

Das Olivenöl in einem sehr großen Topf oder Schmortopf bei mittlerer Hitze heiß werden lassen. Das Lammkarree einlegen und mit ¼ Teelöffel Salz würzen. Pro Seite 4 Minuten anbraten, um die Fleischporen zu schließen. Herausnehmen und zwischenzeitlich beiseitestellen. Einen Dreifuß mit 20 × 20 cm Durchmesser oder einen Rost in den Topf stellen. 4 Liter Wasser hineingießen und Zwiebel, Tomatenmark, Lorbeerblätter, ¼ Teelöffel Salz-Salz, die Pfefferkörner und das Paprikapulver zugeben. Einen Metallteller auf den Dreifuß/Rost legen und das gefüllte Lammkarree darauflegen.

Für den Teig zum Versiegeln Mehl und 60 ml Wasser zu einem weichen Teig verkneten. Zu einer langen Rolle formen. Den Topfdeckel aufsetzen und die Teigrolle um den Rand legen. Fest andrücken, um den Topf fest und luftdicht zu versiegeln. Den Topfinhalt 4 Stunden bei sehr schwacher Hitze schmoren.

Das Karree zum Servieren vierteln und das Fleisch am Knochen oder ausgelöst auf dem Reis servieren.

GEFÜLLTE MIESMUSCHELN
MİDYE DOLMASI

Herkunft:	İstanbul, alle Landesteile
Zubereitung:	20 Minuten zzgl. 20 Minuten Einweichen
Garzeit:	1 Stunde zzgl. 10 Minuten Ruhezeit
Personen:	4

24	große, frische Miesmuscheln
2 EL	natives Olivenöl extra
1 EL	frisch gepresster Zitronensaft

Für die Füllung:	
100 g	Mittelkornreis
60 ml	natives Olivenöl extra
2 (240 g)	mittelgroße Zwiebeln, fein gewürfelt
1½ EL	Pinienkerne
30 g	Korinthen
½ TL	gemahlener Piment
1 TL	gemahlener Zimt
¼ TL	gemahlene Gewürznelken

Seite 141

Diesen beliebten Straßensnack gibt es auch zu Hause, dann kommen Korinthen und Pinienkerne hinein. Gefüllte Miesmuscheln aus İzmir enthalten getrocknete Minze und gemahlenen Pfeffer. In Istanbul werden sie mit Piment und Zimt gewürzt.

♦

Für die Füllung den Reis 20 Minuten in einer Schüssel in 600 ml Wasser mit ½ Teelöffel Salz einweichen. Abseihen und kalt abbrausen. Das Öl in einer Pfanne bei mittlerer Hitze heiß werden lassen und die Zwiebeln darin 10 Minuten dünsten. Reis, Pinienkerne und Korinthen zugeben und 5 Minuten garen. Piment, Zimt, Gewürznelken sowie je ½ Teelöffel Pfeffer und Salz zugeben und weitere 2 Minuten garen. Die Hitze reduzieren, 100 ml Wasser angießen und alles mit Deckel 10 Minuten garen.

Die Muscheln waschen und putzen. An der breiten Seite öffnen, aber das spitze Ende geschlossen lassen. Jede Muschel mit dem Reis füllen und wieder zuklappen. In einen Topf legen. Mit einem Teller beschweren und bei schwacher Hitze mit Deckel 5 Minuten garen.

In der Zwischenzeit Olivenöl, Zitronensaft und ¼ Teelöffel Salz mit 400 ml Wasser in einem Topf aufkochen. Über die gefüllten Muscheln gießen. Den Deckel aufsetzen und Muscheln weitere 30 Minuten garen. 10 Minuten ruhen lassen und auf Portionstellern servieren.

♦

VEGETARISCHE GEFÜLLTE WEINBLÄTTER
ZEYTİNYAĞLI YAPRAK SARMASI

Herkunft:	Muğla, alle Landesteile
Zubereitung:	30 Minuten zzgl. 30 Minuten Einweichen
Garzeit:	1 Stunde 10 Minuten zzgl.
	10 Minuten Ruhezeit
Personen:	4

40	frische Weinblätter
2 EL	natives Olivenöl extra
2 EL	frisch gepresster Zitronensaft

Für die Füllung:	
100 g	Mittelkornreis
2 EL	natives Olivenöl extra
4 (600 g)	große Zwiebeln, fein gewürfelt
½ Bund	frische glatte Petersilie, fein geschnitten
½ Bund	frischer Dill, fein geschnitten
1 TL	getrocknete Minze
1 TL	Zucker
¼ TL	Pfefferkörner

Im östlichen Mittelmeerraum und Südostanatolien verwendet man Bulgur, Tomatenmark und Walnusskerne für die Füllung dieses Sommergerichts.

♦

Die Weinblätter 10 Minuten in eine Schüssel in 1 Liter heißem Wasser einweichen. Abseihen und beiseitestellen.

Für die Füllung den Reis 20 Minuten in einer Schüssel mit warmem Wasser und ½ Teelöffel Salz einweichen, abseihen, kalt spülen. Olivenöl bei mittlerer Hitze erhitzen. Zwiebeln darin kurz anschwitzen. Dann Reis zugeben und 20 Minuten unter Rühren dünsten. Petersilie, Dill, Minze, Zucker und Pfefferkörner unterrühren und mit ½ Teelöffel Salz würzen. 1 Minute garen, dann vom Herd nehmen. Die Füllung nach Anzahl der Weinblätter portionieren. Die Blätter mit Blattadern nach oben auf der Arbeitsfläche ausbreiten und auf jedem Blatt an der langen Seite eine Portion Füllung verteilen. Das Blatt einmal ganz um die Füllung wickeln, dann die Seiten einschlagen und fertig aufrollen.

Die Röllchen in einen weiten Topf legen. Mit Öl, Zitronensaft und 500 ml Wasser übergießen. Die Oberfläche mit einem Teller fast abdecken und die Röllchen bei mittlerer Temperatur offen 5 Minuten erhitzen. Die Hitze reduzieren und mit Deckel in 40 Minuten fertig garen. Vor dem Servieren 10 Minuten ruhen lassen.

GEFÜLLTE MILZEN
DALAK DOLMASI

Herkunft:	Diyarbakır, alle Landesteile
Zubereitung:	20 Minuten zzgl. 20 Minuten Einweichen
Garzeit:	1 Stunde 20 Minuten zzgl. 3 Stunden Kühlen
Personen:	4

8	frische Lammmilzen
50 g	Mehl
4	Eier, verquirlt
60 ml	natives Olivenöl extra
4 Stängel	frische glatte Petersilie, fein gehackt

Für die Füllung:	
120 g	Mittelkornreis
50 g	Butter
3 (360 g)	mittelgroße Zwiebeln, gehackt
30 g	Korinthen
2 EL	Pinienkerne, geröstet
½ Bund	frischer Dill, fein geschnitten
1 TL	gemahlener Zimt
½ TL	gemahlener Piment

Diese Spezialität der Armenier İstanbuls und Diyarbakırs hat nur eine kurze Saison am Ende des Winters, wenn sie aus den Milzen von Milchlämmern zubereitet wird.

◆

In die Oberseite der Milzen ein 1 cm breites Loch bohren. Jeweils drei Viertel des Fleischs mit einem Löffel herausschaben, ohne die Außenhäute zu beschädigen. Fleisch hacken. Milzen und Fleisch beiseitestellen.

Den Reis 20 Minuten in einer Schüssel in 500 ml warmem Wasser mit ½ Teelöffel Salz einweichen, dann abseihen und kalt spülen. Die Butter in einer Pfanne bei mittlerer Hitze zerlassen. Die Zwiebeln darin 15 Minuten braten. Den Reis und das Milzfleisch zugeben und 5 Minuten mitbraten. Korinthen, Pinienkerne, Dill, Zimt, Piment, ¼ Teelöffel Pfeffer und ½ Teelöffel Salz unterrühren. Die Milzhäute mit der Masse füllen. 3 Liter Wasser mit ¼ Teelöffel Salz in einem Topf aufkochen. Die Milzen einlegen, Hitze reduzieren und mit Deckel 45 Minuten köcheln lassen. Herausnehmen und zum Auskühlen beiseitestellen. Im Kühlschrank 3 Stunden kalt stellen.

Die Milzen 1 cm dick aufschneiden. Mehl und Eier in zwei Schüsseln füllen. Das Öl in einer Pfanne auf 155 °C erhitzen. Die Milzscheiben im Mehl, dann im Ei und nochmals im Mehl wenden. In die Pfanne geben und pro Seite 1 Minute braten. Mit Petersilie bestreut servieren.

◆

LAMMMÄGEN MIT REIS UND FLEISCH
KİBE (İŞKEMBE) DOLMASI

Herkunft:	Diyarbakır, alle Landesteile
Zubereitung:	25 Minuten
Garzeit:	2 Stunden 45 Minuten
Personen:	4

4 (800 g)	Lammmägen
2	Markknochen vom Lamm
1	Lammknochen aus der Brust
70 g	Karotten , klein geschniten
1 EL	frisch gepresster Zitronensaft
6	Pfefferkörner

Für die Füllung:	
2 (240 g)	mittelgroße Zwiebeln, in dünnen Scheiben
½ Bund	frische glatte Petersilie, fein geschnitten
160 g	Mittelkornreis
200 g	durchwachsenes Lammfleisch, fein gewürfelt
½ TL	gemahlener Koriander
1½ TL	Tomatenmark (Seite 492)
½ TL	Chiliflocken
¼ TL	gemahlener Kreuzkümmel

Dieses Gericht, auch als „gefüllter Bauch" bekannt, ist eine Mahlzeit für spezielle Gelegenheiten und die Wintermonate. Manche Rezepte verwenden Weizenschrot oder groben Bulgur. Sie können es mit 1,75 Liter Wasser auch in nur 1 Stunde im Schnellkochtopf zubereiten.

◆

Für die Füllung alle Zutaten in einer Schüssel oder auf einem tiefen Tablett gründlich verkneten. Mit ¼ Teelöffel frisch gemahlenem Pfeffer und ¾ Teelöffel Salz würzen. Die Mägen gründlich reinigen. Die Füllung in 4 Portionen aufteilen und die Mägen bis 2 cm unter den Rand füllen. Mit einer Dressiernadel und Küchengarn im Kreuzstich zunähen, sodass eine gleichmäßige, dichte Naht entsteht.

Die Mägen mit Knochen, Karotten, Zitronensaft und Pfefferkörnern in einen großen Topf legen. Mit ¼ Teelöffel Salz würzen und mit 3,5 Liter Wasser aufgießen. Die Flüssigkeit bei mittlerer Hitze aufkochen und 15 Minuten auf Temperatur halten. Die Oberfläche mehrmals mit einem Sieblöffel abschäumen. Die Hitze reduzieren und das Fleisch mit Deckel 2 ½ Stunden garen. Aus dem Kochsud heben, auf Tellern anrichten und servieren.

GOŞTEBERG (GEFÜLLTER SCHAFSMAGEN)
GOŞTEBERG (KOYUN ETİ DOLMASI)

Herkunft:	Ağrı, Ostanatolien
Zubereitung:	25 Minuten zzgl. Einweichen über Nacht
Garzeit:	2 Stunden 50 Minuten
Personen:	4

1	ganzer Schafsmagen, unversehrt, küchenfertig gesäubert

Für die Füllung:

1 kg	Lammkeulenfleisch, in 2-cm-Würfel geschnitten
300 g	Schalotten, gehackt
300 g	wilder *Goşteberg*, geputzt, in 1-cm-Schciben geschnitten oder 2 mittelgroße Lauchstangen, in 1-cm-Scheiben geschnitten
2 TL	getrockneter Oregano
½ TL	gemahlener Kreuzkümmel
½ TL	gemahlener Koriander
60 g	Kichererbsen, über Nacht eingeweicht
50 g	Butter

Für die Marinade:

2 EL	natives Olivenöl extra
½ TL	gemahlener Kreuzkümmel
½ TL	Paprikapulver
½ Bund	frische glatte Petersilie, fein gehackt
1	Radieschen, in feine Scheiben geschnitten und halbiert („Halbmonde")
1	unbehandelte Zitrone, geviertelt
1	*Açik Ekmek* (Gerilltes Brot, Seite 394), geviertelt

Goşteberg ist kurdisch für Lammfleisch, aber auch der Name eines regionalen Wildkrauts. Das Fleisch wird klein gewürfelt, mit *Goşteberg* gemischt und in einen Magen gefüllt, der in Schafshaut eingenäht wird. Traditionell wird das Gericht von den Bewohnern der Region in einem extra gegrabenen Erdloch gegart. Man entzündet darin ein Feuer und entfernt dieses, wenn das Loch aufgeheizt genug ist. Das Loch wird erst mit Steinen befüllt, dann mit dem Magen. Ein neues Feuer wird darüber entzündet, und der Magen gart 4–5 Stunden. Über das Feuer zu springen ist eine Neujahrstradition *(Newrouz)*. Die Menschen tanzen um das Feuer herum, musizieren und feiern den nahenden Frühling.

◆

Den Magen mit 3 Liter Wasser in einen großen Topf geben und bei mittlerer Hitze aufkochen. Die Hitze reduzieren und Magen 1 Stunde köcheln lassen. Abgießen und den Magen unter reichlich kaltem Wasser spülen.

Den Ofen auf 160 °C vorheizen.

Für die Füllung Lammfleisch, Schalotten, *Goşteberg* oder Lauch, Oregano, Kreuzkümmel, Koriander und Kichererbsen, Butter sowie ½ Teelöffel Pfeffer und ¾ Teelöffel Salz in einer großen Schüssel oder auf einem tiefen Tablett gründlich verkneten.

Den Magen locker mit dem Fleischteig füllen. Mit Küchengarn umwickeln und verschnüren.

Für die Marinade Olivenöl, Kreuzkümmel, ¼ Teelöffel Pfeffer, Paprikapulver und ¾ Teelöffel Salz in einer Schüssel verrühren.

Den Magen in einen großen Bräter setzen und mit der Marinade bestreichen. Mit Backpapier abdecken und 1½ Stunden im Ofen braten.

Das Backpapier entfernen, den Magen mit dem Bratensatz bestreichen und nochmals 10 Minuten in den Ofen stellen. Das Küchengarn entfernen und Magen weitere 10 Minuten braten, sodass die Oberfläche bräunt.

In 8 Stücke aufschneiden und mit Petersilie, Radieschen, Zitronenvierteln und dem Brot servieren.

GEFÜLLTE DÄRME
MUMBAR (BUMBAR) DOLMASI

Herkunft:	Siirt, alle Landesteile
Zubereitung:	30 Minuten
Garzeit:	1 Stunde 45 Minuten
Personen:	4

2 m	Lammdarm
2	Markknochen vom Lamm
1	Lammknochen aus der Brust
2 EL	frisch gepresster Zitronensaft
70 g	Karotten, grob geschnitten
5	Pfefferkörner

Für die Füllung:

400 g	Lammhackfleisch aus Brust und Lachsen
200 g	Mittelkornreis
2 (240 g)	mittelgroße Zwiebeln, fein gewürfelt
1 Bund	frische glatte Petersilie, mit Stängeln gehackt
2 TL	getrocknetes Basilikum

Seite 145

Mumbar wird mit Reis oder Bulgur und Kichererbsen gekocht und auch mit Leber, Lunge und anderen Innereien gefüllt. Traditionell kocht man das Gericht am ersten Frühlingstag und zu *Eid-al Adha* (Seite 503). Das fertige Mumbar serviert man in seiner Sauce oder in Olivenöl gebraten.

♦

Für die Füllung Lammhack, Reis, Zwiebeln, Petersilie (mit Stängeln), ½ Teelöffel frisch gemahlenen Pfeffer und ¾ Teelöffel Salz in einer großen Schüssel oder auf einem tiefen Tablett gründlich verkneten.

Den Darm sorgfältig reinigen und mit einem Trichter sowie mithilfe von Daumen und Zeigefinger mit der Masse füllen. Den Darm mit der Handinnenfläche kneten, um die Füllung weiterzuschieben. Diesen Prozess vier Mal wiederholen. Die Mischung sollte gleichmäßig verteilt und der Darm nicht zu prall gefüllt sein. Über die ganze Länge des Darms mit einer Messerspitze drei gleich große Löcher einstechen.

Knochen, Zitronensaft, Karotten und Pfefferkörner mit ¼ Teelöffel Salz und 3 Liter Wasser in einen Topf geben, dann bei mittlerer Hitze aufkochen. Die Hitze reduzieren, die Oberfläche mit einem Sieblöffel abschäumen und den gefüllten Darm einlegen. Mit Deckel 1½ Stunden köcheln lassen. Auf einen Servierteller heben und servieren.

♦

FLEISCHBÄLLCHEN MIT INNEREIEN
CİĞER DOLMASI (SARMASI)

Herkunft:	Edirne, alle Landesteile
Zubereitung:	30 Minuten zzgl. 30 Minuten Einweichen
Garzeit:	50 Minuten
Personen:	4

4 Portionen	Lamminnereien (Lunge, Leber und Herz)
120 g	Mittelkornreis
6	Frühlingszwiebeln, in feine Ringe geschnitten
10 Stängel	frische glatte Petersilie, fein gehackt
4 Stängel	frischer Dill, fein gehackt
2 Stängel	frische Minze, gehackt
½ TL	gemahlener Zimt
¼ TL	gemahlener Kreuzkümmel
1 TL	getrockneter Oregano
2 EL	natives Olivenöl extra
1	Lamm-Fettnetz, in Stücke von 8 × 10 cm geschnitten
1	Ei, verquirlt
	Yufka Ekmeği (Dünnes Fladenbrot, Seite 378) zum Servieren

Dieses Gericht wird nur im Frühjahr aus Lämmern oder Zicklein zubereitet.

♦

Die Lunge in einem Topf in 1,5 Liter kochendem Wasser mit ¼ Teelöffel Salz 10 Minuten sprudelnd kochen, dann abgießen. Die Silberhaut der Leber abziehen und entsorgen. Die Innereien sehr fein würfeln und beiseitestellen.

Den Reis in einer Schüssel mit kochendem Wasser übergießen. ¼ Teelöffel Salz zugeben und 30 Minuten einweichen. Abseihen und spülen. Den Ofen auf 160 °C vorheizen. Ein tiefes Bech mit Backpapier auslegen. Frühlingszwiebeln, Petersilie, Dill und Minze mit Innereien, Reis, Zimt, Kreuzkümmel, Oregano, Olivenöl, ¼ Teelöffel Pfeffer und ¾ Teelöffel Salz gründlich verkneten.

Die Fettnetzstücke in warmem Wasser einweichen. 1 Stück herausheben und den Boden einer Schüssel damit auskleiden. ⅛ des Fleischteigs daraufsetzen, rundum mit dem Netz bedecken und zur Kugel formen. Mit dem Ei bestreichen und auf das Blech setzen. Die restlichen 7 Portionen ebenso zubereiten.

200 ml Wasser zu den Fleischbällchen in das Blech gießen. Fleischbällchen im Backofen 40 Minuten braten, bis das Fleisch gebräunt ist. Mit Fladenbroten servieren.

GEFÜLLTE & GEROLLTE KÖSTLICHKEITEN

GEFÜLLTES HUHN
TAVUK DOLMASI

Herkunft:	Bursa, alle Landesteile
Zubereitung:	20 Minuten zzgl. 10 Minuten Einweichen
Garzeit:	1 Stunde 20 Minuten
	zzgl. 10 Minuten Ruhezeit
Personen:	4

1	Huhn (Poularde, 2,5 kg)
½ TL	natives Olivenöl extra zum Einfetten
500 g	Kartoffeln, geviertelt
4 (480 g)	mittelgroße Zwiebeln, geviertelt

Für die Füllung:	
200 g	Mittelkornreis
70 g	Butter
60 g	Zwiebel, fein gehackt
60 g	Mandeln, blanchiert
¼ TL	gemahlener Zimt
¼ TL	gemahlener Kardamom
120 g	Maroni (Esskastanien), geschält und zerstoßen
100 g	getrocknete Aprikosen, geviertelt

Für das Würzöl:	
4	Knoblauchzehen, gehackt
1½ TL	getrockneter Oregano
2 EL	natives Olivenöl extra

Seite 147

In Bursa wird das Huhn ganz serviert und bei Tisch zerlegt. Lamm, Kaninchen, Truthahn und anderes Geflügel füllt man im Ganzen. Der einzige Unterschied ist dabei die Verwendung von Reis oder Bulgur. Die Füllung enthält meist auch die Leber, zusammen mit Korinthen und Pinienkernen.

Den Backofen auf 160 °C vorheizen.

Für die Füllung den Reis 10 Minuten in einer Schüssel mit heißem Wasser und ¼ Teelöffel Salz einweichen. Abseihen und spülen.

Die Butter bei mittlerer Hitze in einem Topf zerlassen. Die Zwiebel darin 3 Minuten andünsten. Die Hitze reduzieren. Reis und Mandeln zugeben und 7 Minuten mitgaren, dabei ständig rühren. 500 ml Wasser angießen und mit Zimt, Kardamom, 1 Prise frisch gemahlenem Pfeffer und ¼ Teelöffel Salz würzen. Mit Deckel 10 Minuten köcheln lassen. Topf vom Herd nehmen und Reis 10 Minuten ruhen lassen. Maroni und Aprikosen unterheben.

Für das Würzöl Knoblauch, Oregano, 1 Prise Pfeffer, Olivenöl und ¼ Teelöffel Salz in einer Schüssel 1 Minute aufschlagen. Das Huhn damit innen und außen gründlich einpinseln.

Einen Bräter mit Öl einstreichen. Das Huhn mit dem Reis füllen und hineinsetzen. Kartoffeln und Zwiebeln drum herum verteilen. 500 ml Wasser mit ½ Teelöffel Salz angießen. Das Huhn 1 Stunde im Ofen braten, dabei regelmäßig kontrollieren. In Stücke zerteilen und servieren.

AUBERGINEN MIT WACHTELFÜLLUNG
PATLICANLI BILDIRCIN DOLMASI

Herkunft:	Yalova, alle Landesteile
Zubereitung:	10 Minuten
Garzeit:	55 Minuten
Personen:	4

60 ml	natives Olivenöl extra
4	Wachteln (à 250 g), küchenfertig
4 (480 g)	mittelgroße Zwiebeln, in feine Halbringe geschnitten
20	Knoblauchzehen
4 (1 kg)	große Auberginen, in der Mitte 5 cm tief ausgehöhlt
2 EL	Traubenmelasse

Dieses Gericht wird in der Jagdzeit mit gut genährten Wachteln zubereitet.

Den Backofen auf 160 °C vorheizen.

Das Öl bei mittlerer Temperatur in einer großen Pfanne erhitzen. Die Wachteln mit ¼ Teelöffel frisch gemahlenem Pfeffer und ½ Teelöffel Salz würzen, 2 Minuten pro Seite anbraten. Aus der Pfanne nehmen und beiseitestellen. Zwiebeln, Knoblauch und ¼ Teelöffel Salz in die Pfanne geben und 10 Minuten anbraten. Dabei hin und wieder umrühren. Zwiebeln und Knoblauch herausnehmen und beiseitestellen. Die Auberginen in die Pfanne setzen und 2 Minuten pro Seite anbraten. Herausnehmen und beiseitestellen. Zum Schluss den Pfannensatz mit Traubenmelasse und 200 ml Wasser ablöschen und 2 Minuten durchkochen.

Die Auberginen auf ein Backblech legen. Je eine Wachtel hineinsetzen und mit der Zwiebel-Knoblauch-Mischung bedecken. Die heiße Traubenmelasse darübergießen. Im Backofen 30 Minuten garen.

GEFÜLLTE QUITTEN
AYVA DOLMASI

Herkunft:	İstanbul, alle Landesteile
Zubereitung:	20 Minuten zzgl. 20 Minuten Einweichen
Garzeit:	1 Stunde 35 Minuten zzgl. 10 Minuten Ruhezeit
Personen:	4

4	Quitten (Durchmesser ca. 6 × 10 cm), geschält, Deckel abgeschnitten und aufgehoben. Früchte ausgehöhlt und Fruchtfleisch aufgehoben
40 g	Butter
60 ml	Traubenmelasse
400 ml	kochende Fleischbrühe (Seite 489)

Für die Füllung:

120 g	Mittelkornreis
60 g	Butter
2 (240 g)	mittelgroße Zwiebeln, fein gewürfelt
200 g	Lammhackfleisch
30 g	Korinthen
1 EL	Pinienkerne, geröstet
½ TL	gemahlener Zimt
¼ TL	gemahlener Piment
400 ml	kochende Fleischbrühe (Seite 489)
½ Bund	frischer Dill, fein gehackt

Dies ist ein Wintergericht. Manche Rezepte dafür enthalten zusätzlich Tomatenmark.

◆

Für die Füllung Reis 20 Minuten in einer Schüssel mit 200 ml warmem Wasser und ½ Teelöffel Salz einweichen. Abseihen und spülen.

Den Ofen auf 160 °C vorheizen.

Für die Füllung die Butter bei mittlerer Temperatur in einem großen Topf zerlassen. Die Zwiebeln darin 5 Minuten andünsten. Das Lammhack zugeben und 10 Minuten braten. Reis, Korinthen, Pinienkerne, Zimt, 1 Prise frisch gemahlenen Pfeffer, Piment und ½ Teelöffel Salz zugeben und 5 Minuten weiterbraten. Dabei ständig rühren. Die Hitze reduzieren und die kochende Fleischbrühe angießen. Die Mischung mit Deckel 10 Minuten köcheln lassen, dann Topf vom Herd nehmen.

Das Quittenfruchtfleisch fein hacken und mit dem Dill gründlich in die Füllung einarbeiten. Die ausgehöhlten Quitten gleichmäßig damit füllen und die Deckel aufsetzen. Aufrecht in einen kleinen Bräter setzen.

Butter, Traubenmelasse und Fleischbrühe in dem Topf für die Füllung 3 Minuten bei schwacher Hitze einkochen. Über die Quitten gießen.

Die Früchte im heißen Backofen 1 Stunde garen. 10 Minuten ruhen lassen und servieren.

GEFÜLLTE KÜRBISRÖLLCHEN MIT JOGHURTSAUCE
KATIKLI DOLMA (KATIKLI SARMA)

Herkunft:	Bitlis, Ostanatolien
Zubereitung:	20 Minuten
Garzeit:	30 Minuten
Personen:	4

1	Winterkürbis, geschält, in 3-mm-Scheiben, dann in 40 Streifen à 4 × 10 cm geschnitten
400 ml	Fleischbrühe (Seite 489)

Für die Füllung:

100 g	feiner Bulgur, in heißem Wasser gewaschen
250 g	Ziegenhackfleisch
1 (120 g)	mittelgroße Zwiebel, fein gewürfelt
½ Bund	frische glatte Petersilie, fein gehackt
4 Stängel	frisches Basilikum, fein gehackt
½ TL	Chiliflocken

Für die Sauce:

50 g	Butter
4	Knoblauchzehen, gehackt
½ TL	Chiliflocken

Für die Joghurtsauce:

250 g	griechischer Joghurt (aus Ziegenmilch)

Dies ist ein Grundgericht im Winter. *Katık* bezieht sich hier auf den Joghurt. Sowohl frische wie getrocknete Kürbisse ergeben köstliche *Dolmas*. Der Kürbis wird in Streifen geschnitten und extra für dieses Gericht getrocknet. Es ist ein Alltagsgericht, das aber auch zu besonderen Gelegenheiten seinen Weg auf die Tafel findet.

◆

Für die Füllung Bulgur, Ziegenhack, Zwiebel, Petersilie, Basilikum, ¼ Teelöffel Pfeffer, Chiliflocken, und ½ Teelöffel Salz in einer großen Schüssel oder auf einem tiefen Tablett 1 Minute durchkneten. In 40 Portionen teilen.

Die Kürbisstreifen auf der Arbeitsfläche auslegen. Je 1 Portion Fleischteig daraufsetzen und aufrollen.

Die Röllchen in einen großen, breiten Topf setzen und mit der Fleischbrühe übergießen. Zugedeckt bei schwacher Hitze 30 Minuten garen.

Für die Sauce die Butter in einer Pfanne bei mittlerer Hitze zerlassen. Den Knoblauch darin 10 Sekunden dünsten. Die Chiliflocken zugeben und 10 Sekunden mitgaren. Sauce in eine kleine Servierschüssel füllen.

Für die Joghurtsauce Joghurt und 1 Prise Salz in einer Extraschüssel aufschlagen.

Die Kürbisröllchen mit der Joghurtsauce beträufelt servieren und die Sauce dazu reichen.

GEFÜLLTE BROTE
EKMEK DOLMASI

Herkunft:	Aydın und Manisa, Ägäisregion
Zubereitung:	25 Minuten
Garzeit:	1 Stunde 20 Minuten
Personen:	4

4	runde Weißbrotlaibe (à 8 cm Durchmesser), Deckel abgeschnitten und aufgehoben, ausgehöhlt, Krume zerkrümelt und getrocknet
60 ml	natives Olivenöl extra
4	Knoblauchzehen, gehackt
4	Olivenzweige (à 25 cm Länge)
500 ml	Lamm- oder Kalbsbrühe (Seite 489)

Für die Füllung:

2 EL	natives Olivenöl extra
2 (240 g)	mittelgroße Zwiebeln, fein gewürfelt
500 g	Lammhackfleisch
4	Frühlingszwiebeln, in feine Ringe geschnitten
1 TL	Tomatenmark (Seite 492)
100 g	ungesalzene grüne Oliven, entsteint und geviertelt
100 g	Walnusskerne, grob gehackt
½ TL	Chiliflocken
1 Bund	frische glatte Petersilie, fein gehackt
4 Stängel	frische Minze, fein gehackt
2 Stängel	frisches Basilikum, fein gehackt
2 Stängel	frischer Dill, fein gehackt

Für die Sauce:

250 g	griechischer Joghurt
4	Knoblauchzehen, gehackt
2 Stängel	frische glatte Petersilie, fein gehackt

Seite 151 📷

Dies ist ein beliebtes Ramadan-Gericht. In dieser Zeit wird auch der spezielle runde Brotlaib dafür gebacken.

◆

Den Backofen auf 150 °C vorheizen.

Für die Füllung das Olivenöl in einer Pfanne bei mittlerer Hitze heiß werden lassen und die Zwiebeln darin 5 Minuten dünsten. Das Lammhack zugeben und 15 Minuten durchbraten. Frühlingszwiebeln, Tomatenmark, Oliven, Walnüsse, Chiliflocken, ½ Teelöffel Pfeffer und ¾ Teelöffel Salz zugeben und unter Rühren 5 Minuten garen. Die Brotkrumen-Brösel hineinstreuen und 2 Minuten weiterbraten. Pfanne vom Herd nehmen und Petersilie, Minze, Basilikum und Dill unterheben.

Für die Brote Olivenöl und Knoblauch in einer Schüssel mischen. Die Brote innen und außen großzügig damit einpinseln. Die Laibe auf ein Backblech stellen und im Ofen in 20 Minuten knusprig backen. Aus dem Ofen holen und füllen. Die Füllung fest hineindrücken und die Brotdeckel aufsetzen.

Die Olivenzweige in einen großen Topf legen und die Brote daraufsetzen. Die Brühe dazugießen, Deckel auflegen und alles bei schwacher Hitze 30 Minuten garen. Alle 10 Minuten den Topfdeckel heben und etwas Brühe über die Brote schöpfen.

Für die Sauce Joghurt, Knoblauch, Petersilie und 1 Prise Salz in einer Schüssel verrühren.

Die gefüllten Brotlaibe auf einem großen Servierteller anrichten. Erst den restlichen Kochsud, dann die Joghurtsauce darübergießen.

GEFÜLLTE WEINBLÄTTER MIT SAUERKIRSCHEN
VİŞNE DOLMASI (SARMASI)

Herkunft:	Kütahya, alle Landesteile
Zubereitung:	30 Minuten zzgl. 30 Minuten Einweichen
Garzeit:	1 Stunde 10 Minuten
Personen:	4

60	frische Weinblätter
250 g	Sauerkirschen, entkernt
2 EL	natives Olivenöl extra

Für die Füllung:	
120 g	Mittelkornreis
2 EL	natives Olivenöl extra
3 (360 g)	mittelgroße Zwiebeln, fein gewürfelt
½ TL	gemahlener Zimt
1½ TL	getrocknete Minze
100 g	Sauerkirschen, entsteint und fein gehackt

Seite 153

Ältere kulinarische Quellen bezeichnen das Gericht als „falsche" gefüllte Weinblätter. Die Kirschen können Sie durch andere saure Sommerfrüchte ersetzen.

♦

Die Weinblätter 10 Minuten in einer Schüssel mit 2 Liter heißem Wasser einweichen. Abseihen und das Einweichwasser auffangen. Beiseitestellen.

Für die Füllung Reis 20 Minuten in 600 ml warmem Wasser mit ½ Teelöffel Salz einweichen. Abseihen und spülen.

Für die Füllung das Öl in einer Pfanne bei mittlerer Hitze heiß werden lassen. Die Zwiebeln zugeben und 10 Minuten dünsten, dann Reis zugeben und 5 Minuten andünsten. Zimt, Minze, 1 Prise Pfeffer und ½ Teelöffel Salz unterrühren. 5 Minuten unter Rühren weitergaren. Die Sauerkirschen mit 60 ml Einweichwasser unterrühren. Die Hitze reduzieren und alles mit Deckel 10 Minuten köcheln lassen. Den Deckel abnehmen und vorsichtig umrühren.

Die Blätter mit Blattadern nach oben auf die Arbeitsfläche legen. An den langen Seiten etwas Füllung in einer Linie anhäufen. Das Blatt einmal ganz um die Füllung wickeln. Die Seiten einschlagen und Blatt fertig aufrollen. Die Röllchen in einen Topf legen. Die Kirschenstücke darüber verteilen. Das Öl mit 1 Prise Salz und 200 ml Einweichwasser verrühren. Über die Röllchen gießen. Mit einem umgekehrten Teller die Röllchen fast vollständig abdecken. Mit Deckel bei schwacher Hitze 40 Minuten garen. Servieren.

♦

GEFÜLLTE WEINBLÄTTER
YAPRAK SARMASI

Herkunft:	Amasya, alle Landesteile
Zubereitung:	30 Minuten zzgl. 10 Minuten Einweichen
Garzeit:	1 Stunde 5 Minuten zzgl. 10 Minuten Ruhezeit
Personen:	4

60	frische Weinblätter
50 g	Butter
500 g	Lammlachse (mit etwas Fett), in 2-cm-Würfel geschnitten
750 ml	Fleischbrühe (Seite 489)

Für die Füllung:	
100 g	grober Bulgur
200 g	Schaf- oder Hammelhackfleisch
2 (240 g)	mittelgroße Zwiebeln, fein gewürfelt
150 g	Tomaten, gewürfelt
1½ TL	Tomatenmark (Seite 492)
¼ TL	gemahlener Kreuzkümmel

Die Sommerversion verwendet frische Weinblätter. Im Winter kommen in Lake eingelegte Blätter zum Einsatz.

♦

Die Weinblätter 10 Minuten in 1 Liter heißem Wasser einweichen. Abgießen und beiseitestellen.

Für die Fülung Bulgur, Hackfleisch, Zwiebel, Tomaten, Tomatenmark und Kreuzkümmel in einer Schüssel oder auf einem tiefen Tablett vermengen. Mit ¼ Teelöffel Pfeffer und ½ Teelöffel Salz würzen. 48 Weinblätter mit Blattadern nach oben auf die Arbeitsfläche legen. Je 1 Portion Füllung daraufsetzen. Die Blätter darüber einschlagen, sodass quadratische Päckchen entstehen.

Die Butter in einem Topf bei mittlerer Hitze zerlassen. Die Lammfleischwürfel 10 Minuten unter Rühren anbraten.

Eine kupferne oder gusseiserne Pfanne mit den restlichen Blättern auslegen. Die Hälfte des Lammfleischs darauf verteilen. Die Blattpäckchen daraufsetzen und mit dem restlichen Fleisch bedecken. Die Brühe darübergießen und mit ¼ Teelöffel Salz würzen. Mit einem Teller abdecken. 10 Minuten erhitzen und aufkochen. Hitze reduzieren und alles zugedeckt 45 Minuten garen. Vor dem Servieren 10 Minuten ruhen lassen.

GEFÜLLTE ZWIEBELN
PİYAZ (SOĞAN) DOLMASI

Herkunft:	Van, alle Landesteile
Zubereitung:	25 Minuten
Garzeit:	1 Stunde 30 Minuten
	zzgl. 10 Minuten Ruhezeit
Personen:	4

8	große Zwiebeln
60 ml	Traubenessig
1 l	Lamm- oder Kalbsbrühe (Seite 489)

Für die Füllung:	
70 g	Butter
250 g	Kalbshackfleisch
150 g	Tomaten, gehackt
1½ TL	Tomatenmark (Seite 492)
100 g	Mittelkornreis
50 g	feiner Bulgur
½ TL	Chiliflocken
½ Bund	frische glatte Petersilie, fein gehackt
½ Bund	frisches Basilikum, fein gehackt

Seite 155

Dieses Wintergericht ist ein Test, der zeigen soll, ob eine frischverheiratete Frau gut kochen kann. Braut und Bräutigam probieren es in vier Varianten, die den „Balanceakt Ehe" symbolisieren: scharf, süß, salzig und sauer.

◆

Jede Zwiebel von oben bis zur Hälfte einschneiden. 3 Liter Wasser mit 1 Teelöffel Salz bei mittlerer Hitze zum Kochen bringen. Die Zwiebeln einlegen und mit Deckel 30 Minuten kochen. Abgießen und unter fließend kaltem Wasser spülen. Die drei äußeren Zwiebelschalen intakt lassen und den inneren Teil entfernen und klein hacken.

Für die Füllung die Butter bei mittlerer Temperatur in einem Topf zerlassen. Das gehackte Zwiebelinnere darin 10 Minuten dünsten. Hackfleisch zugeben und 15 Minuten braten. Tomaten, Tomatenmark, Reis, Bulgur und Chiliflocken unterrühren. Mit ½ Teelöffel Salz und ¼ Teelöffel frisch gemahlenem Pfeffer würzen. 5 Minuten garen, dann Topf vom Herd nehmen und die Kräuter untermischen.

Die Mischung gleichmäßig in die Zwiebelhüllen füllen. Die Zwiebeln in einen Topf stellen. Brühe und Essig angießen. Mit Deckel bei schwacher Hitze 30 Minuten garen. Topf vom Herd nehmen und Zwiebeln vor dem Servieren 10 Minuten ruhen lassen.

◆

GEFÜLLTE GEWÜRZGURKEN
ŞIHILMAHŞI

Herkunft:	Kilis, Südostanatolien
Zubereitung:	20 Minuten
Garzeit:	45 Minuten zzgl. 5 Minuten Ruhezeit
Personen:	4

8	große Gewürzgurken, ein Ende abgeschnitten, ausgehöhlt
500 ml	heiße Fleischbrühe (Seite 489)

Für die Marinade:	
4	Knoblauchzehen, gehackt
1 EL	natives Olivenöl extra

Für die Füllung:	
200 ml	natives Olivenöl extra
500 g	mageres Schaffleisch, gewürfelt
150 g	Kichererbsen, geröstet
1 Bund	frische glatte Petersilie, gehackt

Für die Sauce:	
500 g	griechischer Joghurt
3	Knoblauchzehen, gehackt
1 Bund	frische glatte Petersilie, gehackt

Falls Sie keine ausreichend großen Gewürzgurken bekommen, verwenden Sie ersatzweise Zucchini oder lange, schlanke japanische/italienische Auberginen.

◆

Für die Marinade Knoblauch und Olivenöl mit ¼ Teelöffel frisch gemahlenem Pfeffer und ¼ Teelöffel Salz in einer großen Schüssel mischen. Die Gurken innen und außen damit einpinseln.

Für die Füllung das Olivenöl in einem großen Topf sehr stark erhitzen. Die Gurken darin 3 Minuten rundum anbraten. Mit einem Sieblöffel herausheben und auf Küchenpapier abtropfen lassen.

Das Fleisch in das heiße Öl geben. Mit ½ Teelöffel frisch gemahlenem Pfeffer und ½ Teelöffel Salz würzen und 15 Minuten unter Rühren braten. Die Kichererbsen zugeben und 5 Minuten mitbraten. Topf vom Herd nehmen und die Petersilie untermischen. Die Gurken mit der Fleischmischung füllen, dann aufrecht in einen Topf stellen. Die Fleischbrühe zugießen und mit Deckel bei schwacher Hitze 20 Minuten garen. Vom Herd nehmen und 5 Minuten ruhen lassen.

Für die Sauce Joghurt, Knoblauch, Petersilie und 1 Prise Salz 1 Minute verrühren. Die fertigen Gurken auf Tellern anrichten, mit der Sauce beträufeln und servieren.

GEFÜLLTE & GEROLLTE KÖSTLICHKEITEN

♦

FLEISCH

♦

FLEISCH IN DER TÜRKISCHEN KULTUR

Fleisch ist in der Türkei sehr beliebt, und wir essen es, so oft wir es uns leisten können. Rotes Fleisch wird meist zu einer dieser fünf Hauptgerichte verkocht: Kebabs, gegrillte *Külbastı* (Koteletts), Köfte (Fleischbällchen), *Kavurma* (Confits) und Eintopfgerichte. Lamm und Schaf bzw. Hammel sind mit Abstand am beliebtesten. Traditionell darf beim Kochen kein Blut im Spiel sein. Tiere, die man mit dem eigenen Blut kocht, gelten als noch lebendig.

Wir schöpfen keine Saucen über Fleischgerichte. Wird Wasser angegossen, sind es „Eintöpfe" oder „Schmortöpfe". Trocken gebratene oder gegrillte Fleischgerichte sind Kebabs. Neben wenig Wasser enthalten Eintöpfe oder Schmortöpfe keine weitere Sauce, um das ganze Aroma zu erhalten. Ähnlich bekommen auch Fleischgerichte mit Joghurt ihren ganzen Geschmack aus den Zutaten, z. B. frischen und getrockneten Früchten, Gemüse, Melassearten, Honig, scharfen Chilischoten, Granatäpfeln, Sumach, Pflaumen, unreifen Pflaumen, Milch und *Kaymak*. Zu Kebabs mit *Tirit* (Seite 503) werden brutzelnde Butter mit Chili und Tomatensauce mit Fleischbrühe gereicht.

Beliebt sind Fleischeintöpfe mit Bulgur wie viele der Köfte-Gerichte. Sie werden immer in Flüssigkeit gegart, z. B. in verdünntem Tomatenmark, Joghurt oder nur in Wasser, Fleisch- oder Hühnerbrühe.

Es gibt auch getrocknetes und haltbar gemachtes Fleisch: *Pastırma* (Gepökeltes Rindfleisch, Seite 497), *Sucuk* (Scharf gewürzte Salami, Seite 496) und *Kavurma* (Lammconfit, Seite 497). Türkisches Essen ist eine Gemeinschaftssache. Wir lieben es, mit Familie und Freunden zu essen, insbesondere drinnen. Bei Ausflügen zieht man Köfte und Kebabs vor – Eintöpfe gelten als Essen für zu Hause. Es gibt viele beliebte Fast-Food-Stände für Köfte, gegrillte *Külbastı*, *Şiş Kebab*, Döner Kebab und *Cağ Kebab*. Auch *Kebab Shawarmas*, *Kuyu Kebabı* und Ofen-Kebabs werden sehr gerne gegessen.

FLEISCH MIT FRÜCHTEN

Viele Gerichte aus rotem Fleisch werden mit Früchten kombiniert, z. B. Eintöpfe, Fondues, Pfannengebratenes, Kebabs, Pilaws und Confits. In weiten Teilen üblich sind Quitten, Äpfel, Birnen, Aprikosen, Sauerkirschen, Kirschen, Trauben, Feigen, Hagebutten, Cranberrys, Granatäpfel, Zitronen, Orangen, Loquats und unreife Mandeln. Das Hauptaroma schwankt zwischen süß, sauer und scharf, je nach Region. Manche mögen es süß-sauer, manche scharf-sauer. Ein gutes Beispiel sind das scharf-süßsaure *Ekşili Kebap* (Saure Kebabs, Seite 189) mit Granatapfelmelasse oder das süßsaure *Ayvali Yahni* oder *Ayva Yahnisi* (Lammragout mit Quitten, Seite 474). Sultaninen-*Borani* aus den Hauptzutaten Trauben und Fleisch ist süß. Fleisch und Früchte ergänzen sich äußerst aromatisch.

KEBABS

Kebabs gibt es in allen Formen und Größen:
Als *Şiş Kebab, Kuyu Kebabı,* Ofen-Kebab, *Külbastı,
Büryan,* Fleischbällchen-Kebab, Döner Kebab
und vieles mehr. Auf den Punkt gebracht ist alles
Fleisch ein Kebab, das am Spieß über dem offenen
Feuer gegrillt wird. Kebabs sind würzig oder mild,
mariniert oder ohne Gewürz. Das Fleisch wird
dafür mit einem *Zırh* (Hackmesser mit abgerundeter Klinge) fein gehackt, mit Salz und Pfeffer
gewürzt und mit Gemüse auf einen Spieß gepackt.
Es gibt Kebabs ohne weitere Zutaten, denen die
Gartechnik den Namen gibt, wie *Tandır Kebabı*
oder *Fırın Kebabı.* Ein weiteres Beispiel für Kebabs
sind *Külbastı* (Koteletts), große, flache Fleischteile,
die auf dem Grill oder Kohle gegrillt werden. Fein
geschnittenes oder gehacktes Fleisch, mit den
richtigen Zutaten und mit oder ohne Semmelbröseln zu mehr oder weniger großen Kugeln gerollt,
wird zu Köfte (Fleischbällchen), die man in der
Pfanne brät oder grillt. Die Flüssigkeit, in der man
Köfte gart, gibt dem Gericht den Namen. So gibt es
Köfte in Wasser, Milch, Tomatenmark oder dickem
Rahm.

KAVURMA

Die meisten Haushalte bereiten in den Wintermonaten ihr *Kavurma* (Lammconfit, Seite 497) zu
und vergraben es in Tongefäßen. Wenn es fertig
ist, wird es erst an sieben ärmere Familien verteilt.
Diese Tradition ähnelt dem Brauch, Teile des
Opferlamms erst an die Armen zu geben. *Kavurma*
ist die traditionelle Methode, mit der Reste des
Opfertiers haltbar gemacht werden. Man isst es
kalt oder in Suppen, Pilaws und Eiergerichten,
auch bei Beerdigungen. Dazu spielt es eine traditionelle Rolle bei Zeremonien, in denen um Regen
gebetet wird.

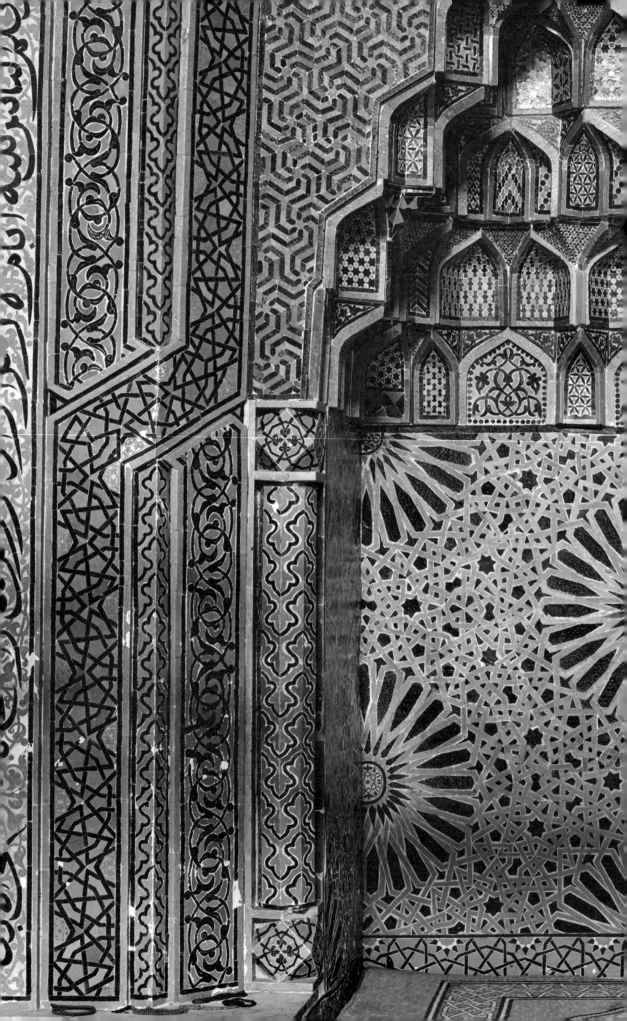

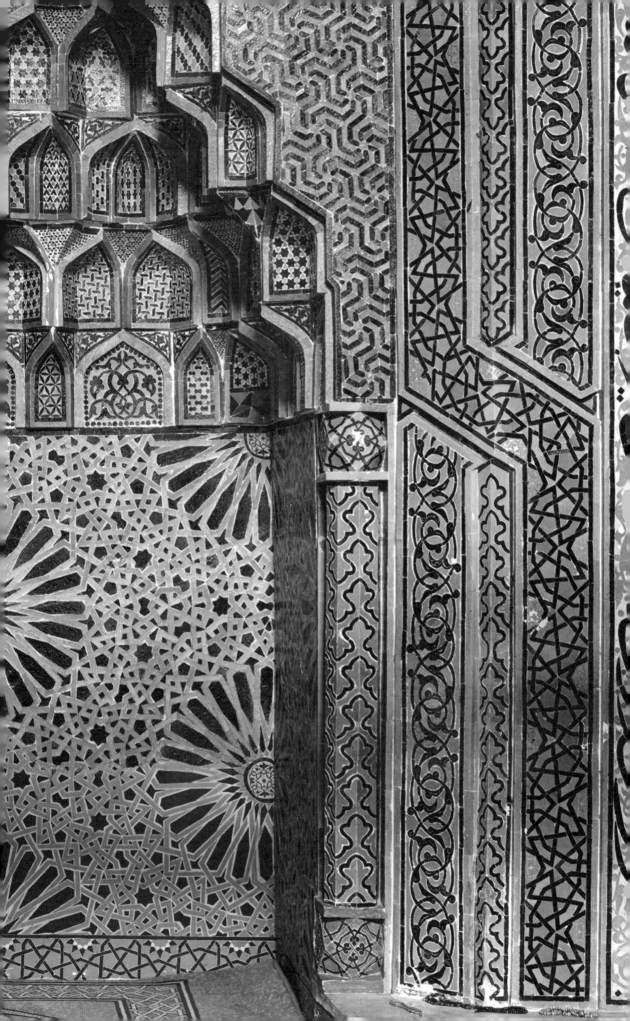

LAMMEINTOPF MIT KNOBLAUCH
ŞİVEYDİZ

Herkunft:	Gaziantep, Südostanatolien
Zubereitung:	10 Minuten zzgl. Einweichen über Nacht
Garzeit:	1 Stunde 50 Minuten
Personen:	4

800 g	Lammschulter am Knochen, in 4 Stücke gehackt
60 g	Kichererbsen, über Nacht eingeweicht und abgegossen
8	frische Knoblauchknollen, ohne Grün, in 2-cm-Stücke geschnitten
8	Frühlingszwiebeln, ohne Grün, in 2-cm-Stücke geschnitten
300 g	griechischer Joghurt, abgetropft
3 EL	Butterschmalz, Seite 485
1 EL	getrocknete Minze

Seite 163

Das Gericht wird am besten im Frühjahr zubereitet, bevor sich die frischen Knoblauchknollen weiterentwickeln.

◆

Lamm und Kichererbsen in einem Topf mit 1,5 Liter Wasser bei schwacher Hitze zugedeckt 1 Stunde köcheln lassen. Knoblauch, Zwiebeln, 1 Prise frisch gemahlenen Pfeffer und ¾ Teelöffel Salz zugeben und 30 Minuten mitgaren.

Den abgetropften Joghurt in einem kleinen Topf mit 500 ml Wasser bei mittlerer Temperatur erwärmen und aufkochen. Dabei nur in eine Richtung rühren. Die Joghurtmischung zum Lamm gießen und ohne Deckel 10 Minuten einkochen. Topf vom Herd nehmen.

Das Butterschmalz in einem kleinen Topf bei mittlerer Hitze heiß werden lassen. Die Minze zugeben und 5 Minuten köcheln lassen. Mischung in die Lammsauce einrühren, dann Eintopf servieren.

◆

LAMM MIT KICHERERBSEN
ETLİ NOHUT

Herkunft:	Yozgat, alle Landesteile
Zubereitung:	15 Minuten zzgl. Einweichen über Nacht
Garzeit:	50 Minuten zzgl. 1 Stunde für die Kichererbsen
Personen:	4

280 g	Kichererbsen, über Nacht eingeweicht und abgegossen
60 g	Butter
1 (120 g)	mittelgroße Zwiebel, in feine Ringe geschnitten
6	Knoblauchzehen, in feine Scheiben geschnitten
400 g	Lammschulter, fein gewürfelt
2	Lammknochen mit Mark, aufgebrochen
200 g	Karotten, fein gewürfelt
1 EL	Tomatenmark (Seite 492)
1 TL	Rote Paprikapaste (Seite 492)
½ TL	Chiliflocken
¼ TL	gemahlener Kreuzkümmel
1,5 l	kochende Fleischbrühe (Seite 489)
1 EL	frisch gepresster Zitronensaft

Dieses beliebte Hochzeitsgericht wird für gewöhnlich im Winter gegessen, zusammen mit Pilaw. Man bereitet es auch ohne Tomatenmark und mit frischem Gemüse zu.

◆

Die Kichererbsen in einem Topf mit 1,5 Liter Wasser 1 Stunde leicht köcheln lassen, dann abgießen.

In der Zwischenzeit die Butter in einer großen gusseisernen Pfanne bei mittlerer Hitze zerlassen. Zwiebel und Knoblauch zufügen und 5 Minuten dünsten. Lammschulter und -knochen einlegen und 10 Minuten anbraten. Karotten, Tomatenmark, Paprikapaste, Chiliflocken und Kreuzkümmel unterrühren. Mit 1 Prise frisch gemahlenem Pfeffer und 1 Teelöffel Salz würzen und 5 Minuten weitergaren. Die Hitze reduzieren, Fleischbrühe und Zitronensaft angießen und alles mit Deckel 30 Minuten köcheln lassen. Vor dem Servieren die Knochen entfernen.

LAMMSUPPE MIT KASCHK UND SAUERAMPFER
KELEDOŞ

Herkunft:	Van, Ostanatolien
Zubereitung:	20 Minuten zzgl. Einweichen über Nacht
Garzeit:	2 Stunden
Personen:	4

800 g	Lammschulter am Knochen
40 g	Weizenschrot, über Nacht eingeweicht
50 g	getrocknete Cannellini-Bohnen, über Nacht eingeweicht
30 g	Kichererbsen, über Nacht eingeweicht
2 EL	grüne Linsen, über Nacht eingeweicht
100 g	getrockneter *Keledoş* (eine Art Sauerampfer), unter heißem Wasser gespült (alternativ 1 kg getrockneter Spinat)
80 g	*Keş* (Kaschk, Seite 485)
4	*Açık Ekmek* (Gerilltes Brot, Seite 394)

Für die Garnierung:	
50 g	Butter
1 (120 g)	mittelgroße Zwiebel, in feine Ringe geschnitten
2 EL	Hanfsamen
1 EL	getrocknetes Basilikum
1 TL	Chiliflocken

Dieses Gericht wird im Winter gekocht, zu speziellen Gelegenheiten und an Tagen, die den Frieden feiern. Es gibt in der Südosttürkei viele weit verstreute, verfeindete Sippen: Dieses Gericht kochen die Menschen, auch ohne Fleisch, um zu feiern, wenn endlich Frieden herrscht.

♦

Die Lammschulter in 4 Teile zerlegen. 3 Liter Wasser in einem Topf aufkochen. Weizenschrot, Bohnen und Kichererbsen abgießen und mit dem Fleisch in den Topf geben. Die Hitze reduzieren und alles ohne Deckel 5 Minuten köcheln lassen. Den Schaum an der Oberfläche mit einem Sieblöffel abheben. Deckel aufsetzen und alles 1 Stunde garen. Die grünen Linsen abgießen und zugeben. 10 Minuten mit Deckel weiterkochen. *Keledoş* oder Spinat fein schneiden, in den Topf geben und 30 Minuten mitgaren.

200 ml Kochsud in eine Schüssel schöpfen und den *Keş* einrühren. Die Flüssigkeit wieder in den Topf gießen und Suppe nochmals 10 Minuten garen.

Für die Garnierung die Butter in einem großen Topf bei mittlerer Hitze zerlassen. Die Zwiebeln darin 5 Minuten dünsten. Die Hanfsamen zugeben und 1 Minute anbraten. Zum Schluss Basilikum und Chiliflocken unterrühren und 1 Minute mitgaren.

Das Fladenbrot rösten, zerteilen und gleichmäßig auf Suppenteller verteilen. Die Suppe daraufschöpfen und die heiße Garnierung darüber verteilen.

♦

BROTEINTOPF MIT LAMM UND TIRIT
TİRİT

Herkunft:	Gaziantep, alle Landesteile
Zubereitung:	10 Minuten
Garzeit:	1 Stunde 10 Minuten
Personen:	4

60 ml	natives Olivenöl extra
400 g	Lammschulter, fein gewürfelt
10	Knoblauchzehen, gehackt
2 TL	Tomatenmark (Seite 492)
1 TL	Rote Paprikapaste (Seite 492)
1 TL	Chiliflocken
2 l	heiße Fleischbrühe (Seite 489)
60 ml	frisch gepresster Zitronensaft
400 g	altbackenes *Açık Ekmek* (Gerilltes Brot, Seite 394)
4 Stängel	frische glatte Petersilie, fein gehackt

Dieses beliebte Wintergericht wird regelmäßig gekocht, um altbackenes Brot aufzubrauchen. Je nach Region sind auch Geflügel, Eier, Fisch und Joghurt beliebt, und es gibt auch eine vegetarische Version. Traditionell stellt man es mitten auf den Tisch.

♦

Das Olivenöl in einem großen Topf bei mittlerer Hitze heiß werden lassen. Das Fleisch hineinlegen und 10 Minuten anbraten. Den Knoblauch zugeben und 10 Minuten mitdünsten. Tomatenmark, Paprikapaste und Chiliflocken unterrühren. Mit ¼ Teelöffel frisch gemahlenem Pfeffer und ¾ Teelöffel Salz würzen und weitere 5 Minuten garen. Die Hitze reduzieren und die Fleischbrühe hineingießen. Mit Deckel 40 Minuten köcheln lassen, dann den Zitronensaft einrühren.

Das Brot in 1-cm-Würfel schneiden und auf 4 hitzefeste Suppenschalen aufteilen. Den Eintopf hineinfüllen. Die Schalen bei schwacher bis mittlerer Hitze auf den Herd stellen und den Inhalt 2 Minuten stark kochen lassen. Mit der Petersilie bestreuen und servieren. (Die Gäste warnen, dass die Schalen heiß sind!)

LAMM-BROT-EINTOPF
PAPARA

Herkunft:	Eskişehir, alle Landesteile
Zubereitung:	10 Minuten
Garzeit:	30 Minuten
Personen:	4

400 g	Lammhackfleisch
50 g	Butter
2 (240 g)	mittelgroße Zwiebeln, in feine Ringe geschnitten
4	milde grüne Spitzpaprika, in feine Ringe geschnitten
1 TL	getrockneter Oregano
¼ TL	gemahlener Zimt

Für die Sauce:	
500 g	griechischer Joghurt
4	Knoblauchzehen, gehackt
4 Stängel	frischer Dill, gehackt
4 Stängel	frische glatte Petersilie, gehackt

400 g	getrocknetes, altbackenes Brot, in 5-mm-Würfeln
500 ml	Fleischbrühe (Seite 489)
2 Stängel	frische glatte Petersilie, fein gehackt

Papara und *Tirit* bezeichnen das gleiche Gericht, in dem altes Brot in Fleischbrühe gekocht und so verwertet wird. Die übrigen Zutaten bestimmt der Familiengeldbeutel. Fleischbrühe, Hühnerbrühe, Hackfleisch und Lamm-Confit sind gleichermaßen beliebt. *Papara* wird im Tablett serviert, aus dem die ganze Familie löffelt. Die meisten Familien kochen das bescheidene Essen 15 bis 20 Mal pro Jahr und tauschen dabei viele Neuigkeiten aus. Manche essen es mit *Topac kavurması* und mit Zitrone, Knoblauch und Chili. Diese Gerichte sind schon in frühen Küchenaufzeichnungen erwähnt.

◆

Einen Topf bei mittlerer Hitze heiß werden lassen. Das Fleisch hineinlegen und das Fett ausbraten. Von Zeit zu Zeit umrühren. Butter, Zwiebeln und Paprika in den Topf geben und 5 Minuten braten. Oregano, Zimt, ¼ Teelöffel frisch gemahlenen Pfeffer und ½ Teelöffel Salz unterrühren und weitere 10 Minuten mitbraten.

Für die Sauce Joghurt, Knoblauch, Dill und Petersilie in einer Schüssel mischen und mit ¼ Teelöffel Salz würzen.

Die Brotwürfel auf 4 hitzefeste Portionsschüsseln verteilen. Die Fleischbrühe mit ½ Teelöffel frisch gemahlenem Pfeffer und ¼ Teelöffel Salz in einem Topf aufkochen und über das Brot gießen. Die Joghurtsauce ebenfalls darübergießen, dann das Fleisch daraufschöpfen. Die Schüsseln auf dem Herd bei schwacher bis mittlerer Hitze erhitzen und den Eintopf 2 Minuten stark kochen. Mit der Petersilie bestreuen und servieren. (Die Gäste warnen, dass die Schüsseln heiß sind!)

◆

LAMMTOPF MIT CANNELLINI-BOHNEN
KURU FASULYE

Herkunft:	Erzurum, alle Landesteile
Zubereitung:	10 Minuten zzgl. Einweichen über Nacht
Garzeit:	1 Stunde 5 Minuten zzgl. 1 Stunde für die Bohnen
Personen:	4

300 g	getrocknete Cannellini-Bohnen, über Nacht in kaltem Wasser eingeweicht
60 g	Butter
1 (120 g)	mittelgroße Zwiebel, in feine Ringe geschnitten
6	Knoblauchzehen, in feine Scheiben geschnitten
400 g	durchwachsene Lammschulter, fein gewürfelt
1 EL	Tomatenmark (Seite 492)
1 TL	Rote Paprikapaste (Seite 492)
½ TL	Chiliflocken
1,5 l	kochende Fleischbrühe (Seite 489)

Regional ersetzt man die Lammschulter durch Knochen oder *Sucuk* (Scharf gewürzte Salami, Seite 496), oder durch Lamm und *Pastırma* (Gepökeltes Rindfleisch, Seite 497).

◆

Die Bohnen abgießen und in einem großen Topf mit 2 Liter Wasser 1 Stunde nur schwach köcheln lassen. Von Zeit zu Zeit den Schaum abschöpfen. Die gegarten Bohnen abgießen.

In der Zwischenzeit die Butter bei mittlerer Temperatur in einer großen gusseisernen Pfanne zerlassen. Zwiebel und Knoblauch darin 4 Minuten andünsten. Das Lammfleisch zugeben und 10 Minuten braten. Tomatenmark, Paprikapaste und Chiliflocken unterrühren. Mit 1 Prise frisch gemahlenem Pfeffer und 1 Teelöffel Salz würzen und 5 Minuten garen. Die heiße Brühe angießen und mit Deckel 30 Minuten köcheln lassen. Vorsichtig die Bohnen unterheben und 15 Minuten fertig garen.

LAMMEINTOPF
ALUCİYE

Herkunft:	Mardin, Südostanatolien
Zubereitung:	15 Minuten
Garzeit:	1 Stunde 30 Minuten
	zzgl. 5 Minuten Ruhezeit
Personen:	4

600 g	Lammfleisch, in 2-cm-Würfeln geschnitten
60 ml	natives Olivenöl extra
60 g	Zwiebeln, in Ringe geschnitten
4	Knoblauchzehen, in Scheiben geschnitten
1	Sommerkürbis oder Zucchini, in Scheiben geschnitten
8	Frühlingszwiebeln, in Ringe geschnitten, nur der weiße Teil
200 ml	Saurer Pflaumenextrakt (Seite 491)
1 Bund	frische glatte Petersilie, fein gehackt
½ Bund	frischer Koriander, fein gehackt

Seite 167

Dieses Gericht wird im Frühling zubereitet, in der Pflaumensaison. Seine Anhänger legen Renekloden oder saure Pflaumen dann auch gerne für den Winter ein. Der Lammeintopf schmeckt heiß wie kalt köstlich.

♦

Das Lammfleisch mit 1,5 Liter Wasser in einem großen Topf bei mittlerer Hitze aufsetzen und 5 Minuten kochen. Den Schaum an der Oberfläche mit einem Sieblöffel abheben. Die Hitze reduzieren und das Fleisch mit Deckel 1 Stunde köcheln lassen.

20 Minuten, bevor das Lammfleisch gar ist, das Olivenöl in einem großen Topf bei mittlerer Hitze heiß werden lassen. Zwiebel und Knoblauch darin 1 Minute andünsten. Den Kürbis und das Weiße der Frühlingszwiebeln mit 1 Prise frisch gemahlenem Pfeffer und ¾ Teelöffel Salz zugeben und 1 Minute weitergaren. Den Pflaumenextrakt einrühren und die Mischung 1 Minute kochen. Dann zum Lamm in den Topf gießen und Eintopf in 20 Minuten fertig garen.

Topf vom Herd nehmen und alles 5 Minuten ruhen lassen. Petersilie und Koriander darüberstreuen und servieren.

♦

GESCHMORTES LAMM MIT PFLAUMEN
ERİK TAVASI

Herkunft:	Gaziantep, Südostanatolien
Zubereitung:	10 Minuten
Garzeit:	1 Stunde 30 Minuten
	zzgl. 10 Minuten Ruhezeit
Personen:	4

60 ml	natives Olivenöl extra
600 g	Lammschulter, in 2-cm-Würfel geschnitten
4	Knoblauchzehen, geschält
1 EL	Tomatenmark (Seite 492)
1 TL	scharfe Paprikapaste
½ TL	Chiliflocken
1 l	heiße Fleischbrühe (Seite 489)
40	Renekloden oder saure Pflaumen

Renekloden verwenden wir in unserem Land für viele Gerichte. Die Menschen rund um Nizip bereiten dieses Essen gerne im Frühjahr zu, bevor die Pflaumen etwas Farbe annehmen. Noch köstlicher schmeckt es aus dem Holzofen. Die fertig gefüllten Tontöpfe werden zur Bäckerei vor Ort getragen und dort im Gemeindeofen geschmort. Die traditionelle Beilage ist Reis-Pilaw mit Fadennudeln.

♦

Den Backofen auf 200°C vorheizen.

Das Olivenöl in einem großen gusseisernen Bräter bei mittlerer Hitze heiß werden lassen. Die Lammschulter darin 10 Minuten anbraten. Den Knoblauch zugeben und 2 Minuten mitgaren. Tomatenmark, Paprikapaste und Chiliflocken unterrühren. Mit 1 Prise frisch gemahlenem Pfeffer und ¾ Teelöffel Salz würzen und 3 Minuten weitergaren.

Die Fleischbrühe angießen, dann das Lamm im Backofen 40 Minuten schmoren. Die Pflaumen darüber verteilen, und alles mit Deckel nochmals 30 Minuten garen.

Vor dem Servieren 10 Minuten ruhen lassen, dann das Lamm im eigenen Saft servieren.

FLEISCH

LAMM MIT OKRAS
BAMYA EKŞİSİ

Herkunft:	Konya, alle Landesteile
Zubereitung:	20 Minuten
Garzeit:	1 Stunde 10 Minuten
Personen:	4

300 g	Lammfleisch, in 2-cm-Würfel geschnitten
50 g	Butterschmalz (Seite 485)
1 (120 g)	mittelgroße Zwiebel, in Ringe geschnitten
6	Knoblauchzehen, in Scheiben geschnitten
1	kleine Gemüsepaprika, in Ringe geschnitten
300 g	Tomaten, in Scheiben geschnitten
1½ TL	Tomatenmark (Seite 492)
1 TL	Rote Paprikapaste (Seite 492)
1 TL	Chiliflocken
1,5 l	Fleischbrühe (Seite 489)
200 ml	Verjus (Saft unreifer Trauben, Seite 494, oder 3 EL frisch gepresster Zitronensaft)
500 g	frische Okraschoten

Ein Sommergericht. In der Winterversion kommen getrocknete Okras zum Einsatz.
◆

Das Butterschmalz in einem großen Topf bei mittlerer Hitze zerlassen. Die Lammwürfel zugeben und 10 Minuten anbraten.

Zwiebel, Knoblauch und Paprika in den Topf geben und 10 Minuten mitgaren. Die Tomaten mit Tomatenmark, Paprikapaste und Chiliflocken unterrühren. Mit 1 Prise frisch gemahlenem Pfeffer und ¾ Teelöffel Salz würzen und 5 Minuten garen.

Die Hitze reduzieren. Brühe und Verjus angießen, dann mit Deckel 20 Minuten köcheln lassen. Von den Okraschoten Spitze und Stängelansatz entfernen. Okras in den Topf geben und 20 Minuten kochen, dann den Eintopf servieren.

◆

FLEISCHFRIKADELLEN IN JOGHURTSAUCE
TAPPUŞ ORUĞU

Herkunft:	Hatay, Mittelmeerregion
Zubereitung:	20 Minuten
Garzeit:	1 Stunde 5 Minuten
Personen:	4

200 g	Kartoffeln
60 g	Zwiebel
200 g	feiner Bulgur
200 g	mageres Lammhackfleisch
½ TL	gemahlener Kreuzkümmel
6	Knoblauchzehen, gehackt
1 TL	getrocknete Minze
1 TL	Chiliflocken
1 EL	getrocknetes Basilikum
1 EL	Tomatenmark (Seite 492)
500 ml	natives Olivenöl extra

Für die Sauce:	
2 Stängel	frisches Basilikum, fein zerzupft
4 Stängel	frische glatte Petersilie, fein gehackt
1	Frühlingszwiebel, in feine Ringe geschnitten
1	frische Knoblauchzehe, in feine Scheiben geschnitten
500 g	griechischer Joghurt

Dieses Gericht gibt es im Herbst und Winter sowie zu religiösen Festen. Zukünftige Bräute bereiten es für ihren Bräutigam und seine Familie zu, wenn sie kommen und um ihre Hand anhalten.
◆

Kartoffeln in einem großen Topf mit Wasser in 40 Minuten weich kochen. Abgießen und zu Püree verarbeiten.

Die Zwiebel reiben, in einem Sieb ausdrücken und den Saft auffangen. Bulgur, Lammhack, Kartoffelpüree, Zwiebelsaft, Kreuzkümmel, Knoblauch, Minze, Chiliflocken, Basilikum, ½ Teelöffel Salz, ¼ Teelöffel frisch gemahlenen schwarzen Pfeffer, Tomatenmark und 2 Esslöffel Olivenöl in einer großen Schüssel oder auf einem tiefen Tablett 15 Minuten mit nassen Händen gründlich verkneten. Teig in 12 Portionen aufteilen und zu gleichmäßigen, flachen Fladen mit 6 cm Durchmesser formen.

Restliches Olivenöl bei mittlerer Hitze in einer Pfanne sehr heiß werden lassen. Die Fleischfrikadellen portionsweise einlegen und 3 Minuten pro Seite braten.

Für die Sauce Basilikum, Petersilie, Frühlingszwiebel und Knoblauch mit dem Joghurt und ¼ Teelöffel Salz verrühren. Zu jeder Portion Fleischfrikadellen eine kleine Schale Joghurt reichen.

LAMMEINTOPF MIT APRIKOSEN
KAYISI YAHNİSİ

Herkunft:	Malatya, alle Landesteile
Zubereitung:	15 Minuten
Garzeit:	1 Stunde 10 Minuten
	zzgl. 10 Minuten Ruhezeit
Personen:	4

70 g	Butterschmalz (Seite 485)
500 g	Lammlachse, in 2-cm-Würfel geschnitten
1	Zimtstange
40	Schalotten, geschält
100 g	Aprikosenkerne, 5 Minuten in kochendem Wasser eingeweicht, geschält
500 ml	heiße Fleischbrühe (Seite 489)
300 g	getrocknete Aprikosen, geviertelt

Dieses Gericht kocht man in den Wintermonaten. Manche Versionen enthalten Kichererbsen, andere saure Aprikosen. Auch andere Trockenfrüchte schmecken gut.

◆

Das Butterschmalz in einem großen Topf bei mittlerer Hitze zerlassen. Das Lamm darin 4 Minuten rundum anbraten. Zimt, Schalotten und Aprikosenkerne zugeben und 10 Minuten garen. Mit ¼ Teelöffel frisch gemahlenem Pfeffer und ½ Teelöffel Salz würzen und 2 Minuten garen. Die Hitze reduzieren und die Brühe angießen. Mit Deckel 30 Minuten köcheln lassen. Die Zimtstange entfernen. Dann die getrockneten Aprikosen unterheben und 20 Minuten mitkochen.

Vor dem Servieren den Eintopf 10 Minuten durchziehen lassen.

◆

LAMM-KEBAB
KUŞBAŞI KEBABI

Herkunft:	Gaziantep, alle Landesteile
Zubereitung:	15 Minuten zzgl. Marinieren über Nacht
Garzeit:	20–40 Minuten
Personen:	4

800 g	Lammlende, Silberhaut und Flechsen entfernt, in 3-cm-Würfel geschnitten
200 g	Lammschwanzfett, in kleine Stücke geschnitten oder anderes Fett
400 g	Tomaten, geviertelt
8	lange grüne Paprika

Für die Marinade:	
200 ml	natives Olivenöl extra
15	Knoblauchzehen, gehackt
50 g	griechischer Joghurt
1 EL	Tomatenmark (Seite 492)
2 TL	Rote Paprikapaste (Seite 492)
2 EL	Chiliflocken
1 TL	getrockneter Oregano

| 4 | *Tirnakli Ekmek* (Geriffelte Fladenbrote, Seite 376) |
| 1 Rezept | *Piyaz Salatası* (Zwiebelsalat, Seite 67) |

Von diesem Gericht gibt es auch eine nicht marinierte Version. Das Fleisch wird beim Grillen gesalzen und gewürzt. Wenn Sie keinen Holzkohlegrill haben, können Sie die Kebabs auch im Ofen grillen. Sie brauchen dafür 8 lange Edelstahl-Fleischspieße oder 10 flache Holzspieße (eingeweicht).

◆

Für die Marinade Olivenöl, Knoblauch, Joghurt, Tomatenmark, Paprikapaste, Chiliflocken und Oregano in einer Schüssel mit ½ Teelöffel frisch gemahlenem Pfeffer und 1 Teelöffel Salz 5 Minuten aufschlagen. Lammlende und Schwanzfett hineinlegen und durchmischen. Abdecken und über Nacht im Kühlschrank marinieren.

Am nächsten Tag einen Holzkohlegrill einheizen oder den Backofengrill auf hoher Stufe vorheizen. Auf die Spieße abwechselnd Fleisch- und Fettstücke aufstecken sowie 2 Stücke Tomaten und 1 Paprika. Die Stücke dicht zusammenschieben.

Die Spieße 8 cm über den heißen Kohlen platzieren und 12 Minuten von allen Seiten grillen. Alle 30 Sekunden wenden. Alternativ die Spieße unter dem Backofengrill 5–6 Minuten grillen und ebenfalls häufig wenden.

Die Brote auf dem Grill 30 Sekunden pro Seite aufwärmen. Die Brote längs vierteln. Das Fleisch mithilfe der Brotstücke von den Spießen ziehen und mit dem Brot auf Tellern anrichten. Dazu den *Piyaz Salatası* reichen.

LAMMKARREE MIT QUITTEN
AYVALI TARAKLI

Herkunft:	Gaziantep, Südostanatolien
Zubereitung:	15 Minuten
Garzeit:	50 Minuten
Personen:	4

1,5 kg	Lammkarree am Stück
2 EL	natives Olivenöl extra
1 TL	Chiliflocken

Für die Sauce:	
100 g	Butterschmalz (Seite 485)
1	scharfe Chilischote, längs aufgeschnitten, dann halbiert
600 g	Quitten, geviertelt und entkernt
1 (120 g)	mittelgroße Zwiebel, geviertelt
8	Knoblauchzehen, geschält
1 EL	Rote Paprikapaste (Seite 492)
1 EL	Tomatenmark (Seite 492)
1	Zimtstange
500 ml	heiße Lamm- oder Kalbsbrühe (Seite 489)
2 EL	Granatapfelmelasse

🌿

Taraklı bezeichnet im südostanatolischen Dialekt die Rippen. Das Gericht wird zur Quittenzeit im Herbst und Winter in Tontöpfen gekocht.

◆

Den Backofen auf 180 °C vorheizen. Das Karree in 8 gleich große Stücke schneiden. Lamm, Öl und Chiliflocken in einer Schüssel mit ¼ Teelöffel frisch gemahlenem Pfeffer und ½ Teelöffel Salz 1 Minute durchmischen, bis das Fleisch rundum gut gewürzt ist.

Einen großen Topf bei mittlerer Hitze heiß werden lassen. Die Lammstücke einlegen und 2 Minuten pro Seite stark anbraten. Herausnehmen und auf einem Teller beiseitestellen.

Für die Sauce das Butterschmalz in dem gleichen Topf zerlassen. Chili, Quitten, Zwiebeln und Knoblauch hineingeben und 5 Minuten anbraten. Paprikapaste, Tomatenmark, Zimt und das Lammfleisch zugeben und unter ständigem Rühren 3 Minuten garen. Brühe, Granatapfelmelasse und ½ Teelöffel Salz unterrühren. Weitere 2 Minuten unter Rühren garen.

Die Mischung in einen großen Tontopf oder Bräter füllen, dicht verschließen und im heißen Backofen 30 Minuten schmoren. Sofort servieren.

◆

LAMM-AUBERGINEN-EINTOPF MIT SUMACH
MEFTUNE

Herkunft:	Diyarbakır, Südostanatolien
Zubereitung:	30 Minuten
Garzeit:	1 Stunde 15 Minuten
Personen:	4

600 g	Auberginen, geschält
60 g	Lammschwanzfett oder Butterschmalz, zerlassen
600 g	Lammrippenfleisch, in 2-cm-Würfel geschnitten
60 g	Zwiebeln, in feine Ringe geschnitten
10	Knoblauchzehen, in feine Scheiben geschnitten
2	frische Chilischoten, in feine Ringe geschnitten
1½ TL	Tomatenmark (Seite 492)
1 TL	Rote Paprikapaste (Seite 492)
1 TL	geräucherte Chiliflocken
1,5 kg	Tomaten, fein gewürfelt
200 ml	Sumachextrakt (Seite 491)

💧 🌿

Dieses Sommergericht bereitet man auch aus anderem Saisongemüse zu wie Artischocken, Zucchini, Bohnen oder Okraschoten. In Kochbüchern wird das Rezept ohne Tomatenmark, Tomaten und Paprika beschrieben.

◆

Die Auberginen 15 Minuten in einer Schüssel in 1,5 Liter Wasser mit 1 Teelöffel Salz einweichen. Abgießen, die Auberginen ausdrücken und mit Küchenpapier trocken tupfen. Fein würfeln und beiseitestellen.

Das Fett oder Butterschmalz in einem großen Topf bei mittlerer Hitze zerlassen. Das Lammfleisch zugeben und 10 Minuten rundum anbraten. Aus dem Fett heben und beiseitestellen. Zwiebeln und Knoblauch im selben Topf 10 Minuten andünsten. Die Chilis mit Tomatenmark, Paprikapaste und Chiliflocken unterrühren. Mit 1 Prise frisch gemahlenem Pfeffer und ¾ Teelöffel Salz würzen, dann 5 Minuten garen. Die Auberginenwürfel zugeben und 5 Minuten mitgaren. Dabei ständig umrühren.

Das Lammfleisch wieder in den Topf geben und unter den Topfinhalt heben, sodass es davon bedeckt ist. Die Hitze reduzieren. Tomaten und Sumachextrakt darüber verteilen und Eintopf bei schwacher Hitze mit Deckel 40 Minuten schmoren. Vom Herd nehmen und servieren.

ZIEGENSCHMORTOPF MIT EINGELEGTEM GEMÜSE
ÇORTİ AŞI

Herkunft:	Muş, Ostanatolien
Zubereitung:	15 Minuten zzgl. Einweichen über Nacht
Garzeit:	1 Stunde 35 Minuten
Personen:	4

300 g	*Lahana Turşusu* (Eingelegter Weißkohl, Seite 82)
100 g	*Biber Turşusu* (Eingelegte Paprika, Seite 83)
80 g	Kichererbsen, über Nacht eingeweicht
80 g	Weizenschrot, über Nacht eingeweicht
1 (120 g)	mittelgroße Zwiebel
2 Blätter	Mangold
1 kg	Ziegenschulter am Knochen
500 ml	Essigwasser (Seite 451)
1 l	Fleischbrühe (Seite 489)

Für die Sauce:

3 EL	Butterschmalz (Seite 485)
60 g	Zwiebel, in feine Ringe geschnitten
½ TL	Chiliflocken
1 EL	getrocknetes Basilikum

Dieses Gericht ist um die Städte Muş und Bitlis herum und in den benachbarten Regionen im Winter sehr beliebt. Gemüse und Einmachflüssigkeit liefern ausreichend Salz für das Gericht. Es gibt auch eine vegetarische Version mit Gemüsebratlingen aus Bulgur, Knoblauch und Salz anstelle der Fleischbällchen. Man gibt sie 10 Minuten vor Ende der Kochzeit zu.

♦

Den Backofen auf 160 °C vorheizen.

Kohl und Paprika kalt spülen und fein schneiden. Kichererbsen und Weizenschrot abgießen, ebenfalls spülen und abtropfen lassen. Gemüse, Kichererbsen, Weizenschrot, Zwiebeln und Mangold in einer großen Schüssel oder auf einem tiefen Tablett mischen.

Die halbe Gemüsemischung auf dem Boden eines Bräters verteilen. Die Ziegenschulter darauflegen und mit dem restlichen Gemüse bedecken. Essigwasser und Fleischbrühe angießen. Einen dicht schließenden Deckel aufsetzen und Fleisch 1½ Stunden im Ofen schmoren.

Für die Sauce das Butterschmalz in einem kleinen Topf bei mittlerer Hitze zerlassen. Die Zwiebeln darin 2 Minuten andünsten. Chiliflocken und Basilikum unterrühren und 10 Sekunden mitdünsten.

Das Fleisch in Stücke teilen und mit dem Eintopf auf Portionstellern servieren.

SCHARFES LAMM
SAC KAVURMA

Herkunft:	Ankara, alle Landesteile
Zubereitung:	10 Minuten
Garzeit:	40 Minuten
Personen:	4

100 g	Lammschwanzfett oder Butterschmalz, zerlassen
600 g	Lammlachse, fein gewürfelt
1 (120 g)	mittelgroße Zwiebel, fein gewürfelt
2	rote Chilischoten, fein gewürfelt
2	grüne Chilischoten, fein gewürfelt
1 TL	Chiliflocken
¼ TL	gemahlener Kreuzkümmel
1 TL	getrockneter Oregano
300 g	Tomaten, fein gewürfelt

Dieses Gericht ist das ultimative *Eid-al-Adha*-Festmahl. Es wird im eigenen Fett geschmort.

♦

Einen großen *Saç* (Seite 503), eine Eisenpfanne oder einen Wok sehr stark erhitzen. Das Schwanzfett oder Butterschmalz darin 1 Minute zerlassen. Das Lammfleisch einlegen und 10 Minuten unter Rühren anbraten.

Die Zwiebelwürfel dazugeben und 10 Minuten mitdünsten. Beide Chilisorten unterrühren und 5 Minuten sautieren. Chiliflocken, Kreuzkümmel und Oregano untermischen. Mit ¼ Teelöffel frisch gemahlenem Pfeffer und ¾ Teelöffel Salz würzen und alles weitere 3 Minuten unter Rühren garen.

Die Hitze reduzieren und die Tomaten unterziehen. 5 Minuten mitgaren und sanft weiterrühren. In 5 Minuten ohne Rühren fertig garen.

KICHERERBSENEINTOPF MIT FLEISCHBÄLLCHEN
TIKLİYE

Herkunft:	Şanlıurfa, Südostanatolien
Zubereitung:	10 Minuten zzgl. Einweichen über Nacht
Garzeit:	1 Stunde 50 Minuten
Personen:	4

60 g	Kichererbsen, über Nacht eingeweicht, abgegossen
800 g	Lammschulter am Knochen, in 4 200-g-Stücke zerteilt
2 EL	Mittelkornreis
200 g	griechischer Joghurt, abgetropft

Für die Fleischbällchen:
100 g	feiner Bulgur
150 g	mageres Lammhackfleisch
60 g	Zwiebel, fein gewürfelt

Für die Sauce:
2 EL	Butter
1 EL	getrocknete Minze

Seite 173 📷

Dies ist ein Gericht für religiöse Feste. Andere regionale Rezepte verwenden anstelle des Bulgurs geschroteten Reis, Linsen, Kichererbsenmehl (*Besan*) und Hülsenfrüchte. Die Kochzeit verkürzt sich erheblich, wenn man Kichererbsen und Fleisch mit 1,5 Liter Wasser im Schnellkochtopf gart.

◆

Kichererbsen und Lammfleisch in einem Topf mit ¾ Teelöffel Salz zugedeckt 1 Stunde köcheln lassen. Den Reis zugeben und 30 Minuten garen.

Für die Fleischbällchen Bulgur, Lammhack, Zwiebeln und je 1 Prise frisch gemahlenen Pfeffer sowie Salz in einer Schüssel oder auf einem tiefen Tablett vermischen. 15 Minuten kneten, bis ein homogener Fleischteig entstanden ist. Daraus sehr kleine Bällchen mit ca. 1 cm Durchmesser rollen. Auf den Eintopf legen, diesen nochmals aufkochen und die Hitze reduzieren.

Den Joghurt mit 250 ml kaltem Wasser in einem kleinen Topf verrühren. Aufkochen und 1 Minute kochen, dann die Hitze reduzieren und alles 10 Minuten köcheln lassen. Dabei immer in die gleiche Richtung rühren.

Die Mischung mit 1 Prise frisch gemahlenem Pfeffer unter den Eintopf rühren. 5 Minuten mitgaren, dann den Eintopf vom Herd nehmen.

Für die Sauce die Butter bei mittlerer Hitze in einem Topf zerlassen. Die Minze hineingeben und 5 Minuten braten. Sauce unter den Eintopf mischen und servieren.

◆

FLEISCHBÄLLCHEN IN MILCH
SÜTLÜ KÖFTE

Herkunft:	Bartın, Schwarzmeerregion
Zubereitung:	20 Minuten
Garzeit:	30 Minuten zzgl. 5 Minuten Ruhezeit
Personen:	4

800 g	Lammschulter, fein gehackt
1 (120 g)	mittelgroße Zwiebel, fein gewürfelt
½ Bund	frische glatte Petersilie, gehackt
¼ TL	gemahlener Kreuzkümmel
50 g	Butter

Für die Sauce:
2 l	Milch
1 Prise	Safranfäden, mit 60 ml kochendem Wasser übergossen und 20 Minuten eingeweicht

Dieses Wintergericht ist eine Bewährungsprobe, die zeigen soll, wie tüchtig eine potenzielle Braut ist. Auf Hochzeitsbuffets wird es mit Pilaw und Fruchtkompott serviert.

◆

Lammfleisch, Zwiebel, Petersilie, Kreuzkümmel, ¼ Teelöffel frisch gemahlenen Pfeffer und ½ Teelöffel Salz 2 Minuten in einer Schüssel oder auf einem tiefen Tablett verkneten. Zu 24 Fleischbällchen rollen. Die Butter in einem Topf bei mittlerer Hitze zerlassen. Die Fleischbällchen darin 8–10 Minuten rundum anbraten.

Für die Sauce die Milch in einem zweiten Topf mit 1 großen Prise Salz aufkochen. Dabei nur in eine Richtung rühren. Die Hitze bei den Fleischbällchen reduzieren und die Milch mit ¼ Teelöffel frisch gemahlenem Pfeffer einrühren. 10 Minuten köcheln lassen. Safran und Einweichwasser zugeben und 2 Minuten mitkochen. Topf vom Herd nehmen und 5 Minuten stehen lassen. Die Fleischbällchen mit der Safransauce servieren.

FLEISCHBÄLLCHEN IN WEIßER ZITRONENSAUCE
TERBİYELİ EKŞİ KÖFTE

Herkunft:	Tekirdağ, alle Landesteile
Zubereitung:	25 Minuten
Garzeit:	55 Minuten
Personen:	4

Für die Fleischbällchen:

600 g	mittelfettes Kalbshackfleisch aus der Schulter
60 g	Bruchreis
60 g	Zwiebel, gerieben, ausgedrückt, Saft aufgefangen
1	Ei
2 EL	getrocknetes Basilikum
¼ TL	gemahlener Kreuzkümmel

2 EL	natives Olivenöl extra
60 g	Zwiebel, in feine Ringe geschnitten
4	Knoblauchzehen, in feine Scheiben geschnitten
200 g	Karotten, fein gewürfelt
300 g	Kartoffeln, fein gewürfelt
1	Selleriestange, fein gewürfelt
250 g	grüne Erbsen
1,5	Fleischbrühe (Seite 489)

Für die Sauce

2 EL	frisch gepresster Zitronensaft
2 EL	Traubenessig
2	Eigelb
6 Stängel	frische glatte Petersilie, fein gehackt

Dieses Wintergericht ist für Hochzeitsbuffets sehr beliebt und wird mit Pilaw und Kompott serviert.

♦

Für die Fleischbällchen Lammhack, Reis, Zwiebelsaft, Ei, Basilikum, Kreuzkümmel, ¼ Teelöffel frisch gemahlenen Pfeffer und ½ Teelöffel Salz in einer großen Schüssel oder auf einem tiefen Tablett 5 Minuten verkneten. Aus dem Teig Bällchen mit 2 cm Durchmesser rollen.

Das Olivenöl in einem großen Topf bei mittlerer Hitze heiß werden lassen. Zwiebeln und Knoblauch darin 2 Minuten andünsten. Karotten, Kartoffeln, Sellerie und Erbsen zugeben und 5 Minuten garen. ¼ Teelöffel frisch gemahlenen Pfeffer unterrühren und Gemüse 2 Minuten garen.

Die Hitze reduzieren und die Fleischbrühe angießen. Mit Deckel 10 Minuten köcheln lassen. Die Fleischbällchen einlegen und mit Deckel 30 Minuten weiterkochen. Topf vom Herd nehmen.

Für die Zitronensauce Zitronensaft, Traubenessig, Eigelb und Petersilie in einer kleinen Schüssel verrühren.

Die Sauce über die Fleischbällchen träufeln. Vorsichtig durchmischen und vor dem Servieren 2 Minuten ruhen lassen.

MÜTTER UND TÖCHTER
ANALI KIZLI

Herkunft:	Adana, Mittelmeerregion
Zubereitung:	30 Minuten zzgl. Einweichen über Nacht
Garzeit:	1 Stunde 45 Minuten
Personen:	4

60 g	Kichererbsen, über Nacht eingeweicht, dann abgetropft
500 g	Lammschulter, in 2-cm-Würfel geschnitten
60 ml	natives Olivenöl extra
6	Knoblauchzehen, gehackt
60 g	Zwiebel, in feine Ringe geschnitten
1 ½ TL	Tomatenmark (Seite 492)
1 ½ TL	Rote Paprikapaste (Seite 492)
1 EL	getrocknete Minze
2	Tomaten, gerieben
60 ml	Granatapfelmelasse

Für die Fleischbällchen:

200 g	feiner Bulgur
300 g	mageres Lammhackfleisch
2	Knoblauchzehen, gehackt
1 TL	Tomatenmark (Seite 492)
1	Ei
60 g	Zwiebel, gerieben, ausgedrückt, Saft aufgefangen
1 Prise	gemahlener Kreuzkümmel

Für die Füllung:

100 g	Lammschwanzfett, gehackt
70 g	Walnusskerne, grob gehackt
2	Knoblauchzehen, gehackt
1 ½ TL	getrocknete Minze
1 TL	Chiliflocken
2 Stängel	frische glatte Petersilie, fein gehackt

Für dieses Wintergericht gibt es viele regionale Bezeichnungen. Im Nahen Osten heißt es „Mütter und Töchter", aber auch „Saures Mahl" (wegen der Granatapfelmelasse). In Südostanatolien ist es *Şırşırı-Lıklıkı*, in Ostanatolien „Leere Frikadellen" (wegen der geringen Fleischmenge). Das Gericht taucht auf jedem Hochzeitsbuffet auf, zusammen mit Pilaw und Kompott.

♦

Kichererbsen und Lammschulter in einem großen Topf mit 1,5 Liter Wasser bei mittlerer Hitze aufkochen. Die Hitze reduzieren und alles mit Deckel 1 Stunde köcheln lassen.

Für die Füllung die Fettstücke mit Walnusskernen, Knoblauch, Minze, Chiliflocken, Petersilie und 1 Prise Salz 3 Minuten in einer Schüssel gründlich verkneten. Teig zu 8 gleich großen Bällchen rollen. Bis zur Verwendung im Kühlschrank lagern.

Für die Fleischbällchen Bulgur, Lammhack, Knoblauch, ¼ Teelöffel Salz, Tomatenmark, Ei, Zwiebelsaft, Kreuzkümmel und ¼ Teelöffel frisch gemahlenen Pfeffer in einer großen Schüssel oder auf einem tiefen Tablett 15 Minuten zu einer homogenen Masse kneten. Die Hälfte davon zu 1-cm-Kugeln rollen. Die zweite Hälfte in 8 gleich große Portionen teilen. Davon jede in die Handfläche legen und eine Mulde eindrücken. Je 1 Füllungsbällchen hineinlegen und mit dem Fleischteig ummanteln.

Das Olivenöl bei mittlerer Hitze in einem großen Topf heiß werden lassen. Knoblauch und Zwiebeln zugeben und 1 Minute andünsten. Tomatenmark, Paprikapaste und Minze unterrühren und 2 Minuten mitkochen. Tomaten, Granatapfelmelasse, ¼ Teelöffel Salz und 1 Prise frisch gemahlenen Pfeffer zugeben und 5 Minuten garen. Zu den Kichererbsen und Lammwürfeln gießen und mit Deckel nochmals 30 Minuten kochen.

Die Temperatur auf mittlere Hitze reduzieren. Die gefüllten und ungefüllten Fleischbällchen in den Topf legen und ohne Deckel 15 Minuten garen, bis sie an die Oberfläche aufgestiegen sind.

In Suppenschalen servieren.

FLEISCHBÄLLCHEN MIT SAUERKIRSCHEN
VİŞNELİ KÖFTE

Herkunft:	Gaziantep, Südostanatolien
Zubereitung:	20 Minuten
Garzeit:	40 Minuten
Personen:	4

100 g	Butterschmalz (Seite 485)
1 (120 g)	mittelgroße Zwiebel, gerieben, ausgedrückt, Saft aufgefangen
6	Knoblauchzehen, in feine Scheiben geschnitten
1½ TL	Tomatenmark (Seite 492)
1 TL	Rote Paprikapaste (Seite 492)
1	Zimtstange
¼ TL	gemahlene Gewürznelken
1 TL	Chiliflocken
250 g	Sauerkirschen
1 l	heiße Fleischbrühe (Seite 489

Für die Fleischbällchen:

60 g	Zwiebel, gehackt
500 g	mageres Lammhackfleisch
1 TL	Chiliflocken

5 Stängel	frische glatte Petersilie, fein gehackt
2½ EL	Pinienkerne, geröstet

Ein Sommergericht, das in der Sauerkirschensaison auf knusprigen Fladenbrotvierteln oder Brotscheiben serviert wird.

◆

Für die Fleischbällchen Lammhack und Zwiebelsaft mit 1 Prise frisch gemahlenen Pfeffer und ¼ Teelöffel Salz in einer großen Schüssel oder einem tiefen Tablett 5 Minuten gründlich durchkneten. Den Fleischteig zu 1 cm großen Bällchen rollen.

Das Butterschmalz in einer tiefen Pfanne bei mittlerer Hitze zerlassen. Die Fleischbällchen portionsweise einlegen und 5 Minuten braten. Dabei die Pfanne von Zeit zu Zeit schwenken. Bällchen mit einem Sieblöffel herausheben. Gesamte restliche Zwiebel und Knoblauch in die Pfanne geben und 5 Minuten andünsten. Tomatenmark, Paprikapaste, Zimt, Gewürznelken, Chilipulver und ½ Teelöffel Salz unterrühren und 2 Minuten garen.

Die Sauerkirschen abgießen und den Saft auffangen. Die Kirschen entsteinen und in die Pfanne zur Zwiebelmischung geben. Sanft umrühren und alles 10 Minuten köcheln lassen. Die Fleischbällchen einlegen und 5 Minuten garen. Dabei weiter vorsichtig umrühren. Die Hitze reduzieren, den Sauerkirschsaft mit der Fleischbrühe angießen und alles mit Deckel in 10 Minuten fertig garen.

Zimtstange entfernen. Mit Petersilie und Pinienkernen bestreuen und servieren.

◆

LAMM AUF WEIZENSCHROT
SERBİDEV

Herkunft:	Şırnak, Südostanatolien
Zubereitung:	10 Minuten zzgl. Einweichen über Nacht
Garzeit:	1 Stunde 40 Minuten
Personen:	4

150 g	Weizenschrot, über Nacht eingeweicht
100 g	Butter
800 g	Lammfleisch, in 2-cm-Würfel geschnitten
10	Knoblauchzehen, gehackt
½ TL	Chiliflocken

80 g	Keş (Kaschk, Seite 485), gemahlen
6 Stängel	frische glatte Petersilie, fein gehackt
2 Stängel	frisches Basilikum, Blätter abgepflückt und zerzupft

Dieses Gericht gibt es zu besonderen Gelegenheiten.

◆

Den Weizenschrot abgießen. Mit ¼ Teelöffel Salz in einem Topf mit 2 Liter Wasser geben und zugedeckt 1 Stunde kochen. Die Hitze reduzieren und bis zum Servieren warm stellen.

In der Zwischenzeit die Butter in einem Topf bei mittlerer Hitze zerlassen. Die Hitze stark erhöhen. Lamm und Knoblauch hineingeben und 10 Minuten anbraten. Dabei von Zeit zu Zeit umrühren. Die Hitze etwas reduzieren und das Fleisch 20 Minuten garen. Die Chiliflocken und ½ Teelöffel Salz unterrühren und 1 Minute garen.

Das Keş-Pulver mit 500 ml Wasser in einem Topf anrühren. 5 Minuten köcheln lassen. Den gegarten Weizen auf Tellern verteilen und die heiße Keş-Sauce jeweils in die Mitte gießen. Das Fleisch darauf anrichten. Mit dem Kochsud beträufeln. Vor dem Servieren mit Petersilie und Basilikum bestreuen.

ZIEGEN-KÖFTE MIT JOGHURTSAUCE
ŞEKALOK

Herkunft:	Bitlis, Ostanatolien
Zubereitung:	25 Minuten zzgl. Einweichen über Nacht
Garzeit:	1 Stunde 35 Minuten
Personen:	4

70 g	Kichererbsen, über Nacht eingeweicht
70 g	grüne Linsen, über Nacht eingeweicht
1	Frühlingszwiebel
1	frische Knoblauchknolle
100 g	getrocknete Gurkenschalen, über Nacht eingeweicht
1 l	heiße Fleischbrühe (Seite 489)

Für die Fleischbällchen:

400 g	mageres Ziegenhackfleisch
80 g	feiner Bulgur
1 EL	getrocknetes Basilikum

Für die Joghurtsauce:

300 g	griechischer Joghurt
2 Stängel	frisches Basilikum , gehackt
4	Knoblauchzehen, gehackt

Für die Zwiebelsauce:

50 g	Butter
60 g	Zwiebel, gehackt
1 TL	Chiliflocken

Gurkenschalen trocknet man im Sommer und konserviert sie so für den Winter, in dem dieses Gericht zubereitet wird. Sie können sie kaufen oder selbst herstellen: 200 g frische Gurkenschalen mit ¼ Teelöffel Salz bestreuen und im Backofen bei sehr schwacher Hitze einen Tag lang trocknen.

♦

Kichererbsen und Linsen abgießen. Die Kichererbsen 1 Stunde in einem Topf mit 2 Liter Wasser köcheln, dann abgießen. Gleichzeitig Linsen in einem zweiten Topf in 1,5 Liter Wasser 30 Minuten kochen und abgießen.

Für die Fleischbällchen Ziegenhack, Bulgur, Basilikum, ¼ Teelöffel frisch gemahlenen Pfeffer und ½ Teelöffel Salz in einer großen Schüssel oder auf einem tiefen Tablett mischen. 5 Minuten durchkneten und zu 1 cm großen Fleischbällchen rollen.

Frühlingszwiebel und Knoblauchknolle in einen großen Topf legen und die Fleischbällchen darauf verteilen. Die Gurkenschalen abgießen und in 1-cm-Stücke schneiden. Kichererbsen, Linsen und Gurkenschalen mit ½ Teelöffel Salz in den Topf geben. Mit der kochenden Fleischbrühe übergießen und mit Deckel 10 Minuten bei mittlerer Hitze garen. Hitze reduzieren und alles 20 Minuten köcheln lassen. Topf vom Herd nehmen und 5 Minuten ziehen lassen.

Für die Joghurtsauce Joghurt, Basilikum und Knoblauch in einer Schüssel mit ¼ Teelöffel Salz 1 Minute verrühren.

Für die Zwiebelsauce die Butter in einem Topf bei mittlerer Hitze zerlassen. Die Zwiebel zugeben und 1 Minute andünsten. Die Chiliflocken unterrühren und 10 Sekunden braten. Die Köfte mit Joghurt- und Zwiebelsauce übergossen servieren.

♦

GESCHMORTES LAMM
ZÜLBİYE

Herkunft:	Konya, Zentralanatolien
Zubereitung:	10 Minuten
Garzeit:	1 Stunde
Personen:	4

100 g	Butterschmalz (Seite 485)
400 g	Lammschulter, in 2-cm-Würfel geschnitten
40	Schalotten, geschält
1½ EL	Tomatenmark (Seite 492)
1 l	heiße Fleischbrühe (Seite 489)
2 EL	Traubenessig
2	Lorbeerblätter

Zu diesem Wintergericht ist Reis-Pilaw der ideale Begleiter.

♦

Das Butterschmalz in einem großen Topf bei mittlerer Hitze zerlassen. Das Lammfleisch einlegen und 15 Minuten braten. Die Schalotten zufügen und 10 Minuten andünsten. Tomatenmark, 1 Prise frisch gemahlenen Pfeffer und ¾ Teelöffel Salz unterrühren und 1 Minute garen. Die Hitze reduzieren. Fleischbrühe, Traubenessig und Lorbeerblätter unterrühren und Lammfleisch mit Deckel 30 Minuten garen.

Im Kochsud servieren.

GEDÄMPFTE FLEISCHBÄLLCHEN
BUĞULAMA KÖFTE

Herkunft:	İstanbul, alle Landesteile
Zubereitung:	30 Minuten
Garzeit:	1 Stunde
Personen:	4

Für die Fleischbällchen:

1 TL	Senfkörner
1 EL	Sultaninen
1 (120 g)	mittelgroße Zwiebel, fein gewürfelt
800 g	Lammhackfleisch
1½ TL	gemahlener Zimt

Für die Sauce:

2	Lorbeerblätter
1	Zimtstange
50 g	Butter
1 EL	frisch gepresster Zitronensaft
1 EL	Traubenessig
2 TL	Tomatenmark (Seite 492)
1½ EL	Oregano-Honig
½ TL	Senfpulver
½ TL	Chiliflocken
2	Knoblauchzehen, gehackt
¼ TL	*Poy*-Paste (Seite 497)

Für den Teig zum Versiegeln:

100 g	Mehl

Das Gericht heißt auch „wasserlose Frikadellen", da es gedämpft und nicht in Flüssigkeit gekocht wird. Manche Rezepte verzichten auf die Sauce.

♦

Für die Fleischbällchen Senfkörner, Sultaninen und Zwiebeln im Mörser 5 Minuten zerstoßen. In eine große Schüssel oder ein tiefes Tablett umfüllen und mit dem Lammhack, Zimt, ½ Teelöffel frisch gemahlenen Pfeffer und ¾ Teelöffel Salz gründlich verkneten. Aus dem Fleischteig 24 Bällchen rollen.

Für die Sauce Lorbeerblätter, Zimtstange, Butter, Zitronensaft, Traubenessig, Tomatenmark, Honig, Senfpulver, Chiliflocken, Knoblauch, *Poy*, ¼ Teelöffel Salz und 250 ml Wasser in eine Metallschüssel füllen und 1 Minute verrühren. Die Schüssel in einen großen Topf stellen. Die Fleischbällchen drum herum legen und den Topf mit einem gut sitzenden Deckel verschließen.

Für den Teig zum Versiegeln das Mehl mit 60 ml Wasser in einer Schüssel zu einem weichen Teig verkneten. Daraus eine lange Rolle formen und um den Topfdeckel legen. Den Teig fest andrücken, um den Topf luftdicht zu verschließen.

Fleischbällchen bei schwacher Hitze 1 Stunde dämpfen. Die Sauce zu den gedämpften Fleischbällchen servieren.

FLEISCHBÄLLCHEN IN SCHARFER TOMATENSAUCE
TOPALAK

Herkunft:	Isparta, Mittelmeerregion
Zubereitung:	30 Minuten
Garzeit:	30 Minuten
Personen:	4

200 g	feiner Bulgur
200 g	mageres Lammhackfleisch
60 g	Zwiebel, gerieben, ausgedrückt, Saft aufgefangen
¼ TL	gemahlener Kreuzkümmel
½ TL	Chiliflocken
4	Knoblauchzehen, gehackt
1	Ei

50 g	Butter
6	Knoblauchzehen, gehackt
60 g	Zwiebel, in feine Ringe geschnitten
2	milde grüne Spitzpaprika, in feine Ringe geschnitten
1 TL	Chiliflocken
1 EL	Tomatenmark (Seite 492)
2 Stängel	frisches Basilikum, fein zerzupft
300 g	Tomaten, in feine Scheiben geschnitten
2 EL	Traubenessig
2 EL	Traubenmelasse
4 Stängel	frische glatte Petersilie, fein gehackt

2 Stängel	frische glatte Petersilie, fein gehackt
60 g	gerösteter Sesam

Zentralanatolische Rezepte haben viele regionale Varianten. *Topalak* bedeutet im Türkischen „rund". Kinder lieben dieses Wintergericht!

♦

Bulgur, Lammhack, Zwiebelsaft, Kreuzkümmel, Chiliflocken, Knoblauch, Ei und ¼ Teelöffel Salz in einer großen Schüssel oder auf einem tiefen Tablett mischen und 20 Minuten gründlich verkneten. Dabei hin und wieder die Hände nass machen. Aus dem Fleischteig 1 cm große Bällchen rollen.

Für die Sauce die Butter in einem großen Topf bei mittlerer Hitze zerlassen. Knoblauch und Zwiebel zugeben und 2 Minuten andünsten. Die Paprika unterrühren und 2 Minuten mitdünsten. Chili, Tomatenmark, die Hälfte vom Basilikum sowie je ¼ Teelöffel frisch gemahlenen Pfeffer und Salz zugeben und 1 Minute garen. Die Hitze reduzieren. Tomaten, Traubenessig und -melasse unterrühren und die Sauce 10 Minuten köcheln lassen. Auf kleinster Stufe weiterköcheln lassen und währenddessen die Fleischbällchen garen.

Dazu 2 Liter Wasser mit ¼ Teelöffel Salz in einem großen Topf bei mittlerer Hitze aufkochen. Die Fleischbällchen einlegen und 10 Minuten köcheln lassen. 200 ml Kochwasser abschöpfen und unter die Sauce rühren. Das restliche Basilikum und die Petersilie in die Sauce rühren und nochmals 3 Minuten kochen.

Die Fleischbällchen mit einem Sieblöffel in Suppenteller verteilen. Die Sauce darüber verteilen und mit Petersilie und Sesam bestreut servieren.

LAMM-WALNUSS-REIS MIT FLEISCHBÄLLCHEN
KRİS

Herkunft:	Hakkâri, Ostanatolien
Zubereitung:	20 Minuten zzgl. Einweichen über Nacht
Garzeit:	1 Stunde 35 Minuten
Personen:	4

500 g	Lammrippchen, in 2 × 3 cm große Stücke geschnitten
1 (120 g)	mittelgroße Zwiebel, in feine Ringe geschnitten
70 g	Kichererbsen, über Nacht eingeweicht und abgegossen
50 g	Mittelkornreis
100 g	Walnusskerne, halbiert, über Nacht eingeweicht und abgegossen
100 g	Rosinen

Für die Fleischbällchen:

300 g	mageres Lammhackfleisch
50 g	Bruchreis
¼ TL	gemahlener Koriander

Für die Sauce:

3 EL	Butter
1 EL	Tomatenmark (Seite 492)
200 ml	Sumachextrakt (Seite 491)

Dies ist ein Gericht für Hochzeiten, Friedensfeiern und andere festliche Gelegenheiten.

♦

Lammrippen, Zwiebel, Kichererbsen und ½ Teelöffel Salz in einen Topf mit 3 Liter Wasser geben und bei mittlerer Hitze ca. 5 Minuten kräftig kochen. Den Schaum an der Oberfläche mit einem Sieblöffel abschöpfen. Die Hitze reduzieren und alles mit Deckel 40 Minuten köcheln lassen. Den Reis zugeben und 20 Minuten garen. Walnüsse und Rosinen unterrühren und 5 Minuten mitkochen. Topf vom Herd nehmen.

Für die Fleischbällchen Lammhack, Bruchreis und Koriander mit je ¼ Teelöffel Salz und frisch gemahlenem Pfeffer in einer großen Schüssel oder auf einem tiefen Tablett 5 Minuten zu einer homogenen Masse verkneten. Daraus 2 cm große Bällchen rollen.

Die Fleischbällchen in den Topf geben und bei kleiner Hitze mit Deckel 15 Minuten garen.

Für die Sauce die Butter in einem kleinen Topf bei mittlerer Hitze zerlassen. Tomatenmark dazugeben und 2 Minuten braten. Die Sumachextrakt unterrühren und 3 Minuten garen.

Die Sauce zu den Fleischbällchen in den Topf füllen. Alles bei mittlerer Hitze 5 Minuten garen, dann servieren.

SCHARFES LAMM MIT AUBERGINEN UND JOGHURT
ALİNAZİK

Herkunft:	Gaziantep, Südostanatolien
Zubereitung:	10 Minuten
Garzeit:	1 Stunde 10 Minuten zzgl. Abkühlen
Personen:	4

50 g	Butterschmalz (Seite 485)
100 g	Lammbrust, fein gehackt
500 g	Lammlachse, fein gehackt
1	rote Chilischote, in feine Ringe geschnitten
1	grüne Chilischote, in feine Ringe geschnitten
6	Knoblauchzehen, in feine Scheiben geschnitten
1 TL	Chiliflocken

Für die Creme:

1 kg	Auberginen
50 g	Butterschmalz (Seite 485)
6	Knoblauchzehen, gehackt
500 g	griechischer Joghurt, abgetropft

Dieses Sommergericht schmeckt noch köstlicher, wenn es aus dem Holzofen kommt. Es gibt auch eine Variante ohne Joghurt, *Söğürme*, mit Paprika, Tomaten und Knoblauch.

♦

Den Backofen auf 200 °C vorheizen.

Die Auberginen auf ein Backblech legen und mit einer Messerspitze mehrmals einstechen. Im heißen Backofen 1 Stunde garen. Herausnehmen und beiseitestellen, bis sie kühl genug zum Weiterverarbeiten sind. Dann schälen.

Inzwischen das Butterschmalz in einem großen Topf bei mittlerer Hitze zerlassen. Das Lammfleisch darin 15 Minuten braten. Die Chilis zugeben und 3 Minuten mitbraten. Knoblauch, Chiliflocken, ½ Teelöffel Salz und ¼ Teelöffel frisch gemahlenen Pfeffer unterrühren und 2 Minuten weitergaren. Warm stellen, bis die Auberginen-Joghurt-Creme fertig ist.

Dafür das Butterschmalz in einem kleinen Topf bei mittlerer Hitze zerlassen. Den Knoblauch darin 10 Minuten braten. Auberginen mit ½ Teelöffel Salz und ¼ Teelöffel frisch gemahlenem Pfeffer dazugeben und 5 Minuten garen. Die Zutaten kräftig mit einem Holzkochlöffel bearbeiten, um sie gut zu vermischen. Topf vom Herd nehmen, den Joghurt zugeben und gründlich einarbeiten.

Die Auberginenmischung in Portionsschüsseln füllen und in die Mitte jeweils eine Mulde drücken. Lammfleisch hineingeben und servieren.

LAMM MIT AUBERGINENPÜREE
HÜNKÂR BEĞENDİ

Herkunft:	İstanbul, alle Landesteile
Zubereitung:	15 Minuten
Garzeit:	1 Stunde 15 Minuten zzgl. Abkühlen
Personen:	4

100 g	Butterschmalz (Seite 485)
800 g	Lammlende, in 3-cm-Würfel geschnitten
¼ TL	frisch gemahlener weißer Pfeffer
1 l	kochende Lamm- oder Kalbsbrühe (Seite 489)

Für das Auberginenpüree:

1 kg	runde, kernlose Auberginen
50 g	Butter
1 EL	Mehl
¼ TL	geriebene Muskatnuss
¼ TL	frisch gemahlener weißer Pfeffer
1 l	heiße Milch
70 g	salzloser *Kaşar*- oder *Kaschkawal*-Käse (reife türkische Hartkäsesorten), gerieben

Seite 183 📷

Die Auberginen können Sie auf dem Holzkohlegrill schwärzen. Manche Rezepte garen Paprika und Tomaten mit dem Fleisch und ohne Brühe; manche enthalten weder Käse noch Milch.

◆

Den Backofen auf 200 °C vorheizen.

Die Auberginen auf ein Backblech legen und mit einer Messerspitze mehrmals einstechen, dann im Ofen 1 Stunde garen. Herausnehmen, beiseitestellen und schälen, wenn sie kalt genug zum Anfassen sind.

Das Butterschmalz in einem Topf bei mittlerer Hitze zerlassen. Lamm mit weißem Pfeffer und ½ Teelöffel Salz einlegen und 4 Minuten rundum anbraten. Die Brühe angießen, die Hitze reduzieren und Fleisch mit Deckel 1 Stunde köcheln lassen.

Für das Auberginenpüree die Butter in einer tiefen Pfanne bei mittlerer Hitze zerlassen. Aubergine dazugeben und 5 Minuten garen. Kräftig mit einem Holzkochlöffel durchmischen. Mehl, Muskat, weißen Pfeffer und ½ Teelöffel Salz zugeben und 1 Minute durchrühren. Die Hitze reduzieren. Die Milch angießen und Mischung unter Rühren 5 Minuten kochen. Den Käse zufügen und unter Rühren 3 Minuten mitkochen. Das Püree vom Herd nehmen. In eine Schüssel füllen und das Lamm darüber verteilen.

◆

GESCHMORTE LAMMHAXEN MIT BLATTSALAT
KUZU KAPAMA

Herkunft:	İstanbul, alle Landesteile
Zubereitung:	20 Minuten
Garzeit:	1 Stunde 40 Minuten
Personen:	4

90 ml	natives Olivenöl extra
4	Lammhaxen am Knochen
½ Bund	Mangold
1	grüner Blattsalat (Romana oder Eisblatt)
6	Frühlingszwiebeln
6	frische (grüne) Knoblauchzehen
6 Stängel	frischer Dill, fein gehackt
2 Stängel	Fenchelgrün, fein gehackt
10	Pfefferkörner
2 EL	frisch gepresster Zitronensaft
1 EL	Mehl

Für den Teig zum Versiegeln:

100 g	Mehl

Der Trick bei diesem Gericht ist es, beim Kochen überhaupt nicht umzurühren und den Topf absolut dicht zu halten. Der Name *kapama* (versiegelt) beschreibt diese Technik.

◆

2 Esslöffel Olivenöl in einer Pfanne mit hohem Rand erhitzen. Lammhaxen einlegen und mit ¼ Teelöffel Salz würzen. 3 Minuten pro Seite stark anbraten. Herausnehmen und beiseitestellen. Mangold, Salat, Frühlingszwiebeln und Knoblauch in 2-cm-Stücke schneiden. Mit Dill, Fenchelgrün, Pfefferkörnern, Zitronensaft, Mehl, ½ Teelöffel Salz und 2 Esslöffeln Öl in einer Schüssel vermischen.

Backofen auf 135 °C vorheizen. Restliches Öl und ¼ Teelöffel Salz mit der Hälfte der Salatmischung verrühren und in einen gusseisernen Topf oder Bräter legen. Lammhaxen daraufsetzen und mit dem Kochsud übergießen. Die restliche Salatmischung darüber verteilen. 1,5 Liter Wasser angießen. Einen gut schließenden Deckel aufsetzen.

Für den Teig zum Versiegeln das Mehl mit 60 ml Wasser zu einem weichen Teig verkneten und daraus eine lange Rolle formen. Um den Deckel herumlegen und andrücken, sodass der Topf luftdicht versiegelt ist. Lammhaxen 1½ Stunden bei 135 °C im Ofen schmoren.

KIBBEH
İÇLİ KÖFTE

Herkunft:	Adana, alle Landesteile
Zubereitung:	45 Minuten
Garzeit:	45 Minuten
Personen:	4

Für die Füllung:

250 g	grobes Lammhackfleisch aus der Lende
1 (120 g)	mittelgroße Zwiebel, fein gewürfelt
100 g	Walnusskerne, gehackt
½ Bund	frische glatte Petersilie, fein geschnitten
2 Stängel	frisches Basilikum, zerzupft
80 g	Granatapfelkerne

Für die Fleischbällchen:

200 g	feiner Bulgur
300 g	mageres, sehr fein durchgedrehtes Lammhackfleisch
60 g	Zwiebel, gerieben, ausgedrückt, Zwiebelsaft aufgefangen
¼ TL	gemahlener Kreuzkümmel
½ TL	Chiliflocken
½ TL	weißer Pfeffer

Für die Sauce:

60 g	Butter
4	Knoblauchzehen, gehackt

Seite 185 📷

Dieses Gericht für spezielle Anlässe lässt sich auf verschiedenste Weisen zubereiten. Es gibt gebratene, gebackene und gedämpfte Versionen, genau wie vegetarische und süße Rezepte.

♦

Für die Füllung einen großen Topf bei mittlerer Hitze heiß werden lassen. Das grobe Lammhack darin 15 Minuten braten. Soabld das Fleisch trocken ist, Zwiebel, Walnüsse, ¼ Teelöffel frisch gemahlenen Pfeffer und ¼ Teelöffel Salz unterrühren und weitere 15 Minuten garen. Dabei gelegentlich umrühren. Vom Herd nehmen und abkühlen lassen. Inzwischen die Fleischbällchen vorbereiten.

Später Petersilie, Basilikum und Granatapfelkerne unter das abgekühlte Lammhack kneten. Die Masse in 12 gleichgroße Portionen teilen.

Für die Fleischbällchen Bulgur, Lammhack, Zwiebelsaft, ¼ Teelöffel Salz Salz, Kreuzkümmel, Chiliflocken und weißen Pfeffer in einer große Schüssel oder auf einem tiefen Tablett mit nassen Händen 20 Minuten durchkneten. Dann den Teig in 12 gleichgroße Portionen teilen. Je 1 Stück in die Handfläche legen und mit nassen Fingern eine Mulde hineindrücken. 1 Portion Füllung hineinsetzen und den Fleischteig sorgfältig darüber verschließen, damit er beim Garen nicht aufgeht. Die Fleischbällchen zwischen den Händen vorsichtig platt drücken. Den ganzen Fleischteig so verarbeiten.

In der Zwischenzeit 2 Liter Wasser mit ¼ Teelöffel Salz in einem großen Topf aufkochen. Die Fleischbällchen darin 10 Minuten pochieren.

Für die Sauce die Butter bei mittlerer Hitze in einem kleinen Topf zerlassen. Den Knoblauch darin 1 Minute andünsten.

Die gegarten Fleischbällchen auf einem Servierteller anrichten und zum Servieren mit der Sauce übergießen.

TANTUNI LAMM-WRAPS
TANTUNİ DÜRÜMÜ

Herkunft:	Mersin, Mittelmeerregion
Zubereitung:	20 Minuten
Garzeit:	1 Stunde 10 Minuten
Personen:	4

800 g	magere Lammlachse
80 g	Lammschwanzfett oder Butterschmalz (Seite 485)
2	grüne Chilischoten
1 EL	Chiliflocken
¼ TL	gemahlener Kreuzkümmel

Für den Salat:	
60 g	Zwiebel, in feinen Ringen
200 g	Tomaten, in feinen Ringen
1	grüne Chilischote, in feinen Ringen
je ½ Bund	frische glatte Petersilie und Basilikum, fein geschnitten
2 Stängel	frische Minze, fein geschnitten
2 TL	gemahlener Sumach
2 EL	frisch gepresster Orangen- oder Zitronensaft
1 TL	Chiliflocken
4	*Açik Ekmek* (Gerilltes Brot, Seite 394)

Seite 187

Dieses Gericht wurde zur lokalen Delikatesse. Einst war es nur ein Frühstücksimbiss mit Brustfleisch oder Innereien, den Straßenhändler für die Arbeiter im Gemüsemarkt zubereiteten.

♦

Das Lammfleisch mit ½ Teelöffel Salz in einem Topf mit 2 Liter Wasser 1 Stunde mit Deckel garen. Abgießen und abkühlen lassen. Das Fleisch in Streifen schneiden und dann fein würfeln.

Für den Salat die Zwiebelringe halbieren. Tomaten, grüne Chili, Basilikum und Petersilie sowie die Minze mit Sumach und Orangen- oder Zitronensaft, Chiliflocken und ¼ Teelöffel Salz in einer großen Schüssel gut durchmischen.

Schwanzfett oder Butterschmalz in einem großen Topf bei mittlerer Hitze zerlassen. Das Lammfleisch hineingeben und 2 Minuten unter Rühren anbraten. Die Chilis mit den Chiliflocken, Kreuzkümmel, ¼ Teelöffel frisch gemahlenen Pfeffer und ¼ Teelöffel Salz unterrühren und 5 Minuten unter Rühren braten. Die Mischung in eine Schüssel umfüllen.

Die Fladenbrote kurz an den heißen Topfboden drücken, damit sie etwas Öl aufsaugen und heiß werden. Die Lammmischung darauf verteilen und mit dem Salat belegen. Die Fladen seitlich einklappen und zu Wraps aufrollen. Die Füllung soll komplett eingeschlossen sein. Brote halbieren und auf Tellern oder in Papier gewickelt als Snack servieren.

♦

SCHMORRIPPCHEN MIT TROCKENÄPFELN
GÂH YAHNİSİ

Herkunft:	Erzincan, Ostanatolien
Zubereitung:	10 Minuten zzgl. Einweichen über Nacht
Garzeit:	2 Stunden
Personen:	4

30 g	Butter
24	Lammrippchen am Knochen (à 3 × 5 cm)
2 (240 g)	mittelgroße Zwiebeln, fein gewürfelt
100 g	Cannellini-Bohnen, über Nacht eingeweicht
50 g	Weizenschrot, über Nacht eingeweicht
100 g	*Gâh* (getrocknete, saure Äpfel), über Nacht eingeweicht
1	Zimtstange

Gâh bezeichnet im Türkischen Trockenfleisch oder -obst, insbesondere Äpfel oder Quitten. Dies ist eines der ältesten und beliebtesten Rezepte der Region. *Gâh* ist im Winter ein beliebter Snack, den man auch gerne zu salzigen, sonnengetrockneten Rippchen serviert.

♦

Die Butter in einem großen Topf bei mittlerer Hitze zerlassen. Die Rippchen einlegen und 3 Minuten pro Seite braten. Herausnehmen und die Zwiebeln 10 Minuten im Topf dünsten.

Bohnen und Weizenschrot abgießen. Die Hitze reduzieren und beides mit den Lammrippchen in den Topf füllen. Mit ¼ Teelöffel frisch gemahlenem Pfeffer und ¾ Teelöffel Salz würzen. 3 Liter heißes Wasser angießen und mit Deckel 1 Stunde garen. Die eingeweichten Äpfel abgießen und mit der Zimtstange in den Topf geben und unterrühren. Mit Deckel weitere 40 Minuten garen.

ZIEGENCONFIT MIT KNOBLAUCH-FRIKADELLEN
KİTELFUM (SARIMSAKLI KÖFTE)

Herkunft:	Siirt, Südostanatolien
Zubereitung:	30 Minuten
Garzeit:	15 Minuten
Personen:	4

600 g	Ziegenconfit (siehe *Kavurma*, Lammconfit, Seite 497)
½ TL	Chiliflocken
1 Stängel	frisches Basilikum, fein zerzupft

Für die Knoblauch-Frikadellen:

200 g	feiner Bulgur
15	Knoblauchzehen, gehackt
1	Ei
¼ TL	gemahlener Koriander
¼ TL	gemahlene Kurkuma
¼ TL	gemahlener Kreuzkümmel

Ein wichtiges Frühstücksgericht.

♦

Für die Frikadellen Bulgur, Knoblauch, Ei, Koriander, Kurkuma, Kreuzkümmel und ¼ Teelöffel Salz in einer großen Schüssel oder auf einem tiefen Tablett 15 Minuten gründlich durchkneten. Aus dem Teig 20 flache Frikadellen formen.

1,5 Liter Wasser mit ¼ Teelöffel Salz in einem großen Topf bei mittlerer Hitze aufkochen. Die Frikadellen einlegen und 10 Minuten sprudelnd kochen. Mit einem Sieblöffel herausheben. Das Kochwasser aufheben.

In der Zwischenzeit das Ziegen-Confit mit den Chiliflocken in einem zweiten Topf 10 Minuten durcherhitzen.

Die gegarten Frikadellen auf einem Servierteller anrichten und das Ziegen-Confit darüber verteilen. 200 ml Kochwasser darüberträufeln und mit dem Basilikum bestreuen. Servieren.

♦

SCHAFHACK-STECKRÜBEN-BRATLINGE
ŞALGAM ÇULLAMASI

Herkunft:	Erzurum, Ostanatolien
Zubereitung:	20 Minuten
Garzeit:	1 Stunde zzgl. 10 Minuten Abkühlen
Personen:	4

80 g	Mittelkornreis
2	Steckrüben (6 × 8 cm)
400 g	Schaf- oder Hammelhackfleisch
1 (120 g)	mittelgroße Zwiebel, fein gewürfelt
1 TL	Chiliflocken
4 Stängel	frische glatte Petersilie, gehackt
2 Stängel	frischer Estragon, fein gehackt
4	Eier
50 g	Maisgrieß (Polentagries)
50 g	Mehl
500 ml	natives Olivenöl extra

Für die Sauce:

400 g	griechischer Joghurt
½ Bund	frischer Koriander, fein geschnitten
1	Knoblauchzehe, gehackt
1	scharfe rote Chilischote, gehackt
2 EL	Traubenessig

Der einfachen Steckrübe werden viele heilende Eigenschaften nachgesagt. Die Menschen verwenden sie im Winter reichlich für Gerichte und Suppen. Dieses Rezept gibt es auch vegetarisch.

♦

Den Reis in 500 ml Wasser 30 Minuten kochen. Abgießen und beiseitestellen. In der Zwischenzeit jede Rübe in 4 Scheiben schneiden und in einem Topf mit 2 Liter Wasser 5 Minuten garen. Abtropfen lassen und beiseitestellen. Einen großen Topf sehr heiß werden lassen. Die Hälfte des Hackfleischs hineingeben und 10 Minuten braten. Dabei gelegentlich umrühren. Zwiebel, Chiliflocken und ½ Teelöffel Salz unterrühren und 10 Minuten garen. Das gegarte Fleisch in eine große Schüssel umfüllen und 10 Minuten abkühlen lassen. Restliches Hackfleisch, Reis, Petersilie und Estragon zugeben und 5 Minuten sanft durchkneten, bis ein homogener Fleischteig entstanden ist. Die Mischung in 4 Portionen aufteilen. Jede Portion auf 1 Rübenscheibe setzen und mit 1 weiteren bedecken. Auf diese Weise 4 Stapel herstellen. Die Eier in einer Schüssel 1 Minute verquirlen. Polenta und Mehl in einer zweiten Schüssel vermischen. Das Olivenöl in einer großen Pfanne sehr heiß werden lassen. Die Fleisch-Rüben-Stapel erst im Ei, dann im Polentamehl wenden. In die Pfanne legen und 8 Minuten braten, dabei mehrmals vorsichtig wenden.

Für die Sauce Joghurt, Koriander, Knoblauch, Chili, Traubenessig und ¼ Teelöffel Salz in einer Schüssel verrühren. Die fertigen Bratlinge auf einem Servierteller anrichten und mit der Joghurtsauce beträufeln.

◆
SAURE KEBABS
EKŞİLİ KEBAP

Herkunft:	Kilis, Südostanatolien
Zubereitung:	20 Minuten zzgl. 10 Minuten Einweichen
Garzeit:	1 Stunde 10 Minuten
Personen:	4

1 (300 g)	japanische oder italienische Aubergine (lange, schlanke Früchte), längs geviertelt, dann gedrittelt (12 Stücke)
50 g	Lammschwanzfett oder Butterschmalz (Seite 485), zerlassen und durchgesiebt
28	Schalotten, geschält
¾ TL	Chiliflocken
1,5 kg	Tomaten, gerieben, ausgedrückt, Saft aufgefangen
60 ml	Granatapfelmelasse

Für die Kebabs:

400 g	Lammschulter, mit einem *Zirh* (Hackmesser mit gebogener Klinge) sehr fein gehackt

4	*Açik Ekmek* (Gerilltes Brot, Seite 394) in 2-cm-Würfel geschnitten
6 Stängel	frische glatte Petersilie, fein geschnitten

💧 🌿 🔵

Wenn Sie keinen *Zırh* und auch kein normales Hackmesser besitzen, können Sie Lammschulter und -brust mit Salz und frisch gemahlenem Pfeffer mit dem Fleischwolf zu Hack verarbeiten. Für das Gericht benötigen Sie auch 8 lange gusseiserne Spieße oder 16 normale Holzspieße (eingeweicht).

◆

Aus Holzkohlen eine heiße Glut herstellen.

Die Aubergine 10 Minuten in einer Schüssel in 2 Liter Wasser mit 2 Teelöffeln Salz einweichen. Abgießen, kalt spülen und ausdrücken. Beiseitestellen.

Für die Kebabs das Lammfleisch in einer Schüssel mit ½ Teelöffel frisch gemahlenem Pfeffer 3 Minuten verkneten. 16 Portionen formen. Jede Portion auf einen Spieß stecken und die Enden festdrücken, sodass 10 cm lange, flache Rollen entstehen. Die Spieße 8 cm über der Glut platzieren und pro Seite 5 Sekunden erst scharf anbraten, dann 2 Minuten garen. Dabei regelmäßig wenden. Das fertige Fleisch vom Spieß ziehen, in je 3 Stücke teilen und in eine Schüssel legen.

Schwanzfett oder Butterschmalz in einem großen Topf bei mittlerer Hitze heiß werden lassen und die Schalotten darin 15 Minuten braten, dabei umrühren. Aubergine zugeben und 10 Minuten mitbraten. Die Hitze reduzieren. Chiliflocken, je ¼ Teelöffel frisch gemahlenen Pfeffer und Salz und den Tomatensaft unterrühren. Mit Deckel 20 Minuten köcheln lassen. Die Kebabs in die Sauce legen und 10 Minuten mitgaren. Dann die Granatapfelmelasse unterrühren und alles in 2 Minuten fertig garen.

Jeden Portionsteller mit einer Schicht Brot belegen und die heiße Mischung daraufschöpfen. Darauf achten, dass jeder Teller gleich viel Fleisch und Gemüse bekommt. Mit Petersilie bestreuen und genießen.

FLEISCHBÄLLCHEN NACH İZMİR-ART
İZMİR KÖFTESİ

Herkunft:	İzmir, alle Landesteile
Zubereitung:	30 Minuten
Garzeit:	40 Minuten
Personen:	4

600 g	mittelfettes Kalbshackfleisch aus der Schulter
1 (120 g)	mittelgroße Zwiebel, gerieben
80 g	Semmelbrösel, in Wasser eingeweicht und ausgedrückt
1	Ei
3 Stängel	frische glatte Petersilie, fein gehackt
½ TL	Chiliflocken
½ TL	gemahlene Gewürznelken
600 g	Kartoffeln, geschält und längs geviertelt
8	Chilischoten

Für die Sauce:	
800 g	Tomaten, gerieben und im Sieb abgetropft, Saft aufgefangen
1½ TL	Tomatenmark (Seite 492)
1 TL	Rote Paprikapaste (Seite 492)
2 EL	natives Olivenöl extra
2	Knoblauchzehen, gehackt
1 Prise	gemahlener Kreuzkümmel

Dieses Rezept wird manchmal auch mit Lamm gekocht.
◆
Den Backofen auf 160 °C vorheizen.

Für die İzmir-Köfte Kalbshackfleisch, Zwiebel, Semmelbrösel, Ei, Petersilie, Chiliflocken, Gewürznelken, ¼ Teelöffel frisch gemahlenen Pfeffer und ½ Teelöffel Salz in einer großen Schüssel oder auf einem tiefen Tablett 5 Minuten verkneten. Aus dem Teig 20 Kugeln mit 7 cm Durchmesser rollen. Mit Kartoffeln und Chilischoten in einen Bräter setzen.

Für die Sauce Tomatensaft, Tomatenmark, Paprikapaste und je 1 Prise Salz und frisch gemahlenen Pfeffer mit Olivenöl, Knoblauch und Kreuzkümmel in einer Schüssel verrühren. Über die Fleischbällchen gießen und im heißen Backofen 40 Minuten garen.

Sofort servieren.

FLEISCHBÄLLCHEN-GEMÜSE-AUFLAUF
DİZME

Herkunft:	Diyarbakır, Südostanatolien
Zubereitung:	20 Minuten
Garzeit:	1 Stunde 5 Minuten
Personen:	4

24	Kartoffeln (à 4 cm Durchmesser), halbiert

Für die Fleischbällchen:

800 g	Lammschulter und -brust, fein gehackt
1 (120 g)	mittelgroße Zwiebel, fein gewürfelt
70 g	Karotten, fein gewürfelt
1	süße grüne Chilischote, gehackt
1	scharfe rote Chilischote, gehackt
6	Knoblauchzehen, gehackt
4 Stängel	frischer Dill, fein gehackt
6 Stängel	frische glatte Petersilie, fein gehackt
2 TL	getrocknetes Basilikum
½ TL	Kreuzkümmel
1 Prise	getrockneter Estragon

Für die Sauce:

500 ml	frischer Tomatensaft
2 EL	natives Olivenöl extra
2 EL	Verjus (Seite 494) oder frisch gepresster Zitronensaft
2	Knoblauchzehen, gehackt
½ TL	Chiliflocken

In diesem Wintergericht können Sie auch Äpfel, Quitten, Steckrüben, Sellerie, Loquats, Zucchini, Tomaten oder Auberginen verarbeiten. Manche braten die Bällchen im Ofen und grillen das Gemüse oder braten es in Öl. Idealerweise hacken Sie das Fleisch mit einem *Zırh* (Hackmesser mit abgerundeter Klinge). Ein normales Fleischmesser oder -beil, scharfes Messer oder der Fleischwolf funktionieren dafür aber auch.

♦

Den Backofen auf 200 °C vorheizen.

Für die Fleischbällchen Lammfleisch, Zwiebel, Karotten, Chilis, Knoblauch, Dill, Petersilie, Basilikum, Kreuzkümmel, Estragon sowie ¼ Teelöffel frisch gemahlenen Pfeffer und 1 Teelöffel Salz in einer großen Schüssel oder auf einem tiefen Tablett 5 Minuten zu einem homogenen Teig verkneten. Daraus 24 gleich große Bällchen rollen.

Kartoffeln und Fleischbällchen in eine tiefe, runde Back- oder Auflaufform mit 20 cm Durchmesser einschlichten. Von außen nach innen arbeiten und abwechselnd Kartoffelhälften und Fleischbällchen hineinsetzen.

Für die Sauce Tomatensaft, Olivenöl, Verjus, Knoblauch, Chiliflocken und je ¼ Teelöffel frisch gemahlenen Pfeffer und Salz in einer Schüssel 1 Minute verrühren.

Die Sauce über die Kartoffeln und Fleischbällchen gießen. Die Form mit Aluminiumfolie abdecken und den Inhalt im heißen Backofen 55 Minuten garen. Die Folie entfernen und das Gericht im Backofen noch 10 Minuten bräunen.

◆

AUBERGINEN-MOUSSAKA
PATLICAN OTURTMA

Herkunft:	Edirne, alle Landesteile
Zubereitung:	15 Minuten
Garzeit:	50 Minuten
Personen:	4

2 (600 g)	Glockenauberginen, Stängelansätze
200 ml	natives Olivenöl extra
	entfernt, quer halbiert
4	lange, grüne Chilischoten
1 (150 g)	Tomate, geviertelt

Für die Füllung:

400 g	Kalbshackfleisch aus der Schulter
2 (240 g)	mittelgroße Zwiebeln, gewürfelt
2	lange, grüne Chilischoten, gehackt
4	Knoblauchzehen, gehackt
50 g	Butter
1 TL	Chiliflocken
300 g	Tomaten, gewürfelt

❧

Dieses beliebte Gericht gibt es in traditionellen Restaurants den ganzen Sommer über.

◆

Den Backofen auf 160 °C vorheizen.

Die Auberginen streifenweise schälen (1 Streifen geschält, 1 Streifen mit Schale etc.). Das Öl in einer tiefen Pfanne bei mittlerer Temperatur heiß werden lassen. Die Auberginen einlegen und 5 Minuten pro Seite braten. Herausnehmen und in einem Sieb abtropfen lassen.

Für die Füllung die Pfanne bei mittlerer Temperatur heiß werden lassen. Das Kalbshack zugeben und garen, bis der Fleischsaft verkocht ist. Zwiebeln, grüne Chilis und Knoblauch mit Butter, Chiliflocken und ¼ Teelöffel frisch gemahlenem Pfeffer und ½ Teelöffel Salz zugeben und 5 Minuten dünsten. Die Tomaten hinzufügen und 10 Minuten weiterkochen, dabei gelegentlich umrühren.

Die Füllung in einem Sieb ausdrücken und den Sud auffangen. Den Sud in eine Backform mit 20 cm Seitenlänge gießen. Die Auberginen aufrecht hineinstellen. In ihren Mitten Mulden eindrücken. Die Füllung in gleichmäßigen Portionen in die Mulden setzen. Grüne Chilis und Tomatenviertel darüber verteilen. Im heißen Backofen 20 Minuten garen, dann servieren.

◆

ZUCCHINI-MOUSSAKA
KABAK MUSAKKA

Herkunft:	Kocaeli, alle Landesteile
Zubereitung:	10 Minuten
Garzeit:	1 Stunde 5 Minuten
Personen:	4

500 ml	natives Olivenöl extra
1 kg	Zucchini, in 1-cm-Scheiben geschnitten
200 g	Tomaten, geviertelt
4	lange, grüne Chilischoten

Für die Fleischsauce:

500 g	Lammhackfleisch
2 (240 g)	mittelgroße Zwiebeln, in feinen Ringen
4	lange, grüne Chilischoten, in feinen Scheiben
5	Knoblauchzehen, in feinen Scheiben
2 EL	natives Olivenöl extra
400 g	Tomaten, in feinen Scheiben
2 TL	Tomatenmark (Seite 492)
½ TL	Chiliflocken
¼ TL	gemahlener Zimt

Zucchini und Auberginen sind zwar für dieses Sommergericht am beliebtesten, doch kann auch anderes Gemüse verwendet werden. Manche verzichten auf das Braten.

◆

Den Backofen auf 160 °C vorheizen.

Das Öl in einer tiefen Pfanne bei mittlerer Hitze sehr heiß werden lassen. Die Zucchinischeiben darin 2 Minuten pro Seite braten. Mit einem Sieblöffel herausheben und in einem Sieb abtropfen lassen.

Für die Fleischsauce die Pfanne bei mittlerer Hitze wieder sehr heiß werden lassen. Das Lammfleisch darin 15 Minuten braten und von Zeit zu Zeit umrühren. Zwiebel, Chili- und Knoblauchscheiben mit dem Öl zum Lamm in die Pfanne geben und 10 Minuten braten. Tomaten, Tomatenmark, Chiliflocken, Zimt, ¼ Teelöffel frisch gemahlenen Pfeffer und ½ Teelöffel Salz zugeben. 15 Minuten garen und von Zeit zu Zeit umrühren.

Die Zucchinischeiben in eine Auflaufform mit 20 cm Seitenlänge schlichten. Die Fleischsauce gleichmäßig darüber verteilen. Mit den Tomatenvierteln und grünen Chilis belegen. Moussaka im heißen Ofen 20 Minuten garen, dann servieren.

❧ ❧

AUBERGINEN MIT LAMM
PATLICAN SİLKME

Herkunft:	Kütahya, alle Landesteile
Zubereitung:	20 Minuten
Garzeit:	1 Stunde 30 Minuten zzgl. 10 Minuten Ruhezeit
Personen:	4

3 (600 g)	japanische oder italienische Auberginen (lange, schlanke Früchte), geschält, in 2-cm-Scheiben geschnitten
100 g	Butterschmalz (Seite 485)
800 g	Lammlachse, in 2-cm-Würfeln geschnitten
1 (120 g)	mittelgroße Zwiebel, in feine Ringe geschnitten
1	kleine Paprika, in feine Ringe geschnitten
1,5 kg	Tomaten, in feine Scheiben geschnitten
2 EL	Traubenessig
1½ TL	Tomatenmark (Seite 492)
1 TL	Chiliflocken

Dieses Gericht gibt es im Sommer im ganzen Land. Die Zubereitungstechnik ist sehr alt und wird in traditionellen Küchentexten oft erwähnt. In diesen Texten kommen Tomaten und Chili aus der „Neuen Welt" nicht vor. Es gibt dafür auch vegetarische Rezepte mit Kichererbsen.

◆

Die Auberginenscheiben in eine Schüssel geben und mit 2 Liter Wasser und 1½ Teelöffel Salz 10 Minuten einweichen. Abgießen, kalt spülen und mit Küchenpapier trocken tupfen.

Das Butterschmalz in einer tiefen Pfanne bei mittlerer Hitze zerlassen. Das Lamm darin 3 Minuten rundum anbraten. Mit einem Sieblöffel herausheben. Die Auberginen in der gleichen Pfanne 3 Minuten pro Seite anbraten und dann 5 Minuten weitergaren. Den Topf hin und wieder schütteln. Zwiebeln, Paprika und Tomaten mit 1 Prise frisch gemahlenem Pfeffer und ¾ Teelöffel Salz unterheben und 5 Minuten garen. Den Topf wieder von Zeit zu Zeit schütteln.

Essig, Tomatenmark und Chiliflocken in einer Schüssel verrühren. Die Hitze in der Pfanne reduzieren und das Lamm auf dem Gemüse verteilen. Mit der Sauce übergießen und mit Deckel 1 Stunde schmoren. Vom Herd nehmen, 10 Minuten ruhen lassen, dann auf einen Servierteller stürzen.

◆

GEDÄMPFTES LAMM
TAS KEBABI

Herkunft:	Ankara, alle Landesteile
Zubereitung:	10 Minuten
Garzeit:	2 Stunden zzgl. 10 Minuten Ruhezeit
Personen:	4

1 kg	Lammlachse und Schulterfleisch (mittelfett), in 2-cm-Würfel geschnitten
250 g	Schalotten, gewürfelt
2	frische Chilischoten, fein gewürfelt
¼ TL	gemahlener Kardamom
2 EL	natives Olivenöl extra
1½ TL	Salz
50 g	Butter
200 g	grober Bulgur

Traditionell feierten die Menschen mit gedämpftem Lamm einen Erfolg oder den guten Ausgang einer schwierigen Sache. Heute ist es ein beliebtes „Edelrestaurant"-Gericht aus pochiertem Kalbfleisch mit Erbsen in Tomatenmark und Kartoffelpüree. Dies hat nichts zu tun mit unserem authentischen Rezept.

◆

Lammfleisch, Schalotten, Chilis, Kardamom, Olivenöl, ¼ Teelöffel frisch gemahlenen Pfeffer und 1½ Teelöffel Salz in einer großen Schüssel oder auf einem Tablett 1 Minute gründlich vermengen.

Die Mischung in einen Topf mit schwerem Boden füllen. Eine Kupfer-, Metall oder Keramikschüssel (15 × 20 cm) umgekehrt darüberstülpen. Mit einem Gewicht beschweren, um die Fleischmischung luftdicht einzuschließen. 2 Liter Wasser drum herum gießen und Lamm bei schwacher Hitze 1½ Stunden garen.

Butter, Bulgur und ¼ Teelöffel Salz in das Wasser rühren, ohne die Schüssel zu entfernen. Mit Deckel weitere 30 Minuten garen.

Topf vom Herd nehmen und Lamm 10 Minuten ruhen lassen. Den Topf auf den Tisch stellen, Deckel, Gewicht und Schüssel entfernen und das Fleisch mit Bulgur servieren.

FRAUENSCHENKEL-FRIKADELLEN
KADINBUDU KÖFTE

Herkunft:	İstanbul, alle Landesteile
Zubereitung:	20 Minuten zzgl. 20 Minuten Einweichen
Garzeit:	45 Minuten
Personen:	4

4	Eier
100 g	Mehl
200 ml	natives Olivenöl

Für die Frikadellen:

70 g	Mittelkornreis
600 g	Lammhackfleisch
1 (120 g)	mittelgroße Zwiebel, fein gewürfelt
4 Stängel	frischer Dill, fein geschnitten
6 Stängel	frische glatte Petersilie, fein geschnitten
¼ TL	gemahlener Kreuzkümmel

Für die Sauce:

500 g	griechischer Joghurt
4	Knoblauchzehen, gehackt
2 Stängel	frischer Dill, fein geschnitten
4 Stängel	frische glatte Petersilie, fein geschnitten

Seite 195 📷

Diese großen Frikadellen verdanken ihren Namen wohl ihren üppigen Proportionen, die der gekochte Reis noch betont. Dieses alte Rezept kennt man schon seit jeher unter dem gleichen Namen – ein Einblick in gesellschaftliche Besonderheiten. Besonders beliebt ist es in der Stadt Van, wo man es als „Eier-Frikadellen" kennt. Es gilt in der Region als „Friedensgericht" und wird vor allem im Sommer gekocht. Sie können verschiedene Fleischarten verwenden. Eine Zeitverkürzung bieten vorgekochtes Hackfleisch und Reis.

♦

Den Reis in einer Schüssel in 500 ml heißem Wasser und ¼ Teelöffel Salz 20 Minuten einweichen. Abgießen, kalt spülen und beiseitestellen.

Für die Frikadellen Reis, Lammfleisch, Zwiebel, Dill, Petersilie, Kreuzkümmel, ½ Teelöffel Salz und ¼ Teelöffel frisch gemahlenen Pfeffer in einer großen Schüssel oder auf einem tiefen Tablett 5 Minuten verkneten.

Teig in 8 Portionen teilen. Jedes Stück zwischen den Händen rollen und die Enden spitz zulaufen lassen, sodass flache, ovale Frikadellen entstehen.

2 Liter Wasser mit ¼ Teelöffel Salz in einem großen Topf zum Kochen bringen. Die Hitze reduzieren und die Frikadellen vorsichtig hineinlegen. Mit Deckel 30 Minuten köcheln lassen. Mit einem Sieblöffel herausheben.

Die Eier in einer Schüssel verquirlen. Das Mehl in eine zweite Schüssel geben.

Das Olivenöl in einer großen Pfanne bei mittlerer Hitze sehr heiß werden lassen. Die Frikadellen erst im Mehl, dann im Ei wenden und 1 Minute pro Seite in Öl braten (insgesamt ca. 2 Minuten).

Für die Sauce Joghurt, Knoblauch, Dill, Petersilie und ¼ Teelöffel Salz in einer Schüssel verrühren und zu den Frikadellen servieren.

FLEISCHBÄLLCHEN MIT PETERSILIE
MAYDANOZLU KÖFTE

Herkunft:	İstanbul, alle Landesteile
Zubereitung:	20 Minuten
Garzeit:	35 Minuten
Personen:	4

Für die Fleischbällchen:	
800 g	Lammhackfleisch
1 (120 g)	mittelgroße Zwiebel, fein gehackt
2 Bund	frische glatte Petersilie (Blätter)
60 g	Butterschmalz (Seite 485)
1 (120 g)	mittelgroße Zwiebel, in Halbringe geschnitten
1	kleine Paprika, in feine Halbringe geschnitten
60 ml	Traubenessig

❦ Seite 197 ▢

Diese Köfte schmecken vom Holzkohlegrill noch köstlicher.

◆

Für die Fleischbällchen Lammhack und Zwiebel mit ¼ Teelöffel schwarzem Pfeffer und ½ Teelöffel Salz in einer Schüssel oder auf einem tiefen Tablett 5 Minuten verkneten. Die Mischung in 20 Portionen teilen und diese zu Bällchen rollen.

Den Boden einer Pfanne mit Deckel mit der Hälfte der Petersilienblätter auslegen und beiseitestellen. Das Butterschmalz in einer zweiten Pfanne mit hohem Rand bei mittlerer Hitze zerlassen. Die Fleischbällchen darin 6 Minuten rundum braten. Mit einen Sieblöffel herausheben und auf die Petersilie legen.

Für die Sauce die halbierten Zwiebelringe mit je ¼ Teelöffel frisch gemahlenem Pfeffer und Salz in der Fleischpfanne 5 Minuten dünsten. Die Paprikaringe zugeben und 5 Minuten weiterdünsten. Essig und 200 ml Wasser angießen und Gemüse 2 Minuten stark kochen.

Die restlichen Petersilienblätter über die Fleischbällchen streuen. Die Sauce darübergießen und die Bällchen mit Deckel 10 Minuten köcheln lassen.

◆

KANINCHENFLEISCHBÄLLCHEN MIT SUMACH
EKŞİLİ TAVŞAN KÖFTESİ

Herkunft:	Malatya, alle Landesteile
Zubereitung:	20 Minuten
Garzeit:	25 Minuten zzgl. 5 Minuten Ruhezeit
Personen:	4

Für die Fleischbällchen:	
600 g	Kaninchenhackfleisch
100 g	feiner Bulgur
1 TL	gemahlener Sumach
1 TL	Chiliflocken
60 g	Zwiebel, gerieben, in einem Sieb ausgedrückt, Saft aufgefangen
60 g	Butterschmalz (Seite 485)
60 g	Zwiebel, in feinen Ringen
4	Knoblauchzehen, in feinen Scheiben
70 g	Karotten, in feinen Scheiben
2	getrocknete Chilischoten, in feinen Ringen
2	sonnengetrocknete Tomaten
1 EL	Tomatenmark (Seite 492)
1 TL	Chiliflocken
200 ml	Sumachextrakt (Seite 491)
4 Stängel	frische glatte Petersilie, fein geschnitten
2 Stängel	frisches Basilikum, zerzupft

Zubereitung und Verzehr dieses Gerichts, das in der östlichen Region Südostanatoliens zu Hause ist, sind ein Gemeinschaftsakt. Die Jäger bringen die Kaninchen, die Nachbarn versammeln sich und bereiten das Essen zu. Die gemeinsame Freude steckt alle an.

◆

Für die Fleischbällchen Kaninchenhack, Bulgur, ¼ Teelöffel frisch gemahlenen Pfeffer, Sumach, ½ Teelöffel Salz, Chiliflocken und Zwiebelsaft in einer großen Schüssel oder auf einem tiefen Tablett 5 Minuten verkneten. Aus der Mischung 2 cm große Kugeln formen.

Das Butterschmalz in einer großen Pfanne bei mittlerer Hitze zerlassen. Zwiebelringe, Knoblauch- und Karottenscheiben und Chiliringe zugeben und 5 Minuten braten. Getrocknete Tomaten unterrühren und 2 Minuten mitgaren. 1 Liter heißes Wasser angießen und 5 Minuten kochen. Hitze reduzieren. Die Fleischbällchen einlegen und mit Deckel 5 Minuten köcheln lassen. Sumachextrakt einrühren und alles zugedeckt nochmals 5 Minuten garen.

Den Topf vom Herd nehmen und die Bällchen 5 Minuten ruhen lassen, dann mit Petersilie und Basilikum bestreuen und servieren.

TROCKENE KALBFLEISCHBÄLLCHEN
KURU KÖFTE

Herkunft:	Tekirdağ, alle Landesteile
Zubereitung:	20 Minuten
Garzeit:	25 Minuten
Personen:	4

750 ml	natives Olivenöl extra, zum Frittieren
300 g	Kartoffeln, fein gewürfelt
2	milde grüne Spitzpaprika, in feinen Ringen

Für die Fleischbällchen:

800 g	feines Kalbshackfleisch aus der Schulter
100 g	altbackenes Brot, in Wasser eingeweicht und gut ausgedrückt
60 g	Zwiebel, gerieben, im Sieb ausgedrückt und Saft aufgefangen
½ TL	gemahlener Kreuzkümmel
1	Ei
50 g	Mehl

½ Bund	frische glatte Petersilie, fein geschnitten
½ TL	gemahlener Sumach

Seite 199

Diese Köfte gibt es auch länglich und als Fladen. Sie sind heiß und kalt köstlich und ein Picknickliebling. Keine türkische Mutter würde ein Kind ohne einen größeren Vorrat dieser Frikadellen auf eine lange Reise schicken.

♦

Für die Fleischbällchen Kalbshackfleisch, Brot, Zwiebelsaft, Kreuzkümmel, Ei, ¼ Teelöffel frisch gemahlenen Pfeffer und 1 Teelöffel Salz in einer großen Schüssel oder auf einem tiefen Tablett 5 Minuten gründlich verkneten. Aus dem Fleischteig 2 cm große Kugeln formen. Ein zweites Tablett mit Mehl bestreuen. Die Fleischbällchen darauflegen und das Tablett vorsichtig schwenken, damit sie gleichmäßig mit Mehl überzogen werden.

Das Olivenöl in einer großen, tiefen Pfanne oder einem Frittiertopf auf 155 °C erhitzen. Die Kartoffelwürfel hineingeben und 5 Minuten gleichmäßig braun frittieren. Mit einem Sieblöffel herausheben und auf Küchenpapier abtropfen lassen. Die Paprika im gleichen Öl 4 Minuten frittieren, dann ebenfalls herausheben und abtropfen lassen. Die Fleischbällchen einlegen, ohne dass sie sich berühren und 3 Minuten frittieren. Mit dem Sieblöffel herausheben und auf Küchenpapier abtropfen lassen.

Petersilie und Sumach in einer kleinen Schüssel vorsichtig vermengen. Fleischbällchen und Gemüse auf Portionstellern anrichten und damit bestreuen.

♦

KALBSFRIKADELLEN AUF ESSIGSAUREM GEMÜSE
ABDİGOR KÖFTESİ

Herkunft:	Ağrı, Ostanatolien
Zubereitung:	15 Minuten
Garzeit:	30 Minuten
Personen:	4

800 g	magere Kalbsschulter, von Fett und Flechsen befreit und durch den Fleischwolf gedreht
1 (120 g)	mittelgroße Zwiebel, gerieben
1	Ei

100 g	*Lahana Turşusu* (Eingelegter Weißkohl, Seite 82)
100 g	eingelegte Chilischoten

Der Kochsud dieser Frikadellen ergibt eine gute Brühe für einfachen Pilaw. Manche Rezepte verzichten auf das Ei. Für eine kalte Version die Frikadellen in 5-mm-Scheiben schneiden. Aus 60 ml Traubenessig, 4 gehackte Knoblauchzehen, ¼ Teelöffel Salz und 2 Stängeln fein geschnittener glatter Petersilie eine Vinaigrette mischen und darüberträufeln.

♦

In einem großen Topf 3 Liter Wasser mit ½ Teelöffel Salz aufkochen. Am Köcheln halten und die Frikadellen zubereiten.

Kalbfleisch, Zwiebel, Ei, ¼ Teelöffel frisch gemahlenen Pfeffer, ½ Teelöffel Salz und 200 ml Wasser in einer Schüssel oder auf einem tiefen Tablett 5 Minuten verkneten. Den Fleischteig in 4 Portionen teilen. Jede davon mit den Händen vorsichtig zu einer Frikadelle formen und in das köchelnde Wasser gleiten lassen. Bei mittlerer Hitze mit Deckel 25 Minuten ziehen lassen. Mit dem eingelegten Gemüse servieren.

ZIEGE UND LAMM, LANGSAM GESCHMORT
TESTİ KEBABI

Herkunft:	Burdur, alle Landesteile
Zubereitung:	15 Minuten
Garzeit:	2 Stunden
Personen:	4

1 kg	Lamm- oder Ziegenschulter und -lende, in 2,5-cm-Würfel geschnitten
400 g	Schalotten, gewürfelt
4	milde grüne Spitzpaprika, gewürfelt
1 kg	Tomaten, fein gewürfelt
½ TL	gemahlener Kreuzkümmel
½ TL	Chiliflocken
100 g	Butter

Für den Teig zum Versiegeln:

100 g	Mehl

Seite 201

Traditionell wird das Gericht im Freien über offenem Feuer in einem Tontopf gegart. Es ist eines der beliebtesten Picknickgerichte. Es gibt viele regional unterschiedliche Varianten – die Lammvariante mit mehr Gemüse wird gerne in Yozgat und Umgebung gekocht.

♦

Fleisch, Schalotten, Paprika, Tomaten, Kreuzkümmel, Chiliflocken, 1 Teelöffel Salz und ¼ Teelöffel frisch gemahlenen Pfeffer in einer großen Schüssel oder auf einem tiefen Tablett 2 Minuten gründlich verkneten.

Die Hälfte der Butter in einem Tontopf oder Bräter zerlassen. Die Fleischmischung darin verteilen, dann die restliche Butter darübegeben. Einen dichten Deckel auflegen.

Für den Teig zum Versiegeln das Mehl in einer Schüssel mit 60 ml Wasser zu einem weichen Teig verkneten. Eine lange Rolle daraus formen und um den Deckelrand herumlegen. Fest andrücken, sodass der Topf luftdicht verschlossen ist.

Bei sehr schwacher Hitze 2 Stunden schmoren.

Fleisch und Gemüse auf Tellern verteilen und sofort essen.

♦

EISENHÄNDLER-KEBABS
DEMİRCİ KEBABI

Herkunft:	Manisa, Ägäisregion
Zubereitung:	15 Minuten
Garzeit:	2 Stunden 30 Minuten zzgl. 15 Minuten Abkühlen
Personen:	4

2 (2 kg)	Ziegenkeulen am Knochen, geviertelt
5	Pfefferkörner
1 TL	Chiliflocken
1 Prise	getrockneter Majoran
60 ml	frisch gepresster Zitronensaft
400 g	Knollensellerie, in dünne Scheiben geschnitten

Der Legende nach liegen die Ursprünge dieses Kebabs bei den *Demirci* nahe Manisa. *Demirci* heißt Eisenhändler auf Türkisch. Für das Gericht kochte man Fleischstücke am Knochen in Kesseln. Das Fleisch wurde entbeint, gewürzt und im Ofen der Eisenhändler fertig gegart, um dann Passanten angeboten zu werden. Es heißt, das Gericht habe heilende Eigenschaften und würde die Eisenhändler noch stärker machen. Manche Rezepte verzichten auf den Sellerie, bei anderen gart das Fleisch über Nacht in einem heißen Backofen.

♦

Das Ziegenfleisch mit 1 Teelöffel Salz, den Pfefferkörnern 3 Liter Wasser in einen Topf mit Deckel geben und 2 Stunden köcheln lassen. Aus dem Topf heben, die Brühe aufheben und abkühlen lassen. Das Fleisch vom Knochen lösen und in ein Stück Küchenmusselin (Käseleinen) oder in ein sauberes Geschirrtuch wickeln und locker verschließen. Mit einem Fleischklopfer oder dem Teigroller 10 Minuten weich klopfen. In eine Schüssel legen und mit Chili, ¼ Teelöffel frisch gemahlenem Pfeffer, Majoran und 30 ml Zitronensaft gründlich verkneten.

Den Backofen auf 160 °C vorheizen. Einen Bräter mit den Selleriescheiben auslegen. Mit dem restlichen Zitronensaft beträufeln. Das Fleisch darauf verteilen und fest andrücken. Die Brühe darübergießen. Kebab im Backofen 30 Minuten garen, bis das Fleisch gebräunt ist. Gleichmäßig auf Portionstellern verteilen und servieren.

KANINCHEN-KEBABS
GÖMLEKLİ TAVŞAN KEBABI

Herkunft:	Edirne, Marmararegion
Zubereitung:	15 Minuten zzgl. 10 Minuten Einweichen
Garzeit:	1 Stunde
Personen:	4

600 g	Kartoffeln
4 (480 g)	mittelgroße Zwiebeln
8 (1,6 kg)	Kaninchenkeulen, entbeint und halbiert
60 ml	Traubenessig
3 ½ EL	Honig
1 TL	gemahlene Kurkuma
½ TL	gemahlener Kreuzkümmel
½ TL	*Poy*-Paste (Seite 497)
½ TL	gemahlener Kardamom
½ TL	gemahlener Zimt
10	Knoblauchzehen, gehackt
1 EL	getrockneter Oregano
1 TL	Senfpulver
4	ganze Lammfettnetze (à 25 × 25 cm), 10 Minuten in 2 l warmem Wasser eingeweicht
8 Stängel	frische glatte Petersilie, fein geschnitten

Ohne Holzkohlegrill braten Sie die Kebabs im normalen Backofengrill. Sie brauchen 4 lange gusseiserne Spieße oder 8 normal große Holzspieße (eingeweicht).
◆
Den Backofen auf 180 °C vorheizen. Kartoffeln und Zwiebeln in einer Auflaufform mit Deckel 55 Minuten im Ofen garen, dann ohne Deckel noch 5 Minuten bräunen. Einen Holzkohlegrill vorbereiten oder den Backofengrill auf höchste Stufe vorheizen.

Die Kaninchenkeulen mit Essig und Honig einreiben und 1 Minute ziehen lassen. Kurkuma, Kreuzkümmel, Bockshornkleesamen, Kardamom, Zimt, Knoblauch, Oregano und Senfpulver mit 1 Teelöffel Salz und ¼ Teelöffel frisch gemahlenem Pfeffer in einer Schüssel vermengen. Über das Fleisch streuen und 5 Minuten einmassieren.

Bei Verwendung von gusseisernen Spießen und Holzkohlegrill 4 Kaninchenteile längs auf einen Spieß stecken und an den Enden 10 cm Platz lassen. Das Fleisch in ein Fettnetz wickeln. Die Spieße über der Glut einhängen und 16 Minuten grillen. Dabei alle 2 Minuten wenden, bis das Fettnetz gebräunt ist.

Bei Verwendung von Holzspießen und Backofengrill: pro Spieß 2 Kaninchenteile aufstecken und mit ½ Fettnetz umwickeln. 20 Minuten grillen und alle 5 Minuten wenden.

Das fertige Fleisch von den Spießen ziehen und auf Tellern anrichten. Ofenkartoffeln und Zwiebeln schälen und als Beilage danebensetzen. Mit Petersilie bestreuen und servieren.

KEBABS MIT JOGHURT
YOĞURTLU KEBAP

Herkunft:	Bursa, alle Landesteile
Zubereitung:	15 Minuten
Garzeit:	30 Minuten
Personen:	4

Für die Joghurtsauce:

400 g	griechischer Joghurt aus Schafsmilch
4	Knoblauchzehen, gehackt

Für die Kebabs:

je 400 g	Lammschulter und Lammbrust, mit einem *Zirh* (Hackmesser mit gerundeter Klinge) fein gehackt

Für die scharfe Sauce:

2 EL	Butter
1	rote Paprika, gegrillt, geschält und in feine Streifen geschnitten
2	Knoblauchzehen, gehackt
1 TL	Tomatenmark (Seite 492)
½ TL	Chiliflocken
200 ml	heiße Fleischbrühe (Seite 489)

4	*Açik Ekmek* (Gerilltes Brot, Seite 394)
4	milde grüne Spitzpaprika
3 EL	Butter

Idealerweise grillt man das Fleisch für dieses Gericht im Freien über Holzkohlen. Sie brauchen 4 lange gusseiserne Spieße oder 8 normale Holzspieße (eingeweicht). Die eisernen Spieße müssen alle 30 Sekunden gewendet werden. Wenn Sie keinen *Zirh* besitzen, um das Fleisch zu hacken, verwenden Sie normales Lammhackfleisch aus Schulter und Bruststück.

◆

Den Backofengrill auf höchste Stufe einstellen oder einen Holzkohlegrill anheizen.

Für die Joghurtsauce Joghurt, Knoblauch und ¼ Teelöffel Salz in einer Schüssel verrühren und beiseitestellen.

Für die scharfe Sauce die Butter in einem großen Topf bei mittlerer Hitze zerlassen. Paprika und Knoblauch darin 2 Minuten anbraten. Tomatenmark und Chiliflocken mit je ¼ Teelöffel Salz und frisch gemahlenem Pfeffer unterrühren und 2 Minuten mitgaren. Die Fleischbrühe angießen und 5 Minuten köcheln lassen. Beiseitestellen.

Für die Kebabs das Lammfleisch mit 1 Teelöffel Salz und ½ Teelöffel frisch gemahlenem Pfeffer in einer großen Schüssel oder auf einem tiefen Tablett 3 Minuten gründlich verkneten. Um die 8 Spieße herum zu abgeflachten, 12 cm langen Rollen formen. Bei 4 langen Spießen größere Rollen formen.

Die Kebabs 6 Minuten unter regelmäßigem Wenden unter dem heißen Backofengrill oder über der Holzkohle grillen.

Brot und Paprika im Backofen oder auf dem Grill knusprig rösten. Das Brot in 1-cm-Würfel schneiden und auf Tellern verteilen. Die Hälfte der scharfen Sauce und die Joghurtsauce darübergießen. Die Kebabs über Kreuz darauflegen (große Spieße einzeln auflegen) und mit der restlichen Sauce beträufeln.
Die Butter in einem kleinen Topf zerlassen und sehr heiß werden lassen. Über die Kebabs gießen. Die Röstpaprika darauflegen und servieren.

KALBFLEISCHBÄLLCHEN MIT KREUZKÜMMEL
KİMYONLU KÖFTE

Herkunft:	İstanbul, alle Landesteile
Zubereitung:	15 Minuten
Garzeit:	20 Minuten
Personen:	4

Für die Fleischbällchen:

1 (120 g)	mittelgroße Zwiebel, fein gewürfelt
½ Bund	frische glatte Petersilie, fein geschnitten
400 g	Kalbshackfleisch aus der Schulter
400 g	Kalbshackfleisch aus der Brust
½ TL	gemahlener Kreuzkümmel

1 (120 g)	mittelgroße Zwiebel, geviertelt
1 (200 g)	Tomate, geviertelt
8	milde grüne Spitzpaprika

Seite 205

Gegrillte Köfte gibt es in vielen regionalen Versionen. Manche mögen sie scharf, manche ungewürzt, andere mit Zwiebeln oder Knoblauch oder mit und ohne Brot. Auch die Größen variieren.

♦

Den Backofengrill auf höchste Stufe vorheizen oder einen Holzkohlegrill anheizen.

Für die Fleischbällchen Zwiebel, Petersilie, Kalbshackfleisch, Kreuzkümmel, ¼ Teelöffel frisch gemahlenen Pfeffer und ¾ Teelöffel Salz in einer großen Schüssel oder auf einem tiefen Tablett 5 Minuten gründlich verkneten. Daraus 20 gleich große, Bällchen formen (à ca. 4 × 6 cm). Zwiebel- und Tomatenviertel sowie Fleischbällchen im Backofen oder auf dem Holzkohlegrill 6 Minuten grillen, dabei einmal wenden.

Fleisch und Gemüse gleichmäßig auf Teller verteilen und sofort servieren.

♦

GEFÜLLTE AUBERGINEN
KARNIYARIK

Herkunft:	Afyon, alle Landesteile
Zubereitung:	15 Minuten
Garzeit:	1 Stunde
Personen:	4

500 ml	natives Olivenöl extra
4 (1 kg)	japanische Auberginen (lange, schlanke Früchte), mit dem Messer eingestochen
4	milde grüne Spitzpaprika
1 (100 g)	Tomate, geviertelt

Für die Füllung:

500 g	mageres Lammhackfleisch
2 (240 g)	mittelgroße Zwiebeln, fein gewürfelt
1 EL	natives Olivenöl extra
5	Knoblauchzehen, in feinen Scheiben
4	frische Chilischoten, in feinen Ringen
600 g	Tomaten, in feinen Scheiben
2 TL	Tomatenmark (Seite 492)
½ TL	Chiliflocken

Dieses Sommergericht könnte man auch mit Korinthen und Pinienkernen zubereiten.

♦

Den Backofen auf 160 °C vorheizen.

Das Olivenöl in einer großen Pfanne sehr heiß werden lassen. Die Auberginen einlegen und 3 Minuten pro Seite braten. Mit einem Schaumlöffel herausnehmen und im Durchschlag abtropfen lassen.

Für die Füllung die Pfanne bei mittlerer Hitze sehr heiß werden lassen. Das Lammfleisch in die Pfanne geben und 15 Minuten braten. Gelegentlich umrühren. Zwiebeln, Olivenöl und Knoblauch untermischen. Die frischen Chilis auf das Lammhack legen und alles weitere 10 Minuten garen. Tomatenscheiben, Tomatenmark und Chiliflocken mit ¼ Teelöffel frisch gemahlenem Pfeffer und ½ Teelöffel Salz untermischen und 5 Minuten mitgaren.

Die Füllung durch ein Sieb drücken und den Sud auffangen.

Den Sud in eine Auflaufform (30 × 30 cm) füllen. Die Auberginen längs halbieren, aber nicht ganz durchschneiden und in die Form stellen. Die Füllung in die Einschnitte der Auberginen füllen. Paprika und Tomaten in der Form verteilen und Auberginen im heißen Backofen 20 Minuten garen. Sofort servieren.

FLEISCH

SCHARFE HACKFLEISCH-KEBABS
ACILI KIYMA KEBABI

Herkunft:	Adana, alle Landesteile
Zubereitung:	25 Minuten zzgl. 10 Minuten Kühlen
Garzeit:	25 Minuten
Personen:	4

60 g	Zwiebeln, fein gehackt
1	frische Chilischote, fein gehackt
1½ EL	Chiliflocken
1 Prise	gemahlener Kreuzkümmel
400 g	Lammschulter, Fett und Flechsen entfernt, mit einem *Zirh* (Hackmesser mit gebogener Klinge) fein gehackt
100 g	Lammbrust, Fett und Flechsen entfernt, mit einem *Zirh* (Hackmesser mit gebogener Klinge) fein gehackt
100 g	Lammschwanzfett oder Butterschmalz (Seite 485)

Für die Sauce:

60 g	Zwiebel, in feinen Ringen
1	rote Paprika, in Streifen
½ Bund	frische glatte Petersilie, fein gehackt
2 TL	gemahlener Sumach
300 g	Tomaten, in Scheiben
2 Stängel	frische Minze, fein gehackt
2 EL	natives Olivenöl extra

4	*Tirnakli Ekmek* (Geriffelte Fladenbrote, Seite 376)
8	milde grüne Spitzpaprika

Seite 207 ◘

In den großen Städten ist das Gericht als *Adana Kebab* bekannt. Die gleiche Technik wendet man auch bei der Version ohne Chilis an, die „milder Köfte-Kebab" heißt. Wenn Sie keinen *Zirh* haben, drehen Sie das Lammfleisch mit Salz und Fett vermischt durch den Fleischwolf. Ohne Holzkohlegrill verwenden Sie den normalen Backofengrill. Sie brauchen 5 lange gusseiserne Spieße oder 10 normale Holzspieße (eingeweicht).

♦

Den Backofengrill auf höchste Stufe vorheizen oder einen Holzkohlegrill anheizen.

Für die Kebabs Zwiebel, Chili, Chiliflocken, Kreuzkümmel, 1 Prise frisch gemahlenen Pfeffer und ¾ Teelöffel Salz in einer großen Schüssel 1 Minute gründlich verkneten. Lammhack und Schwanzfett oder Butterschmalz zugeben und 5 Minuten sanft einarbeiten. Abdecken und 10 Minuten im Kühlschrank kalt stellen.

Für die Sauce Zwiebel, Paprika, Petersilie, Sumach, Tomaten, Minze und Olivenöl mit ¼ Teelöffel Salz in einer großen Schüssel 2 Minuten verrühren. Bis zum Servieren im Kühlschrank aufbewahren.

Den Kebab-Teig aus dem Kühlschrank holen.

Bei Verwendung von Metallspießen und Holzkohlegrill den Teig in 4 Portionen teilen. Jede Portion um einen Spieß herum zu einer 15 cm langen Rolle formen und die Enden gut andrücken. Die Paprika auf den fünften Spieß aufstecken. Die Spieße 8 cm über der Glut einhängen und 6 Minuten rundum grillen. Dabei alle 30 Sekunden wenden.

Bei Verwendung von Holzspießen und dem Backofengrill den Teig in 8 Portionen teilen und die Kebabs nur 10 cm lang machen. Die Paprika auf 2 Spieße verteilen. Die Spieße 10–12 Minuten grillen, dabei einmal wenden.

Die Fladenbrote auf dem Grill 2 Minuten aufbacken. Dabei alle 30 Sekunden wenden.

Die Brote längs vierteln und auf Teller verteilen. Fleisch und Paprika mithilfe der Brote von den Spießen ziehen und auf die Teller legen. Die Salsa dazu servieren.

BIRNEN-KEBABS
ARMUT KEBABI

Herkunft:	Kilis, alle Landesteile
Zubereitung:	20 Minuten
Garzeit:	40 Minuten zzgl. 30 Minuten Abkühlen
Personen:	4

4	italienische oder japanische Auberginen (lange, schlanke Früchte) mit gesäuberten Stielen
100 ml	natives Olivenöl extra
2	Eier
60 g	Mehl

Für die Kebabs:

1 kg	mageres Lammhackfleisch
60 g	Zwiebel, gerieben, im Sieb ausgedrückt und Saft aufgefangen
4	Gewürznelken

Für die Sauce:

60 g	Butterschmalz (Seite 485)
10	Knoblauchzehen, in feinen Scheiben
1 TL	Chiliflocken
1 TL	Rote Paprikapaste (Seite 492)
2 TL	Tomatenmark (Seite 492)
400 ml	Tomatensaft
400 ml	Fleischbrühe (Seite 489)
1 TL	schwarze Senfsamen
1	Zimtstange
2 EL	Traubenessig
2 EL	Traubenmelasse
600 g	Birnen, geschält, Kerngehäuse entfernt und geviertelt

Dieses Gericht wird in den Sommermonaten gekocht, wenn kleine Auberginen Saison haben.

♦

Die Auberginen streifenweise längs schälen (1 Streifen schälen, 1 mit Schale usw.) Das Olivenöl in einer großen Pfanne bei mittlerer Hitze sehr heiß werden lassen. Die Auberginen einlegen und 3 Minuten pro Seite braten. Mit einem Sieblöffel herausheben und in einem Sieb abtropfen lassen. Das Bratöl aufheben. Die Auberginen 30 Minuten abkühlen lassen.

Für die Kebabs das Lammfleisch mit Zwiebelsaft, ½ Teelöffel frisch gemahlenem Pfeffer und 1 Teelöffel Salz in einer großen Schüssel oder auf einem tiefen Tablett gründlich verkneten. In 4 Portionen teilen und in jede mit dem Daumen ein Loch eindrücken. Die abgekühlten Auberginen hineinsetzen und mit dem Fleischteig umschließen, sodass nur noch der Stiel herausragt. In den Boden jeder „Fleischbirne" 1 Gewürznelke stecken. Die Eier in einem Suppenteller verquirlen. Das Mehl in einen zweiten Suppenteller füllen.

Das Auberginen-Bratöl bei mittlerer Hitze auf 155 °C erhitzen. Die Kebabs erst im Ei, dann im Mehl wenden. Anschließend im heißen Öl 2 Minuten pro Seite braten. Mit einem Sieblöffel herausheben und beiseitestellen.

Für die Sauce das Butterschmalz in einem großen Topf bei mittlerer Hitze zerlassen. Den Knoblauch darin 1 Minute braten. Chiliflocken, Paprikapaste und Tomatenmark unterrühren und 2 Minuten mitbraten. Die restlichen Zutaten außer den Birnenvierteln unterrühren und die Sauce 5 Minuten kräftig kochen.

Die Hitze reduzieren. Birnenviertel und Kebabs hineinlegen und 20 Minuten in der Sauce garen.

Sofort servieren.

ORUK-KEBABS
ORUK KEBABI

Herkunft:	Kilis, Südostanatolien
Zubereitung:	20 Minuten zzgl. 20 Minuten Einweichen
Garzeit:	25 Minuten
Personen:	4

8	milde grüne Spitzpaprika
2 (200 g)	Tomaten, geviertelt

Für die Kebabs:

400 g	Lammschulter, Flechsen entfernt, mit einem *Zirh* (Hackmesser mit gebogener Klinge) fein gehackt
200 g	Lammbrust, Flechsen entfernt, mit einem *Zirh* (Hackmesser mit gebogener Klinge) fein gehackt
60 g	Zwiebeln, gehackt
6	Knoblauchzehen, gehackt
2 TL	getrocknete Minze
1 TL	Chiliflocken
¼ TL	Piment
¼ TL	gemahlener Zimt
50 g	feiner Bulgur, 20 Minuten in 60 ml Apfelsaft eingeweicht
60 g	Walnusskerne, gehackt

4	*Açik Ekmek* (Gerilltes Brot, Seite 394)
1 Rezept	*Piyaz Salatası* (Zwiebelsalat, Seite 67)
1	Zitrone, geviertelt

Diese Kebabs können Sie auch im Ofen garen oder frittieren. Anstelle des Holzkohlegrills funktioniert auch ein normaler Backofengrill. Wenn Sie keinen *Zirh* zum Fleischschneiden haben, verwenden Sie normales Lammhackfleisch aus Brust und Schulter. Sie benötigen 4 lange gusseiserne Spieße oder 8 normale Holzspieße (eingeweicht).

◆

Für die Kebabs Lammfleisch, Zwiebeln, Knoblauch, Minze, Chiliflocken, Piment, Zimt, Bulgur, Walnusskerne, ¼ Teelöffel frisch gemahlenen Pfeffer und ¾ Teelöffel Salz in einer großen Schüssel oder auf einem tiefen Tablett 5 Minuten gründlich verkneten. Den Teig in 4 Portionen teilen. Daraus jeweils 20 cm lange Rollen formen und diese auf 4 Metallspieße stecken. Alternativ 8 Portionen formen und die Kebabs für die Holzspieße 10 cm lang rollen. Mit den Handflächen besonders die Enden fest andrücken, damit das Fleisch eng an den Spießen haftet. Paprika und Tomaten auf einen (bzw. 2) weitere(n) Spieß(e) stecken. Die Spieße 8 cm über der Glut einhängen und 8 Minuten grillen, dabei alle 30 Sekunden wenden.

Alternativ die Spieße im Backofen 6 Minuten grillen und einmal wenden. Das Fladenbrot auf oder im Grill 2 Minuten aufbacken. Dabei alle 30 Sekunden wenden. Längs vierteln und auf Tellern anrichten. Die Kebabs mithilfe der Brotstreifen von den Spießen ziehen und die Brote auf das Fleisch legen. Mit Grillgemüse, Zwiebelsalat und Zitronenvierteln servieren.

KIRSCHEN-KEBABS
KİRAZLI KEBAP

Herkunft:	Mersin, Mittelmeerregion
Zubereitung:	20 Minuten
Garzeit:	45 Minuten
Personen:	4

24	Schalotten, geschält
40	saure Schwarzkirschen, entsteint
50 g	Butter
¼ TL	gemahlener Ingwer
1 TL	Chiliflocken
1	Zimtstange
400 ml	Kirschsaft
2 EL	frisch gepresster Zitronensaft
60 g	Pinienkerne

Für die Kebabs:

400 g	Lammschulter, Flechsen entfernt, mit einem *Zirh* (Hackmesser mit gebogener Klinge) fein gehackt
200 g	Lammbrust, Flechsen entfernt, mit einem *Zirh* fein gehackt
60 g	Zwiebel, fein gehackt
1 TL	gemahlener Zimt

4	*Açik Ekmek* (Gerilltes Brot, Seite 394), 2 geröstet und gewürfelt, 2 in je 8 Dreiecke geschnitten

Seite 211

Sie können für dieses Gericht auch normale Sauerkirschen mit *Mahleb* würzen – gemahlene Samen der wilden Felsenkirsche. Wenn Sie keinen *Zirh* zum Fleischschneiden haben, verwenden Sie normales Lammhackfleisch aus Brust und Schulter. Sie benötigen 4 lange gusseiserne Spieße oder 8 normale Holzspieße (eingeweicht).

◆

Einen Holzkohlegrill anheizen oder den Backofengrill auf höchster Stufe vorheizen.

Für die Kebabs Lammfleisch und Zwiebeln mit ¾ Teelöffel Salz, ½ Teelöffel frisch gemahlenem Pfeffer und dem Zimt in einer großen Schüssel oder auf einem tiefen Tablett 5 Minuten gründlich verkneten. Aus dem Teig 40 gleichgroße Bällchen rollen.

Schalotten, Fleischbällchen und Kirschen auf die Spieße stecken und fest andrücken, und zwar in dieser Reihenfolge: Schalotte, Kirsche, Fleisch, Kirsche, Fleisch, Schalotte, Fleisch, Kirsche, Fleisch, Kirsche, Fleisch, Kirsche.

Die Spieße 8 cm über der heißen Glut aufhängen und 5 Minuten pro Seite grillen. Alle 30 Sekunden wenden. Fleisch, Schalotten und Kirschen abziehen und in eine Schüssel füllen.

Alternativ die Spieße im Backofengrill 3 Minuten pro Seite grillen.

Die Butter in einer großen Pfanne bei mittlerer Hitze zerlassen. Die Schalotten darin mit je ¼ Teelöffel frisch gemahlenem Pfeffer und Salz, Ingwer, Chiliflocken und der Zimtstange 3 Minuten braten. Die Fleischbällchen zugeben und 2 Minuten mitbraten. Die Hitze reduzieren und den Kirsch- sowie den Zitronensaft dazugeben. Zugedeckt 10 Minuten köcheln lassen. Kirschen unterheben und weitere 10 Minuten garen. Pfanne vom Herd nehmen und die Pinienkerne untermischen.

Die Brotwürfel in tiefe Teller füllen und das heiße Gericht darauf schöpfen. Die Brotdreiecke dazu reichen.

FLEISCH

KEBABS MIT AUBERGINEN
PATLICANLI KEBAP

Herkunft:	Şanlıurfa, Südostanatolien
Zubereitung:	20 Minuten
Garzeit:	30–50 Minuten
Personen:	4

Für die Kebabs:

400 g	Lammschulter, Flechsen entfernt, mit einem *Zirh* (Hackmesser mit gebogener Klinge) fein gehackt
200 g	Lammbrust, Flechsen entfernt, mit einem *Zirh* fein gehackt
100 g	Schwanzfett, mit einem *Zirh* fein gehackt
4 (1 kg)	japanische oder italienische Auberginen (lange, schlanke Früchte), in Scheiben

4 (600 g)	Tomaten, geviertelt
8	milde grüne Spitzpaprika
1 (120 g)	mittelgroße Zwiebel
4	*Açik Ekmek* (Gerilltes Brot, Seite 394)

Seite 213

In der Türkei gibt es dieses Gericht erst, wenn der Sommer wirklich angekommen ist – es wird mit den mittleren bis spät reifenden Auberginen zubereitet. Die Auberginen werden nach der Ruhezeit im Tablett aufgetragen und in die Mitte des Gemeinschaftstischs gestellt. Die Zwiebeln stellt man separat dazu. Die Menschen nehmen zum Essen ein Stück Brot in die Hand und geben Auberginen, Tomaten und Paprika nach Geschmack mit Fleisch und Zwiebeln hinein. Verbranntes wird entfernt! Ein großartiges Getränk hierzu ist Ayran (Seite 452).

Sie benötigen 6 lange gusseiserne Spieße oder 10 normale Holzspieße (eingeweicht). Alternativ zum Schneiden mit dem *Zirh* verarbeiten Sie Lammfleisch und Schwanzfett im Fleischwolf zu Hackfleisch. Sie können das Gericht auch im Ofen garen. Dazu legen Sie Fleisch und Auberginen in eine Auflaufform und setzen Tomaten und Paprika dazwischen. Bei 200 °C im vorgeheizten Ofen 50 Minuten abgedeckt und weitere 10 Minuten offen garen.

♦

Einen Holzkohlegrill anheizen oder den Backofengrill sehr stark vorheizen.

Für die Kebabs Lammfleisch und Fett mit ¾ Teelöffel Salz und ¼ Teelöffel frisch gemahlenem Pfeffer in einer großen Schüssel oder auf einem tiefen Tablett gründlich verkneten. Aus dem Teig 24 gleich große Bällchen rollen.

Die Fleischbällchen abwechselnd mit den Auberginenscheiben auf 4 Spieße stecken. Jeder Spieß sollte mit 6 Fleischbällchen und 4 Auberginenscheiben dicht befüllt sein (auf 8 kürzere Holzspieße je 3 Fleischbällchen und 2 Auberginenscheiben stecken). Tomaten und Paprika auf die Extraspieße stecken.

Die Spieße 8 cm über der heißen Glut einhängen und 10 Minuten grillen. Dabei alle 30 Sekunden wenden.

Alternativ die Spieße 10 Minuten im Backofengrill garen und ebenfalls oft wenden.

Fleisch und Gemüse von den Spießen ziehen und in einen Bräter füllen. Dicht mit Aluminiumfolie verschließen. 8 cm über der Glut noch 5 Minuten ziehen lassen oder 20 Minuten in den 180 °C heißen Backofen stellen.

Mit Zwiebeln und *Açik Ekmek* servieren.

ZWIEBEL-KEBABS
SOĞAN KEBABI

Herkunft:	Gaziantep, Südostanatolien
Zubereitung:	10 Minuten
Garzeit:	40 Minuten
Personen:	4

400 g	Lammschulter, Flechsen entfernt, mit einem *Zirh* (Hackmesser mit gebogener Klinge) fein gehackt
200 g	Lammbrust, Flechsen entfernt, mit einem *Zirh* fein gehackt
100 g	Lammschwanzfett, mit einem *Zirh* fein gehackt
48	Schalotten, Wurzelstrünke entfernt, geschält

Für die Sauce:

200 ml	heiße Lamm- oder Kalbsbrühe (Seite 489)
60 ml	Granatapfelmelasse (Seite 490)

Im Winter bereitet man dieses Gericht zu Hause zu und trägt es dann zur örtlichen Bäckerei, um es im Gemeindeofen fertig garen zu lassen. Im Frühling kommt frischer Knoblauch zum Einsatz.

Sie benötigen 8 lange gusseiserne Spieße oder 12 normale Holzspieße (eingeweicht). Alternativ zum Schneiden mit dem *Zirh* verarbeiten Sie Lammfleisch und Schwanzfett im Fleischwolf zu Hackfleisch. Sie können Fleischbällchen und Zwiebeln auch in eine Auflaufform einschlichten und bei 180 °C 50 Minuten bei geschlossener Ofentür garen. Dann mit der Sauce bepinseln und in 10 Minuten bei offener Ofentür fertig garen.

♦

Einen Holzkohlegrill anheizen oder den Backofengrill sehr stark vorheizen.

Für die Kebabs Lammfleisch und Fett mit ¾ Teelöffel Salz und ¼ Teelöffel frisch gemahlenem Pfeffer in einer großen Schüssel oder auf einem tiefen Tablett gründlich verkneten. Aus dem Teig 48 gleichgroße Bällchen rollen.

Auf jeden Metallspieß abwechselnd 6 Fleischbällchen und 6 Schalotten aufstecken (auf die Holzspieße: 4 Fleischbällchen und 4 Schalotten).

Die Spieße 8 cm über der heißen Glut einhängen und 10 Minuten grillen. Dabei alle 30 Sekunden wenden. Alternativ 10 Minuten im Backofengrill garen und ebenfalls oft wenden.

Alles von den Spießen ziehen und in einen Bräter füllen. Für die Sauce die heiße Brühe und Granatapfelmelasse mit je ¼ Teelöffel frisch gemahlenem Pfeffer und Salz sowie 200 ml heißem Wasser 1 Minute in einer Schüssel gut durchmischen.

Die Sauce über Fleisch und Schalotten gießen. Den Bräter dicht mit Aluminiumfolie verschließen und 8 cm über der Holzkohlenglut 20 Minuten ziehen lassen. Dann servieren.

LOQUAT-KEBABS
YENİDÜNYA KEBABI

Herkunft:		Gaziantep, Südostanatolien
Zubereitung:		25 Minuten
Garzeit:		25 Minuten
Personen:		4

24	Loquats (vorzugsweise mit dünner Schale), halbiert, entkernt, Kerngehäuse gesäubert

Für die Kebabs:

400 g	Lammschulter, Flechsen entfernt, mit einem *Zirh* (Hackmesser mit gebogener Klinge) fein gehackt
200 g	Lammbrust, Flechsen entfernt, mit einem *Zirh* fein gehackt
60 g	Zwiebeln, fein gewürfelt

Für die Sauce:

50 g	Butter
4	Knoblauchzehen, in feinen Scheiben
1 (200 g)	Tomate, gegrillt, geschält und zu Mus zerdrückt
4	milde grüne Spitzpaprika, gegrillt, geschält und zu Mus zerdrückt
½ TL	Chiliflocken
200 ml	heiße Fleischbrühe (Seite 489)
2 EL	Traubenmelasse
2 Stängel	frischer Estragon, fein geschnitten

🌿 ●   Seite 217 📷

In der Türkei kennt man Loquats auch als „Malteser Pflaumen". Dünnhäutige Sorten sind zum Kochen besser geeignet, doch funktionieren auch Früchte mit dicker Schale. Am besten sind Früchte kurz vor der Reife. Dieses Frühlingsgericht wird manchmal auch ohne Sauce zubereitet. Sie benötigen 4 lange gusseiserne Spieße oder 6 normale Holzspieße (eingeweicht). Sie können das Gericht auch gerne zugedeckt im Backofen garen, 30 Minuten bei 200 °C. Alternativ zum Schneiden mit dem *Zirh* verarbeiten Sie das Lammfleisch im Fleischwolf zu Hackfleisch.

◆

Einen Holzkohlegrill anheizen oder den Backofengrill sehr stark vorheizen.

Für die Kebabs Lammfleisch und Zwiebeln mit ¾ Teelöffel Salz und ½ Teelöffel frisch gemahlenem Pfeffer in einer großen Schüssel oder auf einem tiefen Tablett gründlich verkneten. Aus dem Teig 24 gleich große Bällchen formen.

1 Loquathälfte mit Kerngehäuse nach oben auf einen Spieß stecken, dann 1 Fleischbällchen, dann 1 Loquathälfte mit Kerngehäuse nach unten. Pro Spieß 4–6 dieser Sets aufstecken.

Die Spieße 8 cm über der heißen Glut einhängen und 8 Minuten grillen. Dabei alle 30 Sekunden wenden.

Alternativ 8 Minuten im Backofengrill garen und ebenfalls oft wenden.

Fleischbällchen und Loquats abziehen und auf einen Servierteller legen.

Für die Sauce die Butter in einer großen Pfane bei mittlerer Hitze zerlassen. Knoblauch, Tomatenmus, Paprikamus und Chiliflocken mit ½ Teelöffel Salz und ¼ Teelöffel frisch gemahlenem Pfeffer unterrühren und 5 Minuten garen. Die Hitze reduzieren. Fleischbrühe, Traubenmelasse sowie den Estragon unterrühren, den Topfinhalt aufkochen und 1 Minute kräftig kochen. Das Kebab-Fleisch hineinlegen und nochmals 3 Minuten weitergaren.

Die Loquats mit dem Fleisch in der Sauce servieren.

◆

GEFLÜGEL
&
WILD

◆

GEFLÜGEL IN DER TÜRKISCHEN KULTUR

Die Garmethoden für Haus- und Wildgeflügel sind endlos: als Kebabs, Koteletts, Pilaw, Suppe, gebraten, pochiert, gebacken, gedämpft, im Ofen gegart, gefüllt oder geschmort. Letzteres im eigenen Saft oder mit Tomatenmark, Milch, Sahne, süß, sauer oder scharf. Wildvögel pochiert man oder gart sie mit etwas Öl im Ofen, in der Pfanne, auf dem Grill, im Tandoor oder am Spieß als Kebabs. Gerichte wie *Keşkek*, (Weizen und Lamm, Seite 317), *Helise* (Hähnchen-Weizen-Püree, Seite 231) und *Perde Pilavı* (Verschleierter Reis-Pilaw, Seite 314) verleihen Hochzeiten und anderen Anlässen einen Hauch von Oppulenz. Und ärmere Familien zaubern aus Hühnerlebern, -hälsen, Geflügelklein und Flügeln wunderbare Köstlichkeiten.

DIE SAISON FÜR WILDVÖGEL

Rebhuhn genießt man in den Herbst- und Wintermonaten. Ente, Raufußhuhn, Star, Waldschnepfe und Wachtel gehören zum traditionellen Wildgeflügel. Nachhaltigkeit wird hier großgeschrieben. Die Gesellschaft ächtet gierige Jäger und hält sie für verschwenderisch. In der Jagdsaison gelten strenge Begrenzungen. Leider gibt es unser Wildgeflügel nicht mehr im Überfluss. In Deutschland stehen auch viele Arten wie die Waldschnepfe unter Naturschutz und dürfen nicht gejagt werden. Huhn, Ente oder Truthahn sind jedoch immer eine hervorragende Alternative. Im Rezept stellen wir den traditionellen Vogel vor, doch können Sie ihn jederzeit austauschen.

FETT IST GESCHMACK, FRISCH IST AM BESTEN

Unser reiches kulturelles Erbe gibt vor, wann bestimmte Nahrungsmittel und Gerichte zu essen sind. Geflügel verzehren wir sowohl mit als auch ohne Knochen. Für Hausgeflügel ist die Kochzeit kürzer – Wildvögel brauchen viel länger, um weich zu werden. Ausschlaggebend ist es, den Vogel mit dem höchsten Fettanteil zu wählen. Bei Geflügel und Wild müssen Sie Fett nicht fürchten, denn Fett ist hier Geschmack. Dazu empfehle ich umweltbewusste, zuverlässige Produzenten. Kaufen Sie nur, was Sie brauchen, kochen Sie es sofort und essen Sie es am gleichen Tag. Der Geschmack des Gerichts hängt von der Frische des Vogels ab – „Frisch ist am besten". Machen Sie sich das zum Mantra für köstliches Kochen.

DAS BRAUT-UND-BRÄUTIGAM-HUHN

Eine witzige, immer noch lebendige Tradition ist die vom Huhn, der Braut und dem Bräutigam:

An einem bestimmten Tag kurz vor der Hochzeit, aber zu unbekannter Uhrzeit, besuchen die Familie der Braut und ihre Freunde die Familie des Bräutigams. Mitten in der Nacht versammeln sie sich vor deren Haus. Einer der Freunde ist als Imam verkleidet, ein paar andere als Frauen. Sie klingeln an der Tür und tanzen vor dem Haus. Das Getöse geht so lange, bis der Bräutigam an die Tür kommt. Die Nachbarn tolerieren den Spaß und die Neckereien und machen sogar mit, obwohl sie aus dem Schlaf gerissen wurden. Doch ist dieser Streich nicht so unschuldig, wie es scheint. Eine Gruppe beobachtet die ganze Zeit den Hühnerstall des Bräutigams. Während die Familie abgelenkt ist, stehlen sie alle Hühner. Diese Tradition heißt „Hühnerdiebstahl" und beschränkt sich nicht auf das Haus des Bräutigams. Alle Hühner des erweiterten Familien- und Freundeskreises werden behalten und sind Freiwild! Man bringt die gesamte Beute zum Haus der Familie der Braut, und die Hühner werden Teil des Hochzeitsmahls, auf Pilaw, gebraten, im Ofen gegart, gefüllt, gegrillt oder als Kebabs.

Hühnerdiebstahl ist in ländlichen Gebieten immer noch sehr beliebt. In der etwas praktischeren städtischen Version schenkt die Bräutigamsfamilie der Brautfamilie ein lebendes oder zubereitetes Huhn.

Eine andere Tradition ist es, einen Hahn zu opfern, um das Heim der Jungvermählten zu weihen. Dies passiert vor dem Haus, kurz bevor seine Bewohner über die Schwelle treten. Man streicht Braut und Bräutigam einen Tropfen Hahnenblut auf die Stirn und schenkt das Fleisch den Armen. Diese Tradition ist auch heute noch in der Marmararegion lebendig.

SCHARFE HÜHNERSUPPE MIT MEHLKLÖßCHEN
ARABAŞI

Herkunft:	Yozgat, alle Landesteile
Zubereitung:	10 Minuten
Garzeit:	2 Stunden 20 Minuten
	zzgl. 1 Stunde Ruhezeit
Personen:	4

Für den Teig:	
100 g	Mehl

1,5 kg	fettes Wildgeflügelfleisch
	(z. B. Fasan, Rebhuhn)
10	Knoblauchzehen, zerdrückt
2 TL	Chiliflocken
2 TL	Rote Paprikapaste (Seite 492)
2 TL	Tomatenmark (Seite 492)
60 ml	frisch gepresster Zitronensaft
½ TL	schwarzer Pfeffer

Seite 225 📷

Dies ist eine Spezialität Zentralanatoliens sowie der Ägäis- und Mittelmeerregionen. Mit diesem Standardgericht winterlicher Zusammenkünfte und Feiern ist ein freches Ritual verknüpft: Die Person, der der „Teig" vom Löffel in die Suppe fällt, wird Gastgeber des nächsten Treffens. In manchen Gemeinden muss der- oder diejenige Geschenke für alle Mitesser kaufen. Man bereitet diese Spezialität auch mit Truthahn-, Hühner- oder Kaninchenfleisch zu.

♦

Für den Teig 1 Liter Wasser in einem Topf aufkochen. Das Mehl mit ¼ Teelöffel Salz hineingeben und bei schwacher Hitze 20 Minuten unter ständigem Rühren kochen. Die Mischung auf ein angefeuchtetes, tiefes Tablett mit 25 cm Durchmesser gießen und ohne Deckel bei Zimmertemperatur 1 Stunde abkühlen lassen. Dann das Tablett mit Inhalt in den Kühlschrank stellen.

In der Zwischenzeit die Vögel mit 1 Teelöffel Salz und 4 Liter Wasser in einem großen Topf bei schwacher Hitze 2 Stunden kochen. Mit einem Sieblöffel herausheben und entbeinen. Die Brühe weiterköcheln lassen. Mit einer Schöpfkelle 200 ml Fett von der Oberfläche abnehmen. Das Fett in einer großen Pfanne bei mittlerer Hitze etwa 1 Minute erhitzen. Knoblauch und Chiliflocken zugeben und 1 Minute andünsten. Paprikapaste und Tomatenmark unterrühren und 3 Minuten mitgaren. Das Fleisch unterziehen und 3 Minuten weitergaren.

Den Topfinhalt zur Brühe gießen. Die Hitze erhöhen und alles 5 Minuten kräftig kochen. Den Zitronensaft und ½ Teelöffel frisch gemahlenen Pfeffer unterrühren und 1 Minute unter Rühren kochen. Die Suppe in eine Terrine füllen (ca. 15 cm Durchmesser und 10 cm tief).

Das Tablett mit dem Teig aus dem Kühlschrank nehmen. Aus der Mitte einen Kreis ausschneiden, sodass die Suppenterrine hineinpasst. Den Kloßteigkreis in Quadrate mit 2,5 cm Seitenlänge schneiden und den Rand des Tabletts damit auslegen. Die Terrine in die Mitte stellen und die Suppe servieren.

HÜHNER-LINSEN-EINTOPF
GOGOLLU AŞ

Herkunft:	Kars, Ostanatolien
Zubereitung:	15 Minuten
Garzeit:	1 Stunde 5 Minuten
Personen:	4

250 ml	natives Olivenöl extra
100 g	fertig gegangener Brotteig, in 1-cm-Kreise ausgestochen
80 g	Butterschmalz (Seite 485)
1 (70 g)	Karotte, fein gewürfelt
60 g	Zwiebel, in feinen Scheiben
4	Knoblauchzehen, in feinen Scheiben
300 g	Hähnchenoberschenkel, gehäutet, Fleisch fein gewürfelt
¼ TL	weißer Pfeffer
80 g	grüne Linsen
1 l	heiße Hühnerbrühe (Seite 489)
200 g	Kartoffeln, fein gewürfelt
70 g	Hausgemachte Nudeln (Seite 493)
½ TL	gemahlene Kurkuma
½ Bund	frischer Koriander, fein geschnitten

Dieses Gericht wird im Winter gekocht. Die kleinen Teigbällchen heißen Gogol. Kinder lieben diese murmelähnlichen Delikatessen

♦

Das Olivenöl in einem großen Topf bei mittlerer Hitze auf 155 °C bringen. Die Brotteigscheiben 5 Minuten darin frittieren, bis sie knusprig sind. Mit einem Sieblöffel herausheben und auf Küchenpapier abtropfen lassen. Beiseitestellen

Das Butterschmalz in einem großen Topf bei mittlerer Hitze zerlassen. Karotte, Zwiebel und Knoblauch darin 3 Minuten andünsten. Hühnerfleisch, 1 Teelöffel Salz, den weißen Pfeffer und die Linsen zufügen (in dieser Reihenfolge) und 5 Minuten anbraten. 1 Liter Wasser angießen und alles zugedeckt 20 Minuten garen. Die Hühnerbrühe zugießen und mit Deckel 10 Minuten weiterköcheln. Die Kartoffeln unterheben und 10 Minuten mit Deckel garen. Die Nudeln zufügen und 7 Minuten ohne Deckel garen. Zum Schluss die Brotkreise 3 Minuten erhitzen.

Topf vom Herd nehmen, Kurkuma und Koriander vorsichtig einrühren und Eintopf servieren.

♦

SCHMORHUHN
KÜL

Herkunft:	Edirne, Marmararegion
Zubereitung:	5 Minuten
Garzeit:	1 Stunde 20 Minuten
Personen:	4

100 g	Butter
8 (800 g)	Hähnchenunterschenkel
4	Knoblauchzehen, gehackt
70 g	Mehl

Dieses Gericht, das man auch in der Ägäisregion kennt, ist ein Markenzeichen der Einwanderer aus den Balkanstaaten.

♦

Die Butter bei mittlerer Hitze in einem Topf zerlassen. Das Fleisch darin 10 Minuten rundum anbraten Das Fett in eine Schüssel abgießen und aufheben.

Knoblauch, ½ Teelöffel frisch gemahlenen Pfeffer und ¾ Teelöffel Salz zum Fleisch geben und 2 Minuten vorsichtig einrühren. Die Hitze reduzieren und 1,5 Liter Wasser zugießen. Huhn zugedeckt 1 Stunde schmoren lassen.

Das Huhn aus dem Sud nehmen, den Sud abseihen. Das Hühnerbratfett in einem Extratopf bei mittlerer Hitze heiß werden lassen. Das Mehl darin 1 Minute anschwitzen. Dabei mit einem Holzlöffel rühren, damit es nicht anbrennt. Den Sud zugießen und 2 Minuten unter Rühren kochen, um die Sauce anzudicken. Die Schenkel in die Sauce legen und in 5 Minuten fertig garen, dann servieren.

HUHN IN MILCHSAUCE
SÜTLÜ TAVUK

Herkunft:	Erzurum, Ostanatolien
Zubereitung:	10 Minuten
Garzeit:	50 Minuten zzgl. 10 Minuten Ruhezeit
Personen:	4

50 g	Butter
4	Knoblauchzehen, in feinen Scheiben
600 g	Hähnchenoberschenkel, in 2,5-cm-Stücken
70 g	Mittelkornreis
1 l	heiße Milch
100 g	*Kaymak* (Seite 486) oder Sahne
500 g	frische Brennnesselblätter, fein geschnitten
2 Zweige	frischer Estragon, fein geschnitten
60 g	Blauschimmelkäse

Diese traditionelle Speise gilt in Ostanatolien als Winter-Allheilmittel, vor allem bei Magen- und Atembeschwerden. Besonders beliebt ist sie bei Jungvermählten, weswegen das Gericht auch „Braut-und-Bräutigam-Huhn" heißt.

◆

Die Butter in einem großen Topf bei mittlerer Hitze zerlassen. Den Knoblauch darin 30 Sekunden andünsten. Die Hähnchenteile zufügen, mit 1 Teelöffel Salz und ¼ Teelöffel frisch gemahlenem Pfeffer würzen und 3 Minuten anbraten.

Den Reis unterrühren und in 2 Minuten glasig dünsten. Die Hitze reduzieren und alles zugedeckt 20 Minuten köcheln lassen.

Milch und Sahne einrühren und ohne Deckel 10 Minuten einkochen. Brennnessel, Estragon und Käse unterziehen und nochmals 10 Minuten garen.

Das Huhn 10 Minuten ruhen lassen und servieren.

◆

OKRA-HÄHNCHEN-PFANNE
TAVUKLU BAMYA

Herkunft:	Amasya, alle Landesteile
Zubereitung:	15 Minuten
Garzeit:	50 Minuten zzgl. 5 Minuten Ruhezeit
Personen:	4

100 ml	natives Olivenöl extra
500 g	Hähnchenoberschenkel, in Stücke geschnitten
1 (120 g)	mittelgroße Zwiebel, fein gewürfelt
10	Knoblauchzehen, in Scheiben geschnitten
1	kleine, rote Paprika, in feine Ringe geschnitten
½ TL	Chiliflocken
2 EL	frisch gepresster Zitronensaft
300 g	junge, frische Okraschoten, Außenhaut im Stängelbereich vorsichtig abgeschält
200 ml	heißer, frischer Tomatensaft
200 ml	heiße Hühnerbrühe (Seite 489)

Okrasuppe, Lamm mit Okras und Huhn mit Okras sind weitverbreitete Gerichte und auf Hochzeitstafeln beliebt. Okras fädelt man in der Sommersonne auf, um sie für den Winter zu trocknen. Die Sommerversion dieses Rezepts verwendet frische Okraschoten. Die Suppe aus getrockneten Okras ist eine Spezialität in Konya und Umgebung. Sie soll verdauungsfördernd sein und wird am Ende eines Festmahls serviert, nach dem Dessert.

◆

Das Olivenöl in einem großen Topf bei mittlerer Hitze auf 155 °C bringen. Das Hühnerfleisch einlegen und 5 Minuten anbraten. Mit einem Sieblöffel herausheben und in eine Schüssel legen.

Zwiebeln, Knoblauch und Paprika in dem heißen Öl 10 Minuten unter Rühren braten. Chiliflocken, Zitronensaft und Okras mit ¼ Teelöffel frisch gemahlenem Pfeffer und 1 Teelöffel Salz zugeben und 10 Minuten sanft garen. Mehrmals mit einem Holzlöffel rühren. Das Hühnerfleisch zurück in den Topf geben und 10 Minuten garen. Die Hitze reduzieren. Tomatensaft und Hühnerbrühe angießen und Huhn mit Deckel in 10 Minuten fertig kochen.

Topf vom Herd nehmen und Huhn vor dem Servieren 5 Minuten ruhen lassen.

HÄHNCHENFRIKADELLEN MIT APRIKOSEN
MAKİYAN

Herkunft:	Mardin, Südostanatolien
Zubereitung:	20 Minuten zzgl. 1 Stunde Einweichen
Garzeit:	45 Minuten
Personen:	4

100 g	Mandelmehl
100 g	Butter
16	Schalotten
500 g	Hähnchenoberschenkel, in 2,5 cm große Stücke geschnitten
¼ TL	gemahlener Zimt

Für die Aprikosen:

150 g	Walnusskerne, grob gehackt
¼ TL	gemahlener Zimt
4	getrocknete Aprikosen, 1 Stunde in Wasser eingeweicht, abgegossen

Für die Köfte:

500 g	Schafs- oder Hammelhackfleisch
50 g	Reismehl
60 g	Zwiebel, gerieben, in einem Sieb ausgedrückt und Saft aufgefangen

Diese Winterspezialität stammt aus Mardin, Siirt und Diyarbakır und wurde bereits früh erwähnt. Man feiert damit traditionell den Frieden zwischen den Stämmen nach spannungsreichen Zeiten. Man bereitet sie auch am letzten Tag zu, den eine Braut mit den Eltern verbringt, damit im neuen Heim Gesundheit, Glück und Wohlstand zu Hause sind.

◆

Das Mandelmehl in einer Schüssel mit 1,5 Liter Wasser mischen. Die Flüssigkeit durch ein Sieb in eine Schüssel abgießen, die Mandelmasse aus dem Sieb beiseitestellen.

Walnusskerne und Zimt in einer Schüssel mischen und die eingeweichten Aprikosen damit füllen. Beiseitestellen. Für die Köfte Hackfleisch, Reismehl, Zwiebelsaft und Mandelmasse mit ¼ Teelöffel frisch gemahlenem Pfeffer und ½ Teelöffel Salz in einer Schüssel oder auf einem tiefen Tablett gründlich verkneten. Aus dem Fleischteig 4 gleich große Kugeln rollen. In jede ein Loch drücken, mit einer Aprikose füllen und den Teig über der Frucht verschließen.

Die Butter in einem Topf bei mittlerer Hitze zerlassen. Die Schalotten darin 10 Minuten andünsten. Die Hähnchenteile zugeben und 10 Minuten braten. Die Hitze reduzieren. Die Mandelmilch aus der Schüssel mit ¼ Teelöffel frisch gemahlenem Pfeffer und ½ Teelöffel Salz angießen. Den Topfinhalt mit Deckel 10 Minuten köcheln lassen. Die Fleischbällchen hineinsetzen und 10 Minuten köcheln, bis sie durchgegart sind. Dabei häufig umrühren.

◆

HÄHNCHENBRUST MIT FRUCHTLEDER
PESTİLLİ TAVUK ÇULLAMASI

Herkunft:	Tunceli, alle Landesteile
Zubereitung:	10 Minuten
Garzeit:	30 Minuten
Personen:	4

2 (800 g)	Hähnchenbrustfilets, halbiert und mit dem Fleischklopfer dünn geklopft
½ TL	gemahlener Zimt
4 Stück	Maulbeeren-Fruchtleder (getrocknete Fruchtpüreestreifen, 15 × 15 cm)
6	Eier
100 g	Mehl
100 g	Walnusskerne, gehackt
150 g	Butter
400 g	griechischer Joghurt zum Servieren

Ein anderer Name für dieses Gericht ist „süßes Huhn". Eine zukünftige Braut bereitet es mit Huhn und Eiern aus dem Haus ihres Bräutigams zu. Die Schwiegermutter in spe entscheidet, ob ihre Kochkünste ausreichen, um den Sohn zufriedenzustellen.

◆

Einen Dampfgartopf mit 1 Liter Wasser füllen und das Huhn in den Dämpfeinsatz legen. Das Wasser aufkochen und das Fleisch 20 Minuten dämpfen. Herausnehmen und rundum mit ½ Teelöffel Salz, ¼ Teelöffel frisch gemahlenem Pfeffer und dem Zimt würzen. In die Fruchtlederstreifen wickeln und diese feststecken.

Die Eier in einem Suppenteller verquirlen. Mehl und Walnusskerne in 2 weitere Teller füllen und danebenstellen.

Die Butter in einer großen Pfanne bei mittlerer Hitze sehr heiß werden lassen. Die Hühnerpäckchen im Ei wenden, dann im Mehl, wieder im Ei, dann in den Walnüssen und zuletzt wieder im Mehl. In die heiße Butter legen und 2 Minuten pro Seite braten.
Sofort mit dem Joghurt servieren.

VERGISS MICH NICHT
UNUT BENİ

Herkunft:	Şanlıurfa, Südostanatolien
Zubereitung:	1 Stunde 40 Minuten
	zzgl. Einweichen über Nacht
Garzeit:	1 Stunde 25 Minuten
Personen	4

Für die Köfte:

70 g	Bruchreis (oder 70 g Reismehl)
200 g	feines, mageres Lammhackfleisch
60 g	Zwiebel, gerieben, im Sieb ausgedrückt und
	Saft aufgefangen
1	Ei

Für die Kichererbsen und das Fleisch:

100 g	Kichererbsen, in 1 Liter Wasser aufgekocht,
	über Nacht eingeweicht, abgegossen
400 g	Truthahnkeule, entbeint, Fleisch fein gewürfelt

Für die Joghurtsauce:

300 g	griechischer Joghurt

Für die Sauce:

60 g	Butterschmalz (Seite 485)
3	Knoblauchzehen, gehackt
2 TL	getrocknete Minze

Dieses Gericht bereitet man traditionell an dem Tag zu, an dem Hausgäste abreisen. Der scherzhafte Name, der um Şanlıurfa und Birecik verbreitet ist, bedeutet „Vergiss nicht, wie ich mich um dich gekümmert habe". Es gibt eine Variante mit Geflügel-Köfte in Lammbrühe. Sie heißt in Gaziantep *Yuvalama* und ist ein beliebtes Festgericht. Die Fleischbällchen können auch vor dem Hinzufügen gebraten werden.

♦

Den Reis für die Köfte 1 Stunde in einer Schüssel mit 500 ml warmem Wasser einweichen. Abgießen und im Mörser zur Größe von Maisgries zerkleinern. Beiseitestellen.

Die Kichererbsen in einem Topf mit 2,25 Liter Wasser 40 Minuten bei mittlerer Hitze kochen. Das Truthahnfleisch zugeben und 20 Minuten weiterkochen.

Für die Köfte in der Zwischenzeit Lammhack, Bruchreis oder Reismehl, Zwiebelsaft und Ei mit je ¼ Teelöffel frisch gemahlenem Pfeffer und Salz in einer Schüssel 15 Minuten verkneten. Aus dem Fleischteig 1 cm große Bällchen rollen.

Für die Joghurtsauce den Joghurt in einem kleinen Topf 2 Minuten mit 500 ml Wasser verrühren. Bei mittlerer Hitze auf dem Herd so lange erhitzen, bis der Joghurt zu kochen beginnt. Dabei immer in die gleiche Richtung rühren. 2 Minuten kochen, dann Topf vom Herd nehmen.

Die Köfte zu den Kichererbsen und dem Truthahnfleisch in den Topf geben. Die Hitze reduzieren. Mit ½ Teelöffel Salz würzen und 5 Minuten garen. Die Joghurtsauce und ½ Teelöffel frisch gemahlenen Pfeffer unterrühren und 10 Minuten weiterkochen. Topf vom Herd nehmen.

Für die Sauce das Butterschmalz in einem kleinen Topf bei mittlerer Hitze zerlassen. Knoblauch und Minze darin 10 Sekunden andünsten. Sauce vorsichtig unter den Topfinhalt ziehen und Eintopf sofort servieren.

TRUTHAHN-AUBERGINEN-PFANNE
HİNDİLİ PATLICAN SİLKME

Herkunft:	Kocaeli, alle Landesteile
Zubereitung:	15 Minuten zzgl. 10 Minuten Einweichen
Garzeit:	40 Minuten
Personen:	4

2 (600 g)	italienische oder japanische Auberginen (längliche Früchte), längs Streifen abgeschält (1 Streifen schälen, 1 Streifen Schale stehen lassen usw.)
150 g	Butter
60 ml	natives Olivenöl extra
800 g	Truthahnfleisch, in 2-cm-Stücke geschnitten
2 (240 g)	mittelgroße Zwiebeln, in dünne Ringe geschnitten
1 l	heißer frischer Tomatensaft
2 EL	Apfelweinessig
1 EL	getrockneter Oregano
½ TL	Chiliflocken

Knoblauchjoghurt ist hierzu eine beliebte Beilage

♦

Die Auberginen in 2-cm-Scheiben schneiden und 10 Minuten in einer Schüssel mit 2 Liter Wasser und ¾ Teelöffel Salz einweichen. Abgießen und ausdrücken.

Butter und Olivenöl in einem großen Topf bei mittlerer Temperatur erhitzen. Das Truthahnfleisch darin 5 Minuten anbraten. Mit einem Sieblöffel herausheben und beiseitestellen.

Die Auberginenscheiben im gleichen Fett 3 Minuten pro Seite braten. Mit dem Sieblöffel herausheben und beiseitestellen.

Die Zwiebeln ebenfalls im gleichen Fett 5 Minuten dünsten. Dabei ständig rühren. Das Fleisch zurück in den Topf geben und die Auberginen darauflegen. Die Hitze reduzieren. Tomatensaft und Apfelweinessig angießen. Mit Oregano, Chiliflocken, ¼ Teelöffel frisch gemahlenem Pfeffer und 1 Teelöffel Salz würzen und mit Deckel 20 Minuten garen. Sofort servieren.

♦

FRITTIERTE POCHIERTE HÄHNCHENSCHENKEL
TAVUK ÇULLAMA

Herkunft:	Konya, alle Landesteile
Zubereitung:	20 Minuten
Garzeit:	1 Stunde 25 Minuten zzgl. 20 Minuten Abkühlen
Personen:	4

4 (1,4 kg)	ganze Hähnchenschenkel
1 (70 g)	Karotte, grob geschnitten
1	Selleriestange
60 g	Zwiebel, grob geschnitten
6	Knoblauchzehen
5	Pfefferkörner
4	Eier
100 g	Mehl
100 g	Butter
2 EL	Traubenessig
2 EL	frisch gepresster Zitronensaft
½ TL	Senfpulver
2 Zweige	frischer Estragon, fein geschnitten
4 Stängel	frische glatte Petersilie, fein geschnitten

Das gekochte Huhn dieses Wintergerichts können Sie auch im Ganzen panieren und frittieren oder im Ofen braten.

♦

Die Hähnchenschenkel mit Karotte, Selleriestange, Zwiebel, Knoblauch, Pfefferkörnern und ¾ Teelöffel Salz 1 Stunde in einem großen Topf mit Deckel kochen. Abgießen und die Brühe dabei auffangen. Die Schenkel 20 Minuten auskühlen lassen. Karotte, Selleriestange und Knoblauch im Mörser pürieren. Die Eier in einem Suppenteller verquirlen. Das Mehl in einen zweiten Teller füllen und daneben stellen.

Die Butter in einer großen Pfanne bei mittlerer Hitze zerlassen. Die Hähnchenschenkel erst in Ei, dann in Mehl wenden. In der heißen Butter 10 Minuten anbraten, dabei mehrmals wenden. Dicht nebeneinander in einen großen Topf legen.

Das Gemüsepüree in einer großen Schüssel mit Traubenessig, Zitronensaft, Senfpulver sowie je ¼ Teelöffel frisch gemahlenem Pfeffer und Salz gründlich verrühren. 250 ml der Hühnerbrühe unterrühren. Die Mischung über die Hähnchenschenkel geben. Den Deckel aufsetzen und bei sehr schwacher Hitze 5 Minuten garen. Estragon und Petersilie darüberstreuen und noch 2 Minuten erhitzen, dann servieren.

HÄHNCHEN-WEIZEN-PÜREE
HELİSE

Herkunft:	Ağrı, alle Landesteile
Zubereitung:	10 Minuten zzgl. Einweichen über Nacht
Garzeit:	2 Stunden 10 Minuten
Personen:	4

200 g	Weizenschrot, über Nacht eingeweicht, abgegossen
1 kg	entbeintes Hähnchenfleisch
2 (240 g)	mittelgroße Zwiebeln, in Halbringe geschnitten

Für die Sauce:

100 g	Butter
50 g	Honig (Oreganoblütenhonig)

Dieses Wintergericht gibt es in vielen regionalen Varianten, u. a. als *Harisa, Herise, Herse, Aşir, Aşür, Dövme, Keşkek* und *Keşka*. Normalerweise wird es mit Lamm zubereitet, oft aber auch mit Wild, Geflügel, Schaf und Ziege. Als Friedenssymbol ist es beliebt für Hochzeiten und andere Anlässe. Manche Rezepte verwenden statt Honig Melasse.

◆

Den Weizenschrot in einer Schüssel mit frisch aufgekochtem Wasser übergießen und 5 Minuten quellen lassen. Abgießen und beiseitestellen.

Boden eines schweren Topfs oder Bräters mit ¼ Teelöffel Salz ausstreuen. Die Hälfte des Hähnchenfleischs mit der Hautseite nach unten darauf auslegen. Eine Schicht Weizenschrot darüber verteilen, dann eine Schicht Zwiebeln. Dann wieder Hihn, Weizen und Zwiebel daraufgeben, bis alle Zutaten verbraucht sind. Mit ½ Teelöffel frisch gemahlenem Pfeffer würzen und 2 Liter Wasser angießen. Bei schwacher Hitze 2 Stunden mit Deckel köcheln lassen.

Den Bräter auf Temperatur halten. Den Eintopf mit einem Holzstößel oder der kurzen Seite einer Teigrolle zu klebrigem Püree verarbeiten. Topf vom Herd nehmen.

Für die Sauce die Butter in einem Topf bei mittlerer Hitze zerlassen. Honig 1 Minute unter Rühren mitkochen. Püree auf Tellern anrichten und mit der Honigbutter beträufeln.

◆

CREMIGES HÜHNERFRIKASSEE
ŞIPSİ

Herkunft:	Sakarya, Marmararegion
Zubereitung:	15 Minuten
Garzeit:	1 Stunde 15 Minuten
Personen:	4

1 (1,5 kg)	ganzes Suppenhuhn, geviertelt
1 (120 g)	mittelgroße Zwiebel, geviertelt
4	Knoblauchzehen
½ TL	gemahlener Koriander

Für das Knoblauch-Walnuss-Öl:

2	Knoblauchzehen
10	Korianderkörner
1	getrocknete Chilischote, gehackt
60 g	Walnusskerne, grob gehackt

Für die Mehlschwitze:

50 g	Butter
2	Knoblauchzehen, gehackt
70 g	Mehl
1 l	Milch
½ TL	gemahlener Koriander

Als Familienmahlzeit kommt *Şıpsi* in einer Schüssel auf den Tisch. Der Sohn bekommt den Hals, die Tochter die Flügel, die Mutter die Brust und der Vater die Schenkel.

◆

Das Huhn mit Zwiebel, Knoblauch, Koriander, ¼ Teelöffel frisch gemahlenem Pfeffer und ¾ Teelöffel Salz in einen Topf legen. 1 Liter Wasser dazugießen und alles bei schwacher Hitze 1 Stunde köcheln lassen. Durch ein Sieb abgießen. Brühe und Fleisch in zwei Schüsseln geben.

Für das Öl eine Pfanne bei mittlerer Hitze heiß werden lassen. Knoblauch, Korianderkörner, Chili und Walnusskerne zugeben und 2 Minuten unter Rühren trocken rösten. In einen Mörser geben und 5 Minuten zerstoßen. Ein Stück Musselintuch anfeuchten und die Masse hineingeben. Das Tuch eindrehen und die Gewürze fest ausdrücken. Das austretende Öl in einer Schüssel auffangen. Die Paste anderweitig verwenden oder wegwerfen.

Für die Mehlschwitze die Butter in einem Topf bei schwacher Hitze zerlassen. Den Knoblauch 10 Sekunden darin braten. Das Mehl hineingeben und 3 Minuten unter Rühren anschwitzen. Hühnerbrühe, Milch, Koriander und je ¼ Teelöffel frisch gemahlenen Pfeffer und Salz unterrühren und 2 Minuten erhitzen. Fleisch zufügen und zugedeckt 5 Minuten durcherhitzen. Das Öl unterrühren und Frikassee servieren.

ENTENRAGOUT AUF BROT
ÖRDEK TİRİDİ

Herkunft:	Manisa, alle Landesteile
Zubereitung:	15 Minuten
Garzeit:	2 Stunden 20 Minuten
Personen:	4

1 (1,2 kg)	fette Ente, nur das Fleisch
5	Pfefferkörner
60 g	Zwiebel, grob gehackt

Für die Joghurtsauce:

300 g	griechischer Joghurt
4	Knoblauchzehen, gehackt

Für die Sauce:

50 g	Butter
6	Knoblauchzehen, gehackt
2 TL	Chiliflocken
1½ TL	Tomatenmark (Seite 492)
400 ml	frischer Tomatensaft

400 g	altbackenes *Tirnakli Ekmek* (geriffelte Fladenbrote, Seite 376), in 1-cm-Würfel geschnitten
4 Stängel	frische Petersilie, fein geschnitten

Tirit wird traditionellerweise aus den im Winter gejagten Enten gekocht, mit altbackenen Fladenbroten und Fleischbrühe. Es gibt auch Varianten mit Milz, Milch und Ayran.

♦

Die Ente mit Pfefferkörnern, Zwiebel und ¾ Teelöffel Salz in einen Topf legen. 3 Liter Wasser zugießen und Ente bei mittlerer Hitze 5 Minuten garen. Die Oberfläche mit einem Sieblöffel abschäumen. Dann bei schwacher Hitze mit Deckel 2 Stunden weiterköcheln lassen. Die Ente aus der Brühe heben, das Fleisch ablösen und zerzupfen. 600 ml Entenbrühe aufheben.

Für die Joghurtsauce Joghurt, Knoblauch und ¼ Teelöffel Salz in einer Schüssel 1 Minute gründlich verrühren.

Für die Sauce die Butter in einem Topf bei mittlerer Hitze zerlassen. Den Knoblauch darin 1 Minute andünsten, dann die Chiliflocken zugeben und 30 Sekunden andünsten. Das Tomatenmark unterrühren und 1 Minute einkochen. Die Hitze reduzieren. Entenfleisch und -brühe, Tomatensaft sowie je ¼ Teelöffel frisch gemahlenen Pfeffer und Salz zugeben. 5 Minuten kochen, bis die Flüssigkeit verdampft ist.

4 hitzefeste Auflaufformen bei schwacher Hitze auf den Herd stellen. Die Brotwürfel hineingeben und je 100 ml Sauce ohne Fleisch daraufschöpfen. Die Joghurtsauce darüber verteilen und zuletzt das Entenragout mit Sauce daraufschöpfen. Mit etwas Petersilie bestreut servieren.

♦

HÄHNCHENEINTOPF MIT JOGHURT
YOĞURTLU HOROZ YAHNİSİ

Herkunft:	Kilis, Südostanatolien
Zubereitung:	10 Minuten
Garzeit:	1 Stunde 10 Minuten
	zzgl. 5 Minuten Ruhezeit
Personen:	4

100 g	Butter
4	Hähnchenoberschenkel, entbeint
4 (600 g)	Kartoffeln, geschält und in Wasser eingelegt
8	Schalotten, geschält
8	Knoblauchzehen, geviertelt
1 Prise	Saflorblüten („Falscher Safran") oder Safranfäden

Für die Sauce:

300 g	Joghurt, abgetropft
1	Ei

Traditionell wird dazu *Adi Pilav* (Einfacher Reis-Pilaw, Seite 308) oder *Bulgar Pilavi* (Bulgur-Pilaw, Seite 320) serviert.

♦

Die Butter in einem großen Topf bei mittlerer Hitze zerlassen. Die Hähnchenschenkel halbieren und in der Butter 3 Minuten pro Seite anbraten. Kartoffeln und Schalotten zugeben und 5 Minuten andünsten. Den Knoblauch mit ½ Teelöffel frisch gemahlenem Pfeffer und 1 Teelöffel Salz unterrühren und 1 Minute mitkochen. Die Hitze reduzieren. 1,5 Liter heißes Wasser angießen und den Topfinhalt zugedeckt 40 Minuten garen.

Für die Sauce Joghurt und Ei in einem kleinen Topf mit 500 ml Wasser 3 Minuten verrühren. Dabei nur in eine Richtung rühren. Die Hitze unter dem Hähnchentopf reduzieren. Die Sauce einrühren und alles ohne Deckel 10 Minuten kochen lassen. Topf vom Herd nehmen, Eintopf mit Saflor oder Safran bestreuen. 5 Minuten ruhen lassen und dann servieren.

Seite 233

BRÄUTIGAMSKEULEN
DAMAT PAÇASI

Herkunft:	Tekirdağ, Marmararegion
Zubereitung:	25 Minuten
Garzeit:	1 Stunde 35 Minuten
Personen:	4

4 (1 kg)	Hähnchenoberkeulen
4	Pfefferkörner
100 g	Butter, zerlassen
3	*Yufka Ekmeği* (Dünnes Fladenbrot, Seite 378)

Für die weiße Sauce:	
3	Eier
150 g	Joghurt, abgetropft
50 g	Mehl
2 EL	Apfelweinessig
6	Knoblauchzehen, gehackt
60 g	Mandelkerne

Für die Buttersauce:	
50 g	Butter
1 TL	Chiliflocken

Dies ist ein traditionelles Wintergericht der Migranten der Balkankriege, die an der Ägäis oder in der Marmararegion leben. Man bereitet es für den Bräutigam zu.

♦

Den Backofen auf 180 °C vorheizen. Das Huhn in einem Topf mit Pfefferkörnern und ½ Teelöffel Salz in 2 Liter Wasser zugedeckt 1 Stunde garen.

Eine kreisrunde Backform (25 cm Durchmesser) mit 2 Esslöffel Butter fetten. 1 Fladenbrot hineinlegen und mit 2 Esslöffel Butter bestreichen. Die beiden anderen Brote darauf stapeln und ebenfalls mit Butter beträufeln. Überstehende Ränder abschneiden und unter die Fladen schieben. Brote 20 Minuten im Ofen backen.

Hähnchenschenkel aus dem Topf nehmen, entbeinen und das Fleisch zerzupfen. Über den Fladenbroten verteilen. 200 ml Hühnerbrühe darübergießen, Rest beiseitestellen.

Für die weiße Sauce Eier, Joghurt, Mehl, Essig und Knoblauch mit ¼ Teelöffel Salz in eine Schüssel füllen. 2 Minuten mit dem Schneebesen aufschlagen. Die restliche Brühe zugießen und 1 Minute unterrühren. Sauce über Hähnchenfleisch und Brote gießen. Mandeln darauf verteilen und Auflauf im Ofen weitere 10 Minuten backen.
Für die Buttersaue die Butter in einem Topf zerlassen. Die Chiliflocken darin 30 Sekunden braten. Über die „Torte" gießen und sofort servieren.

♦

REBHUHNPASTETE
KEKLİK DÖVMESİ

Herkunft:	Bitlis, Südostanatolien
Zubereitung:	15 Minuten
Garzeit:	1 Stunde 30 Minuten
Personen:	4

2 (1 kg)	Rebhühner, geviertelt
600 g	Kartoffeln, geschält
1 (120 g)	Zwiebel, geviertelt
3	Pfefferkörner
200 ml	Milch
½ TL	gemahlener Kreuzkümmel
½ TL	gemahlene Kurkuma
1 TL	gemahlener Koriander

Für die Sauce:	
60 g	Butter
50 g	Walnusskerne, gehackt
2	Knoblauchzehen, gehackt
1 TL	Chiliflocken

Dieses Herbstgericht können Sie auch mit Kräutern sowie mit frischem und getrocknetem Gemüse zubereiten. Anstelle der Rebhühner schmeckt auch anderes Wild- oder Hausgeflügel gut.

♦

Rebhühner, Kartoffeln und Zwiebeln mit den Pfefferkörnern und ¾ Teelöffel Salz in einen großen Topf füllen. 1,5 Liter Wasser angießen und alles zugedeckt 1 Stunde 10 Minuten köcheln lassen.

Die Rebhühner mit einem Sieblöffel herausheben. Die Brühe im Topf am Köcheln halten. Die Hühner entbeinen und das Fleisch zerkleinern, dann zurück in die Brühe geben. Milch, Kreuzkümmel, Kurkuma, Koriander und ¼ Teelöffel frisch gemahlenen schwarzen Pfeffer unterrühren. 10 Minuten garen und das Fleisch dabei mit einem Holzstößel (oder dem schmalen Ende einer Teigrolle) zerstoßen. Topf vom Herd nehmen, wenn ein relativ klebriger Fleischteig entstanden ist.

Für die Sauce die Butter in einem großen Topf bei schwacher Hitze zerlassen. Die Walnusskerne darin 1 Minute anbraten, dann Knoblauch und Chiliflocken 10 Sekunden braten. Topf vom Herd nehmen.
Die Rebhuhnpastete mit der Sauce beträufelt servieren.

TAUBEN-SCHMORTOPF
GÜVEÇTE GÜVERCİN

Herkunft:	Kayseri, alle Landesteile
Zubereitung:	20 Minuten
Garzeit:	1 Stunde 10 Minuten
Personen:	4

150 g	Butter
4	junge Tauben
1 (120 g)	mittelgroße Zwiebel, in dünne Ringe geschnitten
1	Knoblauchzehe, geschält
2	kleine Paprika, in feine Ringe geschnitten
400 g	Kartoffeln, halbiert
1 kg	Tomaten, in 1-cm-Scheiben geschnitten
1 TL	getrockneter Oregano
1 TL	Chiliflocken

Früher züchtete man Tauben in speziellen Vogelhäusern extra für dieses Gericht. In Südostanatolien sowie in Gesi nahe Kayersi, dem Zentrum der Taubenzucht des ottomanischen Hofs, ist diese Tradition vielerorts noch lebendig. Das Gericht ist seit jeher eine Delikatesse, die von der oberen Gesellschaftsschicht genossen wird.

◆

Den Backofen auf 180 °C vorheizen. 100 g Butter in einer Pfanne bei mittlerer Hitze zerlassen. Die Tauben darin 4 Minuten pro Seite anbraten. Mit den knochigeren Teilen nach unten in einen Tontopf oder Bräter legen

Zwiebel, Knoblauch und Paprika ebenfalls in die Pfanne geben und 10 Minuten anbraten. Mit ½ Teelöffel frisch gemahlenem Pfeffer sowie ½ Teelöffel Salz würzen.

Die Tauben mit der Zwiebel-Paprika-Mischung bedecken. Darüber die Kartoffeln und dann die Tomaten verteilen. Mit Oregano, Chili und ½ Teelöffel Salz bestreuen. Die restliche Butter in Flöckchen daraufsetzen und die Tauben zugedeckt 30 Minuten im Backofen schmoren. Dann ohne Deckel in 10 Minuten fertig garen.

◆

WEIZEN-GEFLÜGEL-PASTETE
ÇULLUK ETLİ KEŞKEK

Herkunft:	Sakarya, alle Landesteile
Zubereitung:	15 Minuten zzgl. Einweichen über Nacht
Garzeit:	3 Stunden 5 Minuten
Personen:	4

2 (1,5 kg)	gut genährte Waldschnepfen oder anderes Geflügel
1 (120 g)	Zwiebel, geviertelt
200 g	Weizenschrot, über Nacht eingeweicht, dann abgegossen
¼ TL	gemahlener Kreuzkümmel
1 TL	getrockneter Oregano

Für die Sauce:	
50 g	Butter
60 g	Walnusskerne, grob gehackt
½ TL	Chiliflocken

Für *Keşkek* zerstößt man Fleisch zusammen mit Weizen. In anderen Teilen des Landes heißt es auch *Keşka*, *Herse*, *Herise*, *Aşir* und *Aşur*. Traditionell wird Waldschnepfe verwendet, die jedoch in Deutschland unter Naturschutz steht. Üblich sind auch Gans, Ente, Huhn und Lamm. *Keşkek* beeindruckt auf Hochzeitstafeln und wird vor allem in der winterlichen Jagdsaison zubereitet.

◆

Den Backofen auf 160 °C vorheizen.

Die Waldschnepfen mit Zwiebel, Weizenschrot, Kreuzkümmel und ¼ Teelöffel frisch gemahlenem Pfeffer, Oregano und 3 Liter Wasser in einen Tontopf oder Bräter legen. Im heißen Backofen 3 Stunden garen.

Die Vögel in eine Schüssel legen und das Fleisch von den Knochen lösen. Fleisch wieder in den Bräter geben und mit dem Rücken eines Holzlöffels zusammen mit dem Weizen in 10 Minuten fein zu einer Paste zerstoßen.

Für die Sauce die Butter in einem großen Topf bei mittlerer Hitze zerlassen. Die Walnusskerne darin 1 Minute andünsten. Die Chiliflocken zugeben und 30 Sekunden braten.

Die Pastete auf Portionsteller verteilen und mit der Sauce beträufelt servieren.

HÄHNCHEN-SCHMORTOPF
HOROZ ETLİ GÜVEÇ

Herkunft:	Adana, Mittelmeerregion
Zubereitung:	20 Minuten
Garzeit:	1 Stunde
Personen:	4

2 (2 kg)	kleine Hähnchen, nur das Fleisch, in 2-cm-Stücke geschnitten
400 g	Kartoffeln, in 2-cm-Stücke geschnitten
1,5 kg	Tomaten, in 2-cm-Stücke geschnitten
4	grüne Paprika, in 2-cm-Stücke geschnitten
3	Knoblauchzehen, geschält
2 TL	Rote Paprikapaste (Seite 492)
1 TL	Chiliflocken
1 EL	getrockneter Oregano
200 ml	natives Olivenöl extra

Seite 237

Das Gericht kann auch mit Resten von gebratenem Hähnchenfleisch zubereitet werden.

♦

Den Backofen auf 180 °C vorheizen.

Das Hähnchenfleisch mit allen Zutaten sowie ½ Teelöffel frisch gemahlenem Pfeffer und 1 Teelöffel Salz in einer großen Schüssel 3 Minuten vermengen.

Die Mischung in einen Tontopf oder einen Bräter füllen. Im heißen Backofen 1 Stunde schmoren.

Auf Portionsteller verteilen und servieren.

♦

REBHUHNRAGOUT MIT GRANATAPFEL
KEKLİK UFALAMASI

Herkunft:	Elazığ, Ostanatolien
Zubereitung:	15 Minuten
Garzeit:	2 Stunden 20 Minuten
Personen:	4

4 (2 kg)	Rebhühner
1½ (180 g)	mittelgroße Zwiebeln, 1 in Ringe geschnitten, ½ im Stück
100 g	Butter
100 g	Walnusskerne, gehackt
2 TL	getrockneter Oregano
½ TL	Chiliflocken
1	*Yufka Ekmeği* (Dünnes Fladenbrot, Seite 378), getrocknet und in Stücke zerzupft
½ Bund	frische glatte Petersilie, fein geschnitten
½ Bund	frisches Basilikum, fein geschnitten
160 g	Granatapfelkerne

Im Herbst, der Jahreszeit, in der man dieses Gericht kocht, sind Rebhühner am dicksten und saftigsten. Sie könnten sie durch Kaninchen oder Huhn ersetzen.

♦

Die Rebhühner mit der ½ Zwiebel in einem Topf mit Wasser bedeckt 2 Stunden köcheln lassen. Mit einem Sieblöffel herausnehmen, das Fleisch ablösen und fein zerzupfen. Beiseitestellen.

Die Butter in einem großen Topf bei mittlerer Temperatur zerlassen. Zwiebelringe und Walnusskerne darin 10 Minuten braten. Das Rebhuhnfleisch mit Oregano, Chiliflocken, ¼ Teelöffel frisch gemahlenem Pfeffer sowie ½ Teelöffel Salz zugeben und 10 Minuten garen.

Die Brotstücke in die Mitte eines tiefen Tabletts mit 40 cm Durchmesser legen. Das Fleisch daraufhäufen. Mit Petersilie, Basilikum und Granatapfelkernen garnieren. Die Zutaten 2 Minuten locker durchmischen.

Sofort servieren.

BRATHÄHNCHENSCHENKEL
TAVUK KÜLBASTI

Herkunft:	İstanbul, alle Landesteile
Zubereitung:	15 Minuten zzgl. 2 Stunden Kühlen
Garzeit:	20 Minuten
Personen:	4

4 (800 g)	ganze Hähnchenschenkel, gehäutet, entbeint und auf 1 cm flach geklopft
1 TL	gemahlener Zimt
60 g	Zwiebel, gerieben, im Sieb ausgedrückt und Saft aufgefangen
2 (240 g)	mittelgroße Zwiebeln, geviertelt
1 (300 g)	Tomate, in dicke Scheiben geschnitten
4	grüne Spitzpaprika
100 g	Butter, zerlassen

❧

Für das Gericht reicht der Backofengrill, wenn Sie keinen Holzkohlegrill zur Verfügung haben.

◆

Huhn, Zimt und Zwiebelsaft mit ½ Teelöffel frisch gemahlenem Pfeffer und ¾ Teelöffel Salz in einer großen Schüssel gründlich verkneten. Abdecken und im Kühlschrank 2 Stunden kalt stellen.

In der Zwischenzeit einen Holzkohlegrill anheizen oder den Backofengrill auf höchste Stufe vorheizen.

Das Fleisch aus dem Kühlschrank nehmen. Fleisch, Zwiebelringe, Tomaten und Paprika großzügig mit zerlassener Butter bestreichen und 8 cm über der Glut 3 Minuten pro Seite grillen. Alternativ die Stücke im Backofen grillen und nach Bedarf wenden. Falls nötig, mit weiterer Butter bestreichen.

Die Paprika beiseitestellen. Tomaten und Zwiebeln dicht nebeneinander in eine Auflaufform legen und die Hühnerstücke darauf verteilen. Abdecken und über der Glut weitere 10 Minuten grillen oder im Backofen fertig garen.

Fleisch und Gemüse auf Tellern anrichten und mit den Paprika servieren.

◆

GEGRILLTE ENTENFLEISCH-KEBABS
GÖMLEK KEBABI

Herkunft:	Çanakkale, alle Landesteile
Zubereitung:	15 Minuten zzgl. 10 Minuten Einweichen
Garzeit:	15 Minuten
Personen:	4

1 (1 kg)	Ente, entbeint, Fleisch in 20 Stücke zerteilt
60 ml	natives Olivenöl extra
1 (120 g)	mittelgroße Zwiebel, gerieben
1 TL	gemahlener Zimt
20 (5 × 5 cm)	Lamm-Fettnetze, 10 Minuten in Wasser eingeweicht, gespült
1 Rezept	*Piyaz Salatası* (Zwiebelsalat, Seite 67) zum Servieren

💧 ❧

Dieses Gericht kocht man im Winter während der Jagdsaison. Varianten davon gibt es mit anderen Geflügelarten oder Schaf, Ziege oder Kalb anstelle der Ente. Statt auf dem Holzkohlegrill können Sie es im Backofen grillen. Sie benötigen 4 lange gusseiserne Spieße oder 10 normale Holzspieße (eingeweicht).

◆

Einen Holzkohlegrill anheizen oder den Backofengrill auf höchste Stufe vorheizen.

Das Entenfleisch mit Olivenöl, Zwiebel, Zimt, je ½ Teelöffel frisch gemahlenem Pfeffer und Salz in einer großen Schüssel oder auf einem tiefen Tablett gründlich verkneten. Die Masse in 20 gleich große Portionen teilen.

Die Fettnetzstücke auf der Arbeitsfläche ausbreiten. Je 1 Portion Fleischteig hineinsetzen und das Netz von allen Ecken nach innen zu einem Päckchen einschlagen. Auf die Spieße stecken, ohne dass die Päckchen aufgehen.

Die Spieße 8 cm über der heißen Glut einhängen und 10 Minuten grillen. Jede Minute wenden. Alternativ die Spieße im Backofen grillen und nach Bedarf wenden.

Mit frischem Zwiebelsalat servieren.

GEBRATENE GÄNSELEBER
KAZ CİĞERİ KIZARTMASI

Herkunft:	Ardahan, Ostanatolien
Zubereitung:	15 Minuten
Garzeit:	15 Minuten
Personen:	4

100 g	Mehl
400 g	frische Gänseleber, in 1-cm-Würfel geschnitten
500 g	Gänseschmalz
300 g	Kartoffeln, in 1-cm-Würfel geschnitten
1 TL	Paprikapulver
½ TL	gemahlener Kreuzkümmel
2 TL	gemahlener Sumach
½ Bund	Petersilie, fein geschnitten
2	Frühlingszwiebeln, fein geschnitten

 ⚫ ✗

Das Gericht kann nach Geschmack heiß oder warm gegessen werden. Auch andere Haus- oder Wildgeflügellebern schmecken gut.

◆

Das Mehl in einen Suppenteller füllen und die Leberwürfel darin wenden, bis sie rundum damit bestäubt sind. In ein Küchensieb legen und schütteln, um überschüssiges Mehl zu entfernen. Beiseitestellen.

Das Gänseschmalz bei mittlerer Hitze in einem großen Topf zerlassen und auf 155 °C bringen. Die Hälfte der Kartoffeln darin 5 Minuten frittieren. Mit einem Sieblöffel herausheben und auf Küchenpapier abtropfen lassen. Dann die zweite Portion Kartoffeln frittieren und abtropfen lassen. Danach die Gänseleber 30 Sekunden in dem heißen Fett braten.

Die Kartoffeln auf einem Servierteller anrichten und die Leberstücke daraufsetzen. Mit Paprikapulver, Kreuzkümmel und Sumach sowie ¼ Teelöffel frisch gemahlenem Pfeffer und 1 Teelöffel Salz würzen und die Leber sanft unterheben. Mit Petersilie und Frühlingszwiebeln bestreuen und servieren.

◆

GEBRATENE HÜHNERINNEREIEN
TAŞLIK KAVURMASI

Herkunft:	Tekirdağ, alle Landesteile
Zubereitung:	15 Minuten
Garzeit:	40 Minuten
Personen:	4

200 ml	natives Olivenöl extra
4 (480 g)	mittelgroße Zwiebeln, fein gewürfelt
200 g	Hähncheninnereien (Leber, Herz, Magen, Hals vom Hahn), küchenfertig gesäubert und fein gewürfelt
200 g	Hühnerinnereien (von der Henne), küchenfertig gesäubert und fein gewürfelt
1	kleine, grüne Paprika, fein gewürfelt
6	Knoblauchzehen, geviertelt
1 TL	getrockneter Oregano
¼ TL	gemahlener Kreuzkümmel
¼ TL	Chiliflocken
300 g	Tomaten, fein gewürfelt
½ Bund	frische glatte Petersilie, fein geschnitten

 ⚫ 🌿

Neben Hahn und Huhn können Sie auch die Innereien anderer Geflügel und Wildtiere verwenden. Es gibt auch eine Rezeptvariante ohne Zwiebeln, Tomaten und Paprika und eine nur mit Zwiebeln.

◆

Einen großen *Saç* (Seite 503) oder Wok oder eine tiefe Eisenpfanne sehr stark erhitzen. Das Olivenöl darin erhitzen und die Zwiebeln darin 10 Minuten unter Rühren anbraten. Die Hähncheninnereien dazugeben und 5 Minuten anbraten. Die Hühnerinnereien zugeben und 10 Minuten weiterbraten.

Paprika und Knoblauch zufügen und 5 Minuten andünsten. Mit Oregano, Kreuzkümmel und Chiliflocken sowie ¼ Teelöffel frisch gemahlenem Pfeffer und ¾ Teelöffel Salz würzen und 1 weitere Minute unter Rühren garen.

Die Tomaten unterrühren und 3 Minuten garen. Die Hitze reduzieren und die Innereien in 5 Minuten ohne Deckel fertig garen.

Mit Petersilie bestreuen und servieren.

INNEREIEN

INNEREIEN IN DER TÜRKISCHEN KULTUR

Innereien (Schlachtnebenerzeugnisse) nennen wir das Innenleben, die Köpfe und die Füße von Ziege, Schaf und Rind. Man bekommt sie in der Türkei in Spezialgeschäften, die Gerichte daraus sind bei uns sehr beliebt. Es gibt zahllose Varianten davon, aus allen Teilen – von Kopf, Läufen, Lunge, Leber, Milz, Herz, Nieren, Bries, Eingeweidefett, Schwanz, Magen bis zu den Gedärmen. Die Garmethoden reichen von gefüllten Kutteln über Kebab, Gegrilltes, Confit, Frikadellen, Pasteten, Eintöpfen bis hin zu Suppen. Pochieren oder Garen im traditionellen Ofen oder im Tandoor sind ebenfalls beliebte Techniken.

SAISON FÜR INNEREIEN

Wir essen ständig Innereien, im Winter noch öfter. Wir lieben Ziegen-, Kuh-, Kalbs- und Schaffüße. Suppe daraus kommt bei jedem Knochenbruch zum Einsatz (selbst die Ärzte stimmen darin überein, dass diese Volksmedizin wirklich heilt). Leber ist ebenfalls ein traditionelles Allheilmittel. Kurz gesagt: Wir glauben daran, dass Innereien uns guttun.

FRISCHE INNEREIEN

Frisch ist natürlich am besten, das gilt für Innereien noch mehr als für Fleisch oder Geflügel.
Letzteres verzehrt man traditionell am Schlacht-
tag oder am nächsten Tag. Innereien müssen am
Einkaufstag zubereitet werden.

Die besten Innereien liefern Lamm oder Kalb.
Alle Tiere müssen kastriert sein, sonst ist das
Fleisch geschmacklos oder riecht sehr penetrant.
Auch die Haltung der Tiere ist wichtig – je natürli-
cher, desto besser. Weniger Stress bedeutet bessere
Milch, besseres Fleisch und bessere Lebern.

DER INNEREIEN-
KEBABLADEN

In meiner Heimatstadt Nizip in Gaziantep befand
sich die Bäckerei, in der ich arbeitete, neben
einem Metzger. Zwischen den Läden ging es sehr
betriebsam zu. Kebabladenbesitzer eilten sofort
nach Lieferung der Innereien zum Metzger. Schon
um 4 Uhr morgens kauften sie Lungen, Rindertalg und Bries. Zurück in ihren Läden fädelten sie
Milz, Herz, Nieren, Leber und Lunge sorgfältig
auf Spieße. Übrige Lungenstücke brieten sie im
Rindertalg. Sie schnitten Gemüse, und währenddessen wurde die Glut im Grill langsam perfekt. In
den frühen Morgenstunden kamen dann alle auf
einen Innereien-Kebab vorbei: Bauern, Kaffee-
hausbesitzer, Nachtwächter, Gläubige auf dem
Weg in die Moschee, Obstgärtner, Frühaufsteher,
Büroangestellte, Menschen, die nach einer Hochzeit auf dem Weg ins Hamam waren. Erwähnens-
wert ist die Schrulligkeit der Kebabladenbesitzer
und ihrer Kunden. Angeseheneren Herrschaften
waren die frischen Köstlichkeiten am Spieß sowie
andere Delikatessen wie die noch blutigen Lebern
vorbehalten. Ein Hochzeiter und seine Freunde,
die frisch aus dem Hamam kommen, genießen
ebenfalls Vorzugsbehandlung.

Nach 9 Uhr gibt es in der Regel keine Innereien
mehr. Die meisten solcher Kebabläden schließen
um 10 oder 11 Uhr.

Traditionell gibt es in Innereien-Kebabläden
keine anderen Fleischzuschnitte. Allerdings sind
solche Innereien-Kebabs für Frühaufsteher keine
landesweite Delikatesse. Dafür aber Kuttelsuppe,
die man für gewöhnlich spätabends isst, ebenso
wie Bries. Gebratene Leber gibt es zum Mittag-
und Abendessen. Für jede Innerei gibt es eine
spezielle Tageszeit.

GEBRATENE KUTTELN
KIRKKAT KAVURMASI

Herkunft:	Adana, alle Landesteile
Zubereitung:	15 Minuten
Garzeit:	1 Stunde 25 Minuten zzgl. Abkühlen
Personen:	4

4	Blättermägen vom Lamm, gründlich gereinigt
150 g	Rindertalg
2 (240 g)	mittelgroße Zwiebeln, in Scheiben geschnitetn
2	Chilischoten, in feine Ringe geschnitten
½ TL	gemahlener Kreuzkümmel
1 TL	getrockneter Oregano
1 TL	Chiliflocken
2 EL	gemahlener Sumach
1 Bund	frische glatte Petersilie, fein geschnitten

Seite 247

In der türkischen Küche werden alle Arten von Kutteln (die vier Kammern des Magentrakts von Wiederkäuern) verarbeitet: Blätter-, Labmagen und Pansen werden oft gebraten, geschmort oder zum Füllen verwendet (*Dolmas*). Gebratene Kutteln gibt es im Winter. Kutteln und besonders Kuttelsuppe gelten als beste Katerkur nach einer langen Nacht in einem *Meyhane* (Seite 502). Rakı, das dort übliche traditionelle Getränk, hat über 40 Prozent Alkohol. Kutteln bringen Zecher danach mit Erfolg langsam in die Realität zurück.

◆

Die Mägen mit 1 Liter Wasser im Schnellkochtopf 50 Minuten weich garen. Abgießen und abkühlen lassen. Die kalten Mägen aufrollen und quer in 2 mm breite Streifen schneiden.

Einen großen *Saç* (Seite 503) oder Wok oder eine gusseiserne, tiefe Pfanne sehr stark erhitzen. Den Rindertalg darin erhitzen. Zwiebeln und Chilis zugeben und 15 Minuten dünsten. Die Kutteln hinzufügen und 10 Minuten braten. Mit Kreuzkümmel, Oregano, Chiliflocken, ¼ Teelöffel frisch gemahlenem Pfeffer und ¾ Teelöffel Salz würzen und 5 Minuten weiterbraten.

Sumach und Petersilie in einer Schüssel vermengen. Die gebratenen Kutteln in einer flachen Servierschüssel anrichten und die Sumachmischung darüberstreuen.

◆

SAURE KUTTELN
EKŞİLİ KARIN (İŞKEMBE)

Herkunft:	Bursa, Marmara
Zubereitung:	15 Minuten
Garzeit:	1 Stunde zzgl. Abkühlen
Personen:	4

600 g	Wasserbüffelkutteln (Pansen), gründlich gereinigt
2	frische Knoblauchzehen, fein gehackt
2 EL	frisch gepresster Zitronensaft
1 EL	Traubenessig
1 TL	Paprikapulver
¼ TL	gemahlener Kreuzkümmel
½ Bund	frische glatte Petersilie, fein gehackt
4	Frühlingszwiebeln, fein gehackt
60 ml	natives Olivenöl extra

Statt Wasserbüffelkutteln können Sie Kalbs- oder Schafskutteln verwenden. In manchen Rezepten werden die Kutteln erst gebraten.

◆

Die Kutteln mit 1 Liter Wasser im Schnellkochtopf 1 Stunde garen. Abgießen und abkühlen lassen, dann fein hacken.

Die Kutteln mit Knoblauch, Zitronensaft, Traubenessig, Paprikapulver und Kreuzkümmel sowie ¼ Teelöffel frisch gemahlenem Pfeffer und ¾ Teelöffel Salz in einer großen Schüssel 1 Minute vermischen. Petersilie, Frühlingszwiebeln und Olivenöl zugeben und nochmals 1 Minute durchrühren.

Sofort servieren.

SAUTIERTE LEBER UND LUNGE
CİĞER KAVURMASI

Herkunft:	Gaziantep, Südostanatolien
Zubereitung:	15 Minuten
Garzeit:	50 Minuten zzgl. 10 Minuten Abkühlen
Personen:	4

300 g	Lammleber
300 g	Lammlunge
150 g	Lammschwanzfett oder Butterschmalz, fein gehackt
4 (480 g)	mittelgroße Zwiebeln, fein gewürfelt
1½ TL	Tomatenmark (Seite 492)
2 TL	Paprikapulver
1 TL	Chiliflocken
½ TL	gemahlener Kreuzkümmel
¼ TL	gemahlene Gewürznelken
1 Bund	frische glatte Petersilie

1	Portion *Piyaz Salatsı* (Zwiebelsalat, Seite 67)
4	*Açik Ekmek* (Gerilltes Brot, Seite 394)

Dieses auch in Şanlıurfa beliebte Gericht wird traditionell als Wrap in *Açik Ekmek* (gerilltes Fladenbrot, Seite 394) serviert. Manche Rezepte verwenden Leber und Lunge, manche nur die Lunge.

♦

Von Leber und Lamm die Silberhaut abziehen und alle Flechsen entfernen. In einem großen Topf 2 Liter Wasser mit 1 Teelöffel Salz aufkochen. Leber und Lunge hineinlegen und mit Deckel 20 Minuten simmern lassen. Abgießen und unter kaltem Wasser spülen. Abkühlen lassen und fein hacken.

Das Schwanzfett oder Butterschmalz in einem großen Topf bei mittlerer Hitze zerlassen und heiß werden lassen. Die Zwiebeln darin 10 Minuten unter Rühren dünsten. Leber und Lunge zufügen und 10 Minuten braten. Dabei von Zeit zu Zeit umrühren. Tomatenpaste und -paprika, Chiliflocken, Kreuzkümmel und die Gewürznelken mit ¼ Teelöffel frisch gemahlenem Pfeffer und 1 Teelöffel Salz unterrühren und 10 Minuten mitkochen. Gelegentlich umrühren. Vom Herd nehmen, die Petersilie vorsichtig unterziehen und mit frischem *Piyaz Salatsı* und *Açik Ekmek* servieren.

♦

GEBRATENE LEBER MIT GEMÜSE
SEBZELİ CİĞER KAVURMASI

Herkunft:	Malatya, alle Landesteile
Zubereitung:	15 Minuten
Garzeit:	35 Minuten
Personen:	4

2 (240 g)	mittelgroße Zwiebeln, in 2-cm-Würfel geschnitten
1	grüne Paprika, in 2-cm-Würfel geschnitten
100 g	Butter
4	Knoblauchzehen, geviertelt
600 g	Lammleber, Silberhaut und Flechsen entfernt
500 g	Tomaten, in 2-cm-Würfel geschnitten
2 TL	Chiliflocken
2 TL	getrockneter Oregano

½ Bund	frisches Basilikum, zerzupft
½ Bund	frische glatte Petersilie, fein geschnitten

Dieses Gericht kocht man im Winter und zeitigen Frühjahr. Es soll angeschlagenen Personen umgehend Vitalität und Energie zurückgeben. Es ist in der heimischen Küche wie in Restaurants gleichermaßen beliebt, besonders in Südostanatolien. Lebergerichte sind in den darauf spezialisierten Gaststätten für gewöhnlich schon am Vormittag ausverkauft. Die Kebab-Varianten auf Spießen beinhalten im Sommer frische, im Winter getrocknete Chilis. Das Gericht gibt es unter gleichem Namen auch mit Lunge.

♦

Die Butter in einem großen Topf bei mittlerer Hitze zerlassen. Die Zwiebel darin 5 Minuten andünsten. Paprika und Knoblauch zugeben und 5 Minuten dünsten. Die Leber zufügen und 5 Minuten anbraten, dann die Tomaten unterrühren und 5 Minuten weitergaren. Die Hitze reduzieren. Mit Chiliflocken, Oregano, ¼ Teelöffel frisch gemahlenem Pfeffer und ¾ Teelöffel Salz würzen und mit Deckel 10 Minuten köcheln lassen. Basilikum und Petersilie über die Leber streuen und servieren.

SÜßSAURE LEBER
SİRKELİ CİĞER

Herkunft:	Çorum, alle Landesteile
Zubereitung:	15 Minuten
Garzeit:	25 Minuten zzgl. 5 Minuten Ruhezeit
Personen:	4

60 ml	natives Olivenöl extra
60 g	Zwiebel, fein gehackt
4	Knoblauchzehen, fein gehackt
600 g	Kalbsleber, Silberhaut und Flechsen entfernt, in 1-cm-Würfel geschnitten
2	Frühlingszwiebeln, fein gehackt
2 EL	Mehl
¼ TL	gemahlener Kreuzkümmel
500 ml	heißer Tomatensaft
60 ml	Traubenessig
2 EL	Apfelmelasse

6 Stängel	frische Petersilie, fein geschnitten
4 Stängel	frischer Dill, fein geschnitten

Leber soll Blutarmut heilen und die Sicht verbessern. Auch Abwehr und Energie soll sie steigern. Dieses Gericht ist im Frühling und Sommer sehr beliebt.

◆

Das Olivenöl bei mittlerer Hitze in einem Topf heiß werden lassen. Zwiebeln und Knoblauch zugeben und 1 Minute andünsten. Die Leberwürfel zufügen und 5 Minuten schmoren.

Die Frühlingszwiebeln unterziehen und 2 Minuten mitgaren. Mehl, ¼ Teelöffel frisch gemahlenen Pfeffer, Kreuzkümmel und ¾ Teelöffel Salz unterrühren und 2 Minuten garen. Die Hitze reduzieren.

Tomatensaft, Traubenessig und Apfelmelasse angießen und den Topfinhalt mit Deckel 15 Minuten schmoren. Topf vom Herd nehmen und Leber 5 Minuten ruhen lassen.

Mit Petersilie und Dill bestreuen und sofort servieren.

◆

POCHIERTES HIRN
BEYİN HAŞLAMA

Herkunft:	İzmir, Ägäisregion
Zubereitung:	20 Minuten zzgl. 1 Stunde Einweichen
Garzeit:	55 Minuten
Personen:	4

1	Kalbshirn, Silberhaut entfernt
2 EL	frisch gepresster Zitronensaft
60 ml	Apfelweinessig
60 ml	natives Olivenöl extra
4	Knoblauchzehen, gehackt
150 g	Karotten, in 1-cm-Würfel geschnitten
200 g	Knollensellerie, geschält, in 1-cm-Würfel geschnitten
150 g	grüne Erbsen

Für die Sauce:

60 ml	frisch gepresster Zitronensaft
4 Stängel	frischer Dill, fein geschnitten
4 Stängel	frische Petersilie, fein geschnitten
2	Eigelb

Innereien sollen die kognitiven Funktionen und gehirnbedingte Leiden verbessern. Schafs- und Ziegenhirn verwendet man am liebsten.

◆

Das Kalbshirn gründlich in kaltem Wasser waschen, dann in einem Topf in 2 Liter Wasser, Zitronensaft, Apfelweinessig und ¾ Teelöffel Salz 1 Stunde einweichen.

Das Öl in einem Topf bei mittlerer Hitze heiß werden lassen. Knoblauch, Karotten und Knollensellerie zugeben und 5 Minuten andünsten. Vom Einweichwasser 1,5 Liter abnehmen und in den Topf gießen. Mit Deckel 15 Minuten köcheln lassen. Die Erbsen zufügen und weitere 15 Minuten zugedeckt kochen. Die Hitze reduzieren und vorsichtig das Hirn hineingleiten lassen, restliches Einweichwasser dazugießen. Mit Deckel 15 Minuten ziehen lassen.

Für die Sauce vom Kochsud 60 ml abschöpfen und mit Zitronensaft sowie Dill, Petersilie und Eigelb 1 Minute gründlich verrühren. Die Sauce langsam zum Topfinhalt gießen und einmal vorsichtig durchrühren, um alles zu vermischen. Sofort servieren.

INNEREIEN

KALBSZUNGE
DİL SÖĞÜŞ

Herkunft:	Malatya, alle Landesteile
Zubereitung:	10 Minuten
Garzeit:	1 Stunde zzgl. Abkühlen
Personen:	4

1 (1 kg)	Kalbszunge
2	Gewürznelken
2	Pfefferkörner
3	Fenchelsamen
1 EL	frisch gepresster Zitronensaft
2 TL	getrockneter Oregano
½ TL	Chiliflocken
¼ TL	gemahlener Kreuzkümmel
1 Bund	frische glatte Petersilie, Blätter abgezupft
2 EL	natives Olivenöl extra

Eine der beliebtesten *Sahür*-Mahlzeiten im Ramadan, kurz vor Sonnenaufgang. Manche Rezepte verzichten auf Olivenöl, Gewürze und Petersilie.

Die Kalbszunge mit 1,5 Liter Wasser, Gewürznelken, Pfefferkörnern, Fenchelsamen und Zitronensaft in einen Schnellkochtopf geben. 1 Stunde kochen. Abkühlen lassen, häuten und das Zungenbein auslösen. Das Fleisch in 3 mm breite Scheiben schneiden.

Oregano, Chiliflocken und Kreuzkümmel mit je ¼ Teelöffel frisch gemahlenem Pfeffer und Salz in einer Schüssel mischen.

Einen Servierteller mit der Petersilie belegen und die Zungenscheiben darauf anrichten. Vor dem Servieren mit etwas Olivenöl beträufeln und mit der Gewürzmischung bestreuen.

KALBSBACKEN
KELLE ETİ KAVURMASI

Herkunft:	Ankara, alle Landesteile
Zubereitung:	10 Minuten
Garzeit:	1 Stunde 35 Minuten
Personen:	4

800 g	Kalbsbacken, küchenfertig gesäubert
150 g	Rindertalg
3 (360 g)	mittelgroße Zwiebeln, in Halbringe geschnitten,
3	kleine Paprika, in Ringe geschnitten, halbiert
½ TL	gemahlener Kreuzkümmel
2 TL	getrockneter Oregano
1 TL	Chiliflocken

Während *Eid al Ahda* (dem Opferfest) erhalten diejenigen, die die Tiere schlachten, Kopf, Därme und Kutteln. Kalbsbacken gelten als Fleisch der Armen. Es ist ein wichtiges Gericht, das zeigt, wie man aus beinahe nichts etwas Köstliches zaubert. Wenn Sie keine Paprika verwenden wollen, erhöhen Sie die Zwiebelmenge.

Die Kalbsbacken mit 1 Liter Wasser in einen Schnellkochtopf geben und 1 Stunde garen. Abgießen und abkühlen lassen, dann das Fleisch klein schneiden.

Einen großen *Saç* (Seite 503) oder Wok oder eine Eisenpfanne sehr heiß werden lassen. Den Rindertalg darin zerlassen. Die Zwiebeln darin 5 Minuten andünsten. Die Paprika, Kreuzkümmel, Oregano und Chiliflocken unterrühren und 10 Minuten garen. Dann die Kalbsbackenstücke zufügen und 2 Minuten braten. Gelegentlich umrühren. Die Hitze reduzieren und 2 Minuten ohne Rühren weiterbraten, bis alle Flüssigkeit eingekocht ist.

Sofort servieren.

LEBERPASTETE
CİĞER DÖVMESİ

Herkunft:	Kars, Ostanatolien
Zubereitung:	10 Minuten
Garzeit:	20 Minuten
Personen:	4

600 g	Lammleber, Silberhaut und Flechsen entfernt, in 6 Stücke geschnitten
20	Knoblauchzehen
6	Pfefferkörner
4 Stängel	frischen Koriander, fein gehackt

Für die Sauce:	
50 g	Butter
1 TL	Chiliflocken

❧ ✗

Das Gericht wird auch mit anderen Innereien zubereitet und in Talg lange haltbar gemacht.

◆

In einem großen Topf 2 Liter Wasser bei mittlerer Hitze zum Kochen bringen. Leber, ¼ Teelöffel Salz, Knoblauch und die Pfefferkörner zufügen und 15 Minuten zugedeckt kochen. Leber gut abtropfen lassen, dann in eine Küchenmaschine füllen und zu einer Paste verarbeiten.

Für die Sauce die Butter in einem Topf bei mittlerer Hitze zerlassen. Die Chiliflocken zufügen und 30 Sekunden dünsten. Die Pastete auf Portionstellern anrichten, mit der Chilisauce beträufeln, mit Koriander bestreuen und servieren.

◆

LAMMKOPF
KELLE SÖĞÜŞ

Herkunft:	İzmir, Ägäisregion
Zubereitung:	40 Minuten
Garzeit:	1 Stunde zzgl. Abkühlen
Personen:	4

2	Lammköpfe mit Hirn, Haut entfernt und in kaltem Wasser gereinigt
2 EL	frisch gepresster Zitronensaft
60 ml	Apfelweinessig

4	Frühlingszwiebeln, fein gehackt
½ Bund	frische glatte Petersilie, fein gehackt
½ TL	gemahlener Kreuzkümmel
2 TL	getrockneter Oregano
1 TL	Paprikapulver

♦ ❧ ●

Dies ist ein beliebtes Straßenessen, das traditionell als Wrap gegessen wird. Wenn Ihr Schnellkochtopf für einen ganzen Kopf nicht groß genug ist, kochen Sie ihn 2 Stunden in einem sehr großen Topf in 4 Liter Wasser.

◆

Den Kopf mit 2 Liter Wasser, Zitronensaft, Apfelweinessig und ¼ Teelöffel Salz in einen Schnellkochtopf legen und 1 Stunde kochen. Herausheben und abkühlen lassen.

Wenn er kalt genug zum Weiterverarbeiten ist, Augen, Wangen und Zunge auslösen. Das harte Gewebe von Augen, Knochen und Zunge entfernen und entsorgen. Den Schädel mit einem kleinen Hackmesser aufbrechen und das Hirn auslösen. Das ganze restliche Fleisch auslösen und auf Tellern anrichten, sodass jeder Esser gleich viel von jedem Teilstück erhält.

Mit Frühlingszwiebeln, Petersilie, Kreuzkümmel, Oregano und Paprikapulver bestreuen und servieren.

KALBSKOPF-FRIKADELLEN
BAŞ ETİ KÖFTESİ

Herkunft:	İstanbul, alle Landesteile
Zubereitung:	25 Minuten
Garzeit:	10 Minuten
Personen:	4

4	milde, grüne Spitzpaprika
1 (120 g)	mittelgroße Zwiebel, in Ringe geschnitten
200 g	Tomaten, jede in 4 Scheiben geschnitten

Für die Köfte:	
600 g	Kalbskopffleisch (mittelfett)
80 g	Rindertalg
2 (240 g)	mittelgroße Zwiebeln, geviertelt
150 g	altbackenes Weißbrot
½ TL	gemahlener Kreuzkümmel
½ TL	Paprikapulver

Wenn Sie keinen Holzkohlegrill haben, können Sie den Backofengrill verwenden.

♦

Einen Holzkohlegrill anheizen oder den Backofengrill auf höchster Stufe vorheizen.

Für die Köfte das Kalbskopffleisch mit Rindertalg, Zwiebel und altem Brot mischen und zweimal durch den Fleischwolf drehen. Alternativ die Zutaten sehr fein hacken, bis sie komplett durchmischt sind.

Die Kalbsmischung mit Kreuzkümmel, Paprikapulver, ¼ Teelöffel frisch gemahlenem Pfeffer und 1 Teelöffel Salz in einer großen Schüssel oder auf einem tiefen Tablett 5 Minuten lang gründlich verkneten. Die Mischung in 32 gleiche Teile teilen und zu flachen Frikadellen formen.

Frikadellen über der heißen Holzkohlenglut erst 2 Minuten auf jeder Seite grillen, dann 1 weitere Minute. Paprika und Zwiebeln ebenfalls grillen. Die Tomaten mit ¼ Teelöffel Salz bestreuen und grillen. Alternativ die Zutaten im Backofen 3 Minuten grillen und bei Bedarf wenden.

Köfte und Gemüse gleichmäßig auf Tellern verteilen und servieren.

♦

FLEISCHBÄLLCHEN AUS LAMMLEBER
CİĞER TAPLAMA

Herkunft:	Bitlis, Ostanatolien
Zubereitung:	20 Minuten zzgl. 10 Minuten Ruhezeit
Garzeit:	15 Minuten
Personen:	4

400 g	Lammleber, Silberhaut und Flechsen entfernt
60 g	Zwiebel, grob geschnitten
150 g	feiner Bulgur
½ Bund	frische glatte Petersilie, fein gehackt
3–5 EL	getrocknetes Basilikum
¼ TL	gemahlener Kreuzkümmel

Für die Sauce:	
100 g	Butter
2 TL	Chiliflocken

Dieses Wintergericht ist sehr beliebt für besondere Anlässe.

♦

Leber und Zwiebel mischen und durch den Fleischwolf drehen. Alternativ beides sehr fein hacken.

Die Leber-Zwiebel-Mischung mit Bulgur, Petersilie, Basilikum, Kreuzkümmel, ¼ Teelöffel frisch gemahlenem Pfeffer und ½ Teelöffel Salz in einer Schüssel gut vermischen. 10 Minuten ruhen lassen, dann nochmals 4 Minuten kneten. Zu 20 Bällchen rollen.

In einem Topf 3 Liter Wasser und ½ Teelöffel Salz bei mittlerer Hitze aufkochen. Die Fleischbällchen einlegen und 10 Minuten garen. Wenn sie an die Oberfläche kommen, herausnehmen und auf Teller verteilen.

Für die Sauce die Butter in einem Topf bei mittlerer Hitze zerlassen. Die Chiliflocken einrühren und 10 Sekunden andünsten.

Die Köfte mit der Sauce beträufeln und servieren.

INNEREIEN

GEGRILLTE BRIESSPIEßE
UYKULUK KEBABI

Herkunft:	Gaziantep, alle Landesteile
Zubereitung:	15 Minuten
Garzeit:	15 Minuten
Personen:	4

600 g	Lamm- oder Schaf-/Hammelbries, gewaschen, in 2-cm-Würfel geschnitten
60 g	Zwiebel, in 2-cm-Würfel geschnitten
60 ml	natives Olivenöl extra
6	Knoblauchzehen, gehackt
¼ TL	gemahlener Kreuzkümmel
1 TL	Chiliflocken
1 Bund	frische glatte Petersilie, nur die Blätter

Seite 255

Dieses Gericht wird besonders zu Frühlingsbeginn zubereitet, wenn das Bries am besten ist. Früher war es eine Spezialität des alten Schlachthofs in Sütlüce. Heute überlebt es noch als Straßenessen. Ohne Holzkohlegrill können Sie den Backofengrill verwenden. Sie benötigen 4 lange gusseiserne Spieße oder 8 normale Holzspieße (eingeweicht).

Einen Holzkohlegrill anheizen oder den Backofengrill auf höchste Stufe vorheizen.

Das Bries mit Zwiebel, Olivenöl, Knoblauch, Kreuzkümmel, Chiliflocken sowie je ½ Teelöffel frisch gemahlenem Pfeffer und ¼ Teelöffel Salz in einer großen Schüssel oder auf einem tiefen Tablett 3 Minuten lang gründlich verkneten. In 4 (8) Portionen teilen, auf die Spieße stecken und fest andrücken.

Die Spieße 8 cm über der heißen Glut einhängen und 10 Minuten grillen. Jede Minute drehen. Alternativ im Backofen grillen und bei Bedarf wenden. Sofort mit Petersilie bestreut servieren.

GEGRILLTE LAMMLEBER-SPIEßE
PERDELİ CİĞER KEBABI

Herkunft:	Diyarbakır, alle Landesteile
Zubereitung:	20 Minuten
Garzeit:	15 Minuten
Personen:	4

600 g	Lammleber, Silberhaut und Flechsen entfernt
¼ TL	gemahlener Zimt
1 TL	Chiliflocken
¼ TL	Kreuzkümmelsamen
½ TL	gemahlener Koriander
60 g	Zwiebel, fein gehackt
4 (10 × 20 cm) Stücke	Fettnetz, 10 Minuten in Wasser eingeweicht, gespült

1 Rezept	*Piyaz Salatası* (Zwiebelsalat, Seite 67)
4	*Açik Ekmek* (Gerilltes Brot, Seite 394)

Traditionell frühmorgens mit *Açik Ekmek* (Gerilltes Fladenbrot, Seite 394) serviert, zieht man den Kebab zuerst auf einen Teller ab und beträufelt ihn dann mit Essig und bestreut ihn mit Knoblauch. Dann kommt das Fleisch 10 Minuten abgedeckt auf die noch warme Glut. Sie können auch ohne Fettnetz arbeiten oder mit Schwanzfett. Bei dieser Technik steckt man abwechselnd Fett- und Leberstücke auf den Spieß. Ohne Holzkohlegrill können Sie den Backofengrill verwenden. Sie benötigen 4 lange gusseiserne Spieße oder 8 normale Holzspieße (eingeweicht).

Einen Holzkohlegrill anheizen oder den Backofengrill auf höchste Stufe vorheizen.

Die Leber mit Zimt, Chiliflocken, Kreuzkümmel, Koriander, Zwiebeln sowie ¼ Teelöffel frisch gemahlenem Pfeffer und ½ Teelöffel Salz in einer großen Schüssel oder auf einem tiefen Tablett gut vermischen. Zu gleichen Teilen auf die Spieße stecken und die Leber mit den Fettnetzen fest umwickeln.

Die Spieße 8 cm über der heißen Glut einhängen und 10 Minuten grillen. Dabei jede Minute drehen. Alternativ im Backofen grillen und nach Bedarf wenden. Die Spieße auf Teller legen und mit dem *Piyaz Salatası* und *Açik Ekmek* servieren.

LAMMINNEREIEN AM SPIEß
KOKOREÇ

Herkunft:	İstanbul, Marmararegion und İzmir, Ägäisregion
Zubereitung:	10 Minuten
Garzeit:	20–30 Minuten
Personen:	4

1	Lammvormagen (Pansen), gründlich gereinigt
1	Lammdickdarm, gründlich gereinigt
1	Lammdünndarm, gründlich gereinigt
1	Lammfettnetz
1 TL	Paprikapulver
2 TL	getrockneter Oregano
½ TL	gemahlener Kreuzkümmel

Seite 257

Dieses Gericht ist auch als Lamm-*Sarma* oder Lamm-*Büryan* bekannt. Man isst es das ganze Jahr über, obwohl dieses beliebte Straßenessen im Frühling, zur Milchlammzeit, seine Hochsaison hat. Die Bewohner İstanbuls kaufen Pansen und Därme küchenfertig von Innereienhändlern und kochen sie bei schwacher Hitze 1 Stunde, wobei sie sie von Zeit zu Zeit mit dem Messer anstechen. Dann werden sie mit Tomaten, Reis, Frühlingszwiebeln, Dill und Gewürzen im Ofen fertig gegart. In İzmir genießt man die Innereien im Brötchen mit Kreuzkümmel und Paprika. In İstanbul sind Kreuzkümmel, Chiliflocken, Oregano, Tomaten und milde, grüne Spitzpaprika beliebter. Manche essen diese Innereien lieber in Scheiben, in Ei gewendet und gebraten, zusammen mit Reis und Reisnudeln. Ohne Holzkohlegrill können Sie den Backofengrill verwenden. Sie benötigen 1 langen gusseisernen Spieß.

♦

Einen Holzkohlegrill anheizen oder den Backofengrill auf höchste Stufe vorheizen.

Den Pansen vom schmalen Ende her um den Spieß wickeln. Den Dickdarm abwickeln und drum herum wickeln. Am Spießende den Darm wieder zurückwickeln usw., bis der Darm ganz auf den Spieß gewickelt ist. Den Dünndarm an einem Spießende festbinden und bis zum anderen Ende aufwickeln. Dabei kreuzweise über den Dickdarm legen. Mit einem festen Knoten am Spieß enden. Das Fettnetz um den Spieß wickeln.

Den Spieß 8 cm über der heißen Glut einhängen und 20 Minuten grillen. Dabei häufig wenden. Nach 10 Minuten mit der Messerspitze oder einer Packnadel einige Löcher hineinstechen. Alternativ den Spieß im Backofen 30 Minuten grillen und nach Bedarf wenden.

Das Fleisch vom Spieß ziehen und in 1 cm breite Scheiben schneiden, dann grob in kleine Stücke schneiden. Mit Paprikapulver, Oregano, Kreuzkümmel und ½ Teelöffel Salz bestreuen und pur oder in einem Brötchen servieren.

WIDDERHODEN

TAŞAK KEBABI (BİLLUR KEBABI)

Herkunft:	Muğla, alle Landesteile
Zubereitung:	15 Minuten
Garzeit:	15 Minuten
Personen:	4

4	Widderhoden, halbiert und gehäutet, die Hälften halbiert, unter kaltem Wasser gespült
1 (120 g)	mittelgroße Zwiebel, in Spalten geschnitten
10	Knoblauchzehen
60 ml	natives Olivenöl extra
100 g	Lammschwanzfett oder Rindertalg, gewürfelt
2 Stängel	frische glatte Petersilie, fein geschnitten

Seite 259

Die Freunde dieses Gerichts erwarten ungeduldig den Frühling, wenn die Hoden des Widders am größten sind. Wenn Sie keinen Holzkohlegrill haben, verwenden Sie den Backofengrill. Sie benötigen 8 lange gusseiserne Spieße oder 16 normale Holzspieße (eingeweicht).

◆

Einen Holzkohlegrill anheizen oder den Backofengrill auf höchste Stufe vorheizen.

Hoden, Zwiebel, Knoblauch, Olivenöl, Schwanzfett und Petersilie in einer großen Schüssel oder auf einem tiefen Tablett mit je ½ Teelöffel frisch gemahlenem Pfeffer und Salz gründlich vermengen. Alles auf die Spieße stecken, dabei am Anfang, in der Mitte und am Ende ein Stück Schwanzfett oder Talg auffädeln.

Die Spieße 8 cm über der heißen Glut einhängen und 6 Minuten grillen, dabei jede Minute drehen. Alternativ im Backofen grillen und nach Bedarf wenden. Sofort servieren.

◆

GEBACKENER SCHAFSKOPF

FIRIN KELLE

Herkunft:	Sivas, alle Landesteile
Zubereitung:	15 Minuten zzgl. 10 Minuten Einweichen
Garzeit:	3 Stunden
Personen:	4

4	Lammköpfe mit Hirn, gehäutet, gründlich unter kaltem Wasser gereinigt
4 (480 g)	mittelgroße Zwiebeln, geviertelt
5	Pfefferkörner
1 Stück	Lammfettnetz, unversehrt, 10 Minuten in warmem Wasser eingeweicht, dann abgespült
5	Gewürznelken
2 TL	getrockneter Oregano

Dieses Gericht ist ein beliebter Morgengenuss und wird auch in türkischen Badehäusern serviert. Gleich nach dem Baden ziehen die Menschen in einen kühleren Teil des Hamams um, um zu essen und Kontakte zu knüpfen. Einige Innereienläden İstanbuls bereiten dieses Gericht täglich im traditionellen Ofen oder im Tandoor zu. Aficionados beobachten das Fenster dieser Läden und starten sofort, wenn sie einen Schafskopf sehen. In Sivas ist es Tradition, direkt nach dem Morgengebet in einen Schafskopfladen zu gehen. Der Ladenbesitzer zerhackt den Kopf mit einem Beil und serviert ihn mit einer rohen Zwiebel. Er wird mit den Händen gegessen. Ein türkisches Sprichwort empfiehlt, Huhn, Fisch und Kopf immer mit der Hand zu essen: *Tavuk balık kelle, bunlar yenir elle.*

◆

Den Backofen auf 180 °C vorheizen. Die Lammköpfe in einen großen Bräter oder eine Kupferpfanne geben, mit 2 Liter Wasser bedecken und die Hälfte der Zwiebeln und die Pfefferkörner sowie 1 Teelöffel Salz zufügen. Das Fettnetz darüberlegen und die Gewürznelken zufügen. Einen fest schließenden Deckel aufsetzen und Lammköpfe im heißen Backofen 2 Stunden 40 Minuten garen.

Bräter herausnehmen und die Hitze auf 220 °C erhöhen.

Die Köpfe aus dem Bräter nehmen und auf ein tiefes Backblech geben. 600 ml Kochsud darübergießen. Wieder in den Ofen stellen und 5–10 Minuten offen garen. Mit dem Hackmesser jeden Kopf von der Stirn aus in zwei Hälften teilen. Auf Teller legen, mit Oregano bestreuen und mit den restlichen rohen Zwiebelvierteln servieren.

INNEREIEN

GEBRATENES HIRN
BEYİN ÇULLAMA (KIZARTMA)

Herkunft:	Antalya, alle Landesteile
Zubereitung:	15 Minuten zzgl. 1 Stunde Einweichen
Garzeit:	30 Minuten zzgl. 1 Stunde Kühlen
Personen:	4

1	Kalbshirn, Silberhaut entfernt
2 EL	frisch gepresster Zitronensaft
60 ml	Apfelweinessig
100 g	Weizenmehl
60 ml	natives Olivenöl extra

Für die Ei-Panade:	
4	Eier
3	Frühlingszwiebeln
6 Stängel	frische glatte Petersilie
3 Stängel	frischer Dill
½ TL	gemahlener Kreuzkümmel

Seite 261 📷

Dieses Frühlingsgericht ist eine Spezialität der sephardischen Juden in der Türkei. Hirn wird in Ei gewendet, gebraten und mit Petersilie und Zitronenscheiben serviert.
◆

Das Kalbshirn gründlich in kaltem Wasser waschen, dann in einem Topf in 2 Liter Wasser mit Zitronensaft, Essig und ¾ Teelöffel Salz 1 Stunde einweichen.

Den Topfinhalt bei schwacher Hitze erwärmen und zugedeckt aufkochen. Ca. 15 Minuten kochen. Vom Herd nehmen und 5 Minuten stehen lassen. Das Hirn mit einem Sieblöffel herausheben und mit kaltem Wasser spülen. 1 Stunde in den Kühlschrank stellen.

Zum Panieren die Eier in einer Schüssel 1 Minute verquirlen. Frühlingszwiebeln, Petersilie und Dill fein schneiden und mit Kreuzkümmel und je ¼ Teelöffel frisch gemahlenem Pfeffer und Salz unterziehen. Das Mehl in eine flache Schüssel füllen.

Das gekühlte Hirn in 4 gleich große Portionen teilen. Das Öl in einem Topf bei mittlerer Hitze auf 155 °C bringen. Die Hirnstücke erst im Ei und dann im Mehl wenden. In das heiße Öl legen und 2 Minuten pro Seite braten. Auf Portionsteller legen und sofort servieren.

◆

OCHSENSCHWANZFRIKADELLEN MIT AUBERGINE
PÖÇ KÖFTESİ KIZARTMASI

Herkunft:	Çankırı, Zentralanatolien
Zubereitung:	20 Minuten zzgl. 10 Minuten Einweichen
Garzeit:	1 Stunde 35 Minuten zzgl. Abkühlen
Personen:	4

600 g	Ochsenschwanz, geviertelt
800 g	rundliche Auberginen, streifenweise längs geschält (1 Streifen schälen, 1 Streifen stehen lassen etc.), geviertelt
200 ml	natives Olivenöl extra
1 (120 g)	mittelgroße Zwiebel, in Halbringe geschnitten
100 g	Walnusskerne
½ TL	gemahlener Zimt
50 g	Keş (Kaschk, Seite 485), gerieben
4 Stängel	frischer Dill, fein gehackt
4 Stängel	frische Petersilie, fein gehackt
2	Eier
2 EL	Traubenessig

In diesem Gericht verwendet man Gemüse der Saison. Es wird zu Spezialanlässen und in vielen *Meyhanes* serviert.
◆

Den Ochsenschwanz mit 1,5 Liter Wasser im Schnellkochtopf 70 Minuten kochen. Abkühlen lassen, das Fleisch auslösen und zerkleinern. Die Brühe aufheben.

In der Zwischenzeit die Auberginen in einer Schüssel mit 1½ Teelöffel Salz und 2 Liter Wasser 10 Minuten einweichen. Abgießen, spülen und trocken tupfen.

60 ml Öl bei mittlerer Hitze in einer Pfanne erhitzen. Die Zwiebeln zugeben und 5 Minuten andünsten. Die Walnusskerne hinzufügen und 1 Minute mitdünsten. Ochsenfleisch, Zimt, ¼ Teelöffel frisch gemahlenen Pfeffer und ½ Teelöffel Salz hinzufügen und 5 Minuten mitkochen. Vom Herd nehmen und abkühlen lassen. Dann den *Keş* mit Dill, Petersilie und Eiern unterrühren und 1 Minute durchmischen.

140 ml Öl in einem Topf bei mittlerer Hitze auf 155 °C bringen. Die Auberginenviertel hineinlegen und 4 Minuten auf einer Seite braten. Beim Umdrehen die gebratene Seit mit ¼ der Ochsenschwanz-/Eimischung bedecken und 4 Minuten weiterbraten. Die Hitze reduzieren. 250 ml Ochsenschwanzbrühe und den Traubenessig angießen und mit Deckel 10 Minuten garen. Sofort servieren.

INNEREIEN

GEBRATENE LEBER ALBANISCHE ART
CİĞER TAVASI (ARNAVUT CİĞERİ)

Herkunft:	İstanbul, Marmararegion
Zubereitung:	15 Minuten
Garzeit:	15 Minuten
Personen:	4

600 g	Lammleber, Silberhaut und Flechsen entfernt
100 g	Mehl
750 ml	natives Olivenöl extra
200 g	Kartoffeln, klein gewürfelt und trocken getupft
1 TL	Paprikapulver
¼ TL	gemahlener Kreuzkümmel

½ Bund	frische glatte Petersilie, fein geschnitten
1 Rezept	*Piyaz Salatsı* (Zwiebelsalat, Seite 67)

Seite 263

Die meisten Straßenhändler, die in den Straßen İstanbuls gebratene Leber anboten, waren Albaner – daher der Name. Um das Blut zu entfernen, die Lebern erst waschen und dann mit 1 Zwiebel mindestens zwei, am besten 24 Stunden, in 1 Liter Milch einlegen.

Die Lammlebern fein würfeln. Das Mehl in eine flache Schüssel füllen und die Leberwürfel darin wenden, bis sie rundum damit bedeckt sind. Überschüssiges Mehl abschütteln.

Das Olivenöl bei mittlerer Hitze in einem großen Topf auf 155 °C bringen. Die Kartoffelwürfel vorsichtig hinzufügen und 5 Minuten frittieren. Mit einem Sieblöffel in ein tiefes Tablett heben.

Vorsichtig die Lebern in das Öl gleiten lassen und 30 Sekunden frittieren, bis sie an die Oberfläche kommen. Mit dem Sieblöffel ebenfalls in das Tablett legen.

Lebern und Kartoffeln mit Paprikapulver und Kreuzkümmel bestreuen. Mit 1 Prise frisch gemahlenem Pfeffer und ½ Teelöffel Salz würzen und vorsichtig mischen.

Auf Suppenteller oder -schalen verteilen und mit *Piyaz Salatsı* als Beilage servieren

FRITTIERTE LEBERSCHEIBEN
YAPRAK CİĞER TAVASI

Herkunft:	Edirne, Marmararegion
Zubereitung:	10 Minuten
Garzeit:	10 Minuten
Personen:	4

150 g	Mehl
¼ TL	weißer Pfeffer
600 g	Büffelkalbsleber (oder Kalbsleber), geputzt, in 1-mm-Scheiben geschabt, gewaschen und abgetropft
750 ml	Sonnenblumenöl oder natives Olivenöl extra
12	getrocknete Chilischoten
1 TL	getrockneter Oregano
1 TL	Chiliflocken
¼ TL	gemahlener Kreuzkümmel
1 Portion	*Fasulye Piyazı* (Salat mit weißen Bohnen, Seite 62) zum Servieren

Dieses Gericht, das sofort Energie verleihen soll, ist typisch für Edirne. Man kocht es hier zu Hause wie in Spezialrestaurants, die nur dieses Gericht servieren. Es wird vor allem im Winter gegessen. Menschen, die den starken Lebergeruch nicht mögen, weichen sie in einem halben Liter Milch mit verquirltem Ei ein. Dann brät man sie im Olivenöl der Region .

Mehl, weißen Pfeffer und ½ Teelöffel Salz in einer flachen Schüssel vermischen. Die Leberscheiben darin wenden, bis sie rundum bedeckt sind.Überschüssiges Mehl abschütteln.

Das Sonnenblumenöl in einem großen Topf bei mittlerer Hitze auf 155 °C bringen. Die Chilis darin 1 Minute frittieren, dann mit dem Sieblöffel auf einen Servierteller heben. Die Leberscheiben sanft in das Öl gleiten lassen und 30–60 Sekunden frittieren, bis sie an der Oberfläche schwimmen. Mit dem Sieblöffel herausheben und auf die Chilis legen.

Oregano, Chiliflocken, Kreuzkümmel und ½ Teelöffel Salz in einer kleinen Schüssel vermengen. Die Mischung über die Leberscheiben und Chilis streuen und mit *Fasulye Piyazı* servieren.

FISCH
&
MEERESFRÜCHTE

SÜßWASSERFISCH

SALZWASSERFISCH

Die türkische Kochkultur umfasst Salzwasser- wie Süßwasserfische. Die Bewohner der Küstengebiete genießen Salzwasserfische, Menschen, die in der Nähe von Bergen, Seen, Bächen und Flüssen wie dem Euphrat leben, essen eine Vielzahl von Süßwasserfischen.

Das Mantra „frisch ist am besten" gilt für Fisch ganz besonders. Es gibt unzählige Möglichkeiten ihn zu garen: frittieren, grillen, am Spieß garen, dämpfen, backen und viele mehr. Auch Eintöpfe, Suppen und Frikadellen sind beliebt. Ein Sprichwort besagt, Fisch und Olivenöl sind eine Ehe, die der Himmel gestiftet hat. Meeresfrüchte wie Muscheln, Tintenfisch, Garnelen und Oktopusse werden gebraten, in Brühe gegart oder in Salaten serviert. Solche Gerichte sind in den Marmara- und Ägäisregionen beliebt.

Fisch wird häufig auch getrocknet, essigsauer oder in Salzlake eingelegt. Sonnengetrocknete Makrele ist ein Dauerbrenner; Bonito und Thunfisch schmecken köstlich in Salz eingelegt. Eine weitere gängige Methode ist es, Fischrogen zu trocknen und in Wachs zu konservieren.

Süßwasserfische werden auf vielfältige Weise zubereitet, als Omelett oder Pastete, getrocknet, als Schmorgericht, geröstet oder gesalzen. Sie werden mit Obst, Knoblauch oder Zwiebeln gekocht, gewürzt oder mariniert, auf Spieße gesteckt, frittiert, in Teig gebacken, im Tandoor geschmort, gebacken und gedünstet.

Fische sind Saisonware. Die Angelsaison beginnt Mitte September mit dem Bonito, und Salzwasserfische sind immer beliebter als Süßwasserfische. Die frühen, kleinen und schlanken Bonitos heißen in İstanbul „Zigeuner-Bonito". Im Oktober und November werden die Fische fetter und rundlicher. Dies ist die Lieblingszeit von Fischfans. Ideal ist ein nachhaltiger, saisonaler und moderater Konsum. Zudem schmecken Salzwasserfische in der Saison am allerbesten.

Das A & O der Zubereitung – egal, ob frittiert, in der Pfanne gebraten oder gebacken – ist die Feuchtigkeit im Fisch. Das Wichtigste für ein gutes Fischgericht ist, dass der Fisch beim Garen saftig bleibt, ohne dass sein Fleisch verbrennt oder zu stark gegart wird.

ERINNERUNGEN
AN DAS MEER

Ich hatte früher Freunde, die sich nur zum gemeinsamen Fischessen trafen. Es waren regionale Fischhändler des Ortes Beylerbeyi in İstanbul. Wir trafen uns einmal im Monat, tranken Rakı und aßen gebratenen oder gegrillten Fisch. Diese Fischer angelten gerne mit Ruten, und ihre frisch gefangenen Fische waren unglaublich köstlich. Keiner von ihnen war gelernter Koch, aber wenn es um Fisch ging, wussten sie alles, was man wissen musste, und noch mehr.

Heute fischt nur noch eine Handvoll von ihnen und verkauft ihren Fang an Restaurants oder spezielle Kunden. Früher hatten Fischhändler, besonders diejenigen, die Sardellen verkauften, Stände mit Holzkohlegrills. Jeder Kunde, der die Frische des Fisches infrage stellte, bekam sofort ein Probierstück, um es selbst zu beurteilen. In Canakkale hieß diese Tradition, die Frische zu prüfen, „schlechter Fisch" oder „schlechter Kebab". Manche Kunden aßen es an Ort und Stelle mit einem Glas Rakı. Es musste schnell gehen, denn jeder Kunde wollte ein Stück des Fischs. Den Begriff „schlechter Fisch" sieht man heute noch auf Speisekarten und bei Festivals.

HEILIGE
FISCHE

Manche glauben, dass Fisch heilig ist. Besonders heilig ist der Karpfen des Sees Balıklıgöl in der südosttürkischen Provinz Şanlıurfa, der nie gegessen wird. Als Abraham in Nemrut ein Feuer entzündete, so wird überliefert, verwandelte es sich zu Wasser und das glühende Holz darin zu Fisch. Die Menschen dort glauben, dass jeder verflucht wird, der den heiligen Fisch isst.

SEEQUAPPEN IN RENEKLODENSAUCE
SÜTLÜ BALIK

Herkunft:	İstanbul, Marmararegion
Zubereitung:	20 Minuten zzgl. 1 Stunde Einweichen
Garzeit:	1 Stunde zzgl. 5 Minuten Ruhezeit
Personen:	4

16	Mittelmeer-Seequappen, küchenfertig geputzt
60 ml	Apfelweinessig

Für die Pflaumensauce:

500 g	Renekloden oder saure Pflaumen
1 TL	Zucker
60 ml	natives Olivenöl extra

Seite 271

Dieses Gericht der sephardischen Juden wird vor der Pflaumenreife im späten Frühjahr und Sommer zubereitet.

◆

Die Seequappen mit 1 Esslöffel Salz und dem Apfelessig in 3 Liter kaltem Wasser 1 Stunde einlegen. Abgießen und trocken tupfen.

Die Pflaumen mit 1,5 Liter Wasser in einem Topf mit Deckel bei mittlerer Hitze aufsetzen und aufkochen lassen. 40 Minuten köcheln lassen, dann vom Herd nehmen. Die Pflaumen zugedeckt ziehen lassen, bis sie abgekühlt sind, dann pürieren. Durch ein Sieb streichen. Den Fruchtrest entsorgen und den Saft aufheben.

Den Pflaumensaft in einen großen Topf gießen. Mit ¾ Teelöffel Salz, Zucker und dem Olivenöl bei mittlerer Hitze aufkochen. 7 Minuten kochen. Die Hitze reduzieren und die Fische einlegen. Zugedeckt 7 Minuten garen. Vom Herd nehmen und vor dem Servieren zugedeckt 5 Minuten ziehen lassen.

◆

POCHIERTER FISCH IN PFLAUMENSAUCE
ERİKLİ GELİNCİK BALIĞI

Herkunft:	İzmir, Ägäisregion
Zubereitung:	15 Minuten
Garzeit:	25 Minuten zzgl. 5 Minuten Ruhezeit
Personen:	4

60 ml	natives Olivenöl extra
1 (120 g)	mittelgroße Zwiebel, in feine Ringe geschnitten
2	milde, grüne Spitzpaprika, in feine Ringe geschnitten
200 g	Edel-Reizker, in feine Streifen geschnitten
4 (2 kg)	Brassen (oder anderer weißfleischiger Meeresfisch), küchenfertig, filetiert und gehäutet
10	Pfefferkörner
6	Knoblauchzehen, gehackt
2 l	heiße Milch
1 Stängel	Fenchelgrün, fein geschnitten
6 Stängel	frische glatte Petersilie, fein geschnitten

Dies ist ein Standardgericht der *Meyhane*-Häuser İzmirs. Manchmal wird ganzer Fisch verwendet und auch die Zubereitung mit Tomaten und Zitrone ist möglich. Wenn Sie keine Brassen bekommen, verwenden Sie andere weißfleischige Meeresfische. Ebenso können Sie die Reizker durch Pfifferlinge ersetzen.

◆

Das Olivenöl in einem großen Topf bei mittlerer Hitze heiß werden lassen. Zwiebeln, Paprika, Pilze und 1 Teelöffel Salz darin 7 Minuten andünsten. Fischfilets, Pfefferkörner, Knoblauch, Milch und Fenchel dazugeben und 15 Minuten mit schräg aufgelegtem Deckel pochieren.

Vom Herd nehmen, die Petersilie unterrühren und 5 Minuten ruhen lassen.

Auf Suppenteller verteilen und servieren.

♦

FISCHFRIKADELLEN MIT POCHIERTEN EIERN
BALIK KÖFTELİ ÇILBIR

Herkunft:	Van, Ostanatolien
Zubereitung:	30 Minuten
Garzeit:	30 Minuten
Personen:	4

Für die Fischfrikadellen:

600 g	Süßwasserfisch, durchgedreht
60 g	Zwiebel, fein gewürfelt
100 g	altbackenes Weißbrot ohne Kruste, in Wasser eingeweicht, dann ausgedrückt
½ Bund	frische Petersilie, fein geschnitten
1½ EL	getrockneter Estragon (nach Belieben)
2 EL	getrocknetes Basilikum
½ TL	Chiliflocken

60 g	Mehl
60 ml	natives Olivenöl extra
4	Frühlingszwiebeln
½ Bund	frischer Dill
500 g	wilder Spinat (Guter Heinrich) oder einfacher Spinat, gewaschen, fein geschnitten
½ Bund	frische glatte Petersilie
200 ml	Sumachextrakt (Seite 491)
1 EL	Tomatenmark (Seite 492)
½ TL	Chiliflocken
2 EL	getrockneter Estragon (nach Belieben)
4	Eier

Für die Joghurtsauce:

500 g	griechischer Joghurt
2	Knoblauchzehen, gehackt

Für die Sauce:

50 g	Butter
½ TL	Chiliflocken

Dieses Gericht wird im Herbst und Winter zubereitet. Es schmeckt besonders gut mit den Süßwasserfischen des Vansees, doch geht auch jeder andere fleischige Süßwasserfisch, der nicht zu viele Gräten hat. In der Türkei ist eine lokale Art der Haselwurz eine weitverbreitete Zutat. Es ist ein Wildkraut, das immer wild gesammelt wird. Die in Deutschland vorkommende Haselwurz ist allerdings giftig. In der Türkei heißt die Art auch wilder Spinat, doch sein ernährungsphysiologischer Nutzen ist weit besser als der von Spinat. Wenn Sie kein altes Brot für Frikadellen haben, ersetzen Sie es durch die gleiche Menge eingeweichten, feinen Bulgur.

♦

Für die Fischfrikadellen das Fischhack mit Zwiebel, Brot, Petersilie, Estragon (nach Belieben), Basilikum, Chiliflocken, ¼ Teelöffel frisch gemahlenem Pfeffer und ½ Teelöffel Salz in einer großen Schüssel oder auf einem tiefen Tablett mischen. 5 Minuten gut verkneten, dann 20 gleich große Frikadellen formen.

Ein flaches Tablett mit dem Mehl bestäuben. Die Frikadellen darauflegen und das Tablett schwenken, damit sie rundum mit Mehl überzogen sind.

Das Olivenöl in einer großen Pfanne bei mittlerer Hitze heiß werden lassen. Die Frikadellen hineinlegen und auf jeder Seite 1 Minute braten. Mit einem Sieblöffel herausnehmen und auf Küchenpapier abtropfen lassen. Die Frühlingszwiebeln in die Pfanne geben und 3 Minuten andünsten. Dill, wilden Spinat oder Spinat und Petersilie hinzufügen und 3 Minuten mitdünsten. Sumachextrakt, Tomatenmark, Chiliflocken, Estragon sowie ¼ Teelöffel frisch gemahlenen Pfeffer und ½ Teelöffel Salz einrühren und 30 Sekunden mitgaren. 1 Liter heißes Wasser angießen, aufkochen und 5 Minuten kochen lassen. Die Hitze reduzieren, die Fischfrikadellen zurück in die Pfanne geben und abgedeckt 5 Minuten garen.

Die Eier in die Pfanne schlagen, ohne das Eigelb zu zerstören. Die letzten 3 Minuten zugedeckt und ohne Rühren garen.

Den Pfanneninhalt auf Portionsteller verteilen, sodass die Eier oben liegen.

Für die Joghurtsauce Joghurt, Knoblauch und ¼ Teelöffel Salz in einer Schüssel 1 Minute lang mischen.

Für die Sauce die Butter in einem großen Topf bei mittlerer Hitze erhitzen und die Chiliflocken darin 10 Sekunden andünsten. Die Joghurtsauce über die pochierten Eier gießen, dann die Buttersauce darübergießen und servieren.

TINTENFISCH IN TOMATENSAUCE
DOMATESLİ SÜBYE

Herkunft:	Balıkesir, Marmararegion
Zubereitung:	20 Minuten zzgl. 20 Minuten Marinieren
Garzeit:	35 Minuten zzgl. 5 Minuten Ruhezeit
Personen:	4

600 g	Tintenfische (Kalamari), geviertelt und gereinigt
30 g	Honig (Waldhonig)
200 ml	Sodawasser
100 ml	natives Olivenöl extra
1 (120 g)	mittelgroße Zwiebel, geviertelt
2	kleine Gemüsepaprika, geviertelt
2	Lorbeerblätter
6	Knoblauchzehen, geviertelt
600 g	Tomaten, geviertelt
2 TL	Apfelweinessig
1 Stängel	frischer Oregano, fein geschnitten
½ TL	Chiliflocken
6	Pfefferkörner
6 Stängel	frische glatte Petersilie, fein geschnitten

Dieses Lieblingsgericht in den *Meyhanes* (Seite 502), als Beilage oder Hauptgericht serviert, wird immer häufiger auch zu Hause zubereitet.

◆

Die Tintenfische mit Honig und Sodawasser in einer großen Schüssel 10 Minuten kneten und dann 20 Minuten lang marinieren.

Das Olivenöl in einem großen Topf bei mittlerer Hitze heiß werden lassen. Die Zwiebel darin 5 Minuten andünsten. Paprika, Lorbeerblätter und Knoblauch hinzufügen und 5 Minuten mitdünsten. Tomaten, Apfelweinessig, Oregano, Chiliflocken und die Pfefferkörner mit ¾ Teelöffel Salz zugeben und 5 Minuten ohne Deckel köcheln.

Die Hitze reduzieren, die Tintenfische mit der Marinade in den Topf geben und bedeckt 15 Minuten garen. Vom Herd nehmen und 5 Minuten ruhen lassen.

Mit der Petersilie bestreuen und servieren.

SÜßWASSERFISCH MIT GÄNSELEBER
CİĞERLİ BALIK

Herkunft:	Kars, Ostanatolien
Zubereitung:	15 Minuten zzgl. 1 Stunde Einweichen
Garzeit:	45 Minuten
Personen:	4

600 g	Süßwasserfischfilet, z. B. Flussbarsch oder Zander, gewürfelt
60 ml	Apfelweinessig
300 g	Kartoffeln, gewürfelt
2 (240 g)	mittelgroße Zwiebeln, gewürfelt
4	getrocknete Aprikosen, eingeweicht und abgegossen
4	getrocknete saure Pflaumen
10	Pfefferkörner
½ TL	gemahlener Zimt
2 TL	getrockneter Oregano
150 g	Gänsefett
300 g	Gänseleber, gewürfelt

Dieses Gericht wird im Winter zubereitet, traditionell im Tandoor. In manchen Rezepten ist der Zimt durch Kurkuma ersetzt.

◆

Das Fischfilet mit Apfelweinessig und 1 Teelöffel Salz in 3 Liter kaltem Wasser 1 Stunde lang einweichen. Abtropfen lassen, abspülen und trocken tupfen.

Der Backofen auf 190 °C vorheizen. Fischwürfel, Kartoffeln, Zwiebeln, getrocknete Aprikosen und Pflaumen, Pfefferkörner, Zimt, Oregano, Gänsefett und 1 Teelöffel Salz in einem großen Bräter 1 Minute lang gut vermischen. Im heißen Backofen 30 Minuten backen.

Die Gänseleber unterheben und nochmals 15 Minuten in den Ofen stellen. Sofort servieren.

FISCH VOM HEIßEN STEIN
PİLEKİDE BALIK

Herkunft:	Rize, Schwarzmeerregion
Zubereitung:	10 Minuten zzgl. 1 Stunde Einweichen
Garzeit:	15–20 Minuten zzgl. 1 Stunde Vorheizen
Personen:	4

1 kg	Zackenbarschfilets mit Haut, küchenfertig gesäubert und geviertelt
60 ml	Apfelweinessig
1 Bund	Grünkohl
1 (120 g)	mittelgroße Zwiebel, in dünnen Ringen
10	Pfefferkörner
1	frischer Maiskolben
100 g	Butter

Seite 275

Pileki sind tellerförmige Steine, die man beim Einlegen, Brotbacken und manchmal zum Fischgaren einsetzt. Prinzipiell kann jeder hitzebeständige ovale Stein (ca. 20 × 30 cm) oder eine schwere Pfanne verwendet werden, die die Wärme gut speichert. In manchen Rezepten wird der Stein erhitzt und mit den Zutaten in den Topf gelegt. Alternativ können Sie sie in eine Auflaufform schichten und bei 200 °C 20 Minuten im Backofen garen.

◆

Das Fischfilet mit Apfelweinessig und 1 Teelöffel Salz in 3 Liter kaltem Wasser 1 Stunde einweichen. Abtropfen lassen und trocken tupfen.

Im Freien einen Holzkohlegrill oder ein Holzfeuer anheizen. Ein oder zwei *Pileki*-Steine oder eine gusseiserne Pfanne mit Deckel daraufstellen und mit einer Schicht Kohle oder Feuerholz abdecken. 1 Stunde aufheizen. Steine oder Pfanne vorsichtig aus dem Feuer holen. Die Pfanne reinigen. Dazu ein Feuer darin entzünden und danach mit einem Bündel trockener Kräuter auswischen.

Die Zutaten in dieser Reihenfolge auf den Stein oder in die Pfanne geben: die Hälfte von Grünkohl und Zwiebeln, 5 Pfefferkörner, ¼ Teelöffel Salz, Fisch, die restlichen Zwiebeln und Pfefferkörner und ¼ Teelöffel Salz. Die frischen Maiskörner darüberraspeln. Butterflöckchen daraufsetzen und mit dem restlichen Grünkohl bedecken.

Mit einem weiteren vorgewärmten Stein, *Saç* oder Deckel abdecken und 15 Minuten auf der Kohle ziehen lassen.

◆

GEBRATENER BLAUBARSCH
FIRINDA LÜFER

Herkunft:	İstanbul, Marmararegion
Zubereitung:	10 Minuten
Garzeit:	20 Minuten
Personen:	4

4 (25 cm)	Blaubarsche
60 ml	natives Olivenöl extra
2 EL	frisch gepresster Zitronensaft
60 g	Zwiebel, gerieben, ausgedrückt und Saft aufgefangen
1 TL	gemahlener Zimt

1 Bund	Rucola
1 (120 g)	mittelgroße, rote Zwiebel, geviertelt
1	Zitrone, geviertelt

Blaubarsch ist der typische Fisch İstanbuls. Er ist so untrennbar mit der kulinarischen Kultur der Stadt verbunden, dass die Menschen dort für ihn in jeder Größe einen anderen Namen haben: *Yaprak*, *Çinekop*, *Sarıkanat*, *Lüfer* und *Kofana* beziehen sich alle auf den Blaubarsch in verschiedenen Wachstumsstadien. Heute werden vor allem *Lüfer* (28–35 cm) gefangen, um die Art zu schützen, und immer mit Handleinen. Traditionell isst man Blaubarsch mit der Hand. Wenn Sie ihn nicht bekommen, verwenden Sie ersatzweise Zackenbarsch, Steinbutt, Makrele oder Bonito. Sie können den Fisch auch gut grillen.

◆

Den Backofen auf 200 °C vorheizen.

Die Fische säubern und trocken tupfen. Öl, Zitronensaft, Zwiebelsaft und Zimt mit ½ Teelöffel frisch gemahlenem Pfeffer und 1 Teelöffel Salz in einer Schüssel 1 Minute lang aufschlagen.

Den Blaubarsch in einen Bräter legen, mit der Würzmischung begießen und im Backofen 20 Minuten garen. Mit Rucola, roter Zwiebel und Zitronenvierteln servieren.

GEBRATENE SARDELLEN MIT GEMÜSE
FIRINDA SEBZELİ HAMSİ

Herkunft:	Ordu, Schwarzmeerregion
Zubereitung:	30 Minuten zzgl. 1 Stunde Einweichen
Garzeit:	30 Minuten
Personen:	4

800 g	Sardellen, Köpfe und Rückengräten entfernt, küchenfertig gesäubert
60 ml	Apfelweinessig
200 g	Kartoffeln, gewürfelt
1 (120 g)	mittelgroße Zwiebel, fein gewürfelt
4	Knoblauchzehen, geviertelt
300 g	Tomaten, fein gewürfelt
3	milde, grüne Spitzpaprika, jede längs in 3 Stücke geschnitten
1	Zitrone, halbiert, entkernt und in Scheiben geschnitten
½ Bund	frische glatte Petersilie, fein gehackt
100 ml	natives Olivenöl extra
1 TL	Chiliflocken
50 g	Butter, gewürfelt

Das Gericht wird von Oktober bis Januar daheim vorbereitet und dann in die Dorfbäckerei gebracht, wo es im Holzofen fertig gart. Die ganze Familie teilt sich das Blechgericht. Sardellen in Salzlake funktionieren hier auch gut.

Die Sardellen mit Apfelweinessig und 1 Teelöffel Salz in 3 Liter Wasser 1 Stunde einweichen. Abtropfen lassen, abspülen und trocken tupfen.

Den Backofen auf 200 °C vorheizen.

Kartoffeln, Zwiebel, Knoblauch, Tomaten, Paprika, Zitrone, Petersilie, Olivenöl, Chiliflocken und ½ Teelöffel frisch gemahlenen Pfeffer in einen Bräter geben und vorsichtig vermengen. Im Backofen 20 Minuten schmoren.

Bräter aus dem Ofen nehmen und das Gemüse durchrühren. Die Hitze auf 220 °C erhöhen. Die Sardellen auf das Gemüse legen und die Butter darauf verteilen. Weitere 10 Minuten im Backofen garen.

Servieren und darauf achten, dass jeder Esser gleich viel Fisch und Gemüse erhält.

GEBACKENER FISCH MIT TAHIN
FIRINDA TAHİNLİ BALIK

Herkunft:	Mersin, Mittelmeerregion
Zubereitung:	10 Minuten
Garzeit:	30 Minuten
Personen:	4

60 ml	natives Olivenöl extra
1 (1,2 kg)	Rotbarschfilet mit Haut, geviertelt
6 Stängel	frische glatte Petersilie, fein geschnitten

Für die Sauce:	
60 ml	Tahin (Sesampaste)
4	Knoblauchzehen, gehackt
60 ml	frisch gepresster Zitronensaft
1 TL	Chiliflocken
½ TL	gemahlener Koriander
¼ TL	gemahlener Kreuzkümmel

Sie könnten die Filets auch im Backofen grillen und mit der Sauce beträufeln oder auf die gleiche Weise einen ganzen Fisch zubereiten.

Den Backofen auf 200 °C vorheizen.

Einen Bräter mit 2 Esslöffel Olivenöl einfetten und den Fisch mit der Fleischseite nach oben hineinlegen. Mit dem restlichen Olivenöl beträufeln und mit 1 Teelöffel Salz bestreuen. Im heißen Backofen 15 Minuten garen.

Für die Sauce Tahin, Knoblauch, Zitronensaft, Chiliflocken, Koriander, Kreuzkümmel und ¼ Teelöffel frisch gemahlenen Pfeffer mit 200 ml Wasser gründlich vermischen.

Nach 15 Minuten Garzeit die Sauce über den Fisch gießen. Den Bratsud im Bräter ebenfalls darüberlöffeln. Den Fisch weitere 15 Minuten im Backofen garen.

Den fertigen Fisch im eigenen Saft und mit Petersilie bestreut servieren.

FISCH & MEERESFRÜCHTE

FRITTIERTE SARDINEN
İSTAVRİT KIZARTMASI

Herkunft:	İstanbul, Marmararegion
Zubereitung:	10 Minuten zzgl. 1 Stunde Einweichen
Garzeit:	10 Minuten
Personen:	4

40	Sardinen, küchenfertig gesäubert
60 ml	Apfelweinessig
100 g	Mehl
1 l	natives Olivenöl extra

1 (120 g)	rote Zwiebel, geviertelt
1 Bund	Rucola
1	Zitrone, geviertelt

Die Sardine ist der archetypische Fisch İstanbuls. Man liebt die Fischlein hier sehr und bereitet sie oft auch zu Hause zu, insbesondere im Herbst und Winter.
♦
Die Sardinen mit Apfelweinessig und 1 Teelöffel Salz 1 Stunde in 3 Liter kaltem Wasser einweichen. Abtropfen lassen, abspülen und trocken tupfen.

Das Mehl mit ¼ Teelöffel Salz in einer flachen Schüssel mischen. Die Sardinen darin wenden und überschüssiges Mehl abschütteln.

Das Olivenöl in einem großen Topf bei mittlerer Hitze auf 155 °C bringen. Die Sardinen hineinlegen und 2 Minuten frittieren. Mit einem Sieblöffel herausheben, sobald sie an die Oberfläche kommen.

Sofort mit roten Zwiebeln, Rucola und Zitronenvierteln servieren.

♦

FRITTIERTE KALAMARI
KALAMAR TAVASI

Herkunft:	Balıkesir, Marmararegion und
	Ägäisregion
Zubereitung:	10 Minuten
Garzeit:	25 Minuten
Personen:	4

4 (5 × 8 cm)	frische Tintenfische (Kalamari), harte Tentakel entfernt, längs in dünne Streifen geschnitten
100 g	Zucker
200 ml	Sodawasser
150 g	Mehl
1,5 l	natives Olivenöl extra

1 Rezept	*Tarator* (Mandel-Knoblauch-Sauce, Seite 79)
1	Zitrone, geviertelt

Dieses Gericht ist heute ein Synonym für *Meyhanes* (Seite 502). Man kocht und isst es das ganze Jahr durch, besonders aber im Herbst und Winter.
♦
Die Kalamari in einer großen Schüssel 5 Minuten lang mit dem Zucker verkneten, bis der Zucker schäumt. Das Sodawasser zugeben und weitere 5 Minuten kneten. In kaltem Wasser abspülen und trocken tupfen.

Das Mehl in eine flache Schüssel geben und die Kalamari darin schwenken, bis sie rundum bestäubt sind. Überschüssiges Mehl abschütteln.

Das Olivenöl in einem großen Topf bei mittlerer Hitze auf 155 °C bringen. Die Kalamari darin 1 Minute frittieren. 10 Sekunden, nachdem sie an die Oberfläche geschwommen sind, mit einem Sieblöffel herausheben.

Sofort mit *Tarator* und Zitronenvierteln servieren.

GARNELEN-SCHMORTOPF
GÜVEÇTE KARİDES

Herkunft:	İstanbul, Marmararegion
Zubereitung:	15 Minuten
Garzeit:	40 Minuten
Personen:	4

150 g	Butter
1 (120 g)	mittelgroße Zwiebel, in feine Ringe geschnitten
1	kleine grüne Paprika, fein gewürfelt
1	kleine rote Paprika, fein gewürfelt
200 g	Steinpilze, fein gewürfelt
20	Knoblauchzehen, geviertelt
2 TL	getrockneter Oregano
1 EL	Paprikapulver
1 TL	Chiliflocken
600 g	Garnelen, geschält, Därme entfernt

Seite 279

Manche Köche überbacken die Garnelen zum Ende der Garzeit noch mit etwas geriebenem *Kaşar*-Käse.

♦

Den Backofen auf 220 °C vorheizen.

Die Butter in einem großen Topf bei mittlerer Hitze heiß werden lassen. Zwiebel, rote und grüne Paprika dazugeben und 10 Minuten andünsten. Die Pilze hinzufügen und 10 Minuten mitgaren. Den Knoblauch unterrühren und 5 Minuten anbraten. Oregano, Paprikapulver und Chiliflocken mit ½ Teelöffel frisch gemahlenem Pfeffer und 1 Teelöffel Salz unterrühren. 1 Minute weitergaren.

Eine Auflaufform bei mittlerer Hitze 3 Minuten lang erwärmen, danach den Topfinhalt hineinfüllen.

Im heißen Backofen 5 Minuten backen. Herausnehmen, die Garnelen zufügen, durchmischen und nochmals 5 Minuten im Ofen backen.

Sofort in der Auflaufform servieren.

♦

FORELLEN-SCHMORTÖPFCHEN
GÜVEÇTE ALABALIK

Herkunft:	Sakarya, alle Landesteile
Zubereitung:	15 Minuten
Garzeit:	20 Minuten
Personen:	4

600 g	Tomaten, geviertelt
4	milde, grüne Spitzpaprika
8	schwarze Speisemorcheln, geputzt
1 (120 g)	Zwiebel, in 8 Spalten geschnitten
12	Knoblauchzehen
20	Pfefferkörner
4 (25 cm)	Forellen, küchenfertig
200 g	Butter

Hier werden die Forellen im Backofen gegart. Alternativ könnten Sie sie auch grillen oder panieren und in der Pfanne braten.

♦

Den Backofen auf 200 °C vorheizen. Tomaten, Paprika, Morcheln, Zwiebel, Knoblauch, Pfefferkörner und die Forellen auf 4 Auflaufformen verteilen und in dieser Reihenfolge hineinschichten. Mit ½ Teelöffel Salz bestreuen und Butterflöckchen daraufsetzen. Im Backofen 10 Minuten garen.

Aus dem Ofen nehmen und das Gemüse wenden. Fisch und Gemüse mit dem Kochsud bepinseln. Weitere 10 Minuten im Ofen backen.

OKTOPUS-SCHMORTOPF
GÜVEÇTE AHTAPOT

Herkunft:	Muğla, Ägäisregion
Zubereitung:	20 Minuten
Garzeit:	1 Stunde 10 Minuten
	zzgl. 5 Minuten Ruhezeit
Personen:	4

Für den Oktopus:

1 (3 kg)	Oktopus
4 TL	Apfelweinessig
½	Zitrone, entkernt
1	Zimtstange
4	Gewürznelken

300 g	Kartoffeln
200 g	Karotten
1	Selleriestange
1	Fenchelknolle
2 (240 g)	mittelgroße Zwiebeln
10	Knoblauchzehen
60 ml	natives Olivenöl extra
4	Lorbeerblätter
6	Pfefferkörner
2 EL	frisch gepresster Zitronensaft

Dieses Rezept ist in Bodrum beliebt, wo man die gefangenen Oktopusse einige Stunden in der Sonne trocknet und dann grillt. In einem anderen Rezept wird der kleingehackte Oktopus unter die anderen Zutaten gemischt und einfach in einem auf 200 °C vorgeheizten Backofen 1 Stunde gebacken. Manche Köche grillen die Oktopusse lieber im Backofen, andere pochieren sie, anstatt sie im Schnellkochtopf zu kochen.

♦

Den Oktopus mit Apfelweinessig, Zitrone, Zimtstange und Gewürznelken mit 1 Liter Wasser und ¼ Teelöffel Salz in einen Schnellkochtopf geben. Bei mittlerer Hitze 30 Minuten garen. 5 Minuten ruhen lassen. Den Oktopus herausnehmen und in 3 cm große Stücke schneiden.

Den Backofen auf 200 °C vorheizen.

Kartoffeln, Karotten, Sellerie und Fenchel in 3-cm-Stücke schneiden, die Zwiebel in 2-cm-Stücke. Das Gemüse mit Knoblauch, Olivenöl, Lorbeerblättern, Pfefferkörnern und Zitronensaft in einer großen Schüssel gut vermischen. Mit ¾ Teelöffel Salz abschmecken. Die Mischung in einen Schmortopf füllen und im heißen Backofen 30 Minuten garen. Bräter herausnehmen und die Hitze auf 220 °C erhöhen.

Die Oktopus-Stücke zum Gemüse geben und 1 Minute vorsichtig unterheben. Im Backofen in 10 Minuten fertiggaren und sofort servieren.

FRITTIERTER KARPFEN
SIRAZ KIZARTMASI

Herkunft:	Konya, Zentralanatolien
Zubereitung:	10 Minuten zzgl. 10 Minuten Ruhezeit
Garzeit:	10 Minuten
Personen:	4

4 (25 cm)	Süßwasserkarpfen oder andere Süßwasserfische, ausgenommen, geschuppt, Kiemen entfernt
1 l	Olivenöl

1 Rezept	Çoban Salatası (Hirtensalat, Seite 54)

Diese Spezialität von Beyşehir und Umgebung wird mit Karpfen (*Capotea mauricii*) zubereitet, die es nur hier gibt. Jeder Süßwasserfisch, wie z. B. Forelle, ist als Ersatz geeignet.

♦

Mit einem scharfen Messer die Fische von Kopf bis Schwanz nicht zu breit einritzen. Je ¼ Teelöffel Salz einmassieren. Die Fische 10 Minuten ruhen lassen.

Das Olivenöl in einem großen Topf bei mittlerer Hitze auf 155 °C bringen. Die Fische hineinlegen und pro Seite 5 Minuten frittieren.

Sofort mit dem Çoban Salatası servieren.

BISCHOFSEINTOPF
PAPAZ YAHNİSİ

Herkunft:	Trabzon, Schwarzmeerregion
Zubereitung:	20 Minuten
Garzeit:	35 Minuten
Personen:	4

300 g	Kartoffeln, gewürfelt
2	Selleriestangen
2	Lauchstangen
2	Frühlingszwiebeln
1 Bund	Mangold
1	frische Knoblauchzehe
½ Bund	frische Petersilie
½ Bund	frischer Dill
200 ml	natives Olivenöl extra
1	unbehandelte Zitrone, längs halbiert, entkernt und in feine Scheiben geschnitten
1 TL	gemahlener Zimt
½ TL	Paprikapulver
2 (30 cm)	Bonitos, Köpfe und Schwänze entfernt, geputzt, in 6 Stücke geschnitten

Der Legende nach wurde dieses Gericht früher von Bischöfen zubereitet. Der Geschmack ist seit jeher derselbe, jedoch mit vielen regionalen Abwandlungen. Manche Rezepte verkochen Wein, andere verwenden pochiertes Kalbfleisch. Muslime bevorzugen Essig. Das Blattgemüse im Gericht kann jahreszeitlich angepasst werden. Traditionell bringt man das Gericht in die örtliche Bäckerei, wo es im Gemeinschaftsofen gart. Makrele, Sardellen und Hornhecht sind Alternativen zum Bonito.

◆

Den Backofen auf 200 °C vorheizen.

Das ganze Gemüse und die Kräuter fein schneiden. Mit der Hälfte des Öls, den Zitronenscheiben, Zimt, Paprikapulver und je ½ Teelöffel frisch gemahlenem Pfeffer und Salz in einer großen Schüssel oder auf einem tiefen Tablett 3 Minuten gründlich vermischen.

Die Hälfte der Mischung in einem Bräter verteilen und die Bonito-Stücke darauflegen. Mit ½ Teelöffel Salz bestreuen. Den Rest der Mischung darüber verteilen. Mit dem restlichen Öl beträufeln und 250 ml Wasser hinzufügen. Im Backofen zugedeckt 30 Minuten schmoren.

Die Hitze auf 240 °C erhöhen. Den Deckel abnehmen und den Fisch in 5 Minuten fertig garen. Sofort servieren.

◆

GEBRATENES FISCHHIRN
BEYİN KIZARTMASI

Herkunft:	Şanlıurfa, Südostanatolien
Zubereitung:	10 Minuten
Garzeit:	10 Minuten
Personen:	4

4	Eier
4	Knoblauchzehen, geviertelt
1 TL	Chiliflocken
½ TL	gemahlener Kardamom
4 Stängel	frische glatte Petersilie, fein geschnitten
100 g	Mehl
100 ml	natives Olivenöl extra
600 g	Hirn von großen Fischen, in 3-cm-Stücke geschnitten

1 Bund	frisches Senfgrün
½ Bund	frische Petersilie
1	Zitrone, geviertelt

Diese Spezialität von Birecik und Umgebung wird auch pochiert und am Spieß gegrillt serviert.

◆

Eier, Knoblauch, Chiliflocken und Kardamom in einer flachen Schüssel mischen. Die Petersilie mit ½ Teelöffel frisch gemahlenem Pfeffer und ½ Teelöffel Salz gründlich unter die Eimasse ziehen. Das Mehl in einer zweiten flachen Schüssel danebenstellen.

Das Olivenöl in einem großen Topf bei mittlerer Hitze heiß werden lassen. Die Fischhirnstücke erst in der Eimasse, dann im Mehl wenden. Danach in das heiße Öl geben und auf jeder Seite 2 Minuten braten.

Mit Senfgrün, Petersilie und Zitronenspalten sofort servieren.

GEBRATENE SARDELLEN
HAMSİ TAVA

Herkunft:	Trabzon, Schwarzmeerregion
Zubereitung:	10 Minuten zzgl. 1 Stunde Einweichen
Garzeit:	5 Minuten
Personen:	4

60	Sardellen, Köpfe entfernt und küchenfertig gesäubert
60 ml	Apfelweinessig
100 g	feiner Maisgrieß (Polenta)
50 g	Mehl
60 g	Zwiebel, in dünne Ringe geschnitten
100 ml	Maiskeimöl

Seite 283 📷

Dieses Rezept wird traditionell in den regional üblichen Fischpfannen mit Spezialdeckel zubereitet. Schellfisch und Meeräsche sind beliebte Ersatzfische für die Sardellen, vor allem in der Schwarzmeerregion. Einige Rezepte lassen die Zwiebeln weg.

♦

Die Sardellen mit 1 Teelöffel Salz und dem Apfelessig 1 Stunde in 3 Liter kaltem Wasser einweichen. Abtropfen lassen, abspülen und trocken tupfen. Maisgrieß und Mehl in einer Schüssel mischen. Die Sardellen hineinlegen und rundum damit bedecken.

Die Zwiebeln mit ¼ Teelöffel Salz in einer Schüssel verkneten und beiseitestellen.

In einer großen Pfanne die Hälfte des Maiskeimöls bei mittlerer Hitze auf 155 °C bringen. Das überschüssige Mehl von den Sardellen abschütteln und die Fische kreisförmig und eng aneinander fächerförmig in die Pfanne legen. Sie sollen nicht übereinander liegen. 2 Minuten auf einer Seite braten. In einer Bewegung auf einen großen flachen Teller oder in den Pfannendeckel stürzen. Dazu die Pfanne umdrehen und eine Schüssel unterstellen, um das Bratöl aufzufangen. Aufpassen, dass kein heißes Öl auf Hände und Arme tropft.

Das restliche Maiskeimöl in die Pfanne geben und auf 155 °C erhitzen. Die Zwiebeln hinzufügen, die Sardellen vom Teller oder Pfannendeckel daraufgleiten lassen, mit der gebratenen Seite nach oben. Gesammeltes Bratöl wieder über den Fisch gießen und weitere 3 Minuten braten.

Teller oder Deckel erneut verwenden, um damit das Gericht auf eine Servierplatte zu stürzen. Das Öl in eine Schüssel abgießen und entsorgen. Fische mit Zwiebeln belegt servieren.

♦

GEDÖRRTE MAKRELEN
ÇİROZ (KURU BALIK)

Herkunft:	İstanbul, Marmararegion
Zubereitung:	10 Minuten
Garzeit:	11 Tage
Personen:	4

16	schlanke Makrelen, küchenfertig geputzt, Kiemen entfernt
2 kg	grobes Meersalz

Makrelen wandern zum Laichen ins Schwarze Meer. Auf dem Rückweg werden sie von den Fischern des Marmarameers gefangen und 10–15 Tage an Schnüren aufgehängt getrocknet. Das Ganze findet im April und Mai statt und ist eine Technik der Fischer İstanbuls. Die Fische grillt man kurz an und bearbeitet sie im Mörser, um Haut und Gräten zu entfernen. Genießen Sie das Fleisch z. B. in einem *Çiroz Salatası* (Salat mit Salzmakrelen, Seite 60).

♦

Die Makrelen auf ein tiefes Tablett legen und das Meersalz in das Fleisch massieren. Mit Frischhaltefolie abdecken und 1 Tag im Kühlschrank ziehen lassen. Gründlich mit kaltem Wasser abspülen und trocken tupfen. An Schnüren kopfüber an einem sonnigen Platz im Freien aufhängen und mit Netzen vor Fliegen schützen. Die Makrelen sind in 10 Tagen fertig gedörrt. Alternativ die Fische einige Stunden nach Gebrauchsanweisung bei 70 °C im Dörrautomaten trocknen.

FISCH & MEERESFRÜCHTE

FRITTIERTE MIESMUSCHELN
MİDYE TAVA

Herkunft:	İstanbul, Marmararegion und İzmir, Ägäisregion
Zubereitung:	5 Minuten
Garzeit:	5 Minuten
Personen:	4

150 g	Mehl
80	mittelgroße Miesmuscheln, ausgelöst
1 l	natives Olivenöl extra
1 Rezept	*Tarator* (Mandel-Knoblauch-Sauce, Seite 79)

◦ ● ✕ ⁙   Seite 285 ◲

Dieses Gericht ist ein sehr beliebtes Straßenessen und als Snack ein Dauerbrenner in İstanbul. Am häufigsten bereitet man es im Herbst und Winter zu.

◆

Das Mehl in eine flache Schüssel füllen. Die Muscheln darin wenden. Überschüssiges Mehl abschütteln.

Das Olivenöl bei mittlerer Hitze auf 155 °C bringen. Die Muscheln hineingeben und 1 Minute frittieren. Mit dem Sieblöffel herausheben, sobald sie an die Oberfläche kommen. Auf Küchenpapier abtropfen lassen. Mit etwas Salz bestreuen und mit *Tarator* als Beilage servieren.

GEBRATENE WELS-FRIKADELLEN
KARABALIKLI TAPPUŞ ORUĞU

Herkunft:	Hatay, Mittelmeerregion
Zubereitung:	20 Minuten zzgl. 20 Minuten Einweichen
Garzeit:	20 Minuten
Personen:	4

200 ml	natives Olivenöl extra
1 kg	Welsfilet, durchgedreht
100 g	feiner Bulgur, 20 Minuten in 100 ml Wasser eingeweicht
1 (120 g)	mittelgroße Zwiebel, fein gewürfelt
10	Knoblauchzehen, gehackt
1 EL	Tomatenmark (Seite 492)
2 TL	Paprikapulver
½ TL	gemahlener Kreuzkümmel
2 TL	getrocknete Minze
1 TL	Chiliflocken
2 EL	Granatapfelmelasse (Seite 490)
1 TL	gemahlene Gewürznelken
1 Bund	Rucola zum Servieren

◦ ●

Karabalık ist ein Süßwasserfisch, auch als „Fleischfisch" bekannt. Für das Gericht ist jeder Süßwasserfisch mit rotem Fleisch ideal wie z. B. Wels. *Tappuş*, ein in Antakya und Umgebung heimischer Ausdruck, beschreibt, wie die Fischmasse zu Kugeln verarbeitet und flach gedrückt wird. In einer Variante wird der Fisch nicht entgrätet, sondern gehäutet und im Ofen mit Gemüse gegart.

◆

Den Backofen auf 200 °C vorheizen und die Hälfte des Olivenöls in ein Backblech geben.

Den Fisch mit allen Zutaten außer dem Rucola sowie ½ Teelöffel frisch gemahlenem Pfeffer und 1 Teelöffel Salz in einer großen Schüssel oder auf einem tiefen Tablett 10 Minuten lang gut verkneten. Die Mischung in 12 gleiche Stücke teilen, dann zu Kugeln rollen und zu Scheiben flach drücken.

Die Frikadellen auf das geölte Backblech legen. Mit dem restlichen Olivenöl beträufeln und im heißen Backofen 20 Minuten garen.

Mit knackigem Rucola-Salat servieren.

GEPÖKELTER BONITO
LAKERDA

Herkunft:	İstanbul, Marmararegion
Zubereitung:	30 Minuten zzgl. 5 Stunden Ziehzeit,
	20 Tage Pökeln, 9 Stunden
	Ruhe- und Kühlzeit
Personen:	4

1 (1 kg)	Bonito (oder große Makrelen)
2,25 kg	grobes Meersalz
10	Lorbeerblätter
20	Pfefferkörner

1 (120 g)	mittelgroße rote Zwiebel, in Halbringe
	geschnitten
2 EL	natives Olivenöl extra
1	Zitrone, in Spalten geschnitten

Seite 287

Dieses Gericht wird in der Bonito-Saison gegen Ende September zubereitet, sodass es fertig ist, wenn es keinen frischen Fisch mehr gibt. Traditionell wird er zu Hause hergestellt, man bekommt gepökelten Bonito heute aber auch fertig beim Fischhändler. Er ist in der Schwarzmeerregion wie auch in İstanbul beliebt. Manche Köche legen lieber ganze Fische ein und beschweren sie mit Gewichten, um das Fischöl herauszupressen.

♦

Die Rückenflossen des Bonitos abschneiden. Den Bauch aufschlitzen, den Fisch ausnehmen und halbieren. Das braune dreieckige Gewebe (Nieren) in jeder Hälfte herausschneiden und Reste davon abbürsten. Den Bereich der Rückengräte mit einer Nadel reinigen. Die Fischhälften mit hohem Wasserdruck gründlich spülen.

Den Bonito mit 3 Litern Wasser und 3 ½ Esslöffeln Salz in eine große Schüssel legen. Abdecken und 1 Stunde im Kühlschrank ziehen lassen. Abtropfen und die Sole entsorgen. Den Vorgang noch 4 Mal wiederholen, jedes Mal mit frischer Sole. Dann den Bonito spülen und Schüssel wie Fisch gründlich trocknen. Den Bonito zurück in die Schüssel legen, mit den restlichen 2 kg Salz bedecken und 3 Stunden stehen lassen, damit der ganze Fleischsaft heraussickert.

500 g Salz aus der Fischschüssel in einen großen, tiefen und luftdicht verschließbaren Behälter füllen. Die Fischhälften hochkant hineinstellen, sodass sie sich und die Behälterwände nicht berühren. Lorbeerblätter und Pfefferkörner hinzugeben. Mit dem restlichen Salz auffüllen, den Behälter verschließen und 20 Tage im Kühlschrank aufbewahren. Den Behälter jeden zweiten Tag auf den Kopf stellen.

Nach 20 Tagen das ganze Salz vom Bonito abwaschen. Den Fisch mit 3 Litern Wasser in eine große Schüssel geben, abdecken und 1 Stunde im Kühlschrank ruhen lassen. Das Wasser abgießen und wegschütten. Den Vorgang noch 4 Mal wiederholen, immer mit frischem Wasser. Nach dem letzten Wasserwechsel den Bonito gründlich abspülen, trocknen und in eine andere Schüssel legen. Abdecken und nochmals 1 Stunde in den Kühlschrank stellen.

Die Bonitoteile entgräten. Dabei das Fleisch intakt lassen. Die Haut abziehen und das Fischfleisch in Stücke oder dünne Scheiben schneiden. Mit Olivenöl beträufeln und mit etwas frisch gemahlenem Pfeffer bestreuen. Mit roten Zwiebeln und Zitronenspalten servieren.

GEGRILLTE SARDINEN IN WEINBLÄTTERN
ASMA YAPRAKLI SARDALYA

Herkunft:	Çanakkale, Marmararegion
Zubereitung:	20 Minuten
Garzeit:	10 Minuten
Personen:	4

20	frische Weinblätter
40	Sardinen, küchenfertig ausgenommen und gespült

Seite 289

Dieses Gericht wird im August zur Sardinen-Hochsaison zubereitet, wenn sie fest und ölreich sind. Die Fische werden zwischen Weinblätter gelegt. In anderen Rezepten werden sie in die Weinblätter eingewickelt (siehe Foto). Anstatt auf dem Holzkohlegrill können Sie die Fische auch im Backofen grillen.

◆

Einen Holzkohlegrill anheizen oder den Backofengrill auf höchster Stufe vorheizen.

10 Weinblätter auf einer Seite eines Fischgrillgitters auslegen. Die Sardinen darauflegen und mit ½ Teelöffel Salz bestreuen. Die restlichen Blätter auf die Fische legen und das Fischgrillgitter schließen.

Das Gitter 8 cm über der heißen Glut einhängen und die Fische pro Seite 3 Minuten grillen. Die Blätter sollen dabei nicht verbrennen.

Alternativ die Sardinen im Backofen grillen.

Die Fische sofort in den Weinblättern servieren.

◆

GEGRILLTE SCHWERTFISCH-SPIEßE
KILIÇ ŞİŞ

Herkunft:	İstanbul, Marmararegion
Zubereitung:	15 Minuten zzgl. 2 Stunden Marinieren
Garzeit:	15 Minuten
Personen:	4

1	unbehandelte Zitrone, in 12 Stücke gewürfelt, Saft aufgefangen
1	große Tomate, in 12 2-cm-Stücke geschnitten
1	kleine Paprika, in 12 2-cm-Stücke geschnitten
1 (120 g)	mittelgroße Zwiebel, in 12 2-cm-Stücke geschnitten und Saft aufgefangen
12	Lorbeerblätter
4	Knoblauchzehen, gehackt
100 ml	natives Olivenöl extra
1 TL	gemahlener Zimt
½ TL	Paprikapulver
800 g	Schwertfischfilet, entgrätet, gehäutet, in 24 3-cm-Stücke geschnitten

Manche bereiten die Spieße pur, ohne das Gemüse zu. Sie benötigen 4 lange gusseiserne Spieße oder 8 normale Holzspieße (eingeweicht).

◆

Zitronenwürfel, Zitronensaft, Tomaten-, Paprika-, Zwiebelwürfel, Zwiebelsaft, Lorbeerblätter, Knoblauch, Olivenöl, Zimt und Paprikapulver mit ½ Teelöffel frisch gemahlenem Pfeffer und 1 Teelöffel Salz in einer großen Schüssel gut vermischen. Die Fischwürfel unterheben, die Schüssel abdecken und 2 Stunden im Kühlschrank marinieren.

Einen Holzkohlegrill anheizen oder den Backofengrill auf höchster Stufe vorheizen.

Gemüse und Fisch in dieser Reihenfolge auf die Spieße stecken: Lorbeerblatt, Zwiebel, Paprika, Tomate, Zitrone, Schwertfisch, Zitrone, Tomate, Paprika, Lorbeerblatt. Die Spieße 8 cm über der heißen Glut einhängen und pro Seite 3 Minuten grillen. Alternativ die Spieße auf gleiche Weise im Backofen grillen.

Sofort servieren.

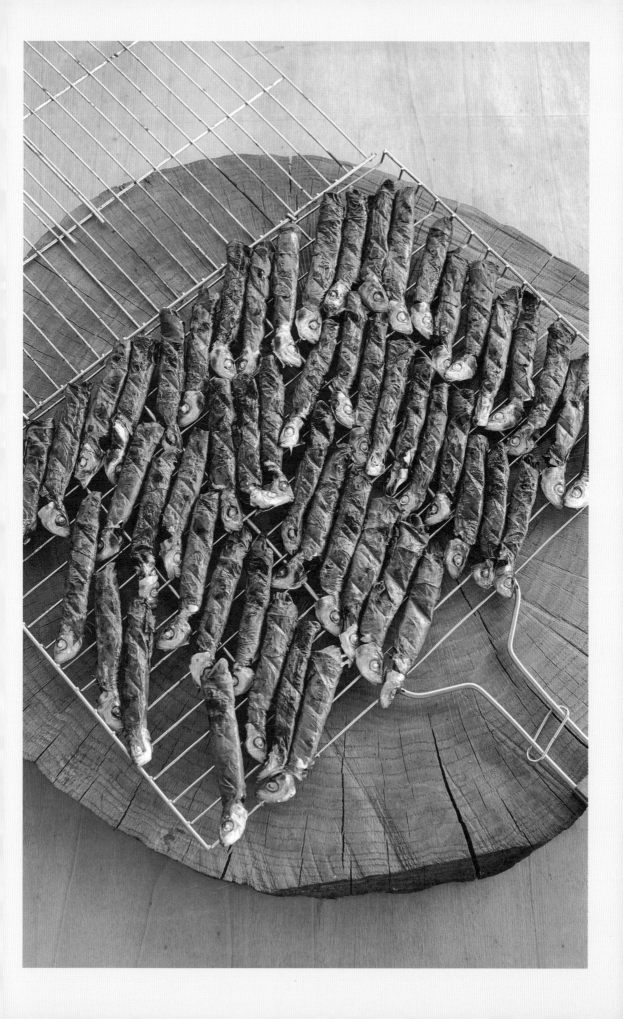

GEGRILLTE WELS-SPIEßE
BALIK KEBABI

Herkunft:	Şanlıurfa, Südostanatolien
Zubereitung:	15 Minuten zzgl. 1 Stunde Ruhezeit und Kühlen über Nacht
Garzeit:	10 Minuten
Personen:	4

800 g	Welsfilet, küchenfertig gesäubert, in 3-cm-Stücke geschnitten
60 ml	Apfelweinessig

Für die Marinade:	
1 EL	Tomatenmark (Seite 492)
2 TL	Rote Paprikapaste (Seite 492)
2 TL	Chiliflocken
10	Knoblauchzehen, zerdrückt
150 ml	natives Olivenöl extra
2 TL	getrockneter Oregano
1	unbehandelte Zitrone, in dünnen Scheiben

1 Bund	Kresse
4	Frühlingszwiebeln, in Ringe geschnitten
1 Bund	frische glatte Petersilie, fein gehackt

Seite 291

Wenn Sie keinen Holzkohlegrill haben, können Sie die Spieße im Backofen grillen. Sie benötigen 4 lange gusseiserne Spieße oder 8 normale Holzspieße (eingeweicht).

◆

Die Fischstücke mit Apfelweinessig und 1 Teelöffel Salz und 3 Liter kaltem Wasser in einer Schüssel 1 Stunde ruhen lassen. Abtropfen lassen, abspülen und trocken tupfen.

Für die Marinade alle Zutaten mit ½ Teelöffel frisch gemahlenem Pfeffer, ¼ Teelöffel Salz in einer großen Schüssel 2 Minuten vermischen. Den Fisch unterheben und 3 Minuten stehen lassen. Mit Frischhaltefolie abdecken und über Nacht im Kühlschrank ziehen lassen.

Einen Holzkohlegrill anheizen oder den Backofengrill auf höchster Stufe vorheizen.

Den Fisch aus der Marinade nehmen und die Flüssigkeit aufbewahren. Den Fisch in 4 oder 8 gleiche Stücke teilen und auf die Spieße stecken.

Die Spieße 8 cm über der heißen Glut einhängen und pro Seite 2 Minuten grillen. Mit der Marinade bestreichen und wieder 1 Minute pro Seite grillen. Nochmals wiederholen. Alternativ die Spieße auf gleiche Weise im Backofen grillen.

Die Spieße auf Teller legen und mit Kresse, Frühlingszwiebeln und Petersilie servieren.

FISCH MIT SAUERKIRSCHEN
VİŞNELİ BALIK

Herkunft:	Adıyaman, Südostanatolien
Zubereitung:	15 Minuten
Garzeit:	30 Minuten zzgl. 5 Minuten Ruhezeit
Personen:	4

800 g	Welsfilet (oder anderes Süßwasserfischfilet), in 3-cm-Stücke geschnitten
200 ml	natives Olivenöl extra
2 (240 g)	mittelgroße Zwiebeln, fein gewürfelt
200 g	Mandeln
2	Knoblauchzehen, geviertelt
1	Zimtstange
1 TL	gemahlene Fenchelsamen
500 g	Sauerkirschen, entsteint
30 g	Honig (Oreganoblütenhonig)
½ Bund	frische glatte Petersilie, gehackt

Dieses Gericht ist ein Sommergenuss. Früher wurde es von den Christen in Trauer- und Fastenzeiten gekocht. Mit den Jahren wurde es immer mehr auch von der restlichen Bevölkerung übernommen.

◆

Das Olivenöl in einem großen Topf bei mittlerer Hitze heiß werden lassen. Das Welsfleisch hineinlegen und auf jeder Seite 2 Minuten braten. Mit einem Sieblöffel herausheben und beiseitestellen.

½ Teelöffel Salz über die Zwiebelwürfel streuen. Zwiebel und Mandeln in den Topf geben und 7 Minuten andünsten. Knoblauch, Zimtstange, Fenchelsamen und Sauerkirschen hinzufügen und unterrühren. Mit ½ Teelöffel schwarzem Pfeffer und ½ Teelöffel Salz würzen und 1 Minute kochen. Die Hitze reduzieren und 10 Minuten köcheln lassen.

Den Wels in den Topf zurückgeben und nochmals 5 Minuten garen. Vom Herd nehmen, Honig und Petersilie unterrühren. Mit Deckel 5 Minuten ruhen lassen und servieren.

FISCH & MEERESFRÜCHTE

GEGRILLTE SEEZUNGENSPIEßE
DİL ŞİŞ

Herkunft:	İzmir, Ägäisregion
Zubereitung:	15 Minuten zzgl. 2 Stunden Kühlen
Garzeit:	10 Minuten
Personen:	4

4 (30 cm)	Seezungen, filetiert, jedes Filet in 5 gleich große Stücke geschnitten (40 Stücke)
150 ml	natives Olivenöl extra
4	Knoblauchzehen, gehackt
¼ TL abgeriebene Schale von einer unbehandelten Zitrone	

Çoban Salatası (Hirtensalat, Seite 54)

Seite 293

Dieses Gericht wird an der ganzen türkischen Küste zubereitet, doch die besten Seezungenspieße gibt es in İzmir. Einige Händler verkaufen 1000 Portionen an einem einzigen Tag! Wenn Sie keinen Holzkohlegrill haben, können Sie die Spieße im Backofen grillen. Sie benötigen 4 lange gusseiserne Spieße oder 8 normale Holzspieße (eingeweicht).

◆

Den Fisch mit Olivenöl, Knoblauch, Zitronenschale und ¾ Teelöffel Salz in einer Schüssel mischen. Mit Frischhaltefolie abgedeckt 2 Stunden im Kühlschrank marinieren.

Einen Holzkohlegrill anheizen oder den Backofengrill auf höchster Stufe vorheizen.

Den Fisch aus der Marinade nehmen. Die Flüssigkeit in einer hitzefesten Schüssel auf dem Grill warm halten. Die Fischstücke aufrollen und auf die Spieße stecken. Die Spieße 8 cm über der heißen Glut einhängen und auf jeder Seite 2 Minuten grillen, dabei öfters drehen. Mit Marinade bestreichen und wieder 1 Minute pro Seite grillen. Alternativ den Fisch im Backofen grillen und die Marinade bei schwacher Hitze in einem Topf auf dem Herd warm halten.

Den Fisch auf Tellern anrichten und mit der Marinade beträufeln. Mit dem *Çoban Salatası* servieren.

◆

GEGRILLTE AAL-SPIEßE
YILAN BALIĞI KEBABI

Herkunft:	Hatay, Mittelmeerregion
Zubereitung:	10 Minuten zzgl. 1 Stunde Einweichen und 5 Stunden Marinieren
Garzeit:	10 Minuten
Personen:	4

1,2 kg	Süßwasseraal, gehäutet, küchenfertig ausgenommen und in 4-cm-Stücke geschnitten
60 ml	Apfelweinessig
12	Bitterorangenblätter oder Lorbeerblätter

Für die Marinade:

2 EL	natives Olivenöl extra
2 EL	frisch gepresster Zitronensaft
½ TL	gemahlener Kreuzkümmel
1 EL	getrocknetes Basilikum
2 TL	Chiliflocken

Aale werden im trüben Wasser gefangen, direkt nach den Regenfällen im April. Die regionalen Arten sind sehr fett. Man taucht sie daher beim Grillen in Wasser, um das überschüssige Öl zu entfernen. Sie benötigen 4 lange gusseiserne Spieße oder 8 normale Holzspieße (eingeweicht).

◆

Den Aal mit Apfelweinessig und 1 Teelöffel Salz 1 Stunde in 3 Liter kaltem Wasser einweichen. Abgießen, spülen und trocken tupfen.

Für die Marinade alle Zutaten in einer großen Schüssel mit ½ Teelöffel Salz vermengen. Die Aalstücke einlegen und mit Frischhaltefolie abdecken. Im Kühlschrank 5 Stunden marinieren.

Einen Holzkohlegrill anheizen oder den Backofengrill auf höchster Stufe vorheizen. Einen großen Eimer mit kaltem Wasser in der Nähe des Grills bereithalten. Den Fisch aus der Marinade nehmen und in 4 oder 8 gleiche Stücke teilen. Die Marinade aufbewahren. Den Fisch abwechselnd mit Orangen- oder Lorbeerblättern auf die Spieße stecken.

Die Spieße 8 cm über der heißen Glut einhängen und auf jeder Seite 2 Minuten grillen. Dann 3 Sekunden in den Wassereimer tauchen. Herausnehmen, mit der Marinade bestreichen und pro Seite nochmals 2 Minuten grillen. Alternativ auf gleiche Weise im Backofengrill garen. Die Aalstücke abziehen und auf Tellern servieren.

♦

PILAW

♦

PILAW-KULTUR

Pilaw hat viele wichtige Merkmale. Der Reis wird meist mittels der Absorptionsmethode gegart und ist die traditionelle Zutat des Pilaw, den man jedoch auch mit Bulgur zubereiten kann. In städtischen Gebieten bezeichnet man auch Bulgur-Varianten als Pilaw, während sie auf dem Land *Aş* genannt und durch weitere Zutaten wie Tomaten oder *Orzo*-Nudeln näher spezifiziert werden. Ein Pilaw begleitet praktisch jedes türkische Hauptgericht. Gemüsespeisen mit oder ohne Fleisch ebenso wie Hühnchengerichte werden fast immer mit einem Pilaw serviert. Manche der oft mit Fleisch, Leber, Huhn und Bohnen angereicherten Pilaws bilden eigenständige Gerichte. Eine verführerische Verbindung geht Pilaw mit *Cacık* (Tsatsiki, Seite 78) oder süßen Kompotten ein.

Pilaws sind nicht nur unsere Begleiter durchs ganze Jahr, sondern auch bei Übergangsriten. Der *Perde Pilavı* (Verschleierter Reis-Pilaw, Seite 314) Südostanatoliens darf auf keiner Hochzeitstafel fehlen. Pinienkerne, Mandeln, Rosinen und Teig dieses Pilaws haben symbolische Bedeutung. Die Pinienkerne stehen für den Bräutigam, die Mandeln für die Braut. Der Reis soll Wohlstand bringen. *Keşkek* (Weizen und Lamm, Seite 317) ist ein weiteres typisches Gericht für besondere Anlässe

PILAW-TRADITIONEN

Ein beliebtes Festtagsgericht ist der *Dortulu* Bulgur- *(Aş-)* Pilaw, der für die *Hıdırellez*-Feierlichkeiten am 6. Mai zubereitet wird. Im Dorf Bayraktar in Kocaeli in der Marmararegion fahren Spendensammler mit Pferdegespann oder Traktor von Haus zu Haus. Jeder muss etwas geben, sei es Bulgurweizen, Öl, Salz, Fleisch oder Mehl. Manche steuern große Säcke, andere nur kümmerliche Mengen an Grundnahrungsmitteln bei, während wieder andere Truthähne, Hühner oder Enten spenden. Nichts zu geben bringt Unglück.

Das Gesammelte wird in einer Gemeinschaftsküche von freiwilligen Küchenveteraninnen zubereitet. Am *Hıdırellez*-Tag wird der *Dortulu* Pilaw über offenen Feuern gekocht und an die Menge verteilt. So will es die Tradition. Das Ritual, zum Wechsel der Jahreszeit oder zu besonderen Anlässen bestimmte Speisen zuzubereiten, geht auf lokale Überzeugungen und Bräuche zurück.

PILAW – TECHNIKEN
UND ZUTATEN

Für einen Pilaw muss der Reis in Salzwasser eingeweicht und dann zwecks Entfernung der Stärke mit viel kaltem Wasser durchgespült werden. Das ist entscheidend für sein Gelingen. Dann folgen verschiedene Kochtechniken wie Braten, Absorption, Pochieren und Dämpfen. Die beliebtesten sind Braten und Absorption.

Beim Braten Olivenöl oder Butter erhitzen, bis das Fett zischt, gewaschenen Reis dazugeben, bei schwacher Hitze 10–20 Minuten garen und dabei vorsichtig umrühren. Heiße Fleisch- oder Hühnerbrühe zugießen, aufkochen und köcheln lassen, bis alle Flüssigkeit aufgesogen ist.

Bei der Absorptionsmethode wird der gewaschene Reis in ungesalzenes Wasser oder Brühe gegeben und geköchelt, bis alle Flüssigkeit absorbiert ist. Danach Topf vom Feuer nehmen und den Pilaw mit heißer Butter übergießen, die man unterrührt. Vor dem Servieren lässt man den Pilaw 15 Minuten ruhen.

Falls man sich für die Kochmethode entscheidet, Wasser zum Kochen bringen, gewaschenen Reis hinzufügen, fertigen Reis abgießen und Butter unterziehen.

Bei einer vierten Methode kommt der gewaschene Reis in einen Dampfgarer oder wird direkt über dem im Topf garenden Fleisch platziert. Man spricht dann auch von „trockenem" oder „gedämpftem" Pilaw. Bulgurweizen wiederum wird meist nicht eingeweicht, obwohl manche es vorziehen, ihn abzuspülen. Bulgurweizen wird direkt in die Butter oder ins kochende Wasser gegeben und meist nach der Absorptionsmethode mit Fleisch-, Hühner- oder Gemüsebrühe gegart. Da der Bulgur *parboiled* und getrocknet ist, beträgt seine Ruhezeit nur 5 Minuten verglichen mit den 15–20 Minuten für Reis. Bulgur wird zuweilen mit Fleisch oder anderen Zutaten angebraten und durch Zugabe von kochendem Wasser und Absorption fertig gegart.

Eine weitere Pilaw-Sorte sind Pürees (Reisstampf), deren Zutaten miteinander zerstampft werden. Die beliebtesten sind feiner oder grober Bulgurweizen, Reis, Weizenschrot und Maismehl (Polenta) sowie Gemüse, Fleisch, Hülsenfrüchte, Joghurt, Milch, Käse und Traubenmelasse. Pürees sind breiiger als Pilaws – die Konsistenz variiert je nach örtlichen Vorlieben. Manche mögen sie körniger, andere zu einer dicken Paste zerstoßen. Getreide und Hülsenfrüchte verbinden sich zu einem geschmeidigen Pilaw. Pürees werden, ohne zu ruhen, sofort verzehrt. Lokale Bezeichnungen dafür sind *Haşıl, Papa, Gulul* und *Şile*. Auch Gerichte aus Weizenschrot finden sich in diesem Buch: *Dövme, Herse* (oder *Herise*), *Hedik* und *Keşkek*. *Keşkek* besteht aus Weizenschrot und kann allein oder zusammen mit Lamm, Huhn, Pute, Ente oder Waldschnepfe zubereitet werden. Sobald Getreide und Fleisch gegart sind, werden sie mit einem dicken Holzstößel oder -löffel zu einer Paste zerstoßen. Der Weizen saugt die Säfte auf und wir erhalten einen dicken, klebrigen Brei, der mit zerlassener Butter serviert wird.

Pilaws aus unterschiedlichen Nudelsorten werden ebenfalls in diesem Kapitel behandelt. An erster Stelle steht der Couscous mit seinen vielen Techniken und Rezepten. Couscous wird in der Regel aus Bulgurweizen, Mehl und Eiern hergestellt. Grieß ist ebenfalls eine beliebte Zutat. Hausgemachte Pasta wird frisch zubereitet, geschnitten und sofort gekocht. Auch diese geschnittenen Nudeln werden als „Couscous" bezeichnet. Die beliebtesten Gartechniken für Couscous wie hausgemachte Nudeln sind Braten und die Absorptionsmethode.

TOMATENREIS
DOMATESLİ PİLAV

Herkunft:	İstanbul, alle Landesteile
Zubereitung:	10 Minuten zzgl. 1 Stunde Einweichen
Garzeit:	35 Minuten zzgl. 10 Minuten Ruhezeit
Personen:	4

300 g	Mittelkornreis
70 g	Butter
60 g	Zwiebeln, fein gehackt
200 ml	heiße Fleischbrühe (Seite 489)
250 ml	heißer frischer Tomatensaft
½ TL	frisch gemahlener Pfeffer

❧ ◆ Seite 301

Eine vor allem im Spätsommer beliebte Beilage.

◆

Den Reis in eine Schüssel geben, 2 Teelöffel Salz hinzufügen und 1 Liter kochendes Wasser darübergießen. 1 Stunde bei Raumtemperatur einweichen. Abgießen und unter kaltem fließendem Wasser abspülen, bis das Wasser klar bleibt. Dann in einem Sieb 5 Minuten abtropfen lassen.

Die Butter in einem Topf erwärmen, Reis und ½ Teelöffel Salz hinzufügen und 7 Minuten unter vorsichtigem Umrühren anbraten. Die Zwiebeln hinzufügen und 3 Minuten mitbraten. Brühe, Tomatensaft und ½ Teelöffel frisch gemahlenen Pfeffer dazugeben und mit aufgelegtem Deckel 20 Minuten garen.

Den Topf vom Herd nehmen, Deckel entfernen, den dampfenden Topf mit einem Küchentuch abdecken und Deckel erneut aufsetzen. Dann in ein weiteres Küchentuch einschlagen und 10 Minuten ruhen lassen.

Das Küchentuch entfernen, den Pilaw umrühren und servieren.

◆

BASILIKUMREIS
REYHANLI PİLAV

Herkunft:	Erzincan, Ostanatolien
Zubereitung:	30 Minuten zzgl. 1 Stunde Einweichen
Garzeit:	45 Minuten zzgl. 10 Minuten Ruhezeit
Personen:	4

200 g	Mittelkornreis
100 g	Butter
150 g	Karotten, in feinen Scheiben
4	Frühlingszwiebeln, fein gehackt
1	frische Knoblauchzehe, in feinen Scheiben
2 TL	getrocknete Minze
100 g	grober Bulgur, gewaschen
½ Bund	frisches Basilikum, fein gehackt
¼ Bund	Dill, fein gehackt
½ Bund	glatte Petersilie, fein gehackt
100 g	*Tulum*-Käse zum Servieren

◆ V

Ein Sommergericht, das man zubereitet, während sich das Dorf zum Sonnentrocknen der geernteten Maulbeeren versammelt. Es gibt auch eine winterliche Variante, in der statt der frischen Kräuter sonnengetrocknetes Gemüse Verwendung findet.

◆

Den Reis mit 2 Teelöffel Salz in eine Schüssel geben und mit 1 Liter kochendem Wasser übergießen. Bei Zimmertemperatur 1 Stunde einweichen, dann unter fließendem kaltem Wasser abspülen, bis das Wasser klar bleibt. Den Reis in einem Sieb 5 Minuten abtropfen lassen.

Butter in einem großen Topf bei mittlerer Hitze erwärmen und die Karotten darin 2 Minuten anbraten. Frühlingszwiebeln, Knoblauch und getrocknete Minze dazugeben und 3 Minuten braten. ¼ Teelöffel frisch gemahlenen Pfeffer und ½ Teelöffel Salz hinzufügen und mit 600 ml kochendem Wasser übergießen. Mit aufgelegtem Deckel 15 Minuten garen. Hitze erhöhen, Reis hinzufügen und 5 Minuten ohne Deckel kochen lassen. Dann Hitze reduzieren, Bulgur hinzufügen und abgedeckt weitere 15 Minuten garen.

Den Topf vom Herd nehmen und den Pilaw mit den Kräutern bestreuen. Nicht umrühren. Den Topf mit einem Küchentuch abdecken und darauf achten, dass es die Kräuter nicht berührt. Mit dem Deckel verschließen. Den ganzen Topf in ein weiteres Küchentuch schlagen und 10 Minuten stehen lassen.

Pilaw wieder auspacken, den Käse vorsichtig unterziehen und servieren.

REIS-PILAW MIT SARDELLEN
HAMSİLİ PİLAV

Herkunft:	Rize, Schwarzmeerregion
Zubereitung:	20 Minuten zzgl. 1 Stunde Einweichen
Garzeit:	1 Stunde 5 Minuten
Personen:	4

100 g	Rosinen
1 kg	Sardellen, Köpfe entfernt, geputzt
60 ml	Apfelessig
300 g	Mittelkornreis

Für den Pilaw:

120 g	Butter
100 g	Pinienkerne, geröstet
1 (120 g)	mittelgroße Zwiebel, in feine Ringe geschnitten
½ TL	gemahlener Piment
1 TL	gemahlener Zimt
10	Pfefferkörner
½ Bund	Dill, fein gehackt

Seite 303 📷

Dieses Reisgericht wird den ganzen Herbst und Winter über zubereitet, ebenso wie zu besonderen Anlässen.

♦

Die Rosinen 1 Stunde lang in einer Schüssel mit 200 ml Wasser einweichen.

Währenddessen die Sardellen mit 3 Liter Wasser und dem Apfelessig in eine zweite Schüssel geben und 1 Stunde einweichen. Abgießen, abspülen und beiseitestellen.

Den Reis in eine große Schüssel geben, 2 Teelöffel Salz hinzufügen und mit 1 Liter kochendem Wasser übergießen. 1 Stunde bei Zimmertemperatur einweichen. Den Reis abgießen und unter fließendem kaltem Wasser abspülen, bis das Wasser klar bleibt. In einem Sieb 5 Minuten abtropfen lassen.

Für den Pilaw 80 g der Butter in einem großen Topf bei mittlerer Hitze zerlassen und Reis, ½ Teelöffel Salz und Pinienkerne 7 Minuten anbraten. Die Zwiebeln dazugeben und 3 Minuten mitbraten. Hitze erhöhen, Piment, Zimt, Pfefferkörner und 600 ml kochendes Wasser hinzufügen und 1 Minute kochen lassen. Die Hitze reduzieren und mit aufgelegtem Deckel 15 Minuten weiterköcheln lassen. Vom Herd nehmen und die Rosinen über den Topfinhalt streuen. Topf mit einem Küchentuch bedecken und mit dem Deckel fest verschließen. Den ganzen Topf in ein weiteres Küchentuch schlagen, 20 Minuten stehen lassen. Dann Pilaw auspacken, umrühren und Dill vorsichtig unterziehen.

Während der Pilaw ruht, den Backofen auf 200°C vorheizen und eine runde Kuchenform von 20 cm Durchmesser mit 2 Esslöffel Butter einfetten.

Einige der Sardellen aufrecht am Rand der Kuchenform aufstellen und darauf achten, dass die Schwänze darüber hinausragen. Die Hälfte der restlichen Sardellen vom Rand beginnend so anordnen, dass sie einander überlappend den Boden bedecken. Den Pilaw auf den Sardellen verteilen, und die Fischschwänze über den Reis zurückbiegen. Den Reis nach dem gleichen Muster wie zuvor mit den restlichen Sardellen bedecken. Das Ganze mit 2 Esslöffel Butter bepinseln und mit Alufolie abdecken. 10 Minuten im vorgeheizten Backofen backen, dann die Folie entfernen und weitere 5 Minuten backen.

Zum Servieren den Sardellenpilaw auf eine Platte stürzen.

REIS-PILAW MIT ORZO-NUDELN
ŞEHRİYELİ PİRİNÇ PİLAVI

Herkunft:	İzmir, alle Landesteile
Zubereitung:	10 Minuten zzgl. 1 Stunde Einweichen
Garzeit:	30 Minuten zzgl. 20 Minuten Ruhezeit
Personen:	4

300 g	Mittelkorneis
100 g	Butter
70 g	Orzo-Nudeln
900 ml	heiße Hühnerbrühe (Seite 489)

Seite 305 📷

Als Beilage zu Schmorgerichten wird dieser Pilaw im ganzen Land geschätzt.

◆

Den Reis mit 2 Teelöffel Salz in eine Schüssel geben und mit 1 Liter kochendem Wasser übergießen. 1 Stunde bei Zimmertemperatur einweichen, dann abgießen und unter fließendem kaltem Wasser abspülen, bis das Wasser klar bleibt. Den Reis in einem Sieb 5 Minuten abtropfen lassen.

Die Butter bei mittlerer Hitze in einem großen Topf erhitzen und die Orzo-Nudeln darin 4 Minuten unter ständigem Rühren braten, bis sie zu bräunen beginnen. Hitze reduzieren, den Reis hinzufügen und 10 Minuten unter gelegentlichem Rühren kochen. Hühnerbrühe, ½ Teelöffel frisch gemahlenen Pfeffer und ½ Teelöffel Salz hinzufügen und mit aufgelegtem Deckel 15 Minuten garen. Vom Herd nehmen, den Topf mit einem Küchentuch bedecken und mit dem Deckel fest verschließen. Den Topf in ein weiteres Küchentuch einschlagen und 20 Minuten ruhen lassen. Den Pilaw auspacken, umrühren und servieren.

◆

REIS MIT HUHN
TAVUKLU PİLAV

Herkunft:	Edirne, alle Landesteile
Zubereitung:	20 Minuten zzgl. Einweichen über Nacht und 1 Stunde Einweichen
Garzeit:	1½ Stunden Vorkochen zzgl. 30 Minuten und 10 Minuten Ruhezeit
Personen:	4

80 g	Kichererbsen, über Nacht eingeweicht
1 (2,5 kg)	Huhn (Poularde)
300 g	Mittelkornreis
100 g	Butter

Jäger ersetzen das Huhn in diesem Lieblingsgericht vieler Hausfrauen gerne durch Wildgeflügel.

◆

Die eingeweichten Kichererbsen abtropfen lassen, dann in einem Topf mit siedendem Wasser in etwa 1½ Stunden weich kochen. Abgießen, enthäuten und beiseitestellen.

Währenddessen in einem Topf 2 Liter Wasser zum Kochen bringen, das Huhn hineingeben und 1 Stunde 15 Minuten köcheln lassen. Abgießen und 700 ml der Hühnerbrühe zurückbehalten. Das Hühnchenfleisch von den Knochen lösen und beiseitestellen.

Inzwischen den Reis mit 2 Teelöffel Salz in eine Schüssel geben und mit 1 Liter heißem Wasser übergießen. 1 Stunde bei Zimmertemperatur einweichen. Den Reis abgießen und unter fließendem kaltem Wasser abspülen, bis das Wasser klar bleibt. Den Reis 5 Minuten im Sieb abtropfen lassen.

Die Butter in einem großen Topf bei mittlerer Hitze heiß werden lassen und den Reis darin 10 Minuten unter gelegentlichem Umrühren anbraten. Mit der zurückbehaltenen Hühnerbrühe aufgießen und die gekochten Kichererbsen, Hühnchenfleisch und ½ Teelöffel Salz hinzufügen. Hitze reduzieren und mit aufgelegtem Deckel 15 Minuten köcheln lassen.

Den Reis vom Herd nehmen, mit einem Küchentuch abdecken und mit dem Deckel fest verschließen. Den ganzen Topf in ein weiteres Tuch einschlagen und 10 Minuten stehen lassen. Dann den Pilaw wieder auspacken, vorsichtig umrühren, Pfeffer darübermahlen und servieren.

LAMM-APRIKOSEN-REIS
HAŞLAMA PİLAVI

Herkunft:	Van, Ostanatolien
Zubereitung:	15 Minuten
Garzeit:	25 Minuten
Personen:	4

300 g	Mittelkornreis
1 Prise	Safran
100 g	Butter
200 g	Lammfleisch, fein gewürfelt
60 g	Zwiebeln, fein gewürfelt
80 g	Aprikosenkerne, 10 Minuten in heißem Wasser eingeweicht, abgetropft und geschält
6	getrocknete Aprikosen, fein gewürfelt

Dies gilt überall in der Türkei als Festtagsgericht und heißt in manchen Gegenden auch „Hochzeitspilaw".

◆

3 Liter Wasser mit ½ Teelöffel Salz in einem großen Topf bei mittlerer Hitze zum Kochen bringen. Den Reis hinzufügen, erneut aufkochen lassen und mit aufgelegtem Deckel 15 Minuten garen.

Den Safran in eine Schüssel geben und 1 Esslöffel des Reiskochwassers hinzufügen. Beiseitestellen.

Inzwischen die Butter in einer großen Bratpfanne bei mittlerer Hitze zerlassen und das Lamm darin unter ständigem Rühren 5 Minuten anbraten. Die Zwiebeln dazugeben und 10 Minuten braten, dann Aprikosenkerne, getrocknete Aprikosen, je ¼ Teelöffel Pfeffer und Salz hinzufügen und weitere 5 Minuten braten.

Den gekochten Reis abgießen, Safranwasser unterrühren, dann Deckel auflegen und 1 Minute stehen lassen. Den Reis auf Teller verteilen, Lammmischung daraufgeben und servieren.

◆

MILCHREIS
SÜTLÜ PİLAV

Herkunft:	Isparta, Mittelmeerregion
Zubereitung:	10 Minuten zzgl. 1 Stunde Einweichen
Garzeit:	30 Minuten zzgl. 10 Minuten Ruhezeit
Personen:	4

300 g	Mittelkornreis
300 ml	Milch
60 ml	Rosenwasser
80 g	Mandelsplitter, geröstet
2 EL	Rosenblütenblätter
50 g	*Kaymak* (Seite 486, nach Belieben)
200 g	*Lor* (frischer Molkenkäse, Seite 485)

Für die Sauce:	
100 g	Butter
1 EL	Traubenmelasse
¼ TL	gemahlener Zimt

 V

Die bei Hausfrauen beliebte Alltagsspeise Milchreis bereitet man traditionell aus in der Nachbarschaft gesammelten Zutaten zu, um die ersten Schritte eines Kleinkindes zu feiern.

◆

Den Reis mit 2 Teelöffel Salz in eine große Schüssel geben, mit 1 Liter heißem Wasser übergießen und 1 Stunde bei Zimmertemperatur einweichen. Abgießen und unter fließendem kaltem Wasser abspülen, bis das Wasser klar bleibt. Dann 5 Minuten in einem Sieb abtropfen lassen.

200 ml Wasser, Milch, Rosenwasser, ¼ Teelöffel frisch gemahlenen Pfeffer, ½ Teelöffel Salz, Mandeln, Rosenblütenblätter und *Kaymak* in einen großen Topf geben. Bei mittlerer Hitze aufkochen lassen, dann den Reis hinzufügen, die Hitze erhöhen und wieder zum Kochen bringen. 5 Minuten garen, dann Hitze reduzieren und 15 Minuten köcheln lassen. Vom Herd nehmen und 10 Minuten stehen lassen.

Für die Sauce die Butter in einem kleinen Topf bei mittlerer Hitze zerlassen, Traubenmelasse und gemahlenen Zimt hinzufügen und 1 Minute unter ständigem Rühren braten.

Den *Lor* unter den Reis rühren, dann auf Teller verteilen. Die Sauce darübergießen und servieren.

GEDÄMPFTER LAMM-REIS-PILAW
SUSUZ PİLAV

Herkunft:	İstanbul, alle Landesteile
Zubereitung:	25 Minuten zzgl. 1 Stunde Einweichen
Garzeit:	1 Stunde 30 Minuten
	zzgl. 10 Minuten Ruhezeit
Personen:	4

300 g	Mittelkornreis
2 EL	Mastix
1 TL	Zucker
1 TL	gemahlener Zimt
3 (360 g)	mittelgroße Zwiebeln, fein gehackt
60 ml	natives Olivenöl extra
600 g	fettes Lammfleisch, gewürfelt

Für den Teig zum Versiegeln:

6 EL	Mehl

Das Garen dieses Pilaws bei schwächster Hitze nur mit Fleischsaft und ohne Zugabe von Wasser erfordert äußerste Sorgfalt. Sie benötigen zwei gusseiserne Schmortöpfe mit Deckeln, von denen der eine etwa 25, der andere etwa 15 cm Durchmesser haben sollte.

◆

Den Reis mit 2 Teelöffel Salz in eine Schüssel geben und mit 1 Liter kochendem Wasser übergießen. 1 Stunde bei Zimmertemperatur einweichen. Dann den Reis abgießen und unter fließendem kaltem Wasser abspülen, bis das Wasser klar bleibt.

Den Mastix mit dem Zucker in einem Mörser zerstoßen.

Das Mehl mit 2 Esslöffel Wasser zu einem weichen Teig verkneten und zu einer langen Wurst rollen.

Mastix, gemahlenen Zimt, je ½ Teelöffel frisch gemahlenen Pfeffer und Salz, Zwiebeln, Olivenöl und Lamm 5 Minuten lang in einer Schüssel vermischen.

Den kleineren gusseisernen Topf in den größeren stellen und 1 Liter Wasser in das kleinere Gefäß gießen. Die Lammmischung um den kleinen Topf herum auf dem Boden des größeren verteilen, dann den Reis darübergeben. Deckel des größeren Topfs auflegen, mit dem Teig versiegeln und darauf achten, dass der Topf luftdicht verschlossen ist. Bei schwacher Hitze 1 ½ Stunden köcheln lassen.

Deckel und kleineren Topf entfernen. Umrühren, erneut abdecken und 10 Minuten ruhen lassen. Auf Teller verteilen und servieren.

◆

REIS MIT FLEISCHBRÜHE
SÜZME PİLAV

Herkunft:	Van, alle Landesteile
Zubereitung:	5 Minuten
Garzeit:	25 Minuten zzgl. 15 Minuten Ruhezeit
Personen:	4

400 g	Mittelkornreis, gewaschen
200 ml	Fleischbrühe (Seite 489)
100 g	Butterschmalz (Seite 485)

Ein klassischer Pilaw, der im ganzen Land gekocht wird.

◆

3 Liter Wasser mit 1 Teelöffel Salz bei mittlerer Hitze in einem Topf zum Kochen bringen. Den Reis hinzufügen, erneut aufkochen lassen und ohne Deckel 12 Minuten garen. Reis abgießen und in den leeren Topf zurückgeben. Die Fleischbrühe darübergießen, zum Köcheln bringen und bei sehr schwacher Hitze 5 Minuten garen.

Währenddessen das Butterschmalz in einem kleinen Topf bei mittlerer Temperatur erhitzen.

Das heiße Schmalz über den garen Reis gießen und vorsichtig umrühren. Vom Herd nehmen, ein Küchentuch über den Topf breiten und ihn mit dem Deckel fest verschließen. Den Topf in ein weiteres Tuch schlagen und 15 Minuten stehen lassen. Auspacken, vorsichtig umrühren und servieren.

REIS-PILAW MIT KICHERERBSEN UND ROSINEN

ALATLI PİLAV

Herkunft:	Sivas, Zentralanatolien
Zubereitung:	15 Minuten zzgl. 1 Stunde Einweichen
Garzeit:	55 Minuten zzgl. 20 Minuten Ruhezeit
Personen:	4

400 g	Mittelkornreis, gewaschen
100 g	Butterschmalz (Seite 485)
400 g	Lammschulter, in 1-cm-Würfel geschnitten
2 (240 g)	mittelgroße Zwiebeln, in dünne Ringe geschnitten
80 g	halbierte Kichererbsen, geschält
100 g	große Rosinen
1	Zimtstange
10	Pfefferkörner

❀ ◗ Seite 309 ▣

Besonders beliebt ist dieses Rezept in Divriği, wo es in großen Kupferkesseln gegart wird. Falls geschälte halbe Kichererbsen nicht erhältlich sind, einfach die gleiche Menge an Kichererbsen verwenden und über Nacht einweichen, abgießen und schälen.

◆

Den Reis mit 2 Teelöffel Salz in eine große Schüssel geben und mit 1 Liter kochendem Wasser übergießen. 1 Stunde bei Zimmertemperatur einweichen. Abgießen und unter fließendem kaltem Wasser abspülen, bis das Wasser klar bleibt. Reis in einem Sieb 5 Minuten abtropfen lassen.

Das Butterschmalz in einem großen Topf bei mittlerer Temperatur zerlassen, dann die Hitze erhöhen und das Lamm darin 10 Minuten unter gelegentlichem Umrühren anbraten. Die Zwiebeln dazugeben und 10 Minuten anschwitzen. Hitze reduzieren, die Kichererbsen, Rosinen, Zimtstange, Pfefferkörner, ½ Teelöffel Salz sowie 850 ml kochendes Wasser hinzufügen und mit aufgelegtem Deckel 15 Minuten garen. Den Reis dazugeben und bei starker Hitze ohne Deckel 5 Minuten kochen lassen. Hitze reduzieren, Deckel wieder auflegen und weitere 10 Minuten garen.

Den Topf vom Herd nehmen, mit einem Küchentuch abdecken und den Deckel fest verschließen. Den ganzen Topf in ein weiteres Küchentuch schlagen und 20 Minuten stehen lassen. Den Pilaw auspacken, vorsichtig umrühren und servieren.

◆

EINFACHER REIS-PILAW

ADİ PİLAV

Herkunft:	İstanbul, alle Landesteile
Zubereitung:	10 Minuten zzgl. 1 Stunde Einweichen
Garzeit:	25 Minuten zzgl. 20 Minuten Ruhezeit
Personen:	4

400 g	Mittelkornreis
100 g	Butterschmalz (Seite 485)

❀ V ⬡

Manche bestreuen diesen Pilaw mit frisch gemahlenem Pfeffer, andere verwenden Hühner- oder Fleischbrühe anstelle von Wasser. *Salma* heißt diese Zubereitungsart. Bei einer anderen Methode wird der Reis 10 Minuten in heißem Öl angebraten. Dann fügt man heißes Wasser hinzu und köchelt das Gericht bei schwacher Hitze gar.

◆

Den Reis mit 2 Teelöffel Salz in eine Schüssel geben und mit 1 Liter kochendem Wasser übergießen. 1 Stunde bei Zimmertemperatur einweichen. Den Reis abgießen, unter fließendem kaltem Wasser abspülen, bis das Wasser klar bleibt, und 5 Minuten in einem Sieb abtropfen lassen.

750 ml Wasser, den Reis und ½ Teelöffel Salz in einen großen Topf geben und bei mittlerer Hitze mit aufgelegtem Deckel 20 Minuten garen.

Das Butterschmalz bei mittlerer Hitze in einem kleinen Topf zerlassen. Heiß in den Reis gießen und 2 Minuten weitergaren. Den Topf vom Herd nehmen, mit einem Küchentuch abdecken und mit dem Deckel verschließen. Den ganzen Topf in ein zweites Küchentuch schlagen und 20 Minuten stehen lassen. Den Pilaw auspacken, vorsichtig umrühren und servieren.

✦

SULTANREIS
HÜNKÂR PİLAVI

Herkunft:	İstanbul, alle Landesteile
Zubereitung:	10 Minuten zzgl. 1 Stunde Einweichen
	und Einweichen über Nacht
Garzeit:	50 Minuten zzgl. 20 Minuten Ruhezeit
Personen:	4

400 g	Mittelkornreis
70 g	Pistazien
100 g	Butterschmalz (Seite 485)
400 g	Lammfleisch, fein gewürfelt
½ TL	gemahlene Gewürznelken
½ TL	gemahlener Kardamom
1 TL	gemahlener Zimt
50 g	Rosinen, über Nacht in 200 ml
	Wasser eingeweicht

❀ ◗

Eine Spezialität, die einst am Hof des Sultans und in den Herrenhäusern İstanbuls zubereitet wurde.
♦

Den Reis mit 2 Teelöffel Salz in eine Schüssel geben und mit 1 Liter kochendem Wasser übergießen. 1 Stunde bei Zimmertemperatur einweichen, abgießen und unter fließendem kaltem Wasser durchspülen, bis das Wasser klar bleibt. Den Reis in einem Sieb 5 Minuten abtropfen lassen.

Die Pistazien 10 Minuten in 400 ml kochendem Wasser einweichen. Abgießen und 30 Minuten stehen lassen; dann schälen.

Das Butterschmalz bei mittlerer Hitze in einem großen Topf zerlassen und das Fleisch unter gelegentlichem Umrühren 10 Minuten darin anbraten. Die Pistazien dazugeben und 5 Minuten braten. Gewürznelken, Kardamom, Zimt, ¼ Teelöffel gemahlenen Pfeffer, 1 Teelöffel Salz und 750 ml kochendes Wasser dazugeben und ohne Deckel 20 Minuten garen. Hitze erhöhen, den Reis hinzufügen und mit Deckel etwa 5 Minuten kochen. Hitze reduzieren und weitere 7 Minuten köcheln lassen.

Vom Herd nehmen, die Rosinen hinzufügen, Topf mit einem Küchentuch abdecken und mit dem Deckel verschließen. Den ganzen Topf in ein weiteres Küchentuch schlagen und 20 Minuten stehen lassen. Den Pilaw auspacken, vorsichtig umrühren und servieren.

♦

REIS-PILAW MIT PINIENKERNEN UND ROSINEN
İÇ PİLAV

Herkunft:	İstanbul, alle Landesteile
Zubereitung:	15 Minuten zzgl. 1 Stunde Einweichen
	und Einweichen über Nacht
Garzeit:	30 Minuten zzgl. 20 Minuten Ruhezeit
Personen:	4

400 g	Mittelkornreis
100 ml	natives Olivenöl extra
1 (120 g)	mittelgroße Zwiebel, fein gehackt
400 g	Lammleber, fein gewürfelt
1 EL	Pinienkerne, geröstet
½ TL	gemahlener Piment
1 TL	gemahlener Zimt
50 g	Rosinen, über Nacht in 200 ml
	Wasser eingeweicht

◗ ❀ ◗

Ein vielseitiges Gericht für besondere Anlässe. In der Frühlingsvariante gehört die Leber eines Milchlamms hinein. Hausfrauen wie Gastronomen servieren dazu Tsatsiki.
♦

Den Reis mit 2 Teelöffel Salz in eine große Schüssel geben und mit 1 Liter kochendem Wasser übergießen. Den Reis bei Zimmertemperatur 1 Stunde einweichen, abgießen und unter fließendem kaltem Wasser abspülen, bis dieses klar bleibt. In einem Sieb 5 Minuten abtropfen lassen.

Das Olivenöl bei mittlerer Temperatur in einem Topf erhitzen und die Zwiebeln 3 Minuten darin anschwitzen. Die Leber hinzufügen und 5 Minuten braten. Pinienkerne, Piment, Zimt, ¼ Teelöffel frisch gemahlenen Pfeffer, ½ Teelöffel Salz sowie 700 ml Wasser dazugeben und 5 Minuten kochen. Hitze erhöhen, den Reis hinzufügen, Deckel auflegen und weitere 5 Minuten garen. Dann die Hitze reduzieren und weitere 7 Minuten köcheln lassen.

Vom Herd nehmen, die Rosinen hinzufügen, den Topf mit einem Küchentuch abdecken, mit dem Deckel verschließen. Den ganzen Topf in ein weiteres Küchentuch schlagen und 20 Minuten stehen lassen. Den Pilaw auspacken, vorsichtig umrühren und servieren.

REIS-PILAW MIT LAMM UND MANDELN
KUZU ETLİ BADEMLİ PİLAV

Herkunft:	Antalya, alle Landesteile
Zubereitung:	30 Minuten zzgl. 1 Stunde Einweichen
Garzeit:	40 Minuten zzgl. 20 Minuten Ruhezeit
Personen:	4

300 g	Mittelkornreis
80 g	Butterschmalz (Seite 485)
300 g	Lammfleisch, gewürfelt
120 g	Mandeln, 30 Minuten in kochendem Wasser eingeweicht, abgetropft und geschält
¼ TL	Orangenschale
½ TL	gemahlener Zimt
1 Prise	Safran
60 g	getrocknete Aprikosen, gewürfelt

Seit Jahrhunderten wird dieses Gericht zu besonderen Anlässen von wohlhabenden Stadtbewohnern zubereitet.

◆

Den Reis mit 2 Teelöffel Salz in eine große Schüssel geben und mit 1 Liter kochendem Wasser übergießen. 1 Stunde bei Zimmertemperatur einweichen, abgießen und unter fließendem kaltem Wasser abspülen, bis das Wasser klar bleibt. Den Reis in einem Sieb 5 Minuten abtropfen lassen.

Das Butterschmalz in einem großen Topf bei mittlerer Temperatur erhitzen, das Fleisch 10 Minuten darin anbraten, dann die Mandeln hinzufügen und 5 Minuten braten. Orangenschale, Zimt, Safran, ¾ Teelöffel Salz und 600 ml heißes Wasser dazugeben und in 5 Minuten zum Kochen bringen. Hitze erhöhen, den Reis hinzufügen und mit aufgelegtem Deckel 5 Minuten garen. Hitze reduzieren, die getrockneten Aprikosen hinzufügen und mit aufgelegtem Deckel weitere 10 Minuten garen.

Vom Herd nehmen, den Topf mit einem Küchentuch abdecken und mit dem Deckel fest verschließen. Den ganzen Topf in ein weiteres Küchentuch schlagen und 20 Minuten stehen lassen. Den Pilaw auspacken, vorsichtig umrühren und servieren.

MUSCHEL-REIS-PILAW
MİDYE SALMASI

Herkunft:	İstanbul, Marmararegion
Zubereitung:	15 Minuten zzgl. 1 Stunde Einweichen
Garzeit:	40 Minuten zzgl. 15 Minuten Ruhezeit
Personen:	4

400 g	Mittelkornreis
400 g	Tomaten, fein gewürfelt
1 TL	getrocknete Minze
½ TL	gemahlener Ingwer
40	mittelgroße Miesmuscheln in der Schale, geputzt und Bärte entfernt

Für die Sauce:

100 ml	natives Olivenöl extra
1 (120 g)	mittelgroße Zwiebel, fein gehackt
1	grüne Chilischote, fein gehackt

Schwarze Miesmuscheln verwendet man für dieses populäre Gericht, das vor allem im September zubereitet wird.

◆

Den Reis mit 2 Teelöffel Salz in eine große Schüssel geben und mit 1 Liter heißem Wasser übergießen. 1 Stunde bei Raumtemperatur einweichen. Abgießen und den Reis unter fließendem kaltem Wasser abspülen, bis das Wasser klar bleibt. In einem Sieb 5 Minuten abtropfen lassen.

600 ml Wasser, die Tomaten, je ½ Teelöffel Salz und frisch gemahlenen Pfeffer, getrocknete Minze und Ingwer in einem großen Topf bei mittlerer Hitze in etwa 5 Minuten zum Kochen bringen. Hitze erhöhen, den Reis hinzufügen und 5 Minuten garen. Hitze reduzieren, die Muscheln dazugeben und abgedeckt weitere 10 Minuten garen. Muscheln, die sich bis zu diesem Zeitpunkt nicht geöffnet haben, wegwerfen.

Für die Sauce das Olivenöl bei mittlerer Temperatur in einem großen Topf erhitzen und die Zwiebel 3 Minuten darin anschwitzen. Chili hinzufügen und weitere 3 Minuten braten.

Die Sauce in den Pilaw rühren, vom Herd nehmen, den Reis mit einem Küchentuch bedecken, dann fest mit dem Deckel verschließen. Den Topf in ein weiteres Küchentuch einschlagen und 15 Minuten ruhen lassen. Pilaw auspacken, vorsichtig umrühren und servieren.

AUBERGINEN-REIS-PILAW
PATLICANLI PİLAV

Herkunft:	İzmir, Ägäisregion
Zubereitung:	20 Minuten zzgl. 1 Stunde Einweichen
Garzeit:	30 Minuten zzgl. 15 Minuten Ruhezeit
Personen:	4

300 g	Mittelkornreis
600 g	Auberginen, längs Streifen abgeschält (1 Streifen schälen, 1 Streifen Schale stehen lassen usw.)
4 EL	Mastix
1 TL	Zucker
100 ml	natives Olivenöl extra
60 g	Zwiebel, fein gehackt
1 Prise	Safran

Dieses Gericht schmeckt am besten während der Auberginensaison im August.

Den Reis mit 2 Teelöffel Salz in eine Schüssel geben und mit 1 Liter heißem Wasser übergießen. 1 Stunde bei Raumtemperatur einweichen. Abgießen und unter fließendem kaltem Wasser abspülen, bis das Wasser klar bleibt. In einem Sieb 5 Minuten abtropfen lassen.

Währenddessen die Auberginen in 1,5 l Wasser und 2 Teelöffel Salz 15 Minuten einweichen. Abgießen, abspülen, überschüssiges Wasser ausdrücken und mit Küchenpapier trocken tupfen. In 1 cm große Würfel schneiden und beiseitestellen.

Den Mastix mit dem Zucker in einem Mörser zerstoßen und beiseitestellen.

Das Olivenöl bei mittlerer Temperatur in einem Topf erhitzen und die Zwiebel darin 3 Minuten anschwitzen. 500 ml kochendes Wasser, die Mastixmischung, ¼ Teelöffel frisch gemahlenen Pfeffer, Safran und ½ Teelöffel Salz hinzufügen und 3 Minuten kochen. Hitze erhöhen, Reis hinzufügen und 3 Minuten kochen. Dann Hitze reduzieren und weitere 10 Minuten garen.

Vom Herd nehmen, Topf mit einem Küchentuch bedecken, mit dem Deckel fest verschließen. Topf in ein weiteres Küchentuch einschlagen und 15 Minuten stehen lassen. Pilaw auspacken, vorsichtig umrühren und servieren.

FEINER BULGUR-PILAW
SİMİT AŞI (İNCE BULGUR PİLAVI)

Herkunft:	Gaziantep, Südostanatolien
Zubereitung:	10 Minuten
Garzeit:	25 Minuten
Personen:	4

100 g	Butterschmalz (Seite 485)
1 (120 g)	mittelgroße Zwiebel, in feinen Ringen
2 EL	Tomatenmark (Seite 492)
1 TL	Rote Paprikapaste (Seite 492)
1 TL	Chiliflocken
200 g	Kavurma (Lammconfit, Seite 497)
300 g	feiner Bulgur

Dieses Gericht ist im Nu zubereitet, weswegen man es im Ramadan gern zum Sahur, der Mahlzeit unmittelbar vor Sonnenaufgang serviert.

Das Butterschmalz bei mittlerer Hitze in einem großen Topf erhitzen und Zwiebel darin 2 Minuten anschwitzen. Tomatenmark, Paprikapaste und Chiliflocken hinzufügen und 3 Minuten mitbraten, dann das Lamm-Confit dazugeben und 5 Minuten weitergaren. ½ Teelöffel Salz und 1 Liter heißes Wasser hinzufügen, aufkochen lassen und 5 Minuten weitergaren. Hitze reduzieren, Bulgur und ¼ Teelöffel Pfeffer dazugeben und ohne Deckel 7 Minuten garen, bis alles zu einem Brei eindickt. Sofort servieren.

SÜßER KARPFEN-REIS-PILAW
ŞİRANİ PİLAV

Herkunft:	Kars, Ostanatolien
Zubereitung:	30 Minuten zzgl. Einweichen über Nacht
	und 1 Stunde Einweichen
Garzeit:	1 Stunde 20 Minuten
	zzgl. 20 Minuten Ruhezeit
Personen:	4

60 g	Kichererbsen, über Nacht in Wasser
	eingeweicht, abgetropft
300 g	Mittelkornreis
400 g	Karpfen-Filet, in 2-cm-Würfel geschnitten
60 ml	Apfelessig
60 g	Sultaninen
100 ml	natives Olivenöl extra
1	Zimtstange
½ TL	gemahlene Kurkuma
3	Fenchelsamen
2 EL	Traubenmelasse

Traditionell wird dieses Sommergericht nach der Ernte verzehrt oder wenn ein Bewerber das Elternhaus einer jungen Frau aufsucht, um um deren Hand anzuhalten. In manchen Gegenden ist es auch als *Şirinleme* bekannt.

♦

Die abgetropften Kichererbsen 1 Stunde in einem Topf mit köchelndem Wasser weich garen. Abgießen, etwas abkühlen lassen, die Kichererbsen schälen. Beiseitestellen.

Währenddessen den Reis mit 2 Teelöffel Salz in eine große Schüssel geben und mit 1 l heißem Wasser übergießen. 1 Stunde bei Raumtemperatur einweichen. Abgießen und den Reis unter fließendem kaltem Wasser abspülen, bis das Wasser klar bleibt. In einem Sieb 5 Minuten abtropfen lassen.

Inzwischen den Karpfen in 3 l kaltem Wasser, 1 Teelöffel Salz und Apfelessig wässern. 1 Stunde stehen lassen, dann abgießen und abspülen. Gleichzeitig die Sultaninen mit 200 ml Wasser 1 Stunde einweichen.

Das Olivenöl in einem großen Topf bei mittlerer Hitze heiß werden lassen. Den Karpfen darin unter mehrmaligem Wenden von jeder Seite 2 Minuten anbraten. Sultaninen abgießen. Hitze reduzieren und Sultaninen, Reis, Kichererbsen, Zimt, Kukuma, Fenchelsamen und ½ Teelöffel Salz mit 550 ml heißem Wasser hinzufügen und 10 Minuten mit aufgelegtem Deckel garen. Die Traubenmelasse dazugeben und weitere 5 Minuten garen.

Vom Herd nehmen, den Topf mit einem Küchentuch abdecken, dann mit dem Deckel verschließen. Den ganzen Topf in ein weiteres Küchentuch einschlagen und 20 Minuten stehen lassen. Pilaw auspacken, vorsichtig umrühren und servieren.

♦

BULGUR-PILAW MIT KASTANIEN
KESTANELİ BULGUR PİLAVI

Herkunft:	Bursa, Marmararegion
Zubereitung:	5 Minuten
Garzeit:	25 Minuten zzgl. 2 Minuten Ruhezeit
Personen:	4

100 g	Butter
1 (120 g)	mittelgroße Zwiebel, in feinen Ringen
300 g	feiner Bulgur
500 g	Esskastanien, geschält

In osmanischen Archiven heißt es, dies sei das Lieblingsgericht Mehmed II. Fatih gewesen, der Konstantinopel (das heutige Istanbul) 1453 eroberte. Den vor allem im Herbst zubereiteten Pilaw findet man auf vielen festlichen Tafeln und Buffets.

♦

Die Butter in einem großen Topf bei mittlerer Hitze zerlassen, und die Zwiebel darin 3 Minuten anschwitzen. Bulgur, Kastanien und ½ Teelöffel Salz zu den Zwiebeln geben und weitere 3 Minuten braten. Hitze reduzieren, 600 ml heißes Wasser hinzufügen und 15 Minuten mit aufgelegtem Deckel garen. 2 Minuten ruhen lassen, dann vorsichtig umrühren und servieren.

VERSCHLEIERTER REIS-PILAW
PERDE PİLAVI

Herkunft:	Siirt, Südostanatolien
Zubereitung:	30 Minuten zzgl. 1 Stunde Einweichen
Garzeit:	2 Stunden 55 Minuten
	zzgl. 10 Minuten Ruhezeit
Personen:	4

300 g	Mittelkornreis
2	Rebhühner (nicht zu mager)
2 (240 g)	mittelgroße Zwiebeln, 1 geviertelt,
	1 in feinen Ringen
120 g	Butter
80 g	Pinienkerne, geröstet
100 g	blanchierte Mandeln
2 TL	getrockneter Oregano
½ TL	gemahlener Kardamom
100 g	Korinthen, 1 Stunde in Wasser eingeweicht,
	abgetropft

Für den Teig:

2	Eier
100 g	griechischer Joghurt
2 EL	natives Olivenöl extra
150 g	Mehl, plus Mehl zum Bestäuben
1 TL	*Mahlep* (Steinweichselgewürz), zerstoßen

Seite 315

Diese auch als „Hochzeitspilaw" bekannte Speise wird jedem Gast angeboten. Die Mandeln und Pinienkerne stehen für Bräutigam und Braut, der Teig für das Dach des Hauses und die Korinthen für die Kinder.

♦

Den Reis mit 2 Teelöffel Salz in eine große Schüssel geben und mit 1 l heißem Wasser übergießen. 1 Stunde bei Zimmertemperatur einweichen. Dann abgießen und den Reis unter fließendem kaltem Wasser abspülen, bis das Wasser klar bleibt. 5 Minuten im Sieb abtropfen lassen.

2 Liter Wasser mit den Rebhühnern und Zwiebelvierteln in einem großen Topf aufkochen und 5 Minuten weiterkochen. Hitze reduzieren und mit aufgelegtem Deckel 1 Stunde 45 Minuten garen. Rebhühner aus dem Topf nehmen, das Fleisch von den Knochen lösen und in einer Schüssel beiseitstellen. Die Brühe aufheben.

3 Esslöffel der Butter bei mittlerer Hitze in einem großen Topf zerlassen und die Zwiebelringe darin 3 Minuten anschwitzen. Pinienkerne und ein Drittel der Mandeln dazugeben und 3 Minuten mitbraten. 600 ml Rebhuhnbrühe in den Topf schöpfen, das zerzupfte Rebhuhnfleisch, ½ Teelöffel gemahlenen Pfeffer, getrockneten Oregano, Kardamom und ½ Teelöffel Salz hinzufügen und 5 Minuten kochen lassen. Hitze erhöhen, den Reis hinzufügen und 5 Minuten kochen, dann die Hitze reduzieren und weitere 10 Minuten köcheln lassen.

Für den Teig die Eier, Joghurt, ¼ Teelöffel Salz, Olivenöl, Mehl und *Mahlep* in einer großen Schüssel vermischen und 5 Minuten kneten. Den Teig in 4 Portionen teilen.

Den Backofen auf 220 °C vorheizen. Boden und Seiten von 4 Soufflé-Förmchen mit der restlichen Butter großzügig einfetten. Restliche Mandeln verwenden, um Unterseiten und Seiten der Pilaws mit schrägen Linien zu verzieren.

Die Teigstücke auf der leicht bemehlten Arbeitsfläche zu Kreisen von etwa 33 cm Durchmesser ausrollen. Sie müssen groß genug sein, damit sie die Formen auskleiden und noch genügend Teig an den Rändern überhängt. Formen auskleiden, sodass die Mitte der Teigscheiben in der Mitte der Formen liegt. Formen mit dem gegarten Reis füllen und überhängenden Teig über den Pilaw schlagen. Mit Alufolie abdecken.

Im heißen Backofen 30 Minuten backen, dann Folie entfernen und weitere 5 Minuten backen. Vorsichtig (damit der Teig nicht reißt) auf Teller stürzen.

BULGUR MIT LAMMLEBER
CİĞERLİ AŞ

Herkunft:	Malatya, Ostanatolien
Zubereitung:	10 Minuten
Garzeit:	35 Minuten
Personen:	4

80 g	Butterschmalz (Seite 485)
1 (120 g)	mittelgroße Zwiebel, in feinen Ringen
300 g	Lammleber, Haut und Sehnen entfernt, in feinen Scheiben
225 g	grober Bulgur
1 TL	Chiliflocken
½ Bund	glatte Petersilie, fein gehackt
4 Stängel	frisches Basilikum, fein gehackt

♠

Familien, die es sich leisten können, opfern zum *Kurban Bayramı* (Opferfest) ein Schaf oder Lamm. Ein Teil des Tiers wird dann gekocht und an Nachbarn und Arme verteilt. Dies ist eines der Gerichte, die als Almosen geschätzt sind. Es kann auch als Kebab zubereitet werden, doch ein Pilaw soll angeblich Fülle und Überfluss garantieren.

♦

Butterschmalz bei mittlerer Hitze in einem großen Topf zerlassen, die Zwiebel darin 5 Minuten unter ständigem Rühren anschwitzen. Die Leber hinzufügen und 7 Minuten braten, dann Bulgur, Chiliflocken, ¼ Teelöffel frisch gemahlenen Pfeffer, ½ Teelöffel Salz dazugeben und 5 Minuten garen. Hitze reduzieren, mit 500 ml heißem Wasser aufgießen und mit aufgelegtem Deckel 15 Minuten garen.

Mit Petersilie und frischem Basilikum bestreuen und sofort servieren.

♦

BULGUR AUF HIRTENART
ÇOBAN AŞI

Herkunft:	Ankara, Zentralanatolien
Zubereitung:	10 Minuten
Garzeit:	35 Minuten
Personen:	4

100 ml	natives Olivenöl extra
1 (120 g)	mittelgroße Zwiebel, fein gehackt
300 g	grober Bulgur
2	grüne, milde Spitzpaprika, fein gehackt
200 g	Tomaten, fein gewürfelt
100 g	Kartoffeln, fein gewürfelt
500 ml	Schafmilch, erhitzt

♠ V

Dieses Gericht wird vom Hirten aus dem, was er gerade zur Hand hat, während seiner Ruhepause zubereitet. Die Zutaten variieren nach Jahreszeit. *Lor* (frischer Molkenkäse, Seite 485), *Keş* (KaschkSeite 485) und Milch sind beliebt, ebenso wie der schlichte Bulgur-Pilaw. Das ursprünglich von Hirten improvisierte Gericht inspiriert inzwischen auch die türkische Hausfrau.

♦

Das Olivenöl bei mittlerer Hitze in einem großen Topf heiß werden lassen, Zwiebel dazugeben und unter ständigen Rühren 5 Minuten anschwitzen. Bulgur, Spitzpaprika, Tomaten, Kartoffeln, ¼ Teelöffel gemahlenen Pfeffer und ½ Teelöffel Salz hinzufügen und 5 Minuten braten. Hitze reduzieren, heiße Milch dazugießen und mit nicht ganz aufgelegtem Deckel 20 Minuten köcheln lassen. Auf Teller verteilen und servieren.

BULGURWICKEL
KARIN İÇİ (KARIN AŞI)

Herkunft:	Hatay, Mittelmeerregion
Zubereitung:	10 Minuten
Garzeit:	45 Minuten
Personen:	4

4	knackige, dünne Weißkohlblätter, geviertelt
100 ml	natives Olivenöl extra
2 (240 g)	mittelgroße Zwiebeln, fein gehackt
4 TL	Rote Paprikapaste (Seite 492)
2 EL	Tomatenmark (Seite 492)
1 TL	Chiliflocken
½ TL	gemahlener Kreuzkümmel
300 g	grober Bulgur

 V

Dieser winterliche Pilaw wird in Kohlblätter gewickelt verzehrt. Servieren Sie die Blätter dazu, damit sich jeder seinen Bulgur damit auflöffeln kann.

2 Liter Wasser in einem Topf zum Kochen bringen, die Kohlblätter dazugeben und 10 Minuten pochieren, dann abgießen und beiseitestellen.

Das Olivenöl bei mittlerer Hitze in einem großen Topf heiß werden lassen, die Zwiebeln darin unter ständigem Rühren 10 Minuten anschwitzen. Paprikapaste, Tomatenmark, Chiliflocken, Kreuzkümmel und ½ Teelöffel Salz dazugeben und 2 Minuten braten, dann Bulgur hinzufügen und 5 Minuten garen.

Hitze reduzieren, 500 ml heißes Wasser dazugießen und mit aufgelegtem Deckel 15 Minuten köcheln lassen.

Auf Teller verteilen und mit den Kohlblättern servieren.

WEIZEN UND LAMM
KEŞKEK

Herkunft:	Muğla, alle Landesteile
Zubereitung:	15 Minuten zzgl. Einweichen über Nacht,
Garzeit:	2 Stunden 10 Minuten
Personen:	4

150 g	Weizenschrot, über Nacht in Wasser eingeweicht, dann abgegossen
50 g	Kichererbsen, über Nacht in Wasser eingeweicht, dann abgegossen
500 g	Lammnacken (mit Knochen)
60 g	Zwiebel, grob gehackt

Für die Sauce:

50 g	Butter
60 g	Zwiebel, fein gewürfelt
60 g	Walnusskerne, gehackt
½ TL	Chiliflocken
½ TL	gemahlener Sumach

Dieses Gericht für Hochzeiten, Begräbnisse, Friedensfeiern und andere Festivitäten wird in den Wintermonaten zubereitet. Es ist auch unter den Bezeichnungen *Aşur, Dövme, Döğmeden, Keşkalı, Harize* und *Herise* bekannt.

Den Backofen auf 160 °C vorheizen.

Weizenschrot, Kichererbsen, Lamm, Zwiebelstücke, ¼ Teelöffel Pfeffer und ½ Teelöffel Salz mit 3 Liter Wasser in einen großen Schmortopf geben. Deckel auflegen und im vorgeheizten Backofen 2 Stunden garen. Das Fleisch vom Knochen lösen; Knochen wegwerfen. Fleisch im Schmortopf mit einem Stößel oder einem Holzstampfer 15 Minuten bearbeiten, bis es es weich ist.

Für die Sauce die Butter bei mittlerer Hitze in einer Pfanne zerlassen, Zwiebel und Walnüsse dazugeben und 3 Minuten braten. Chiliflocken und Sumach dazugeben und weitere 2 Minuten garen.

Das Gericht auf Teller verteilen, Sauce darübergeben und servieren.

BULGUR MIT KREUZKÜMMEL UND CHILI
KİMYONLU BİBERLİ AŞ

Herkunft:	Hatay, Mittelmeerregion
Zubereitung:	10 Minuten zzgl. Einweichen über Nacht
Garzeit:	35 Minuten zzgl. 1½ Stunden für die Kichererbsen und 5 Minuten Ruhezeit
Personen:	4

100 g	Kichererbsen, über Nacht eingeweicht
100 ml	natives Olivenöl extra
2 (240 g)	mittelgroße Zwiebeln, fein gehackt
2	scharfe rote Chilischoten, in heißem Wasser gewaschen, entkernt und gemörsert
300 g	grober Bulgur
2 ½ TL	gemahlener Kreuzkümmel
1	Ayran (Seite 452) zum Servieren

◆ V

Dieses Gericht ist eine Spezialität der turkmenischen Familien, bei denen fast immer ein Topf mit Kichererbsen auf dem Herd steht. Es ist ein Gericht für Besuch, der unangemeldet hereingeschneit kommt.
◆

Die eingeweichten Kichererbsen abgießen und in einem Topf mit siedendem Wasser in etwa 1 ½ Stunden weich kochen. Abgießen, abkühlen lassen, dann schälen. Beiseitestellen.

Das Olivenöl bei mittlerer Hitze in einem großen Topf heiß werden lassen, die Zwiebeln darin unter ständigem Rühren 20 Minuten anschwitzen. Die zerstoßenen Chilis dazugeben und 2 Minuten braten, dann Bulgur, gegarte Kichererbsen, Kreuzkümmel und ½ Teelöffel Salz dazugeben und 2 Minuten braten. Hitze reduzieren, 600 ml kochendes Wasser zugießen und mit aufgelegtem Deckel 5 Minuten garen. 5 Minuten abgedeckt stehen lassen.

Mit Ayran servieren.

BULGUR MIT ORZO-NUDELN
ŞEHRİYELİ BULGUR PİLAVI

Herkunft:	Mardin, alle Landesteile
Zubereitung:	5 Minuten
Garzeit:	20 Minuten zzgl. 5 Minuten Ruhezeit
Personen:	4

100 g	Butterschmalz (Seite 485)
50 g	Orzo-Nudeln
300 g	grober Bulgur
875 ml	heiße Hühnerbrühe (Seite 489)

◆ X

Vor allem im Frühjahr wird dieses Gericht in Südostanatolien zubereitet. Zu Lammgerichten und Joghurtsuppe während *Nevruz* im März und April serviert, feiert man mit ihm die Ankunft des Frühlings.
◆

Das Butterschmalz bei mittlerer Hitze in einem großen Topf zerlassen und die Orzo-Nudeln darin unter ständigem Rühren 5 Minuten anbraten. Bulgur, ¼ Teelöffel gemahlenen Pfeffer und ½ Teelöffel Salz hinzufügen und weitere 2 Minuten mitbraten. Hitze reduzieren, Hühnerbrühe zugießen und mit aufgelegtem Deckel 10 Minuten köcheln lassen. Abgedeckt 5 Minuten stehen lassen. Auf Teller verteilen und servieren.

KRÄUTER-GEMÜSE-BULGUR
KAPAMA AŞI

Herkunft:	Gaziantep, Südostanatolien
Zubereitung:	20 Minuten
Garzeit:	30 Minuten zzgl. 5 Minuten Ruhezeit
Personen:	4

300 g	grober Bulgur, gewaschen
200 g	Malve, fein gehackt
200 g	Ampfer, fein gehackt
200 g	Sauerampfer, fein gehackt
200 g	Chicorée, fein gehackt
300 g	frische Weinblätter, fein gehackt
1 TL	Chiliflocken
2 TL	getrocknete Minze
200 ml	natives Olivenöl extra
1 (120 g)	mittelgroße Zwiebel, fein gehackt
6	Knoblauchzehen, fein gehackt
4 TL	Rote Paprikapaste (Seite 492)
2 EL	Tomatenmark (Seite 492)

⬦ ⬥ ⬦ V

Dieses Gericht wird im Frühling in Nizip und Umgebung zubereitet. Und besonders gut eignen sich dafür die ersten Weinblätter der Saison.

♦

Bulgur, Malve, Ampfer, Sauerampfer, Chicorée, Weinblätter, Chiliflocken und getrocknete Minze mit ¼ Teelöffel frisch gemahlenem Pfeffer und ½ Teelöffel Salz in einer großen Schüssel 5 Minuten gründlich vermischen. Beiseitestellen.

Die Hälfte des Olivenöls bei mittlerer Hitze in einem großen Topf heiß werden lassen, Zwiebeln und Knoblauch hinzufügen und 5 Minuten unter ständigem Rühren anschwitzen. Paprikapaste und Tomatenmark dazugeben und 2 Minuten mitbraten. Hitze reduzieren und die Bulgurmischung dazugeben, mit dem restlichen Olivenöl beträufeln und mit aufgelegtem Deckel 20 Minuten garen. Abgedeckt 5 Minuten ruhen lassen und servieren.

♦

BULGUR-PILAW MIT TOMATEN
DOMATESLİ AŞ

Herkunft:	Hatay, Mittelmeerregion, Südostanatolien
Zubereitung:	10 Minuten
Garzeit:	40 Minuten
Personen:	4

100 ml	natives Olivenöl extra
1 (120 g)	mittelgroße Zwiebel, fein gehackt
4	Knoblauchzehen, geviertelt
2	grüne Chilischoten, fein gewürfelt
2 TL	Rote Paprikapaste (Seite 492)
1 TL	Chiliflocken
1,2 kg	reife Tomaten, fein gewürfelt
300 g	feiner Bulgur

⬦ ⬥ ⬦ V

Am besten schmecken die sonnengereiften Tomaten, die strahlenden Stars dieses Gerichts, im August. Sehnsüchtig erwarten die Bewohner dieser Region das Ende des Sommers, um diesen Pilaw aufs Neue zu kosten.

♦

Das Olivenöl in einem großen Topf bei mittlerer Hitze heiß werden lassen, Zwiebeln und Knoblauch hinzufügen und 5 Minuten unter ständigem Rühren anschwitzen. Die grünen Chilis dazugeben und 5 Minuten braten. Rote Paprikapaste, ¼ Teelöffel Pfeffer, Chiliflocken und ½ Teelöffel Salz hinzufügen und 2 Minuten mitbraten. Tomaten hinzufügen und unter ständigem Rühren 10 Minuten garen. Hitze reduzieren, Bulgur dazugeben und mit aufgelegtem Deckel 15 Minuten garen.

BULGUR-EINTOPF MIT GEPÖKELTEM RINDFLEISCH
ÇÖMLEKTE PASTIRMALI PİLAV

Herkunft:	Kastamonu, Schwarzmeerregion
Zubereitung:	10 Minuten
Garzeit:	40 Minuten zzgl. 5 Minuten Ruhezeit
Personen:	4

100 ml	natives Olivenöl extra
400 g	Kartoffeln, in dünnen Scheiben
1 (120 g)	mittelgroße Zwiebel, in feinen Ringen
700 ml	Fleischbrühe (Seite 489)
200 g	Pastırma (Gepökeltes Rindfleisch, Seite 497), in dünnen Scheiben
250 g	grober Bulgur, gewaschen

Dieses schöne Wintergericht wird meist mit Ayran (Seite 453) und eingelegtem Gemüse serviert.

◆

Den Backofen auf 200 °C vorheizen.

Das Olivenöl in einem großen Topf bei mittlerer Hitze auf 155 °C erhitzen. Die Kartoffelscheiben darin portionsweise 2 Minuten von beiden Seiten frittieren. Mit einem Schaumlöffel auf einen Teller legen. Die Zwiebelringe genauso im Öl 5 Minuten frittieren, herausnehmen und auf einen separaten Teller legen.

Fleischbrühe, ½ Teelöffel Salz und ¼ Teelöffel Pfeffer in den Topf geben und 5 Minuten kochen lassen.

Die gebratenen Kartoffel- und die Pastırma-Scheiben in einen Schmortopf schichten. Darauf achten, dass sich die Scheiben überlappen. Mit den frittierten Zwiebeln bestreuen. Den Bulgur in die Mitte des Topfs geben und mit der heißen Brühe aufgießen. Deckel auflegen und im vorgeheizten Ofen 20 Minuten backen. 5 Minuten stehen lassen und servieren.

◆

BULGUR-PILAW
BULGUR PİLAVI

Herkunft:	Sivas, alle Landesteile
Zubereitung:	5 Minuten
Garzeit:	20 Minuten
Personen:	4

300 g	grober Bulgur
100 g	Butter

◑ V X ⁘

Mitunter wird dieser Bulgur-Pilaw auch mit Hähnchen oder Lamm angereichert. Das Wasser lässt sich durch Fleisch- oder Hühnerbrühe ersetzen.

◆

750 ml Wasser und ½ Teelöffel Salz in einem großen Topf bei mittlerer Hitze zum Kochen bringen. Hitze reduzieren, Bulgur hinzufügen und ohne Deckel 15 Minuten kochen lassen.

Die Butter in einem zweiten Topf zerlassen, über den garen Pilaw geben. Umrühren und servieren.

BULGUR MIT MORCHELN
GÖBELEK AŞI

Herkunft:	Çorum, Schwarzmeerregion
Zubereitung:	10 Minuten
Garzeit:	30 Minuten
Personen:	4

300 g	grober Bulgur
100 g	Butter
1 (120 g)	mittelgroße Zwiebel, in feinen Ringen
200 g	Morcheln, geviertelt

V ⁘

Pilzsammler kochen diese Pilze frisch für sich selbst oder trocknen sie auf Schnüren, um sie zu verkaufen. Diese Frühlingsdelikatesse schmeckt aber auch gegrillt oder in Suppen.

◆

600 ml Wasser und ¾ Teelöffel Salz in einem großen Topf bei mittlerer Hitze zum Kochen bringen. Hitze reduzieren, Bulgur dazugeben und mit aufgelegtem Deckel 20 Minuten garen.

Währenddessen die Butter in einem großen Topf bei mittlerer Hitze zerlassen und die Zwiebeln darin 5 Minuten anschwitzen. Die Pilze dazugeben und 20 Minuten unter gelegentlichem Rühren braten. Pilze und Butter auf den garen Pilaw geben, unterrühren und servieren.

◆

LINSEN-BULGUR
HASPELİ (HASBELİ) AŞ

Herkunft:	Şanlıurfa und Gaziantep, Südostanatolien
Zubereitung:	5 Minuten zzgl. 1 Stunde Einweichen
Garzeit:	30 Minuten
Personen:	4

100 g	ungeschälte rote Linsen, abgespült, 1 Stunde eingeweicht und abgetropft
300 g	grober Bulgur
100 g	natives Olivenöl extra
2 (240 g)	mittelgroße Zwiebeln, fein gehackt
1 EL	Tomatenmark (Seite 492)
2 TL	Rote Paprikapaste (Seite 492)

⋮ ◆ V

Wenn es Herbst wird, gehen die Dorffrauen an den Fluss, um ihre *Kelims* (Webteppiche) zu waschen. Sind sie damit fertig, trampeln sie auf dem trockenen Laub herum, um sich von ihren Sorgen zu befreien. Und dann machen sie aus den trockenen Blättern ein Feuer und kochen einen Pilaw. Die Asche des Feuers wird auf anderes Laub gekippt, und man wünscht sich etwas, ehe die Blätter in den Fluss geweht und von ihm davongetragen werden. Das Ganze soll ihre Dankbarkeit für einen guten Sommer zum Ausdruck bringen sowie die Hoffnung, der kommende Winter möge genauso sein. Die Asche loszulassen heißt, sich von allem Negativen zu befreien.

◆

1,2 Liter Wasser in einem großen Topf zum Kochen bringen, die Linsen dazugeben und mit aufgelegtem Deckel bei mittlerer Hitze 20 Minuten köcheln lassen. Sobald das Wasser etwa auf die Hälfte eingekocht ist (ist es mehr, ein wenig wegschütten; ist es weniger, etwas heißes Wasser dazugießen), den Bulgur und ½ Teelöffel Salz dazugeben und mit aufgelegtem Deckel weitere 10 Minuten kochen, bis alles Wasser absorbiert ist.

Währenddessen das Olivenöl in einem großen Topf bei mittlerer Hitze heiß werden lassen, Zwiebeln hinzufügen und 5 Minuten unter ständigem Rühren anschwitzen. Tomatenmark, Paprikapaste und ¼ Teelöffel Pfeffer zu den Zwiebeln geben und 3 Minuten mitbraten. Diese Mischung vorsichtig in den Topf mit Linsen und Bulgur rühren und mit aufgelegtem Deckel weitere 10 Minuten garen. Auf Teller verteilen und servieren.

MOHN-BULGUR
HAŞHAŞLI SARMA AŞI

Herkunft:	Burdur, Mittelmeerregion
Zubereitung:	20 Minuten
Garzeit:	25 Minuten zzgl. 5 Minuten Ruhezeit
Personen:	4

100 g	Mohn, geröstet
1 (120 g)	mittelgroße Zwiebel, fein gehackt
70 g	Walnusskerne, fein gehackt
300 g	grober Bulgur, gewaschen
100 g	Ziegenkäse, zerbröselt
¼ TL	getrocknete Minze
½ Bund	glatte Petersilie, gehackt
20	frische Weinblätter zum Servieren

◆ V

Dieses Gericht wird vor allem im Juli und August nach der Mohnernte zubereitet.

◆

Die gerösteten Mohnsamen in einen Mörser geben und zerstoßen, um das Öl freizusetzen. Durch ein feines Sieb gießen und beides aufheben.

Das Mohnöl in einem großen Topf bei mittlerer Hitze heiß werden lassen, die Zwiebel darin 5 Minuten unter Rühren anschwitzen. Die zerdrückten Mohnsamen und Walnüsse hinzufügen und 2 Minuten mitbraten. Hitze reduzieren, Bulgur, ½ Teelöffel Salz und 600 ml kochendes Wasser dazugeben und ohne Deckel 15 Minuten kochen lassen. Vom Herd nehmen und abgedeckt 5 Minuten stehen lassen.

Ziegenkäse, Minze und Petersilie unter den Pilaw rühren. Auf Teller verteilen und mit frischen Weinblättern servieren.

◆

BULGUR MIT GÄNSEFLEISCH
KAZ ETLİ BULGUR PİLAVI

Herkunft:	Kars, Ostanatolien
Zubereitung:	5 Minuten
Garzeit:	1 Stunde 50 Minuten
	zzgl. 5 Minuten Ruhezeit
Personen:	4

2 (600 g)	Gänsekeulen
1 (120 g)	mittelgroße Zwiebel, fein gehackt
4	Knoblauchzehen, gehackt
300 g	grober Bulgur
½ TL	gemahlene Kurkuma
60 g	Gänseschmalz

◆

Die Gans wird nach dem ersten Schneefall des Winters geschlachtet, eingesalzen und halb getrocknet, bevor man sie kocht. Gans ist eine typische Spezialität der Gegend, die in vielen Gerichten Verwendung findet. Gänsezüchter sind meist weiblich und als nüchterne Frauen bekannt, die gegen das eintönige Landleben aufbegehren.

◆

2 Liter Wasser in einem großen Topf bei mittlerer Hitze zum Kochen bringen, Gänsekeulen und Zwiebeln dazugeben und mit aufgelegtem Deckel 1 ½ Stunden köcheln lassen. Die Keulen aus dem Topf nehmen und das verbliebene Wasser abmessen. Befinden sich mehr als 600 ml im Topf, überschüssiges Wasser wegschütten; ist es weniger, kochendes Wasser dazugießen. Knoblauch, Bulgur, ¼ Teelöffel Pfeffer, Kurkuma und ¾ Teelöffel Salz hinzufügen und mit aufgelegtem Deckel 10 Minuten kochen.

Inzwischen das Gänsefleisch von den Keulen zupfen.

Das Gänseschmalz in einem Topf bei mittlerer Hitze zerlassen, Fleisch dazugeben und 5 Minuten unter ständigem Rühren braten.

Das Fleisch zum Pilaw-Topf geben und mit aufgelegtem Deckel und ohne umzurühren weitere 5 Minuten garen. Den Pilaw 5 Minuten ruhen lassen. Auf Teller geben und servieren.

BULGUR-PILAW MIT LAMM
MEYHANE PİLAVI

Herkunft:	Şanlıurfa, alle Landesteile
Zubereitung:	15 Minuten
Garzeit:	45 Minuten zzgl. 5 Minuten Ruhezeit
Personen:	4

120 g	Butterschmalz (Seite 485)
1 (120 g)	mittelgroße Zwiebel, in feinen Ringen
200 g	Karotten, fein gewürfelt
4	Knoblauchzehen, in feinen Scheiben
300 g	Lammfleisch, fein gewürfelt
1 ½ TL	Tomatenmark (Seite 492)
1 TL	Rote Paprikapaste (Seite 492)
1 TL	Chiliflocken
2 EL	frisch gepresster Zitronensaft
300 g	feiner Bulgur

Dieser Pilaw kann auch statt mit Bulgur mit Reis zubereitet werden.

◆

Das Butterschmalz in einem großen Topf bei mittlerer Hitze heiß werden lassen und Zwiebel, Karotten und Knoblauch 5 Minuten darin anschwitzen. Das Lamm hinzufügen und 20 Minuten anbraten, dann Tomatenmark, Paprikapaste, Chiliflocken und je ½ Teelöffel Pfeffer und Salz dazugeben und weitere 2 Minuten braten.

Mit 750 ml heißem Wasser und Zitronensaft aufgießen und zum Sieden bringen. 10 Minuten sprudelnd kochen, dann den Bulgur dazugeben und 5 Minuten mit aufgelegtem Deckel weitergaren, bis der Bulgur erneut aufkocht. Hitze reduzieren und abgedeckt weitere 10 Minuten köcheln lassen. Den fertigen Pilaw 5 Minuten stehen lassen. Vorsichtig umrühren und servieren.

BULGUR MIT EIERN
YUMURTALI AŞ

Herkunft:	Gaziantep, Südost- und Ostanatolien
Zubereitung:	5 Minuten
Garzeit:	25 Minuten
Personen:	4

300 g	grober Bulgur
120 ml	natives Olivenöl extra
8	Eier

8	Frühlingszwiebeln
1	Ayran (Seite 452)

V X

Dieses Gericht ist in ländlichen Gegenden beliebt. Im Frühling wird es vor allem in Nizip und Umgebung zubereitet. Die Hühner beginnen im Frühjahr zu legen, was die Popularität von Eierspeisen steigert. Die Leute glauben, dass im Frühling verzehrte Eier ihre Zellen erneuern. Sobald es wärmer wird, bereitet man das Gericht nicht mehr zu.

◆

750 ml Wasser und ¾ Teelöffel Salz bei mittlerer Hitze in einem Topf zum Kochen bringen. Hitze reduzieren, den Bulgur dazugeben und mit aufgelegtem Deckel 15 Minuten kochen. Abgedeckt 5 Minuten stehen lassen.

Währenddessen das Olivenöl in einer Pfanne mit Deckel bei mittlerer Hitze heiß werden lassen. Die Eier in das heiße Öl schlagen, sodass die Dotter intakt bleiben, und mit 1 ¼ Teelöffel Salz bestreuen. Die Pfanne abdecken und 1 Minute garen. Prüfen, ob die Dotter gegart sind, dann 1 weitere Minute braten.

Den Bulgur vorsichtig umrühren und auf Servierteller verteilen. Die Eier daraufsetzen, mit frisch gemahlenem Pfeffer bestreuen und mit ganzen Frühlingszwiebeln und Ayran servieren.

MILCH-BULGUR
SÜTLÜ BULGUR AŞ

Herkunft:	Tokat, Schwarzmeerregion
Zubereitung:	5 Minuten
Garzeit:	25 Minuten zzgl. 5 Minuten Ruhezeit
Personen:	4

750 ml	Milch
250 g	grober Bulgur
100 g	Mandeln, geröstet und gehackt

♠ V X

Manchmal enthält dieser Pilaw auch Butter oder Olivenöl.
♦
Die Milch bei mittlerer Hitze in einem großen Topf erhitzen. Dann Bulgur, Mandeln, ¼ Teelöffel Pfeffer und ½ Teelöffel Salz hinzufügen und zum Kochen bringen; dabei stets in die gleiche Richtung rühren. Hitze reduzieren, einen Metalllöffel in den Topf geben, um ein Überkochen der Milch zu verhindern, und mit teilweise aufgelegtem Deckel 15 Minuten köcheln lassen. 5 Minuten abgedeckt ruhen lassen.

Auf Teller verteilen und servieren.

♦

REIS-BULGUR-PÜREE
LAPA

Herkunft:	Ankara, alle Landesteile
Zubereitung:	20 Minuten
Garzeit:	55 Minuten
Personen:	4

60 ml	natives Olivenöl extra
1 (120 g)	mittelgroße Zwiebel, fein gehackt
2	Knoblauchzehen, geviertelt
200 g	Lammschulter, fein gehackt
1	grüne Paprika, fein gehackt
1 kg	Tomaten, fein gehackt
2 TL	Rote Paprikapaste (Seite 492)
¼ TL	Chiliflocken
100 g	Mittelkornreis, unter kaltem Wasser abgespült
100 g	feiner Bulgur

4 Stängel	Dill, fein gehackt
6 Stängel	glatte Petersilie, fein gehackt

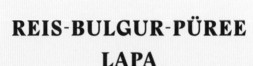

Dieses Püree wird im Herbst und Winter zubereitet. Häufig auch für Ältere, Kranke und Kinder. Und es muss sofort nach der Zubereitung verzehrt werden. Traditionell kocht man es direkt nach Gebeten um Regen.
♦
Das Olivenöl in einem großen Topf bei mittlerer Hitze heiß werden lassen und Zwiebel und Knoblauch darin 3 Minuten anschwitzen. Das Lamm hinzufügen und 10 Minuten anbraten, dann die Paprikaschote zugeben und 5 Minuten braten. Tomaten, Paprikapaste, ¼ Teelöffel Pfeffer, Chiliflocken und ½ Teelöffel Salz zusammen mit 400 ml heißem Wasser hinzufügen und ohne Deckel 5 Minuten kochen. Den Reis hinzufügen und 10 Minuten köcheln lassen, dann den Bulgur einrühren und weitere 15 Minuten unter gelegentlichem Umrühren garen, bis man eine breiartige Konsistenz erhält.

Auf Teller verteilen, mit Dill und Petersilie bestreuen und servieren.

◆

LINSENPÜREE
MERCİMEK LAPASI

Herkunft:	Gaziantep, Südostanatolien
Zubereitung:	10 Minuten
Garzeit:	55 Minuten
Personen:	4

200 g	rote Linsen, gewaschen und abgetropft
80 g	feiner Bulgur
½ TL	gemahlener Kreuzkümmel
1 EL	getrocknetes Basilikum

Für die Sauce:

100 ml	natives Olivenöl extra
2 (240 g)	mittelgroße Zwiebeln, fein gewürfelt
4	Knoblauchzehen, gehackt
1 TL	Chiliflocken

💧 ♦ V

Dieses Gericht ist in und um Nizip als *Merçimek Lapası* und um Hatay und Gaziantep als *Malhutalı Aş* bekannt. Es ist eine Winterspeise, die man warm oder kalt genießt, wobei die kalte Version eine festere Konsistenz besitzt.

◆

2 Liter Wasser in einem großen Topf zum Kochen bringen, Hitze reduzieren, Linsen hinzufügen und mit aufgelegtem Deckel 30 Minuten garen. Mit dem Schneebesen gut verrühren, dann Bulgur, Kreuzkümmel, ¼ Teelöffel frisch gemahlenen Pfeffer und ½ Teelöffel Salz dazugeben und unter gelegentlichem Rühren weitere 10 Minuten garen, bis man ein Püree erhält.

Für die Sauce das Olivenöl bei mittlerer Hitze in einer Pfanne heiß werden lassen, die Zwiebeln darin 10 Minuten anschwitzen. Knoblauch hinzufügen und 1 Minute braten, dann die Chiliflocken dazugeben und weitere 10 Sekunden braten.

Die Sauce in das Linsenpüree rühren, mit getrocknetem Basilikum bestreuen und servieren.

◆

LAMM-REIS-PILAW MIT GRANATAPFELMELASSE
SİYAH DANE

Herkunft:	İstanbul, alle Landesteile
Zubereitung:	10 Minuten zzgl. 1 Stunde Einweichen
Garzeit:	45 Minuten zzgl. 10 Minuten Ruhezeit
Personen:	4

400 g	Mittelkornreis
100 g	Butter
600 g	Lammschulter, fein gewürfelt
60 g	Zwiebel, fein gehackt
2 EL	Granatapfelmelasse (Seite 490)

🌿 ◗

Dieses Gericht wird in İstanbul, Südostanatolien und an der östlichen Mittelmeerküste zubereitet. Sowohl Granatapfelmelasse wie auch frische oder getrocknete Granatapfelkerne lassen sich bestens dafür verwenden. In der Region ist es auch als „saurer Pilaw" oder „Pilaw mit Hanar" bekannt.

◆

Den Reis mit 2 Teelöffel Salz in eine große Schüssel geben und mit 1 Liter heißem Wasser übergießen. 1 Stunde bei Zimmertemperatur einweichen. Abgießen und den Reis unter fließendem kaltem Wasser abspülen, bis das Wasser klar bleibt. 5 Minuten abtropfen lassen.

Die Butter in einem großen Topf bei mittlerer Hitze zerlassen. Die Hitze erhöhen, Lamm hinzufügen und 15 Minuten anbraten. Zwiebeln dazugeben und 5 Minuten anschwitzen. Je ½ Teelöffel Salz und Pfeffer sowie 800 ml kochendes Wasser hinzufügen und 5 Minuten kochen. Den Reis dazugeben und 5 Minuten aufkochen, dann einen Deckel auflegen, Hitze reduzieren und 10 Minuten köcheln lassen.

Topf vom Herd nehmen, mit einem Küchentuch abdecken und mit Deckel verschließen. Den ganzen Topf in ein weiteres Küchentuch schlagen und 10 Minuten ruhen lassen. Pilaw auspacken, vorsichtig umrühren und servieren.

FRIKEH-PILAW
FİRİK BULGURU PİLAVI

Herkunft:	Gaziantep, Mittelmeerregion und Südostanatolien
Zubereitung:	10 Minuten zzgl. Einweichen über Nacht
Garzeit:	1 Stunde 30 Minuten
Personen:	4

1 (300 g)	Truthahnkeule
80 g	Kichererbsen, über Nacht in Wasser eingeweicht, abgetropft und geschält
150 g	Frikeh
70 g	Butterschmalz (Seite 485)

Seite 327

Das ist ein Gericht für Feiern und besondere Anlässe wie etwa Hochzeiten.

♦

2 Liter Wasser in einem großen Topf zum Kochen bringen, Truthahnkeule, Kichererbsen und ¼ Teelöffel Salz hinzufügen, Hitze reduzieren und mit aufgelegtem Deckel 1 Stunde köcheln lassen. Die Keule mit einem Schaumlöffel herausnehmen, das Fleisch vom Knochen lösen und zerpflücken.

Das im Topf verbliebene Wasser abmessen. Bei mehr als 600 ml Flüssigkeit, überschüssiges Wasser wegschütten; ist es weniger, das fehlende mit kochendem Wasser auffüllen. Frikeh und ¼ Teelöffel Pfeffer hinzufügen und mit aufgelegtem Deckel 20 Minuten garen. 5 Minuten stehen lassen.

Das Butterschmalz in einer Pfanne bei mittlerer Hitze zerlassen, das zerzupfte Truthahnfleisch und ½ Teelöffel Salz dazugeben und 2 Minuten unter Rühren braten. Den Pilaw mit dem Fleisch garniert und mit ¼ Teelöffel frisch gemahlenem Pfeffer bestreut servieren.

♦

LAMM MIT WEIZENSCHROT
DÖVME AŞI

Herkunft:	Şanlıurfa, Südostanatolien
Zubereitung:	15 Minuten zzgl. Einweichen über Nacht
Garzeit:	1 Stunde 45 Minuten
Personen:	4

200 g	Weizenschrot
80 g	Kichererbsen, über Nacht eingeweicht
70 g	Butter
2 (240 g)	mittelgroße Zwiebeln
4	Knoblauchzehen, fein gehackt
300 g	Lammrücken, fein gehackt
2 TL	Rote Paprikapaste (Seite 492)
1 ½ TL	Tomatenmark (Seite 492)
1 TL	Chiliflocken
½ TL	gemahlener Kreuzkümmel

Dieses Wintergericht wird manchmal mit Tomatenmark zubereitet. Es gibt eine einfache und eine würzige Version. Beginnen Sie schon am Tag vor dem geplanten Essen mit der Vorbereitung von Weizenschrot und Kichererbsen.

♦

Am Vortag das Weizenschrot in einem Topf mit sprudelndem Wasser 5 Minuten kochen. Den Topf vom Herd nehmen, abdecken und über Nacht stehen lassen.

Am nächsten Tag die Kichererbsen abgießen und in einem Topf mit köchelndem Wasser in 1 Stunde weich garen. Abgießen und etwas abkühlen lassen, dann Kichererbsen schälen. Beiseitestellen.

Die Butter in einem großen Topf bei mittlerer Hitze zerlassen, und Zwiebeln und Knoblauch darin unter ständigem Rühren 10 Minuten anschwitzen. Das Fleisch dazugeben und 10 Minuten anbraten, dann die Paprikapaste, Tomatenmark und Chiliflocken hinzufügen und 3 Minuten mitbraten. Weizenschrot, Kichererbsen, Kreuzkümmel, ¼ Teelöffel Pfeffer und ½ Teelöffel Salz dazugeben und 5 Minuten, immer noch rührend, mitbraten. Hitze reduzieren, 200 ml heißes Wasser zugießen und mit aufgelegtem Deckel 10 Minuten weitergaren. Auf Teller verteilen und servieren.

♦

WEIZENSCHROT-PÜREE
DÖVME ŞİLESİ

Herkunft:	Van, Ostanatolien
Zubereitung:	5 Minuten
Garzeit:	20 Minuten
Personen:	4

400 ml	Tomatensaft
1 EL	getrocknetes Basilikum
200 g	fein gemahlenes Weizenschrot (oder Grieß)

Für die Sauce:	
80 g	Butter
100 g	Walnusskerne, gehackt
2	Knoblauchzehen, in feinen Scheiben
1 TL	Tomatenmark (Seite 492)
1 TL	Chiliflocken

V X

Dieser Pilaw wird meist zu gesalzenem oder gebeiztem Fisch serviert und je nach Saison mit Gemüse, Früchten, Milch oder auch Reis zubereitet.

♦

400 ml Wasser, Tomatensaft, Basilikum, ½ Teelöffel Salz und Weizenschrot in einem großen Topf zum Köcheln bringen und unter fortwährendem Rühren in die gleiche Richtung 15 Minuten garen, bis man einen Brei erhält.

Für die Sauce die Butter in einem Pfanne bei mittlerer Hitze zerlassen, die Walnüsse dazugeben und 1 Minute braten, dann den Knoblauch 10 Sekunden mitgaren. Tomatenmark und Chiliflocken hinzufügen und alles unter ständigem Rühren 1 Minute köcheln lassen.

Das Püree auf die Teller verteilen und in die Mitte jeder Portion eine Kuhle drücken. Sauce in die Vertiefung gießen und servieren.

♦

PÜREE AUS WEIßEN BOHNEN UND WEIZEN
MIRDİK (KURU FASULYE) LAPASI

Herkunft:	Erzincan, Ostanatolien
Zubereitung:	15 Minuten zzgl. Einweichen über Nacht
Garzeit:	20 Minuten
Personen:	4

200 g	Trockenfleisch oder *Pastırma* (Seite 497), zu Fasern zerstampft
250 g	getrocknete Cannellini-Bohnen, über Nacht eingeweicht, abgegossen, geschält, zerstampft
50 g	feines Weizenschrot
1	getrocknete Chilischote, gehackt
2 TL	getrocknetes Basilikum
2 EL	Maulbeermelasse
100 g	Butter
60 g	Walnusskerne, gehackt

Dieses Gericht bereitet man in den Wintermonaten zu. *Mırdik* nennt man die weißen Bohnen hier in der Gegend, und bekannt ist es als eine Speise für die Alten, weil es die Verdauung nicht belastet.

♦

Trockenfleisch, Bohnen, Weizenschrot, Chili, ¼ Teelöffel Pfeffer und ½ Teelöffel Salz mit 500 ml Wasser in einen großen Topf geben und bei mittlerer Hitze 3 Minuten rühren. Hitze reduzieren und 10 Minuten weiterkochen. Dabei den Topfinhalt mit einem Holzstampfer bearbeiten und fortwährend in dieselbe Richtung rühren. Getrocknetes Basilikum dazugeben und 2 Minuten weitergaren, bis man ein Püree erhält.

Auf Teller verteilen und ein wenig verstreichen. Mit Maulbeermelasse besprenkeln.

Die Butter in einem kleinen Topf bei mittlerer Hitze zerlassen. Das Püree mit der heißen Butter beträufeln, mit gehackten Walnüssen bestreuen und sofort servieren.

EINTOPF AUS VOLLKORNWEIZEN
HEDİK

Herkunft:	Gaziantep, alle Landesteile
Zubereitung:	20 Minuten zzgl. Einweichen über Nacht
Garzeit:	1½ Stunden
Personen:	4

150 g	ganze Weizenkörner, über Nacht in Wasser eingeweicht, abgetropft
80 g	Kichererbsen, über Nacht in Wasser eingeweicht, abgetropft
100 g	geschälte Pistazien
80 g	Granatapfelkerne
80 g	blanchierte Mandeln
80 g	Sultaninen
4	getrocknete Aprikosen, geviertelt
100 g	mit Zucker überzogene getrocknete Kichererbsen
¼ TL	gemahlene Fenchelsamen

Zur Feier des ersten Zahn eines Säuglings darf *Hedik* nicht fehlen. Die Familie des zahnenden Babys veranstaltet traditionell eine Zusammenkunft, zu der *Hedik* serviert und an mindestens sieben Nachbarn verteilt wird. Neben anderen Ritualen wird ein Stückchen *Hedik* auf den Kopf des Babys gelegt. Manche verwenden anstelle der gezuckerten Kichererbsen (die Zuckermandeln ähneln) auch 5 Esslöffel Zucker, und manche lassen den Zucker ganz weg.
♦
Die Weizenkörner in 1 Liter köchelndem Wasser in etwa 1½ Stunden weich kochen. Abgießen.

Währenddessen die abgetropften Kichererbsen in einem zweiten Topf mit 1 Liter köchelndem Wasser in 1½ Stunden weich kochen. Abgießen und etwas abkühlen lassen, dann die Kichererbsen schälen.

Weizen, Kichererbsen, Pistazien, Granatapfelkerne, Mandeln, Sultaninen, getrocknete Aprikosen, glasierte Kichererbsen, Fenchelsamen und ½ Teelöffel Salz in einer großen Schüssel vorsichtig und gründlich vermischen. Auf Teller verteilen und servieren.

♦

JOGHURT-BULGUR MIT BUTTERSAUCE
GULUL

Herkunft:	Hakkâri, Ostanatolien
Zubereitung:	5 Minuten
Garzeit:	40 Minuten
Personen:	4

1 kg	griechischer Joghurt aus Schafsmilch
200 g	feiner Bulgur
60 ml	Traubenmelasse

Für die Sauce:	
140 g	Butter
2 EL	Mehl

V

Gulul wird mit Butter und Melasse in der Tellermitte serviert.
♦
400 ml Wasser, Joghurt und ½ Teelöffel Salz in einem großen Topf verschlagen. Den Bulgur hinzufügen und bei schwacher Hitze 20 Minuten köcheln und dabei fortwährend in eine Richtung rühren, bis man einen dicken Brei erhält.

Für die Sauce 3 Esslöffel Butter in einer Pfanne bei mittlerer Hitze zerlassen, das Mehl hinzufügen und 10 Minuten unter ständigem Rühren rösten, aber nicht anbrennen lassen. Das geröstete Mehl auf einen Teller geben. In derselben Pfanne die restliche Butter 1 Minute erhitzen.

Den Pilaw auf Teller verteilen und in die Mitte jeder Portion eine Vertiefung eindrücken. Diese mit etwas geröstetem Mehl, gebräunter Butter und Melasse füllen.

HAUSGEMACHTE NUDELN MIT KASCHK
KEŞLİ ERİŞTE

Herkunft:	Bolu, alle Landesteile
Zubereitung:	5 Minuten
Garzeit:	20 Minuten
Personen:	4

250 g	Hausgemachte Nudeln (Seite 493)
100 g	Butter
100 g	Walnusskerne, gehackt
100 g	Keş (Kaschk, Seite 485), gerieben
4 Stängel	glatte Petersilie, fein geschnitten

V X ⁖

Seite 331 ◻

Dieses bäuerliche Gericht wird das ganze Jahr über im ganzen Land zubereitet, besonders beliebt aber ist es in der Gegend von Bolu, Çankırı und Bartın.

♦

3 Liter Wasser in einem großen Topf bei mittlerer Hitze zum Kochen bringen. Die Nudeln hineingeben und mit aufgelegtem Deckel 15 Minuten kochen.

Währenddessen die Butter in einer Pfanne bei mittlerer Hitze zerlassen, Walnüsse hinzufügen und 2 Minuten braten, dann den getrockneten Joghurt dazugeben und weitere 2 Minuten braten.

Fertige Nudeln abtropfen lassen und in die Saucenpfanne geben. Petersilie unterrühren und servieren.

♦

NUDEL-PILAW MIT WILDGEFLÜGEL
ERİŞTE PİLAVI (ÇULLUKLU)

Herkunft:	Bingöl, alle Landesteile
Zubereitung:	35 Minuten
Garzeit:	1 Stunde
Personen:	4

250 g	Teig von Hausgemachten Nudeln (Seite 493)
1 (1,5 kg)	Wildgeflügel (oder Truthahnkeule)
100 g	Butter

⁖

Den ganzen Herbst und Winter hindurch verwandelt Wildgeflügel, vor allem Wildente und Waldschnepfe (in Deutschland unter Naturschutz), diesen Pilaw in ein großartiges Hauptgericht. Dieser Pilaw schmeckt auch hervorragend zu Lammconfit.

♦

Den hausgemachten Nudelteig zu einem Quadrat von 40 cm Kantenlänge ausrollen. In 2,5 cm breite Streifen schneiden und 30 Minuten trocknen lassen.

Inzwischen die Waldschnepfe oder Putenkeule mit 1,5 Liter Wasser in einen Dampfkochtopf geben und 30 Minuten garen. Herausnehmen und das Fleisch von den Knochen lösen. Brühe aufheben.

Die Butter in einem großen Topf mit Deckel bei mittlerer Hitze zerlassen, Nudeln hinzufügen und behutsam 15 Minuten anbräunen. Das zerzupfte Fleisch, die aufgehobene Brühe, ¼ Teelöffel Pfeffer und ½ Teelöffel Salz hinzufügen und 15 Minuten mit aufgelegtem Deckel garen. Auf Teller verteilen und servieren.

COUSCOUS MIT RINDERSCHINKEN
KUSKUS PİLAVI (ERİŞTE COUSCOUSU)

Herkunft:	Niğde, Zentralanatolien
Zubereitung:	15 Minuten
Garzeit:	20 Minuten
Personen:	4

300 g	Couscous, zubereitet aus Hausgemachten Nudeln (Seite 493)
80 g	Butter
60 g	Zwiebeln, fein gehackt
4	Knoblauchzehen, fein gehackt
1	grüne Chilischote, fein gehackt
100 g	*Pastırma* (Gepökeltes Rindfleisch, Seite 497), fein gehackt
300 g	Tomaten, gehackt
1 TL	Chiliflocken
4 Stängel	glatte Petersilie, fein gehackt

Seite 333 📷

Dieses Gericht ist im ganzen Land bekannt, wird aber vor allem in Zentralanatolien und in der Marmararegion geschätzt.
◆

2 Liter Wasser mit ¼ Teelöffel Salz in einem großen Topf bei mittlerer Hitze zum Kochen bringen. Sobald es sprudelt, den Nudelcouscous hineingeben und mit aufgelegtem Deckel 7 Minuten kochen.

Inzwischen die Butter in einem großen Topf bei mittlerer Hitze zerlassen. Zwiebel, Knoblauch und Chili hinzufügen und 3 Minuten unter ständigem Rühren anschwitzen. *Pastırma* dazugeben und 2 Minuten braten. Tomaten, Chiliflocken und ½ Teelöffel Salz hinzufügen und unter ständigem Rühren 10 Minuten weitergaren.

Den Couscous abgießen und mit der Sauce und mit Petersilie bestreut servieren.

◆

COUSCOUS MIT KÄSE
PEYNİRLİ KUSKUS PİLAVI

Herkunft:	Çankırı, alle Landesteile
Zubereitung:	10 Minuten
Garzeit:	25 Minuten
Personen:	4

300 g	Couscous (Seite 495)
100 g	Butter
80 g	Walnusskerne, gehackt
150 g	frischer Käse aus Schafsmilch, zerkrümelt
6 Stängel	glatte Petersilie, fein gehackt

V

Dieses Gericht wird traditionell in der Tischmitte platziert und gemeinsam verzehrt. Couscous-Pilaw kann auch mit *Keş* (Kaschk, Seite 485), griechischem Joghurt, Tomaten und Chilis oder Spinat anstelle des Käses zubereitet werden.
◆

3 Liter Wasser mit ¼ Teelöffel Salz bei mittlerer Hitze zum Kochen bringen. Sobald das Wasser sprudelt, den Couscous hinzufügen, die Hitze reduzieren und ohne Deckel 15 Minuten kochen. Abgießen und in einer Schüssel beiseitestellen.

Die Butter in einem kleinen Topf bei mittlerer Hitze zerlassen. Die Walnüsse hinzufügen und 2 Minuten unter ständigen Rühren anrösten.

Die Walnusssauce auf den abgetropften Couscous geben und vorsichtig umrühren. Käse und ¼ Teelöffel Pfeffer dazugeben, wieder rühren und die Petersilie hinzufügen. Noch einmal umrühren, auf Teller geben und servieren.

◆

BROT
&
BACKWAREN

◆

TÜRKISCHE TEIGKULTUR

Gerichte aus unterschiedlichen Teigen werden im ganzen Land geschätzt und in Ehren gehalten. Ohne sie würde uns etwas abgehen; Pilaw oder hausgemachte Nudeln zusammen mit Brot zu essen, gehört zu unserer Kultur. Brote, Pasteten und Nudelgerichte, im Ofen gebacken, frittiert oder pochiert, gibt es in der türkischen Küche viele, um nicht zu sagen unzählige. Jedes saisonale Gemüse inspiriert ein neues Rezept.

Açık Ekmek (Gerilltes Brot, Seite 394), *Bazlama* (Bazlama-Fladen, Seite 394) und *Yufka Ekmeği* (Dünnes Fladenbrot, Seite 378) sind die ersten Brote, die einem einfallen und die die meisten Mahlzeiten begleiten. Belegte Fladenbrote wie Lahmacun und Pide, gefüllte Pasteten wie Börek sind gehaltvoll genug, um zusammen mit einem Getränk eine eigenständige Mahlzeit zu bilden. Die Füllungen variieren von Ort zu Ort, die Köchinnen tragen sie zum Ofen der örtlichen Bäckerei – und das Aroma, das der Holzofen des Bäckers ihnen verleiht, ist noch mal ein ganz eigenes Kapitel.

TECHNIKEN UND ZUTATEN

Bei all diesen Rezepten empfehle ich die die Verwendung von Weizenvollkornmehl. Denn anders als bei Weißmehl wurden hier die nährstoffreichen Bestandteile Kleie und Keim nicht entfernt. Natürlich können Sie für verschiedene Rezepte unterschiedliche Mehltypen verwenden. Hartweizenmehl etwa wird das Ergebnis von *Mantı* (Türkische Kalbstortellini, Seite 386) oder *Erişte* (Hausgemachte Nudeln, Seite 493) verbessern.

Ich selbst verwende als Triebmittel zwar stets Frischhefe, gebe jedoch auch die entsprechenden Trockenhefemengen an. Falls Geduld zu Ihren Stärken zählt, versuchen Sie es doch einmal mit *Ekşi Maya* (Sauerteig, Seite 483). Beim Einsatz von Sauerteig sind für 100 g Mehl je 30 g Sauerteig und 2 Stunden Aufgehzeit zu veranschlagen. *Kül Mayası* (Asche-Starterkultur, Seite 482) kann in Plätzchen Backpulver (Natron) gut ersetzen. Dabei 2 Teelöffel Aschewasser auf je 100 g Mehl verwenden. *Nohut Mayası* (Kichererbsen-Triebmittel, Seite 482) lässt sich auch für *Simit* (Sesamkringel, Seite 370) verwenden. Als Verhältnis gilt hier: 2 Esslöffel Kichererbsen-Triebmittel auf je 100 g Mehl. Die Rezepte für die Triebmittel finden Sie im Kapitel Vorräte (Seite 482–483).

Unsere meistverehrten Brote sind im Holzofen gebackene Sauerteigbrote. Diese mit Holz befeuerten Öfen bewirken auch bei Lahmacun, Fladenbroten und Börek, dass die nicht nur gut, sondern absolut köstlich munden. Falls Sie das Glück haben, ein solches Exemplar zu besitzen, vergessen Sie nie, es vor dem Backen vorzuheizen. Eichen- und Buchenscheite eignen sich am besten zum Backen. Die Backzeiten und -temperaturen in den Rezepten beziehen sich auf normale Standardbacköfen.

Backzeiten variieren allerdings, sodass Sie Ihr Backgut alle 10–15 Minuten kontrollieren sollten. Holzbefeuerte Öfen backen sehr viel schneller als die üblichen Haushaltsbacköfen.

♦

TEIG-
RITUALE

Die meisten unserer Teige haben eine kulturelle
Bedeutung und sind mit Ritualen und Geschichten
verbunden. Hochzeiten, Beerdigungen, religiöse
Feste und Feiern werden durch diese Teiggerichte
geadelt.

Ein Teigritual begleitet etwa das *Hıdrellez*-Fest,
das die Ankunft des Frühlings feiert. Ungesäuerter,
nur aus Wasser und Salz hergestellter Brotteig wird
mit einem Küchentuch abgedeckt und über Nacht
ins Freie gestellt. Am folgenden Tag backt man
daraus Brot. Ist das Brot gut, dann, so glaubt man,
müssen *Hıdır* und *Ilyas* auf ihrer nächtlichen Wan-
derung bei diesem Haus haltgemacht haben. Eine
kleine Menge des Teiges wird daher als Sauerteig
für künftige Brote aufgehoben. Dieser Sauerteig
soll Frieden, Gesundheit und Glück bringen, und
jeder möchte davon abhaben. Ob man seiner Nachbarin davon abgibt, ist jedem selbst überlassen. Ist
die darum bittende Person ein guter Mensch, dann,
so glaubt man, wird der Sauerteig in diesem Haus
gut aufgehen. Ist die betreffende Nachbarin ein
hinterlistiges, böses Weib, wird die Starterkultur
versagen. Außerdem muss sich die Besitzerin des
Sauerteigs vor dem „bösen Blick" in Acht nehmen.
Möchte jemand unbedingt etwas davon haben und
wird es ihm verweigert, so bringt dies der Besitzerin Unglück. Derlei Glaube oder Aberglaube
ist immer noch stark verwurzelt, vor allem in der
ländlichen Marmararegion.

Die Oster-, *Nevruz*- und *Hıdrellez*-Feiertage
liegen auch kalendarisch in nächster Nachbarschaft. Während die Türken und Muslime *Hıdrellez*
feiern, begehen die osmanischen Griechen und
assyrischen Christen Ostern und die Kurden und
Aseris *Nevruz*. Zu dieser Zeit werden die *Paskalya
Çöreği* (Osterfladen, Seite 360) und *İkliçe* (Mar-
din-Kuchen, Seite 360) gebacken, in denen sich
oft eine Münze verbirgt. Den glücklichen Finder
erwartet ein wundervolles und erfolgreiches Jahr.
In Zentralanatolien verfährt man genauso mit den
Kete (Kete-Brötchen, Seite 367). Und in Südost- und
Ostanatolien backt man *Kete* zu *Nevruz* (Neujahr)
in der Hoffnung, dass sie mit dem Erwachen der
Natur und alles Lebendigen auch Erfolg bringen.
All diese unterschiedlichen Religionen haben
offensichtlich eine ganze Fülle ähnlicher Essens-
rituale. Diesen Reichtum und diese Vielfalt der
türkischen Kultur ist ein Schatz, der gepflegt und
gehütet werden muss.

BROT-KICHERERBSEN-EINTOPF
ÇÖREK AŞI

Herkunft:	Hatay, Mittelmeerregion
Zubereitung:	20 Minuten zzgl. Einweichen über Nacht
Garzeit:	1 Stunde 35 Minuten
Personen:	4

100 g	Kichererbsen, über Nacht eingeweicht
100 ml	natives Olivenöl extra
1 (120 g)	mittelgroße Zwiebel
3	milde grüne Spitzpaprika, fein gewürfelt
4	Knoblauchzehen, geviertelt
2 TL	Rote Paprikapaste (Seite 492)
2 TL	Tomatenmark (Seite 492)
2 TL	Chiliflocken
600 g	Tomaten, fein gewürfelt
1 TL	gemahlener Kreuzkümmel
250 g	trockenes altbackenes Weißbrot
4 Stängel	glatte Petersilie

 V

Seite 341

Dieses Gericht bereitet man zu, wenn sich viel altes Brot angesammelt hat. Das Brot wird in Würfel geschnitten und bei Zimmertemperatur getrocknet.

◆

Die Kichererbsen abgießen und in einem Topf mit sprudelndem Wasser in 1 Stunde weich kochen. Abgießen und ein wenig abkühlen lassen, dann die Kichererbsen schälen. Beiseitestellen.

5 Esslöffel des Öls in einem Topf bei mittlerer Hitze heiß werden lassen. Die Zwiebel fein hacken und 5 Minuten unter Rühren darin anschwitzen. Spitzpaprika und Knoblauch hinzufügen. 3 Minuten braten, dann Kichererbsen, Paprikapaste, Tomatenmark und Chiliflocken dazugeben und weitere 3 Minuten braten. Die Tomaten hinzufügen und 5 Minuten unter Rühren garen. Hitze reduzieren, Kreuzkümmel, ¼ Teelöffel frisch gemahlenen Pfeffer und ½ Teelöffel Salz unterrühren, Deckel auflegen und 10 Minuten garen.

Das getrocknete altbackene Brot in 1 cm große Würfel schneiden, daraufgeben und abgedeckt weitere 5 Minuten garen. Die verbliebenen 2 Esslöffel Öl hinzufügen und ohne Deckel nochmals 2 Minuten köcheln lassen. Vom Herd nehmen, auf Teller verteilen und mit feinen Petersilienstreifen garnieren.

◆

BROTKLÖßCHEN
PİSİK KÖFTESİ

Herkunft:	Şanlıurfa, Südostanatolien
Zubereitung:	20 Minuten
Personen:	4

600 g	Tomaten
1 (120 g)	mittelgroße Zwiebel
4	milde grüne Spitzpaprika
6 Stängel	glatte Petersilie
2 Stängel	frisches Basilikum
2	getrocknete *Yufka Ekmeği* (Dünnes Fladenbrot, Seite 378, oder 300 g altbackenes Brot), zerkrümelt
100 g	frischer Schafskäse (ungesalzen), zerkrümelt
1½ EL	Chiliflocken
2 EL	getrocknete Minze
2 EL	Tomatenmark (Seite 492)

1 Bund	Kresse
8	Salatherzen, halbiert

V X

Dieses kühlende Gericht wird vor allem während der Sommermonate zubereitet. Es existiert auch eine schlichte Variante, die man in Gaziantep und Adıyaman als *Pisik Ovmacı* kennt.

◆

Tomaten, Zwiebeln, Spitzpaprika, Petersilie und Basilikum in feine Scheiben bzw. Streifen schneiden. Mit dem getrockneten *Yufka*-Brot, Käse, Chiliflocken, Minze, Tomatenmark, ¼ Teelöffel frisch gemahlenen Pfeffer und ½ Teelöffel Salz in einer großen Schüssel 5 Minuten verkneten. Die Masse in 12 gleiche Teile teilen und mit den Fingern zu Kugeln formen.

Auf einem Bett aus Kresse und Salatherzen anrichten.

FRITTIERTE PASTETCHEN
ÇİĞ BÖREK

Herkunft:	Eskişehir, Zentralanatolien
Zubereitung:	30 Minuten zzgl. 35 Minuten Ruhezeit
Garzeit:	20 Minuten
Personen:	4

Für den Teig:	
250 g	Mehl
1	Ei
40 g	griechischer Joghurt
2 EL	natives Olivenöl extra
1 EL	Traubenessig

1 l	natives Olivenöl extra

Für die Füllung:	
2 (240 g)	mittelgroße Zwiebeln
4 Stängel	glatte Petersilie
320 g	Kalbsbrust und -schulter, grob gehackt (durchgedreht)
2 EL	Traubenessig
100 ml	Tomatensaft

Dieses typische Gericht der Krimtartaren ist auch unter dem Namen *Çi börek* bekannt.

♦

Für den Teig Mehl und ½ Teelöffel Salz in einer Schüssel vermischen. Eine Mulde bilden und Ei, Joghurt, Öl, Essig und 2 Esslöffel Wasser hineingeben. Vorsichtig zu einem Teig vermischen. Mit einem feuchten Küchentuch abdecken und 20 Minuten ruhen lassen.

Den Teig in 8 gleiche Portionen teilen, die Hand in Olivenöl tunken und die Teigstücke leicht damit überziehen, dann noch mal 15 Minuten ruhen lassen.

Für die Füllung Zwiebeln und Petersilie fein schneiden. Alle Füllungszutaten mit ½ Teelöffel Salz in eine große Schüssel geben. 3 Minuten gründlich vermischen.

Auf einer eingeölten Arbeitsfläche jedes Teigstück mit einem eingeölten Nudelholz zu einer Scheibe von 15 cm Durchmesser ausrollen.

Die Füllung auf den Teigscheiben verteilen: Füllung auf einer Hälfte der Scheibe verstreichen und die andere darüberklappen. Dann die Ränder mit den Fingern zusammendrücken, um die Tasche zu versiegeln.

Das restliche Olivenöl in einem Topf bei mittlerer Temperatur auf 155 °C erhitzen. Jeweils 2 der Pasteten im heißen Öl unter gelegentlichem Wenden 3 Minuten frittieren. Mit einem Schaumlöffel herausheben und sofort servieren.

♦

FRITTIERTE FILO-KÄSE-RÖLLCHEN
SİGARA BÖREĞİ

Herkunft:	Tekirdağ, alle Landesteile
Zubereitung:	20 Minuten
Garzeit:	20 Minuten
Personen:	4

1 Blatt	Filoteig (Seite 496)
1	Eiweiß
1 l	natives Olivenöl extra

400 g	ungesalzener Ziegenkäse oder *Çökelek* (Trockener Hüttenkäse, Seite 484)
3	Frühlingszwiebeln
1 Bund	glatte Petersilie
½ Bund	Dill
2 TL	getrocknete Minze

Ein beliebtes Fingerfood für besondere Anlässe. Servieren Sie sie mit einer Tasse *Çay* (Tee, Seite 446).

♦

Für die Füllung den Käse oder *Çökelek* in einer großen Schüssel zerkrümeln. Frühlingszwiebeln, Petersilie und Dill fein schneiden und mit ¼ Teelöffel frisch gemahlenen Pfeffer und ½ Teelöffel Salz dazugeben. Vorsichtig alle Zutaten vermischen. Die Füllung in 40 gleiche Teile teilen.

Den Filoteig in 40 Dreiecke zerschneiden. Ein Teigdreieck auf die Arbeitsfläche legen. Etwa 1 cm vom breiteren Ende entfernt die Füllung parallel zum Rand platzieren. Den Teig zum spitzen Ende des Dreiecks hin aufrollen, dann nach innen falten und Seiten und Ende mit Eiweiß bestreichen. Dies mit allen Stücken wiederholen.

Das Olivenöl in einem großen Topf bei mittlerer Hitze auf 155 °C bringen. Die Pastetchen nacheinander im heißen Öl 4 Minuten frittieren. Mit einem Schaumlöffel herausheben und sofort servieren.

FRITTIERTE LAMMPASTETCHEN
AĞZI AÇIK

Herkunft:	Şanlıurfa, Südostanatolien
Zubereitung:	30 Minuten zzgl. 30 Minuten Ruhezeit
Garzeit:	15 Minuten
Personen:	4

Für den Teig:

250 g	Mehl
1	Ei
50 g	griechischer Joghurt
3 EL	natives Olivenöl extra

750 ml	natives Olivenöl extra zum Frittieren

Für die Füllung:

400 g	mageres Lammfleisch, Sehnen entfernt, gehackt
60 g	Zwiebel, in feinen Ringen
2 TL	*Isot* (geräucherte Chiliflocken)
1 EL	Tomatenmark (Seite 492)
2 TL	Rote Paprikapaste (Seite 492)
½ TL	gemahlene Gewürznelken
½ TL	gemahlener Zimt
½ TL	gemahlener Koriander
½ TL	gemahlener Kreuzkümmel
2 EL	Granatapfelmelasse

Diese Pastetchen werden zu besonderen Anlässen während der Wintermonate zubereitet. Ein anderer Name für sie ist *Ağzı Yumuk*. Manche falten sie wie einen Halbmond. Es gibt viele Varianten. Bei *Ağzı Yumuk* ist die Füllung komplett von Teig eingehüllt, während sie bei *Ağzı Açık* obendrauf sitzt. Und es gibt auch noch eine dritte Variante, bei der die Füllung ganz eingeschlossen und die Hülle Halbmondform besitzt.

◆

Für den Teig Mehl und ¼ Teelöffel Salz in einer Schüssel vermischen. Eine Vertiefung eindrücken und Ei, Joghurt, 1 Esslöffel Olivenöl und 3 Esslöffel Wasser hineingeben. In 5 Minuten zu einem Teig verkneten. Mit einem feuchten Küchentuch abdecken und 20 Minuten ruhen lassen.

Den Teig in 8 gleich große Portionen teilen. Zu Kugeln rollen und mit Olivenöl bepinseln. Weitere 10 Minuten ruhen lassen.

Für die Füllung alle Füllungszutaten mit je ½ Teelöffel frisch gemahlenem Pfeffer und Salz in 3 Minuten gründlich vermischen. Die Masse in 8 gleiche Teile aufteilen.

Jedes einzelne Teigstück auf einer geölten Arbeitsfläche mit dem eingeölten Nudelholz zu einer Scheibe von 8 cm Durchmesser ausrollen. Die Füllung auf die Teigscheiben verteilen und dabei einen 1 cm breiten Rand frei lassen. Die Pastetenränder nach innen schlagen, um den Rand der Füllung abzudecken.

Das restliche Olivenöl in einem Topf bei mittlerer Hitze auf 155 °C bringen. Jeweils 2 Pasteten auf einmal mit der gefüllten Seite nach oben 5 Minuten frittieren, zum Abtropfen auf Küchenpapier legen und sofort servieren.

◆

FRITTIERTE KÄSE-DÖRRFLEISCH-RÖLLCHEN
PAÇANGA BÖREĞİ

Herkunft:	İstanbul, Marmararegion
Zubereitung:	15 Minuten
Garzeit:	10 Minuten
Personen:	4

1	frisches *Yufka Ekmeği* (Dünnes Fladenbrot, Seite 378)
1	Eiweiß
200 ml	natives Olivenöl extra

Für die Füllung:

400 g	*Pastırma* (Gepökeltes Rindfleisch, Seite 497)
400 g	*Kaşar* (Schafskäse)

Das ist ein traditionelles *Meyhane*-Gericht, das nach den kalten Meze gegessen wird. Servieren Sie es mit einem Glas *Çay* (Tee, Seite 446).

◆

Das *Yufka Ekmeği* in 8 gleich große Dreiecke schneiden, dann *Pastırma* und *Kaşar*-Käse in 32 gleich große 3 mm breite Streifen schneiden.

Ein *Yufka-Ekmeği*-Dreieck auf die Arbeitsplatte legen. Etwa 2 cm vom breiteren Ende entfernt 2 Streifen Käse, 4 Streifen *Pastırma* und noch mal 2 Steifen Käse platzieren. Das *Yufka* in Richtung schmaleres Ende umklappen und das Ende mit Eiweiß versiegeln. Bei allen Stücken wiederholen.

Das Olivenöl in einem großen Topf bei mittlerer Hitze auf 155 °C bringen. Die Hitze reduzieren und die Röllchen 2 Minuten frittieren; dabei alle 30 Sekunden drehen. Mit dem Schaumlöffel herausheben und sofort servieren.

WALNUSS-KAYMAK-BÖREK
İÇLİ BÖREK

Herkunft:	Çankırı, Zentralanatolien
Zubereitung:	30 Minuten zzgl. 20 Minuten Ruhezeit
Backzeit:	50 Minuten
Personen:	4

3 EL	natives Olivenöl extra
200 g	Butter
250 g	lange Hausgemachte Nudeln (Seite 493)
200 g	*Kaymak* (Seite 486)
150 g	Walnusskerne, gehackt
50 g	*Keş* (Kaschk, Seite 486), gerieben
1	Ei

Für den Teig:	
100 g	Mehl
3 EL	Milch
1 EL	Butter, zerlassen

♦ V

Einheimische greifen hier gerne auch mit den Händen zu.
♦

Für den Teig Mehl und ¼ Teelöffel Salz in einer großen Schüssel vermischen. In die Mitte eine Vertiefung eindrücken, Milch und zerlassene Butter hineingeben und zu einem Teig vermischen. Teig in 2 Kugeln teilen. Beide mit 2 Teelöffel Olivenöl bestreichen, mit einem feuchten Küchentuch abdecken und 20 Minuten ruhen lassen.

Inzwischen 130 g der Butter in einem großen Topf bei mittlerer Hitze zerlassen. Die langen Nudeln dazugeben und 15 Minuten unter gelegentlichem Umrühren garen.

Die Teigkugeln auf die Arbeitsfläche legen, mit den restlichen 4–5 Esslöffeln Olivenöl bestreichen und mit den Händen flach drücken. Den Teig mit einem Nudelholz zu runden Scheiben von 20 cm Durchmesser ausrollen.

Den Backofen auf 180 °C vorheizen. Ein großes Backblech mit 2 Esslöffel Butter einfetten. 1 Teigscheibe darauflegen und mit 1 Esslöffel Butter bepinseln. Die Nudeln daraufschichten, dann 150 g *Kaymak*, die Walnüsse und den *Keş* daraufgeben. Mit der zweiten Teigscheibe abdecken und die Ränder aufrollen, um sie zu verschließen.

Die restlichen 2 Esslöffel Butter mit dem Ei und den restlichen 50 g *Kaymak* vermischen. Die Mischung über den Teig gießen und im vorgeheizten Backofen 30 Minuten goldbraun backen; dabei ab und zu kontrollieren.

Aus dem Backofen nehmen, in 4 Stücke schneiden und servieren.

KÜRBIS-BÖREK
KABAKLI BÖREK

Herkunft:	Bolu, Schwarzmeerregion
Zubereitung:	25 Minuten zzgl. 25 Minuten Ruhezeit
Garzeit:	25 Minuten zzgl. 1 Stunde für den Kürbis
Personen:	4

100 g	Mehl zum Bestäuben
80 g	Butter

Für den Teig:

250 g	Mehl
165 ml	Milch

Für die Füllung:

1 kg	Kürbis, geschält und gewürfelt
½ Bund	glatte Petersilie, in feine Streifen geschnitten
70 g	Butter
1 (120 g)	mittelgroße Zwiebel, in feinen Ringen

Das ist ein wirklich schneller Imbiss. Um Blätterteig auszurollen, kommen stets alle Frauen des Dorfes zusammen. Diesen Börek bereiten sie dabei als kleine Stärkung in ihren Arbeitspausen zu.

◆

Den gewürfelten Kürbis auf ein Backblech legen, mit Alufolie abdecken und 1 Stunde im auf 180 °C vorgeheizten Backofen backen. Aus dem Ofen nehmen, Kürbis zerdrücken und beiseitestellen.

Für die Füllung den zerdrückten Kürbis, ¼ Teelöffel frisch gemahlenen Pfeffer und ½ Teelöffel Salz in einer Schüssel gründlich vermischen. In 4 gleiche Portionen teilen.

Für den Teig Mehl und ¼ Teelöffel Salz in einer großen Schüssel vermischen, eine Mulde hineindrücken und die Milch dazugeben. Vorsichtig vermischen und dann in 5 Minuten zu einem Teig verkneten. Mit einem feuchten Küchentuch abdecken und 20 Minuten ruhen lassen.

Den Teig in 4 gleiche Portionen teilen und weitere 5 Minuten stehen lassen. Jedes Teigstück mit Mehl bestäuben, auf die bemehlte Arbeitsfläche geben und zu einer Scheibe von 40 cm Durchmesser ausrollen.

Die Füllung auf einer Hälfte jeder Scheibe verteilen, die leere Hälfte darüberklappen und die Ränder mit feuchten Fingern zusammendrücken. Einen großen *Saç*, eine gusseiserne Pfanne oder den Grill bei starker Hitze sehr heiß werden lassen. 2 Esslöffel der Butter hinzufügen, dann einen Börek 2 Minuten darin braten. Börek wenden, weitere 2 Esslöffel Butter hinzufügen und wieder 2 Minuten braten. Wenden und den Börek noch je 1 Minute auf jeder Seite braten und dabei weitere 2 Esslöffel Butter hinzufügen: insgesamt 6 Minuten lang. Die anderen Böreks genauso braten. Auf Teller verteilen und servieren.

BOSNISCHER BÖREK
BOŞNAK BÖREĞİ

Herkunft:	Kocaeli, Marmararegion
Zubereitung:	30 Minuten zzgl. 30 Minuten Abkühlzeit
Back- bzw. Garzeit:	1 Stunde 10 Minuten zzgl. 20 Minuten Ruhezeit
Personen:	4

Für die Füllung

800 g	Kalbsbrust und -schulter, grob gehackt
100 g	Butter
2 (240 g)	mittelgroße Zwiebeln, gehackt
1 kg	Spinat, in feine Streifen geschnitten

Für den Teig:

150 g	Mehl

60 ml	natives Olivenöl extra
125 g	Butter, zerlassen
200 g	*Kaymak* (Seite 486)

Seite 347 📷

Börek ist der türkische Oberbegriff für herzhafte Pasteten, die in der Küche des Balkan starken Niederschlag fanden. Dieses Rezept heißt nur in İstanbul Bosnischer Börek, aber nicht auf dem Balkan. Die Einheimischen bereiten es zu, indem sie ein Teigstück bis auf 2 m Länge dehnen.

♦

Für die Füllung eine große Pfanne auf mittlerer Hitze heiß werden lassen. Die Kalbsbrust hineingeben und 10 Minuten anbraten, dann Butter und Zwiebeln hinzufügen und 20 Minuten anschwitzen. Spinat, je ½ Teelöffel frisch gemahlenen Pfeffer und Salz dazugeben und weitere 10 Minuten unter ständigem Rühren braten. Vom Herd nehmen, umrühren und 30 Minuten abkühlen lassen.

Für den Teig Mehl und ½ Teelöffel Salz in einer großen Schüssel vermischen. Eine Mulde in die Mitte drücken und 160 ml Wasser hineingießen. Mehl und Wasser 5 Minuten lang zu einem Teig verrühren. Den Teig halbieren, mit einem feuchten Küchentuch abdecken und 20 Minuten ruhen lassen.

Arbeitsfläche und Fingerspitzen einölen, Teig darauflegen und beide Teigstücke in alle Richtungen zu sehr großen, dünnen Teigplatten ausziehen. Das Ziel sind runde filodünne oder noch dünnere Teigblätter von 60 cm Durchmesser.

Etwa 70 g Butter und 100 g *Kaymak* in einem Topf zerlassen und auf den Teigstücken verstreichen.

2 cm vom Teigrand entfernt einen etwa 2 cm breiten Streifen Füllung über die ganze Teigbreite löffeln. Den Teig viermal über die Füllung rollen, dann den gerollten Steifen vom Teigstück abschneiden und beiseitelegen. Wiederholen, bis Teig und Füllung aufgebraucht sind. Teigreste an den Enden abschneiden.

Den Backofen auf 180 °C vorheizen. Ein großes Backblech mit etwa 2 Esslöffel Butter einfetten.

Ein Ende einer Teigrolle nach innen biegen und in einer Spirale auf das vorbereitete Backblech legen. Ein Ende der nächsten Teigrolle an das Spiralende anlegen, die Enden zusammendrücken und die Rolle weiter zu einer großen Spirale auslegen. Die rstlichen Teigrollen genauso verarbeiten. Mit restlicher Butter und *Kaymak* bepinseln und im vorgeheizten Backofen 30 Minuten goldbraun backen; ab und zu kontrollieren.

In Viertel oder Achtel schneiden, auf Teller legen und servieren

FRITTIERTE TASSEN-PASTETEN
FİNCAN BÖREĞİ

Herkunft:	İstanbul, alle Landesteile
Zubereitung:	30 Minuten zzgl. 20 Minuten Ruhezeit
Garzeit:	1 Stunde
Personen:	4

100 g	Mehl zum Bestäuben
1	Eiweiß
1 l	natives Olivenöl extra, zum Frittieren

Für den Teig:

200 g	Mehl
3 EL	Milch
1	Ei
1 EL	Traubenessig

Für die Füllung:

500 g	Kalbsbrust und -schulter, Sehnen entfernt, grob gehackt
1 (120 g)	mittelgroße Zwiebel, in feinen Ringen
50 g	Butterschmalz (Seite 485), zerlassen
70 g	Pinienkerne, geröstet
60 g	Korinthen
1 TL	gemahlener Zimt
2 Stängel	Dill, fein geschnitten
4 Stängel	glatte Petersilie, fein geschnitten

Im Dorf sticht man den Teig oft mit Kaffeetassen aus; daher der Name des Böreks.

♦

Für die Füllung eine große Pfanne bei mittlerer Hitze heiß werden lassen. Das Fleisch hineingeben und 10 Minuten anbräunen, dann Zwiebel und 50 g Butterschmalz hinzufügen und 5 Minuten anschwitzen. Pinienkerne, Korinthen, je ½ Teelöffel frisch gemahlenen Pfeffer und Salz sowie Zimt dazugeben und weitere 5 Minuten garen. Abkühlen lassen, dann Dill und Petersilie unterrühren.

Für den Teig Mehl, Milch, Ei, Traubenessig und ½ Teelöffel Salz in einer großen Schüssel vermischen und in 5 Minuten zu einem festen Teig verkneten. Den Teig in 4 gleiche Portionen teilen, alle mit einem feuchten Küchentuch abdecken und 20 Minuten ruhen lassen.

Auf einer mit Mehl bestäubten Arbeitsfläche jedes Teigstück zu einer Scheibe von 25 cm Durchmesser ausrollen.

Aus jeder Scheibe mit einer kleinen Kaffeetasse (7 cm Durchmesser) 8 kleine Scheiben ausstechen, sodass man insgesamt 32 erhält. Die Ränder der Scheiben mit Eiweiß bepinseln. Die Füllung auf 16 der Scheiben verteilen, dann die anderen 16 Scheiben darauflegen und die Ränder mit den Fingerspitzen zusammendrücken.

Das Olivenöl bei mittlerer Hitze in einem großen Topf heiß werden lassen. Die Pasteten darin unter gelegentlichem Wenden portionsweise je 4–5 Minuten von beiden Seiten frittieren. Mit einem Schaumlöffel herausheben und sofort servieren.

TÜRKISCHER BÖREK
TÜRK BÖREĞİ

Herkunft:	İstanbul, alle Landesteile
Zubereitung:	40 Minuten
Back- und Garzeit:	55 Minuten zzgl. 30 Minuten
	Abkühlen und 15 Minuten Ruhezeit
Personen:	4

Für die Füllung:

50 g	Butter
1 (120 g)	mittelgroße Zwiebel, in feinen Ringen
600 g	Hammelfleisch, fein gehackt
100 g	Mandeln, geröstet
1 TL	gemahlener Zimt
2 EL	Pinienkerne

Für den Teig:

200 g	Mehl
1	Ei

150 g	Butterschmalz (Seite 485), zerlassen
60 ml	natives Olivenöl extra

Dieser resche, blättrige Teig wird auch *Katmer* genannt.

♦

Für die Füllung die Butter in einem großen Topf erhitzen. Die Zwiebel darin unter ständigem Rühren 10 Minuten anschwitzen. Fleisch dazugeben und 10 Minuten anbräunen. Mandeln, Zimt, je ½ Teelöffel frisch gemahlenen Pfeffer und Salz und die Pinienkerne hinzufügen und weitere 3 Minuten mitgaren. 30 Minuten abkühlen lassen.

Für den Teig Mehl und ½ Teelöffel Salz in einer großen Schüssel vermischen. In die Mitte eine Vertiefung eindrücken und das Ei mit 60 ml Wasser dazugeben, vermischen und 10 Minuten verkneten. Den Teig in 6 gleiche Portionen aufteilen, leicht bemehlen und zu Kugeln formen. Mit einem feuchten Küchentuch abdecken und 15 Minuten stehen lassen.

Das zerlassene Butterschmalz und das Olivenöl in einer Schüssel vermischen. Die Teigkugeln mit der Mischung bepinseln und flach drücken, dann mit einem Nudelholz zu Scheiben von 20 cm Durchmesser ausrollen. Die Teigscheiben mit den Fingern einölen und wie ein Kuvert falten. Erneut, eine nach der anderen zu einer Scheibe von 20 cm Durchmesser ausrollen. Wieder zu Kuverts falten, dieses Verfahren 6 Mal wiederholen und schließlich zu Scheiben von 20 cm Durchmesser ausrollen.

Den Backofen auf 180 °C vorheizen und ein Backblech einölen.

3 Teigscheiben übereinander auf das Backblech legen und dabei jede Schicht mit Öl bepinseln. Die Füllung darauf verteilen, dann die anderen 3 Teigscheiben darauflegen und wie zuvor jede Schicht mit Öl bepinseln. Mehrmals mit einer Gabel einstechen. 30 Minuten im vorgeheizten Ofen backen.

In 4 Stücke schneiden, auf Teller legen und servieren.

WASSERBÖREK
SU BÖREĞİ

Herkunft:	Bartın, alle Landesteile
Zubereitung:	35 Minuten zzgl. 25 Minuten Ruhezeit
Backzeit:	30 Minuten
Personen:	4

Für den Teig:

2	Eier
250 g	Mehl
1¾ EL	Apfelessig

100 g	Mehl
100 g	Butter, zerlassen

Für die Füllung:

400 g	ungesalzener bulgarischer oder griechischer Feta, zerkrümelt
½ Bund	glatte Petersilie, fein geschnitten
2 Stängel	frischer Estragon, fein geschnitten

Für die Glasur:

50 g	Butter, zerlassen
60 ml	Milch
1	Ei

V

Dieses Gericht kann auch im Freien über der glühenden Asche eines Grills gegart werden (20 Minuten von jeder Seite), wobei das Bepinseln mit der Eimischung entfällt.
♦

Für den Teig Mehl, Eier, Apfelessig und ½ Teelöffel Salz in einer großen Schüssel in 10 Minuten zu einem festen Teig verkneten. Mit einem feuchten Küchentuch abdecken und 20 Minuten ruhen lassen.

Den Teig in 8 gleiche Stücke teilen und weitere 5 Minuten stehen lassen.

Die Teigstücke mit Mehl bestäuben und jedes davon auf einer bemehlten Arbeitsfläche zu einer Scheibe von 25 cm Durchmesser ausrollen.

3 Liter Wasser in einem großen Topf bei mittlerer Hitze zum Kochen bringen und 2 Teelöffel Salz hinzufügen.

Inzwischen eine Schüssel mit 3 Liter Eiswasser bereitstellen.

Jeweils 1 Teigscheibe in das kochende Wasser geben, 3 Minuten garen, dann in die Schüssel mit Eiswasser tunken. 3 Minuten abschrecken, dann über einem umgedrehten Sieb abtropfen lassen.

Den Backofen auf 180 °C vorheizen.

Für die Füllung Käse, Petersilie und Estragon in einer Schüssel vermischen.

Eine tiefe runde Backform mit 2 Esslöffel Butter einfetten. 4 Scheiben des gegarten Teigs in die Form schichten; dabei jede Schicht mit 2 Teelöffel Butter bepinseln. Die Füllung gleichmäßig darauf verteilen. Mit den restlichen 4 Teigschichten abdecken und jede Schicht wie zuvor mit Butter bepinseln.

Für die Glasur Butter, Milch und Ei in einer Schüssel verschlagen.

Die Oberseite des Börek großzügig mit der Mischung bestreichen. Im vorgeheizten Ofen 30 Minuten backen.

Aus dem Ofen nehmen, in 4 Stücke zerschneiden und servieren.

PANIERTE GEFÜLLTE PFANNKUCHENROLLEN
AVCI BÖREĞİ

Herkunft:	Balıkesir, alle Landesteile
Zubereitung:	30 Minuten zzgl. 30 Minuten Abkühlen
Back- bzw. Garzeit:	2 Stunden 20 Minuten
Personen:	4

1 (700 g)	Rebhuhn

Für den Pfannkuchenteig:

300 ml	Milch
1	Ei
120 g	Mehl

Für die Füllung:

60 ml	natives Olivenöl extra
150 g	Kalbfleisch, grob gehackt
1 (120 g)	mittelgroße Zwiebel, gehackt
100 g	Pfifferlinge, geviertelt
150 g	*Pastırma* (Gepökeltes Rindfleisch, Seite 497), fein geschnitten
50 g	Walnusskerne, gehackt
1 Stängel	Fenchelgrün, fein geschnitten

90 g	Butter
4	Eier
100 g	Maismehl (Polenta)

Pasteten, die Jäger früher auf der Jagd verzehrten, lieferten die Inspiration zu diesem Rezept. Die Füllung wurde im Lauf der Jahre immer gehaltvoller.

♦

Das Rebhuhn in einem großen Topf mit Deckel 1 Stunde in 2 Liter köchelndem Wasser garen. Abgießen, dann das Fleisch von den Knochen lösen und beiseitestellen.

Für den Teig Milch und Ei mit ½ Teelöffel Salz 2 Minuten lang schlagen. Das Mehl behutsam unterrühren und weitere 5 Minuten schlagen, bis alles gut vermischt ist.

1 Esslöffel der Butter in einer Pfanne bei mittlerer Hitze zerlassen. ¼ des Teigs in die Pfanne gießen und 2 Minuten von jeder Seite backen. Wiederholen, bis der ganze Teig aufgebraucht ist. Die Pfannkuchen auf einen Teller legen, mit einem Küchentuch abdecken und ruhen lassen.

Für die Füllung das Olivenöl in einer großen Pfanne bei mittlerer Hitze heiß werden lassen, das Kalbfleisch hineingeben und 5 Minuten anbraten, dann die Pfifferlinge und Zwiebel dazugeben und weitere 10 Minuten garen. *Pastırma*, je ½ Teelöffel Salz und frisch gemahlenen Pfeffer, Walnüsse und zerpflücktes Rebhuhnfleisch dazugeben und 10 Minuten mitgaren. Vom Herd nehmen, den frischen Fenchel unterziehen und 30 Minuten bei Zimmertemperatur abkühlen lassen.

Die Füllung gleichmäßig auf die Pfannkuchen verteilen; auf einer Seite in einer Linie aufhäufen, dann die beiden Seiten nach innen schlagen und den Pfannkuchen zu einem Wrap aufrollen.

Die 4 Eier in einer flachen Schüssel verschlagen, die Polenta in eine zweite flache Schüssel geben. Verbliebene Butter (etwa 70 g) in einer großen Pfanne erhitzen. Gerollte Pfannkuchen erst in Ei, dann in Polenta wälzen und in die heiße Butter geben. 4 Minuten rundum braten. Mit einem Schaumlöffel herausheben und sofort servieren.

SÜßER KURDISCHER BÖREK
KÜRT BÖREĞİ

Herkunft:	İstanbul, alle Landesteile
Zubereitung:	30 Minuten zzgl. 25 Minuten Ruhezeit
Backzeit:	30 Minuten
Personen:	4

Für den Teig:

250 g	Mehl
200 ml	Sesamöl
100 g	Zucker

♦ ♦ V ⸪   Seite 353 ◻

Die meisten Patissiers von İstanbul stammen aus Bingöl und Umgebung. Und das Gericht ist nach den vielen kurdischen Bäckern und Verkäufern dieses Böreks benannt. Diese leckere Pastete ist nicht lange ind er Auslage. In den frühen Morgenstunden gebacken, ist sie meist schon am Vormittag ausverkauft.

♦

Für den Teig Mehl und ½ Teelöffel Salz in einer Schüssel vermischen, eine Vertiefung hineindrücken und 175 ml Wassser dazugeben. Vorsichtig vermischen und in 10 Minuten zu einem Teig verkneten. Mit einem feuchten Küchentuch abdecken und 5 Minuten ruhen lassen.

Den Teig in 4 gleiche Portionen teilen und zu Scheiben ausrollen. Die Finger in Sesamöl tunken und den Teig damit bestreichen. Abdecken und weitere 20 Minuten stehen lassen.

Den Backofen auf 180 °C vorheizen. Ein großes Backblech mit Sesamöl leicht einfetten.

Eine große kalte Arbeitsfläche (am besten aus Marmor) mit Sesamöl einölen und 1 Teigstück zu einer Scheibe von 30 cm Durchmesser ausrollen. Gegenüberliegende Teigränder zwischen Daumen und Finger nehmen, den Teig auf die Arbeitsplatte schlagen und nach oben ziehen. Das muss rasch geschehen, so als würde man ein Handtuch ausschütteln. Wiederholen, bis der Teig 1 Meter breit ist. Darauf achten, dass er ganz bleibt, dann 2 gegenüberliegende Seiten mit Sesamöl einölen und nach innen falten. Mit den verbleibenden 2 Seiten wiederholen. Nach dem Falten sollte der Teig ein 25 cm langes Quadrat bilden. Dies mit jedem Teigstück wiederholen.

Die Teigblätter auf das vorbereitete Backblech legen (darauf achten, dass die gefalteten Seiten nach unten zeigen) und im heißen Ofen 30 Minuten backen, bis das Gebäck oben und unten knusprig ist.

Aus dem Ofen nehmen, in 4 cm lange Quadrate schneiden, mit Zucker bestreuen und servieren.

OLIVENBÖREK
ZEYTİNLİ BÖREK (SEMSEK)

Herkunft:	Gaziantep, Südostanatolien
Zubereitung:	30 Minuten zzgl. 45 Minuten Ruhezeit
Back- bzw. Garzeit:	35 Minuten zzgl. 1 Stunde Abkühlen
Personen:	4

Für die Füllung:

200 ml	natives Olivenöl extra
2 (240 g)	mittelgroße Zwiebeln, in feinen Ringen
4	Knoblauchzehen, in feinen Scheiben
2 TL	Rote Paprikapaste (Seite 492)
1 EL	Tomatenmark (Seite 492)
1 TL	Chiliflocken
100 g	Walnusskerne, gehackt
300 g	ungesalzene grüne Oliven, 24 Stunden eingeweicht und abgespült, entsteint und in feinen Scheiben
½ Bund	glatte Petersilie, fein geschnitten
2 Stängel	frischer Estragon, in feinen Scheiben
2 EL	Granatapfelmelasse (Seite 490)

Für den Teig:

250 g	Mehl
½ TL	Zucker
50 g	Frischhefe, zerkrümelt (oder 3 Päckchen Trockenhefe)

100 g	Mehl

◦ ◆ ◦ V   Seite 355 📷

Das ist ein beliebter regionaler Imbiss aus *Halhalı*, den an Murmeln erinnernden ungesalzenen grünen Oliven der Gegend. Meist wird der Teig daheim zubereitet und dann zum Backen zum Bäcker des Dorfs oder Viertels gebracht. Manche Rezeptvarianten enthalten auch Fleisch, etwa Lammhack, und manchmal wird der Teig zu einem Halbkreis geformt.

◆

Für die Füllung das Olivenöl in einem Topf bei mittlerer Hitze heiß werden lassen, die Zwiebeln darin 15 Minuten unter ständigem Rühren anschwitzen. Knoblauch, Paprikapaste, Tomatenmark und Chiliflocken hinzufügen und 2 Minuten weiterbraten, dann Walnüsse und Oliven dazugeben und 7 Minuten garen. Vom Herd nehmen und Petersilie, Estragon, Granatapfelmelasse, ¼ Teelöffel frisch gemahlenen Pfeffer und ½ Teelöffel Salz unterrühren. 1 Stunde abkühlen lassen, dann in 8 Portionen teilen.

Für den Teig das Mehl mit ½ Teelöffel Salz und dem Zucker in einer großen Schüssel vermischen. Die Hefe in einer zweiten Schüssel in 175 ml Wasser auflösen. Eine Vertiefung ins Mehl drücken, die aufgelöste Hefe hineingeben, gründlich vermischen und 5 Minuten kneten. Den Teig mit einem feuchten Küchentuch abdecken und 30 Minuten bei Zimmertemperatur ruhen lassen.

Den Teig in 8 gleich große Stücke teilen, diese zu Kugeln rollen und weitere 15 Minuten stehen lassen.

Den Ofen auf 240 °C vorheizen.

Die Teigkugeln mit Mehl bestäuben und mit der Hand flach drücken. Die Arbeitsfläche und ein Nudelholz bemehlen und die Teigkugeln zu Scheiben von 15 cm Durchmesser ausrollen. Ein wenig Füllung in einer Linie auf die Mitte jeder Scheibe setzen und Teigseiten darüberklappen, um sie einzuschließen. Ränder mit den Fingern zusammendrücken. Die Pasteten auf ein Backblech legen und im heißen Ofen in 9–10 Minuten goldbraun backen. Sofort servieren.

GÖZLEME (GEFÜLLTES FLADENBROT)
GÖZLEME

Herkunft:	Muğla, alle Landesteile
Zubereitung:	15 Minuten zzgl. 20 Minuten Ruhezeit
Back- und Garzeit:	10 Minuten
Personen:	4

100 g	Mehl zum Bestäuben
200 g	Butter

Für den Teig:
200 g	Mehl

Für die Füllung:
300 g	Çökelek (Trockener Hüttenkäse, Seite 484)
200 g	Feta (aus Ziegenmilch)
1 Bund	glatte Petersilie
1 Bund	frische Minze
4 Stängel	Dill

◆ V   Seite 357 ▣

Milch, Ayran (Seite 452) oder auch Çay (Tee, Seite 446) sind Getränke, die man gerne zu Gözleme serviert.

◆

Für die Füllung Çökelek und Feta in einer großen Schüssel vorsichtig vermengen. Petersilie, Minze und Dill fein schneiden und unter den Käse ziehen. Mit ¼ Teelöffel frisch gemahlenen Pfeffer und ½ Teelöffel Salz würzen. Beiseitestellen.

Für den Teig das Mehl mit ¼ Teelöffel Salz und 130 ml Wasser in einer großen Schüssel vermengen und in 5 Minuten zu einem festen Teig verkneten. Den Teig in 4 gleiche Portionen teilen und diese mit einem feuchten Küchentuch bedecken und 20 Minuten ruhen lassen.

Auf einer bemehlten Arbeitsfläche mit einem Nudel-holz die Teigstücke zu Scheiben von 40 cm Durchmesser ausrollen. Überschüssiges Mehl abschütteln, die Füllung gleichmäßig auf die Teigscheiben verteilen und jeweils etwa 2 Esslöffel Butter daraufgeben. Die Seiten wie ein Kuvert zusammenschlagen.

Eine große Saç, Grill- oder gusseiserne Pfanne bei starker Hitze sehr heiß werden lassen. 50 g Butter hinzufügen, dann die Gözleme in die Pfanne geben und 2 Minuten von jeder Seite braten. Weitere 50 g Butter in die Pfanne geben, dann wenden und die Gözleme 1 weitere Minute von jeder Seite braten; insgesamt 6 Minuten. Auf Teller legen und servieren.

◆

SARDELLENBROT
HAMSİ KOLİ (HAMSİLİ EKMEK)

Herkunft:	Rize, Schwarzmeerregion
Zubereitung:	15 Minuten
Backzeit:	30 Minuten
Personen:	4

200 g	Maismehl (Polenta)
1 (120 g)	mittelgroße Zwiebel, fein gewürfelt
4	Frühlingszwiebeln, fein gehackt
1 Bund	Mangold, fein gehackt
3	Lauchstangen, fein gehackt
1 Bund	glatte Petersilie, fein gehackt
1 Bund	Dill, fein gehackt
100 ml	natives Olivenöl extra
300 g	eingelegte oder frische Sardellen, Gräten entfernt

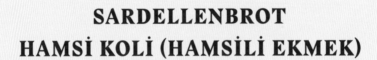

Nach diesem Fischbrot sind sie in dieser Gegend völlig verrückt. Als Herbst- und Wintergericht kann man es auch mit Dosen-Sardellen zubereiten.

◆

Den Backofen auf 180 °C vorheizen.

Maismehl (Polenta), Zwiebel, Frühlingszwiebeln, Mangold, Lauch, Petersilie, Dill und Olivenöl in einer großen Schüssel vermischen. Mit ½ Teelöffel frisch gemahlenem Pfeffer und ½ Teelöffel Salz würzen und 10 Minuten kneten. Die Sardellen dazugeben und 5 Minuten kneten. In eine tiefe Backform legen. Im heißen Ofen 30 Minuten backen. In Viertel schneiden und servieren.

BOYOZ (TAHIN-RÖLLCHEN)
BOYOZ

Herkunft:	İzmir, Ägäisregion
Zubereitung:	45 Minuten zzgl. 5 Stunden Kühlen und 1½ Stunden Ruhezeit
Backzeit:	30 Minuten
Personen:	4

Für den Teig:	
200 g	Mehl

200 ml	Sesamöl
60 ml	Tahin (Sesampaste)

8	Eier, in 12 Minuten hart gekocht, geschält und geviertelt

∴ ♦ V ⋯   Seite 359 ◻

Diese Pasteten werden in Bäckereien gebacken, die auf *Boyoz* mit hart gekochten Eiern spezialisiert sind. Meist genießt man sie am Morgen.
♦
Für den Teig Mehl und ½ Teelöffel Salz in einer großen Schüssel vermischen, eine Vertiefung eindrücken und 120 ml Wasser dazugießen. Vermischen und in 10 Minuten zu einem festen Teig verkneten. Den Teig mit 2 Esslöffel Sesamöl bepinseln, mit einem feuchten Küchentuch abdecken und 5 Stunden kühl stellen.

Eine kalte Arbeitsfläche und ein Nudelholz mit Sesamöl einölen. Den Teig zu einer Scheibe von 30 cm Durchmesser ausrollen. Gegenüberliegende Teigseiten zwischen Daumen und Fingern halten, den Teig auf die Arbeitsfläche schlagen und nach oben ziehen, als schütte man ein Handtuch aus. Wiederholen, bis der Teig 1 m breit ist. Die Ecken kuvertartig zusammenfalten. Das Tahin über dem gesamten Teig verstreichen und diesen zu einer langen Rolle aufrollen. Mit einem feuchten Tuch abdecken und 1 Stunde ruhen lassen.

Mit der Hand in 8 gleich große Stücke teilen und die Pasteten auf ein Backblech legen. Mit dem Daumen in der Mitte eindrücken und weitere 30 Minuten ruhen lassen.

Inzwischen den Backofen auf 180 °C vorheizen. *Boyoz i*m heißen Ofen 30 Minuten backen, auf Teller legen und mit den hartgekochten Eiern servieren.

♦

BLÄTTERTEIG MIT TAHIN
TAHİNLİ KATMER

Herkunft:	Kayseri, Zentralanatolien
Zubereitung:	35 Minuten zzgl. 35 Minuten Ruhezeit
Backzeit:	20 Minuten
Personen:	4

150 ml	Sesamöl
100 ml	Tahin (Sesampaste)
40 g	Sesamkörner, geröstet
60 g	Mehl zum Bestäuben

Für den Teig:	
250 g	Mehl
20 g	Zucker

∴ ♦ ♦ V

Der türkische Name dieses Frühstücksklassikers leitet sich von der Art und Weise ab, wie hier der Teig gefaltet wird.
♦
Für den Teig Mehl und ½ Teelöffel Salz in einer Schüssel vermischen. Eine Vertiefung eindrücken und den Zucker und 165 ml warmes Wasser hineingeben. Vermischen und in 10 Minuten zu einem Teig verkneten. Mit einem feuchten Küchentuch abdecken und 10 Minuten ruhen lassen. Den Teig in 4 gleiche Stücke teilen. Jedes davon zu einer Scheibe formen, mit einem feuchten Küchentuch abdecken und 10 Minuten ruhen lassen.

Inzwischen Sesamöl, Tahin und Sesamkörner in einer kleinen Schüssel verrühren.

Die Arbeitsfläche mit Mehl bestäuben und die Teigscheiben mit dem Nudelholz auf 40 cm Durchmesser ausrollen. Mit der Tahin-Mischung bestreichen, zu einem Strang zusammenrollen und diesen zu einer Spirale wickeln, deren Ende unter den äußeren Rand der Spirale schieben. Mit einem feuchten Küchentuch abdecken und 15 Minuten ruhen lassen.

Eine *Saç*, Grill- oder gusseiserne Pfanne bei mittlerer Hitze heiß werden lassen. Die Pasteten darin 2 Minuten von jeder Seite garen und servieren.

OSTERFLADEN
PASKALYA ÇÖREĞİ

Herkunft:	İstanbul, alle Landesteile
Zubereitung:	25 Minuten zzgl. 1 Stunde
	20 Minuten Ruhezeit
Backzeit:	35 Minuten
Personen:	4

2 EL	Butter, zerlassen
1	Eigelb
40 g	Mandelsplitter

Für den Teig:	
¼ TL	Mastix
4 TL	Zucker
250 g	Mehl
3 EL	Milch
30 g	Frischhefe, zerkrümelt
1½ TL	*Mahlep* (Steinweichselgewürz)
50 g	Butter
1	Ei

 V

Christen backen dieses Brot zu Ostern und verstecken eine Gold- oder Kupfermünze darin. Die Münze, so glaubt man, bringt dem, der sie findet, Glück fürs ganze Jahr.

◆

Für den Teig das Mastix mit 1 Esslöffel Zucker in einem Mörser zerstoßen. Mehl und ½ Teelöffel Salz in einer Schüssel vermischen. In die Mitte eine Vertiefung eindrücken und Milch, Hefe, 3 Teelöffel Zucker, *Mahlep*, Butter, Ei und zerstoßenen Mastix hineingeben. Vermischen und in 10 Minuten zu einem Teig verkneten. Mit einem feuchten Küchentuch abdecken und 1 Stunde ruhen lassen.

Mit eingeölten Händen den Teig in 3 gleich große Stücke teilen und jedes zu einer 20 cm langen Rolle formen. Nebeinander legen, obere Enden zusammendrücken, Stränge flechten und untere Enden wieder zusammendrücken.

Den Backofen auf 160 °C vorheizen und ein Backblech mit Butter einfetten. Den Zopf auf das vorbereitete Blech legen, mit Eigelb bestreichen und mit Mandelsplittern bestreuen. 20 Minuten ruhen lassen.

Im heißen Ofen 35 Minuten backen. In 4 Stücke schneiden, auf Teller legen und servieren.

◆

MARDIN-KUCHEN
İKLİÇE (KİLİÇE)

Herkunft:	Mardin, alle Landesteile
Zubereitung:	25 Minuten zzgl. 1 Stunde
	25 Minuten Ruhezeit
Backzeit:	30 Minuten
Personen:	4

Für den Teig:	
250 g	Mehl
100 ml	warme Milch
50 g	Frischhefe, zerkrümelt (oder 3 Päckchen Trockenhefe)
60 g	Butter, zerlassen
1 EL	Zucker
1 TL	gemahlene Fenchelsamen
½ TL	gemahlener Zimt
½ TL	gemahlener Piment
1 TL	*Mahlep* (Steinweichselgewürz)
2 EL	Schwarzkümmel

2 EL	natives Olivenöl extra
2 EL	Butter, zerlassen

◆ V

Muslime bereiten dieses Gebäck für ihre *Kandil*-Feierlichkeiten und *mevlüts* zu, Christen backen es mit dekorativen Mustern verziert zu Ostern.

◆

Für den Teig das Mehl und ½ Teelöffel Salz in einer Schüssel vermischen. In die Mitte eine Vertiefung eindrücken, Milch, Hefe, Butter, Zucker, Fenchelsamen, Zimt, Piment, *Mahlep* und Schwarzkümmel hineingeben. Vermischen und in 10 Minuten zu einem weichen Teig verkneten. Mit einem feuchten Küchentuch abdecken und 1 Stunde ruhen lassen.

Den Teig in 4 gleiche Stücke teilen, mit Olivenöl bepinseln, mit einem feuchten Küchentuch abdecken und 10 Minuten ruhen lassen.

Den Backofen auf 160 °C vorheizen und ein Backblech mit Butter einfetten.

Die Arbeitsfläche mit dem restlichen Olivenöl bepinseln und den Teig zu Scheiben von 15 cm Durchmesser ausrollen. An den Rändern mit einer Gabel Muster eindrücken.

Die Teigstücke auf das vorbereitete Blech legen und 15 Minuten ruhen lassen.

Im vorgeheizten Ofen 30 Minuten backen. Auf Teller legen und servieren.

WALNUSS-MOHN-STANGEN
HAŞHAŞLI BURMA ÇÖREĞİ

Herkunft:	Amasya, Schwarzmeerregion
Zubereitung:	45 Minuten zzgl. 55 Minuten Ruhezeit
Backzeit:	30 Minuten
Personen:	4

Für die Füllung:	
100 g	Mohn, geröstet, zerstoßen
100 g	Walnusskerne, gehackt
1 großzügiger EL	Honig
4 TL	Mohnöl

Für den Teig:	
250 g	Mehl
1	Ei
2 EL	Mohnöl
2 EL	Butter, zerlassen
50 g	Frischhefe (oder 3 Päckchen Trockenhefe), zerkrümelt

3 EL	Mohnöl

◆ V

Diese Stangen werden sowohl für Feiertage als auch für besondere Anlässe gebacken.
◆

Für die Füllung den zerstoßenen Mohn, Walnüsse, Honig und Mohnöl vermischen und beiseitestellen.

Für den Teig das Mehl mit ½ Teelöffel Salz vermischen. In der Mitte eine Vertiefung eindrücken und Ei, Mohnöl, Butter und Hefe dazugeben, gründlich vermischen und in 10 Minuten zu einem Teig verkneten. Die Schüssel mit einem feuchten Küchentuch abdecken und 30 Minuten ruhen lassen.

Den Teig in 4 gleiche Portionen teilen, mit 2 Teelöffel Mohnöl bestreichen, erneut mit einem feuchten Küchentuch abdecken und weitere 10 Minuten ruhen lassen.

Den Backofen auf 160 °C vorheizen. Eine runde Backform von 30 cm Durchmesser mit 4 Teelöffel Mohnöl fetten.

Den Teig auf eine geölte Arbeitsfläche legen. Mit eingeölten Händen die Teigstücke zu Scheiben von 20 cm Durchmesser formen. Jeweils ein Viertel der Füllung auf eine Teigscheibe geben, dann eine zweite Scheibe darauflegen. Die beiden anderen Teigscheiben genauso verarbeiten. Hände und Nudelholz einölen und die Scheiben auf 25 cm Durchmesser ausrollen. Die Scheiben in 4 cm breite Streifen schneiden. Hände erneut einölen und die Streifen verdrehen und in die Länge ziehen.

Die verdrehten Teigstücke in der Mitte beginnend auf das vorbereitete Blech legen und dabei so zurechtbiegen, dass eine Spirale entsteht. 15 Minuten ruhen lassen.

Im heißen Backofen 30 Minuten backen. Schneiden, auf Teller legen und servieren.

HERZHAFTES GABELFÖRMIGES GEBÄCK
ÇATAL

Herkunft:	İstanbul, alle Landesteile
Zubereitung:	25 Minuten zzgl. 40 Minuten Ruhezeit
Backzeit:	30 Minuten
Personen:	4

Für den Teig:

200 g	Mehl
1 EL	Zucker
2 EL	Butter, zerlassen
50 g	griechischer Joghurt
1 TL	Traubenessig
¾ TL	*Mahlep* (Steinweichselgewürz)
1	Ei

3 EL	natives Olivenöl extra
1	Eigelb
2 TL	Schwarzkümmel

V   Seite 363

Dieses herzhafte Gebäck verdankt seinen Namen seiner Gabelform. Es wird in erster Linie von Straßenhändlern verkauft.

◆

Für den Teig Mehl, Zucker und ½ Teelöffel Salz vermischen. Eine Vertiefung eindrücken, Butter, Joghurt, Traubenessig, *Mahlep* und Ei hineingeben und gründlich vermischen. In 10 Minuten zu einem festen Teig verkneten. Mit einem feuchten Küchentuch abdecken und 20 Minuten ruhen lassen.

Den Teig in 4 gleiche Stücke teilen und diese zu Kugeln rollen. Mit 2 Teelöffel Olivenöl bepinseln und 10 Minuten ruhen lassen.

Den Backofen auf 180 °C vorheizen. Ein Backblech einölen. Die Teigkugeln mit eingeölten Fingern zu Scheiben von 35 cm Durchmesser ausziehen – dazu benötigt man 2 weitere Teelöffel Öl. Jede Scheibe zu einer Wurst rollen, dann zu einem U formen und die Kanten zusammendrücken. Auch am anderen Ende zusammendrücken, sodass sich die Form eines Auges bildet. Das Gebäck auf das vorbereitete Backblech legen, mit Eigelb bepinseln und mit Schwarzkümmel bestreuen. Mit einem feuchten Küchentuch abdecken und 10 Minuten ruhen lassen.

30 Minuten im Ofen backen. Auf Teller legen und servieren.

◆

TAHIN-SCHNECKEN
KÜLÇE

Herkunft:	Hatay, Mittelmeerregion
Zubereitung:	25 Minuten zzgl.
	1 Stunde 25 Minuten Ruhezeit
Backzeit:	15 Minuten
Personen:	4

·3 EL	natives Olivenöl extra
85 g	Butter, zerlassen
60 g	Tahin (Sesampaste)
2 EL	Sesamsamen
1 TL	gemahlene Fenchelsamen
1 EL	Schwarzkümmel

Für den Teig:

250 g	Mehl
50 g	Frischhefe (oder 3 Päckchen Trockenhefe), zerkrümelt

V

Tahin-Pasteten gehören zu den religiösen Ritualen aller „Leute des Buches". Christen, Juden und Muslime backen diese Küchlein zu besonderen Anlässen, verwenden allerdings verschiedene Gewürze.

◆

Für den Teig Mehl und ½ Teelöffel Salz in einer Schüssel vermischen. Eine Vertiefung eindrücken und 165 ml Wasser und die Hefe dazugeben. Vermischen, dann in 10 Minuten zu einem Teig verkneten. Mit einem feuchten Küchentuch abdecken und 1 Stunde ruhen lassen.

Den Teig in 4 gleiche Stücke teilen und Ober- und Unterseite jedes Stücks mit Olivenöl bepinseln. Mit einem feuchten Küchentuch abdecken und weitere 10 Minuten ruhen lassen.

Den Backofen auf 160 °C vorheizen und ein Backblech mit Butter fetten. Die Arbeitsfläche einölen. Etwas Butter auf die Hände geben. Jedes Teigstück zu einer Scheibe von 25 cm Durchmesser ausziehen. Mit Tahin bestreichen und mit Sesam, gemahlenem Fenchel und Schwarzkümmel bestreichen. Die Stücke an beiden Enden verdrehen und aufrollen. Die Schnecken auf das vorbereitete Backblech legen, mit einem feuchten Küchentuch abdecken und 15 Minuten ruhen lassen. 15 Minuten im Ofen backen. Sofort servieren.

TAHIN-WIRBEL
TAHİNLİ ÇÖREK

Herkunft:	Kütahya, alle Landesteile
Zubereitung:	30 Minuten zzgl. 1 Stunde Ruhezeit
Backzeit:	20 Minuten
Personen:	4

200 ml	Tahin (Sesampaste)
60 ml	Traubenmelasse
150 ml	Sesamöl
1 EL	Schwarzkümmel

Für den Teig:	
250 g	Mehl
100 ml	Milch
50 g	Frischhefe (oder 3 Päckchen Trockenhefe), zerkrümelt

◆ V   Seite 365 ◘

Wenn Frauen sich treffen, um für das Dorf *Yufka Ekmeği* (Dünnes Fladenbrot, Seite 378) oder Nudeln zu machen, backen sie diese runden Brötchen für ihre Pause. Beliebt sind sie auch bei Feiern, die neu angeheiratete Verwandte miteinander bekannt machen. Beide Seiten nützen diese „Wirbel", um ihre Beziehung zu versüßen.

◆

Tahin und Melasse in einer Schüssel vermischen und beiseitestellen.

Für den Teig Mehl und ½ Teelöffel Salz in einer Schüssel vermischen. Eine Vertiefung eindrücken und Milch, Hefe und 75 ml Wasser hineingeben, vermischen und in 10 Minuten zu einem Teig verkneten. Den Teig in 4 gleiche Stücke teilen und zu Kugeln rollen. Diese mit 2 Teelöffel Sesamöl leicht einölen, mit einem feuchten Küchentuch abdecken und 1 Stunde stehen lassen.

Den Backofen auf 180 °C vorheizen. Ein Backblech einölen.

Jede der Kugeln mit 2 Teelöffel Sesamöl einölen. Alle mit einem Nudelholz zu Scheiben von 40 cm Durchmesser ausrollen. Jede Scheibe mit weiteren 4 Teelöffel Sesamöl bepinseln, dann mit der Tahin-Melasse-Mischung bestreichen, sodass Öl, Tahin und Melasse sich verbinden. Hände einölen und mit dem Zeigefinger ein Loch in die Teigmitte drücken. Vom Loch in der Mitte beginnend den Teig nach außen rollen, sodass er einen Ring bildet. Den Ring an einer Stelle zerreißen, sodass eine Rolle entsteht. Diese, in der Mitte beginnend, zu einer Spirale formen. Die Teigwirbel auf das vorbereitete Blech legen, flach drücken und mit dem Schwarzkümmel bestreuen.

Im heißen Ofen 20 Minuten backen. Auf Teller legen und servieren.

◆

EI-MEHL-MURTUĞA
MURTUĞA

Herkunft:	Van, Ostanatolien
Zubereitung:	5 Minuten
Garzeit:	20 Minuten
Personen:	4

200 g	*Yayık Yağı* (Joghurtbutter, Seite 487) oder normale Butter
60 g	Weizenvollkornmehl
8	Eier

◆ V X ⁛

Dieser beliebte winterliche Frühstücksklassiker wird auch für junge Mütter zubereitet.

◆

Die *Yayık Yağı* oder Butter bei mittlerer Hitze in einem Topf zerlassen. Die Hitze reduzieren, das Mehl und ¼ Teelöffel Salz hinzufügen und 15 Minuten unter ständigem Rühren anschwitzen.

Inzwischen die Eier in eine Schüssel aufschlagen und darauf achten, dass die Dotter ganz bleiben. Vorsichtig die Dotter mit einer Gabel leicht verrühren, nicht schlagen.

Die Eier zum Mehl geben und vorsichtig unterrühren. Hitze reduzieren, Deckel auflegen und 1 Minute garen. Mit einer Gabel Zickzacklinien über die Oberfläche der *Murtuğa* ziehen und 1 Minute rühren. Auf einem großen Servierteller anrichten.

KETE-BRÖTCHEN
KETE

Herkunft:	Kayseri, Zentralanatolien
Zubereitung:	35 Minuten zzgl. 1 Stunde
	25 Minuten Ruhezeit
Gar- bzw. Backzeit:	30–40 Minuten zum Auskochen
	des Fetts zzgl. 45 Minuten
Personen:	4

---

80 g	Rindernierentalg
160 g	Mehl
50 g	Butter, zerlassen
60 ml	Tahin (Sesampaste)
1	Eigelb
1 EL	Schwarzkümmel
2 EL	Sesamsamen

Für den Teig:	
250 g	Mehl
100 ml	warme Milch
28 g	Frischhefe, zerkrümelt (oder 3 Päckchen Trockenhefe)

Muslime backen diese Brötchen zu ihren beiden höchsten religiösen Festen, während die lokale armenische Bevölkerung an Ostern Kete mit roten Eiern verteilt. Mütter bereiten diese Gebäckstücke zu wenn ihre Kinder aus dem Ausland nach Hause zurückkehren. Oft werden Münzen oder Perlen eingebacken. Und wer immer auf diese versteckten Schätze stößt, soll angeblich sein Leben lang Glück haben.

♦

Einen großen Topf bei mittlerer Hitze auf den Herd stellen, den Nierentalg hineingeben und auslassen, aber nicht anbrennen lassen. 3 Liter Wasser dazugießen und kochen, bis das Fett nach oben steigt. Das Fett mit einem Schaumlöffel abschöpfen. Frisches Wasser in den Topf gießen und das Fett erneut hineingeben. Diesen Kochprozess dreimal wiederholen, bis der Talggeruch gänzlich verschwunden ist. Das abgeschöpfte Fett in eine Schüssel geben und beiseitestellen.

Eine Pfanne auf mittlerer Hitze heiß werden lassen. Die Hitze reduzieren, 60 g des Mehls und ¼ Teelöffel Salz hineingeben und 10 Minuten unter ständigen Rühren bräunen lassen. Beiseitestellen und abkühlen lassen.

Für den Teig das Mehl und ½ Teelöffel Salz in einer großen Schüssel vermischen, eine Vertiefung hineindrücken und Milch, Hefe und 60 g des Nierentalgs dazugeben. Alles gründlich vermischen und in 10 Minuten zu einem Teig verkneten. Die Schüssel mit einem feuchten Küchentuch abdecken und 1 Stunde ruhen lassen.

Den Teig in 4 gleiche Stücke teilen und jedes mit dem Fett bepinseln. Mit einem feuchten Küchentuch abdecken und 10 Minuten ruhen lassen.

Den Backofen auf 180 °C vorheizen und ein Backblech mit dem Talg einfetten.

Ein Nudelholz einfetten, dann die Teigstücke zu Scheiben von 30 cm Durchmesser ausrollen. Mit der zerlassenen Butter und Tahin bepinseln und zu langen Würsten rollen. Den Teig an den Enden halten, die jeweiligen Enden der Rolle in die entgegengesetzte Richtung drehen. Die beiden Enden des verdrehten Teigs zusammenführen und einen Kringel formen, dabei die Enden leicht überlappend fest zusammendrücken. Mit einem Nudelholz zu Scheiben von 15 cm Durchmesser ausrollen. Ein wenig geröstetes Mehl in die Mitte jedes Teigstücks geben, dann wie ein Kuvert falten und darauf achten, dass sich die Faltungen überlappen und ein Päckchen entsteht.

Die *Kete* auf das vorbereitete Backblech legen, Oberseite mit einer kleinen Gabel verzieren, mit Eigelb bepinseln und mit Schwarzkümmel und Sesam bestreuen.

Im vorgeheizten Ofen 35 Minuten backen. Auf Teller legen und sofort servieren.

KETE-BRÖTCHEN (SIVAS)
KETE (SİVAS)

Herkunft:	Sivas, Zentralanatolien
Zubereitung:	35 Minuten zzgl. 1 Stunde
	35 Minuten Ruhezeit
Backzeit:	35 Minuten
Personen:	4

250 g	Butter, zerlassen
60 g	Mehl
100 g	Walnusskerne, gehackt
1	Eigelb

Für den Teig:	
250 g	Mehl
75 ml	warme Milch
50 g	Butter
50 g	Frischhefe, zerkrümelt (oder 3 Päckchen
	Trockenhefe)

V ◆

Das Falten der *Kete* mit seinen unzähligen Abwandlungen ist eine Kunst für sich. Jeder scheint seine ganz eigene Methode zu haben. Es gibt süße und herzhafte Varianten. Und vor allem Kinder lieben *Kete*.

◆

50 g der Butter in einem großen Topf bei mittlerer Hitze zerlassen. Mehl, Walnüsse und ¼ Teelöffel Salz hinzufügen und 10 Minuten unter ständigem Rühren anrösten. Vom Herd nehmen und beiseitestellen.

Für den Teig Mehl mit ½ Teelöffel Salz in eine große Schüssel geben. Eine Vertiefung eindrücken und Milch, Butter, Hefe und 2 Esslöffel warmes Wasser hinzufügen. Gut vermischen und 10 Minuten kneten. Die Schüssel mit einem feuchten Küchentuch abdecken und 1 Stunde ruhen lassen.

Den Teig in 4 gleiche Stücke teilen und diese mit Butter bepinseln. Mit einem feuchten Küchentuch abdecken und weitere 10 Minuten ruhen lassen.

Die Arbeitsfläche mit Butter einfetten und den Teig daraufgeben. Mit einem eingefetteten Nudelholz zu Scheiben von 50 cm Durchmesser ausrollen. Jede Scheibe großzügig mit 2 Esslöffel Butter bestreichen. Die Scheiben in 5 cm breite Streifen schneiden und übereinanderstapeln – sodass sich 4 Stapel bilden. Mit Zeige- und Ringfinger jeden Stapel zu einem Ring formen, diesen an einem Ende versiegeln, sodass eine „flache Tasse" entsteht. Mit gerösteter Mehl-Walnuss-Mischung füllen. Oberen „Tassenrand" zusammendrücken und versiegeln, mit einem feuchten Küchentuch abdecken und 10 Minuten ruhen lassen.

Inzwischen den Backofen auf 180 °C vorheizen und ein Backblech mit Butter fetten.

Das Teiglinge auf das vorbereitete Backblech legen, mit Eigelb bepinseln und weitere 15 Minuten stehen lassen.

Im heißen Backofen 35 Minuten backen. Auf Teller legen und sofort servieren.

PILZE, BROT UND MILCH
SÜTLÜ PAPARA

Herkunft:	Çanakkale, Marmararegion
Zubereitung:	10 Minuten
Garzeit:	50 Minuten
Personen:	4

100 g	Butter
60 ml	natives Olivenöl extra
2 (240 g)	mittelgroße Zwiebeln, in feinen Ringen
300 g	Morcheln, in Streifen gerissen
1,5 l	heiße Milch
2	getrocknete *Yufka Ekmeği* (Dünnes Fladenbrot, Seite 378), grob zerpflückt

Dieses Gericht wird meist von der ganzen Familie aus einem großen Gemeinschaftsteller in der Tischmitte gelöffelt.

♦

Butter und Olivenöl in einer großen Pfanne bei mittlerer Hitze heiß werden lassen, die Zwiebeln dazugeben und unter gelegentlichem Rühren 20 Minuten anschwitzen. Die Morcheln dazugeben und 20 Minuten mitgaren. Je ¼ Teelöffel frisch gemahlenen Pfeffer und Salz hinzufügen und gut verrühren.

Die Hitze reduzieren, die Milch und je ¼ Teelöffel frisch gemahlenen Pfeffer und Salz dazugeben und 5 Minuten fortwährend in eine Richtung rühren. Die Hitze reduzieren und weiterköcheln lassen.

Inzwischen *Yufka* in einer tiefen, hitzebeständigen Auflaufform verteilen und bei mittlerer Hitze auf den Herd stellen. Die heiße Milch-Pilz-Mischung darübergießen und alles 5 Minuten erwärmen. Auf Teller schöpfen und servieren.

♦

GEBACKENE LAMMPASTETCHEN
HITAP

Herkunft:	Adıyaman, Südostanatolien
Zubereitung:	30 Minuten zzgl. 45 Minuten Ruhezeit
Backzeit:	10 Minuten
Personen:	4

50 g	Butterschmalz (siehe Seite 485)

Für den Teig:	
250 g	Mehl, mehr zum Bestreuen
50 g	Frischhefe, zerkrümelt (oder 3 Päckchen Trockenhefe)

Für die Füllung:	
400 g	*Kavurma* (Lamm-Confit, Seite 497), Fleisch zerzupft
6	Frühlingszwiebeln, in feinen Ringen
1	frische (grüne) Knoblauchzehe, in feinen Scheiben
½ Bund	glatte Petersilie, fein geschnitten
2 TL	Chiliflocken
1½ TL	Tomatenmark (Seite 492)
2 Stängel	frisches Basilikum, fein geschnitten

Die Einheimischen machen meist die Füllung für dieses Wintergericht und bringen es zum Dorfbäcker, um es dort gegen ein kleines Entgelt backen zu lassen. Das Rezept enthält kein Salz, da das Confit selbst schon recht salzig ist.

♦

Für den Teig Mehl und ½ Teelöffel Salz in einer großen Schüssel vermischen. In einer zweiten Schüssel die Hefe in 175 ml Wasser auflösen. Eine Mulde ins Mehl drücken, aufgelöste Hefe hineingießen, gut vermischen und den Teig 5 Minuten kneten. Mit einem feuchten Küchentuch abdecken und 30 Minuten ruhen lassen.

Den Teig in 8 gleiche Portionen teilen und zu Kugeln rollen. Weitere 15 Minuten ruhen lassen.

Alle Füllungszutaten in einer großen Schüssel vermischen. Die Mischung in 8 gleiche Teile teilen.

Den Backofen auf 240 °C vorheizen.

Die Teigkugeln mit Mehl bestreuen und flach drücken. Arbeitsfläche und Nudelholz mit Mehl bestäuben und jede Teigscheibe auf 15 cm Durchmesser ausrollen. Die Hälfte jeder Scheibe mit Füllung bedecken, leere Hälfte darüberklappen und Teig mit den Fingern zusammenpressen, um ihn zu versiegeln. Auf ein mit Backpapier ausgelegtes Backblech legen und im heißen Backofen in 9–10 Minuten goldbraun backen.

Aus dem Ofen nehmen, mit Butterschmalz bepinseln und servieren.

LAMM-GEMÜSE-PÄCKCHEN
TALAŞ BÖREĞİ

Herkunft:	İstanbul, Marmararegion
Zubereitung:	30 Minuten zzgl. 24 Stunden Ruhezeit
Gar- bzw. Backzeit:	1 Stunde 15 Minuten
Personen:	4

Für den Teig:

250 g	Mehl
60 ml	natives Olivenöl extra
2 EL	Apfelessig
50 g	Butter, in 10 Stücke geschnitten

2 EL	natives Olivenöl extra
1	Eigelb

Für die Füllung:

80 g	Butter
500 g	Lammrücken, fein gewürfelt
200 g	Karotten, fein gewürfelt
1 (150 g)	Kartoffel, fein gewürfelt
100 g	frische enthülste Erbsen
1	Selleriestange, fein gewürfelt
1 TL	getrockneter Oregano
3	Frühlingszwiebeln, in feinen Ringen
½ Bund	Dill, fein gehackt

Der türkische Name für diesen Klassiker der Restaurantküche bezieht sich auf die bei der Teigherstellung angewandte Falttechnik.

◆

Für den Teig Mehl und ½ Teelöffel Salz in einer Schüssel vermischen. Eine Mulde eindrücken, Öl, Essig und 5 Esslöffel Wasser hineingeben, vermischen und 5 Minuten kneten. Den Teig zu einer Scheibe von 20 cm Durchmesser ausrollen. Butterstücke dazugeben, verkneten und den Teig zu einer Scheibe von 20 cm Durchmesser ausrollen. Dreimal hintereinander in der Mitte falten und erneut zu einer Scheibe von 20 cm Durchmesser ausrollen. In eine Schüssel geben, abdecken und für 24 Stunden in den Kühlschrank stellen.

Den Teig am nächsten Tag in 4 gleiche Portionen teilen und jede zu einer Scheibe von 17 cm Durchmesser ausrollen. Beiseitestellen.

Für die Füllung die Butter bei mittlerer Hitze in einem Topf zerlassen, das Fleisch 10 Minuten darin anbraten. Karotten hinzufügen und 5 Minuten mitbraten, dann Kartoffeln, Erbsen, Sellerie, getrockneten Oregano, Frühlingszwiebeln, ¼ Teelöffel frisch gemahlenen Pfeffer und ½ Teelöffel Salz dazugeben. Weitere 5 Minuten braten. Die Hitze reduzieren und mit Deckel 20 Minuten garen, bis das Gemüse weich ist. Abgießen (Garsaft aufheben) und in eine Schüssel geben. Den Dill behutsam unterziehen und die Mischung in 4 Portionen teilen.

Die Füllung in die Mitte der Teigscheiben geben. Mit Garsaft beträufeln. Den Teig wie ein Kuvert über die Füllung falten und andrücken, um sie zu versiegeln. Mit der gefalteten Seite nach unten auf ein gefettetes Backblech legen. Mit scharfem Messer ein Kreuzchen in jedes Päckchen schneiden. Das Eigelb mit dem verbliebenen Olivenöl verquirlen und die Päckchen damit bepinseln. 30 Minuten im Ofen backen, bis sie gar sind. Sofort servieren.

◆

KÄSE-POLENTA
MUHLAMA

Herkunft:	Rize, Schwarzmeerregion
Zubereitung:	5 Minuten
Garzeit:	15 Minuten
Personen:	4

100 g	Butter
100 g	Maismehl (Polenta)
500 ml	heiße Milch
200 g	frischer Schafskäse (fettarm, salzreduziert), gerieben

Manche verwenden für dieses Gericht lieber Wasser anstelle der Milch.

◆

Die Butter in einem Topf bei mittlerer Hitze zerlassen. Die Hitze reduzieren, den Polentagrieß hinzufügen und unter Rühren 5 Minuten braten. Die Milch hinzufügen und unter ständigem Rühren 2 Minuten weitergaren. Den Käse dazugeben, 3 Minuten unter Rühren und 2 Minuten einfach so weitergaren. Auf Teller schöpfen und servieren.

SESAMKRINGEL
SİMİT

Herkunft:	İstanbul, alle Landesteile
Zubereitung:	30 Minuten zzgl. 45 Minuten Ruhezeit
Backzeit:	20 Minuten
Personen:	4

Für den Teig:

250 g	Mehl
50 g	Frischhefe (oder 3 Päckchen Trockenhefe), zerkrümelt
1 EL	*Kaymak* (Seite 486)
2 EL	Milch
100 g	Sesamkörner

◆ V   Seite 371 📷

Simit-Kringel werden in Holzöfen gebacken. Manche Regionen haben eigene Varianten, die *Gevrek* oder *Kahke* heißen.

◆

Für den Teig Mehl und ½ Teelöffel Salz in einer Schüssel vermischen. Eine Mulde eindrücken und die Hefe und 175 ml Wasser hinzufügen. Zu einem Teig verarbeiten. Teig auf leicht bemehlter Arbeitsfläche 10 Minuten kneten. Mit einem feuchten Küchentuch abdecken und 15 Minuten ruhen lassen. Den Teig in 4 gleiche Stücke teilen, wieder abdecken und weitere 15 Minuten ruhen lassen.

Den Backofen auf 200 °C vorheizen und ein Backblech mit Backpapier belegen. Jedes Teigstück zu einer 70 cm langen Wurst rollen. Die eine Hälfte auf die andere Hälfte der Wurst legen, Enden zusammendrücken, den Teig verdrehen und dann zu Kringeln formen.

Kaymak und Milch 3 Minuten in einer Schüsssel verrühren. Sesamkörner in eine zweite Schüssel geben. Die Teigringe erst in der Milchmischung, dann im Sesam wenden, sodass sie damit bedeckt sind. Auf ein Backblech legen, mit feuchtem Tuch abdecken und 15 Minuten ruhen lassen. Im Ofen 20 Minuten backen.

◆

KNUSPRIGE LAMM-KÄSE-BÖREKS
PUF BÖREĞİ

Herkunft:	İstanbul, alle Landesteile
Zubereitung:	25 Minuten zzgl. 2 ½ Stunden Ruhezeit
Garzeit:	20 Minuten
Personen:	4

Für den Teig:

250 g	Mehl
50 g	Butterschmalz (Seite 485)
90 ml	Milch
2 EL	*Kül Mayası* (Asche-Starterkultur, Seite 482)

1 l	natives Olivenöl extra
2	Eiweiß

Für die Füllung:

300 g	magere Kalbsschulter, gehackt, in der Pfanne gebraten
1 (120 g)	mittelgroße Zwiebel, gewürfelt
4 Stängel	Dill, fein geschnitten
6 Stängel	glatte Petersilie, fein geschnitten
200 g	Feta, zerkrümelt

◆

Einheimische Köchinnen rollen den Teig von Hand bis auf 1 m Durchmesser aus. Sie geben die Füllung darauf, schneiden den Teig, falten die Stücke zu Halbmonden und backen sie heraus. Manche machen auch unterschiedliche Sorten, etwa eine Hälfte mit Hack, die andere mit Käse.

◆

Für den Teig Mehl, Butterschmalz und ¼ Teelöffel Salz in einer Schüssel vermischen. Eine Vertiefung eindrücken und Milch und Asche-Starterkultur hineingeben und in 5 Minuten zu einem Teig verkneten. Mit einem feuchten Küchentuch abdecken und 20 Minuten ruhen lassen. Den Teig in 8 gleiche Teile teilen und weitere 10 Minuten ruhen lassen.

Das Nudelholz mit Olivenöl einölen und jedes Teigstück zu einer Scheibe von 20 cm Durchmesser ausrollen. Auf Backpapier stapeln; dabei jede Scheibe mit Olivenöl bepinseln. 2 Stunden im Kühlschrank ruhen lassen. Dann zu Scheiben von 60 cm Durchmesser ausrollen.

Die Füllungszutaten mit je ½ Teelöffel frisch gemahlenem Pfeffer und Salz vermischen und in 16 gleiche Portionen teilen. Je 4 Füllungsportionen in gleichen Abständen über eine Teigplatte verteilen. Eine zweite darauflegen und um die Füllung herum andrücken. Mit einer Plätzchenform 16 Pastetchen ausstechen und die Ränder fest zusammendrücken. Mit Eiweiß bestreichen.

Restliches Olivenöl in einem großen Topf bei mittlerer Hitze auf 155 °C bringen. Die Böreks darin 1–3 Minuten frittieren, bis sie auf beiden Seiten goldbraun sind. Mit Schaumlöffel herausheben und sofort servieren.

BROT & BACKWAREN

MÜHLENBROT AUS BULGURWEIZEN
BULGUR EKMEĞİ (NAN-É SAVAR)

Herkunft:	Diyarbakır, Südostanatolien
Zubereitung:	20 Minuten zzgl. 1 Stunde
	45 Minuten Ruhezeit
Back- und Garzeit:	25 Minuten
Personen:	4

60 g	Butterschmalz (Seite 485)
1 (120 g)	mittelgroße Zwiebel, fein gewürfelt
1 TL	Chiliflocken
1 TL	gemahlener Koriander
100 g	feiner Bulgur, 15 Minuten eingeweicht
150 g	Weizenvollkornmehl
75 ml	Ayran (Gesalzenes Joghurtgetränk, Seite 452)
50 g	Mehl zum Bestäuben

 V

Solches Brot haben einst Leute gebacken, die Schlange standen, um ihren Weizen mahlen zu lassen, und es währenddessen auf einem *Saç* garten. Heute bringen die Dörfler ihren Teig zur Bäckerei, um ihn im Holzofen backen zu lassen. Manche der Rezepte enthalten auch Hefe.

Das Butterschmalz in einer Pfanne bei mittlerer Hitze zerlassen und die Zwiebeln darin 10 Minuten anschwitzen. Chiliflocken und ½ Teelöffel Salz dazugeben und 1 Minute mitbraten. Vom Herd nehmen und 10 Minuten abkühlen lassen.

Den Bulgur abgießen und mit Weizenvollkornmehl und Ayran in einer Schüssel vermischen. Die abgekühlte Zwiebelmischung unterrühren und in 10 Minuten zu einem Teig verkneten. Mit einem feuchten Küchentuch abdecken und 1 Stunde ruhen lassen. Den Teig in 4 gleiche Stücke teilen, mit feuchtem Tuch abdecken und weitere 20 Minuten stehen lassen.

Den Backofen auf 240 °C vorheizen. Hände und Arbeitsfläche leicht bemehlen. Den Teig jeweils zu einer Scheibe von 12 cm Durchmesser ausrollen. Weitere 15 Minuten ruhen lassen, auf ein Backblech legen und 15 Minuten im heißen Ofen backen.

MÜHLENBROT
PAĞAÇ

Herkunft:	Erzurum, Ostanatolien
Zubereitung:	25 Minuten zzgl. 1½ Stunden Ruhezeit
Backzeit:	40 Minuten
Personen:	4

Für den Teig:	
100 g	Maismehl (Polenta)
150 g	Mehl
60 ml	warme Milch
2½ EL	Butter
1	Ei
50 g	Frischhefe (oder 3 Päckchen Trockenhefe), zerkrümelt

2 EL	Butter, zerlassen
100 g	Mehl
1	Eigelb
1 TL	Schwarzkümmel
3 TL	Sesamsamen

 V

Pağaç wird traditionell von den Leuten zubereitet, die ihr Mehl in der Dorfmühle mahlen lassen. Es wird aus dem Mehl, das an den Seiten des Mühlsteins haftet (türkisch: *Pağaç*) hergestellt. Anschließend wird das Brot von allen Frauen gemeinsam zubereitet und verzehrt, die vor der Mühle im Freien gewartet haben, bis sie mit Mahlen an der Reihe sind. Mit *Çay* (Tee, Seite 446) servieren.

Für den Teig Maismehl und Mehl mit ½ Teelöffel Salz in einer großen Schüssel vermischen. Eine Vertiefung eindrücken und Milch, Butter, Ei und Hefe hineingeben, gründlich vermischen und in 10 Minuten zu einem Teig verketen. Mit einem feuchten Küchentuch abdecken und 1 Stunde ruhen lassen.

Ein Backblech mit der zerlassenen Butter einfetten. Den Teig weitere 20 Minuten kneten; dabei die Fingerspitzen ab und zu in Mehl tunken. Den Teig auf das vorbereitete Backblech legen und mit den Fingern zu seiner Scheibe von 20 cm Durchmesser ausziehen. Mit einem feuchten Tuch abdecken und 30 Minuten ruhen lassen

Inzwischen den Backofen auf 160 °C vorheizen. Den Teig mit Eigelb bestreichen, mit Schwarzkümmel und Sesam bestreuen. Im heißen Ofen 40 Minuten backen.

In 4 Teile schneiden, auf Teller legen und servieren.

RUSTIKALES SAUERTEIG-KARTOFFEL-BROT
KÖY EKMEĞİ

Herkunft:	Kastamonu, alle Landesteile
Zubereitung:	30 Minuten zzgl. Ruhezeit über Nacht und 4 Stunden Ruhezeit
Back- und Garzeit:	1 Stunde zzgl. 30 Minuten
Personen:	4

Für den Kartoffelteig:

100 g	Kartoffeln, geschält
2 TL	Zucker
50 g	Mehl

3 EL	Ayran (Seite 452)
100 g	*Ekşi Maya* (Sauerteig, Seite 483)
½ TL	gemahlene Bockshornkleesamen
200 g	Weizenvollkornmehl
2	Mangoldblätter

 V

In einigen Rezepten werden die Kartoffeln weggelassen. Den Sauerteig kann man auch durch 60 g Frischhefe ersetzen, was die Gehzeit auf 1 Stunde verkürzt.

◆

Für den Kartoffelteig die Kartoffeln in 1 Liter siedendem Wasser 1 Stunde kochen, dann abgießen und 100 ml Kochwasser zurückbehalten. Kartoffeln und zurückbehaltenes Kochwasser in einer Schüssel zerstampfen, dann ¼ Teelöffel Salz, Zucker und Mehl dazugeben, zu einem Teig verkneten, abdecken und über Nacht ruhen lassen.

Am nächsten Tag den Kartoffelteig mit 100 ml Wasser, Ayran, Sauerteig und Bockshornkleesamen 10 Minuten vermischen. Weizenvollkornmehl und ½ Teelöffel Salz dazugeben und in 10 Minuten zu einem Teig verkneten. Mit einem feuchten Küchentuch abdecken und 3 Stunden ruhen lassen.

Den Teig nochmals kneten, um Luftblasen herauszudrücken, und zu einer Kugel formen. Die Mangoldblätter in einen Schmortopf geben und den Teig darauflegen. Ein feuchtes Küchentuch über den Topf legen und den Teig 1 Stunde bei Zimmertemperatur ruhen lassen, bis er aufgegangen ist.

Währenddessen den Backofen auf 180 °C vorheizen. Den Teig zu einem Laib formen, auf ein Backblech legen und im heißen Ofen 30 Minuten backen.

◆

MAISBROT
MISIR EKMEĞİ

Herkunft:	Rize, Schwarzmeerregion
Zubereitung:	10 Minuten zzgl. 30 Minuten Ruhezeit
Backzeit:	55 Minuten
Personen:	4

50 g	Butter, zerlassen
250 g	Maismehl (Polenta)
160 ml	heiße Milch

Dieses auch *Cadi* genannte Brot ist in der Schwarzmeerregion beliebt. Eine einfache Variante davon wird mit kochendem Wasser zubereitet, und in manchen Rezepten ersetzt Wasser die Milch.

◆

Den Backofen auf 180 °C vorheizen und eine schwere Backform mit 2 Teelöffel Butter einfetten.

Maismehl und ½ Teelöffel Salz in einer großen Schüssel vermischen. Milch und die restliche Butter hinzufügen und mit einem Holzlöffel gut vermischen. Den Teig in die vorbereitete Backform geben, mit einem feuchten Tuch abdecken und 30 Minuten ruhen lassen.

Mit dem Messer ein Kreuz in den Teig ritzen, aber nicht zu tief. Im heißen Ofen 55 Minuten backen. In Scheiben schneiden und servieren.

LINSENBROT
MERCİMEK EKMEĞİ

Herkunft:	Şanlıurfa, Südostanatolien
Zubereitung:	30 Minuten zzgl. 15 Minuten Ruhezeit
Backzeit:	20 Minuten
Personen:	4

100 g	Weizenvollkornmehl und etwas mehr zum Bestäuben
150 g	rotes Linsenmehl
½ TL	gemahlener Kreuzkümmel
1 TL	Chiliflocken
200 g	Tomaten, gerieben
1	rote Paprika, in feine Scheiben geschnitten
1 (120 g)	mittelgroße Zwiebel, fein gewürfelt
6	Knoblauchzehen, gehackt
2 TL	Rote Paprikapaste (Seite 492)
1 EL	Tomatenmark (Seite 492)

◗ ◗ ◖ V   Seite 375 ◘

In Olivenöl getunkt oder mit Ayran (Gesalzenes Joghurt-getränk, Seite 452) serviert, schmeckt dieses Brot warm ebenso gut wie kalt.

In manchen Rezepten wird dafür ausschließlich Linsen-mehl verwendet und das Brot in Öl frittiert. Wenn Sie das gleiche Rezept mit Maismehl machen, erhalten Sie ein Maisbrot.

◆

Weizenvollkornmehl, Linsenmehl, Kreuzkümmel, je ½ Teelöffel frisch gemahlenen Pfeffer und Salz sowie Chiliflocken in einer großen Schüssel vermischen. Eine Vertiefung eindrücken und 60 ml lauwarmes Wasser, Tomaten, Paprika, Zwiebeln, Knoblauch, Paprikapaste und Tomatenmark dazugeben, vermischen und in 10 Minuten zu einem Teig verkneten. Auf die bemehlte Arbeitsfläche geben und weitere 10 Minuten kneten. Den Teig in 4 Teile teilen, in eine Schüssel legen und mit einem feuchten Küchentuch abdecken. 15 Minuten ruhen lassen.

Den Teig zu Scheiben von 20 cm Durchmesser ausrollen.

Eine *Saç*, eine gusseiserne Pfanne oder den Grill bei mitt-lerer Hitze in etwa 8 Minuten sehr heiß werden lassen. Die Brote 2 Minuten auf der einen Seite, dann 1 Minute auf der anderen backen. Sofort servieren.

◆

HIRSEBROT
NAN-É GİLGİL (AKDARI) EKMEĞİ

Herkunft:	Bitlis, Ostanatolien
Zubereitung:	20 Minuten zzgl. 2 Stunden Ruhezeit
Backzeit:	35 Minuten
Personen:	4

Für den Teig:	
200 g	Hirsemehl
100 ml	Ayran (Seite 452), warm
50 g	*Keş* (Kaschk, Seite 485), gerieben
½ TL	*Poy* (Seite 502)
1 EL	Traubenmelasse
50 g	Frischhefe, zerkrümelt (oder 3 Päckchen Trockenhefe)
70 g	Butter, zerlassen
2 EL	Butter

◖ V

Eine weitere Möglichkeit, die Ankunft des Frühlings zu feiern, ist dieses Brot, von dem man, um sich eine reiche Ernte zu sichern, auch Vögeln und Insekten etwas abgeben sollte. Die Großzügigkeit muss sich allerdings auch auf mindestens sieben Nachbarn erstrecken. Dieses Brot wird traditionell zu Schaf- oder Ziegenjoghurt genossen.

◆

Hirsemehl und ¼ Teelöffel Salz in einer großen Schüs-sel vermischen. In die Mitte eine Vertiefung eindrücken und Ayran, *Keş*, *Poy*, Traubenmelasse, Hefe und 50 g der Butter dazugeben. Gründlich vermischen und 10 Minuten kneten. Mit einem feuchten Küchentuch abdecken und 1 Stunde ruhen lassen.

Eine tiefe Backform von 20 cm Durchmesser mit der Hälfte der restlichen Butter einfetten. Den Teig hinein-geben, mit einem feuchten Küchentuch abdecken und 1 weitere Stunde ruhen lassen.

Inzwischen den Backofen auf 180 °C vorheizen.

Den Teig mit der restlichen Butter bepinseln und in der Mitte mit der Faust eindrücken, sodass eine Vertiefung entsteht. Der Teig darf dabei nicht reißen. Brot 35 Minu-ten im heißen Ofen backen.

GERIFFELTE FLADENBROTE
TIRNAKLI EKMEK

Herkunft:	Gaziantep, alle Landesteile
Zubereitung:	15 Minuten zzgl. 55 Minuten Ruhezeit
Backzeit:	10 Minuten
Personen:	4

Für den Teig:

250 g	Weizenvollkornmehl und etwas mehr zum Bestäuben
1 TL	Zucker
50 g	Frischhefe (oder 3 Päckchen Trockenhefe), zerkrümelt

Für den Mehlkleister:

2 EL	Mehl

Seite 377

Diese Fladenbrote werden in Ost- und Südostanatolien gegessen. Der türkische Name *Tırnaklı Ekmek* (geriffeltes Fladenbrot) bezieht sich auf die Art, wie die Vertiefungen entstehen, nämlich dadurch, dass man die Fingerspitzen in den Teig presst. Südostanatolier holen sich für jede Mahlzeit einen frischen Fladen beim Bäcker. Dieses Brot ist meist mit Sesamkörnern oder feinem Zucker bestreut. Und es wird auch mit Olivenöl oder Lamm-Confit zubereitet.

♦

Für den Teig das Mehl mit ½ Teelöffel Salz und dem Zucker in einer großen Schüsssel vermischen. Eine Mulde machen und Hefe und 175 ml Wasser hineingeben, gründlich vermischen und in 10 Minuten zu einem Teig verkneten. Die Schüssel mit einem feuchten Küchentuch abdecken und den Teig 30 Minuten ruhen lassen.

Den Teig in 4 gleiche Teile teilen und zu Kugeln rollen. Die Teigkugeln mit Mehl bestreuen, mit den Händen flach drücken, mit einem feuchten Küchentuch abdecken und weitere 15 Minuten ruhen lassen.

Hände bemehlen und den Teig zu Scheiben von 15 cm Durchmesser ausziehen. Mit einem feuchten Küchentuch abdecken und weitere 10 Minuten ruhen lassen.

Den Backofen auf 240 °C vorheizen. Ein schweres Backblech zum Aufheizen in den Ofen schieben.

Für den Mehlkleister das Mehl mit 75 ml Wasser in einer Schüssel vermischen.

Den Teig mit dem Mehlkleister bestreichen. Mit je 1 cm weit gespreizten Fingern beider Hände 1 cm vom Teigrand beginnend quer über den Teig eine Reihe von Vertiefungen eindrücken. Darauf achten, dass der Teig nicht zerreißt. Teig zur Seite drehen und Vorgang wiederholen, sodass sich ein Gittermuster bildet.

Die Brote auf das Backblech legen und im heißen Ofen 10 Minuten backen.

DÜNNES FLADENBROT
YUFKA EKMEĞİ

Herkunft:	Adana, alle Landesteile
Zubereitung:	15 Minuten zzgl. 50 Minuten Ruhezeit
Backzeit:	4 Minuten
Personen:	4

250 g	Weizenvollkornmehl und etwas mehr zum Bestäuben

Dieses Brot wird von Frauen in einer Gemeinschaftsaktion zweimal jährlich in Mengen von 200 bis 300 Stück hergestellt. Man hält es vorrätig, um es dann übers Jahr aufzubrauchen. Ein Spritzer Wasser, eine kurze Rast in einem Küchentuch genügen – schon ist es verzehrbereit.

◆

Mehl und ½ Teelöffel Salz in einer großen Schüssel vermischen und eine Mulde hineindrücken. 175 ml Wasser dazugießen und in 10 Minuten zu einem Teig verkneten. Mit einem feuchten Küchentuch abdecken und 30 Minuten ruhen lassen.

Den Teig in 4 Teile teilen, mit einem feuchten Küchentuch abdecken und weitere 20 Minuten ruhen lassen.

Jedes Teigstück auf der bemehlten Arbeitsfläche mit dem Nudelholz zu einem Kreis von 40 cm Durchmesser ausrollen.

Eine *Saç*, gusseiserne Pfanne oder den Grill bei mittlerer Hitze in 10 Minuten sehr heiß werden lassen. Die Fladenbrote einzeln 50 Sekunden von jeder Seite backen. Sofort servieren.

◆

CIRIK-KÄSE-NUDELN
KARNI CIRIK

Herkunft:	Ardahan, Ostanatolien
Zubereitung:	30 Minuten zzgl. 15 Minuten Ruhezeit
Garzeit:	12 Minuten
Personen:	4

100 g	Mehl zum Bestäuben
200 g	Blauschimmelkäse, zerkrümelt
200 g	*Kaşar*-Käse (Kuhmilch), gerieben
80 g	Butter, zerlassen

Für den Teig:	
250 g	Mehl
1	Ei, geschlagen

Dieses Wintergericht ist rund um Kars, Ağrı und Artvin populär und wird auf einem großen Teller mitten auf dem Esstisch serviert.

◆

Für den Teig das Mehl und ½ Teelöffel Salz in einer großen Schüssel vermischen. Eine Vertiefung eindrücken, Ei und 100 ml Wasser hineingeben, behutsam vermischen und in 10 Minuten zu einem festen Teig verkneten. In 2 gleiche Teile teilen. Mit einem feuchten Küchentuch abdecken und 15 Minuten ruhen lassen.

Den Teig mit Mehl bestreuen und jedes Stück mit dem Nudelholz zu einer Scheibe von 20 cm Durchmesser ausrollen. Die Scheiben in 1 cm große Quadrate schneiden. Zeige- und Mittelfinger auf das obere Ende eines Quadrats legen, den Teig zur anderen Seite hin rollen, sodass sich kleine Röllchen bilden. 2,25 Liter Wasser mit ½ Teelöffel Salz bei mittlerer Hitze zum Kochen bringen. Die Nudeln ins siedende Wasser geben und 4 Minuten unter gelegentlichem Umrühren (damit sie nicht zusammenkleben) garen. Die Nudeln abgießen; 60 ml des Kochwassers aufheben.

Die Hälfte des Blauschimmel- und *Kaşar*-Käses in einer hitzebeständigen Auflaufform oder einer Pfanne verteilen und die Nudeln daraufgeben. Den restlichen Käse darüber verteilen und mit dem aufgehobenen Kochwasser besprenkeln. Mit der zerlassenen Butter beträufeln, und die Form bei mittlerer Hitze auf den Herd stellen. 2 Minuten erhitzen und dabei vermischen. Sofort servieren.

JOGHURT-PASTETE
ZIRFET

Herkunft:	Elazığ, Doğu Anadolu
Zubereitung:	25 Minuten
Gar- und Backzeit:	50 Minuten
Personen:	4

Für den Teig:

120 g	Weizenvollkornmehl und etwas mehr zum Bestäuben
1 EL	Mehl
120 g	Maismehl (Polenta)

Für die Joghurtsauce:

500 g	griechischer Joghurt aus Schafsmilch
6	Knoblauchzehen, gehackt

Für die Buttersauce:

400 g	frisch gebutterte Butter (Seite 487) oder normale Butter

 V

Dieses auch als *Lere, Zerfet, Babuko, Zarfet* oder *Kömbe* bekannte Gericht ist ein Festtagsessen für besondere Anlässe und wird mit Sultaninenkompott serviert. Traditionell wird es nicht mit Besteck sondern mit den Händen gegessen. In Karakoçan beansprucht jeder das Pastetenstück vor sich für sich und benutzt es als Löffel – diese Methode nennt sich „*sokum*". Manche Rezepte verlangen auch Fleisch- oder *Kavurma*-Füllungen.

♦

Den Backofen auf 200 °C vorheizen.

Für den Teig Weizenvollkornmehl, Mehl, Maismehl und ½ Teelöffel Salz in einer großen Schüssel vermischen. Eine Vertiefung hineindrücken, 175 ml Wasser dazugießen und in 10 Minuten zu einem groben Teig verkneten.

Den Teig auf eine bemehlte Arbeitsfläche geben und weitere 10 Minuten kneten; dabei die Hände hin und wieder in Mehl tunken, sodass der Teig fester wird. Zu einer Kugel rollen und anschließend mit dem Nudelholz zu einer Scheibe von 25 cm Durchmesser ausrollen. Mit den Fingern 2 cm vom Rand entfernt einen Kreis markieren.

Den Teig auf ein großes Backblech legen und im heißen Ofen 30 Minuten backen. Herausnehmen und die innere Teigscheibe herausbrechen. Die Teigscheibe in Stücke brechen und wieder aufs Blech geben, dabei in der Kreismitte hügelartig anhäufen. Weitere 20 Minuten backen, bis der Teig goldbraun ist, dabei ab und zu kontrollieren.

Für die Joghurtsauce Joghurt, Knoblauch und ¼ Teelöffel Salz 1 Minute gründlich verrühren.

Für die Buttersauce die Butter in einem kleinen Topf erhitzen.

Die heiße Buttersauce über das Gebäck gießen, sobald es aus dem Ofen kommt. Joghurtsauce darübergeben und darauf achten, dass sie innerhalb des Ringes bleibt. Sofort servieren.

WÜRZIGER HACKFLEISCHFLADEN
LAHMACUN (GAZİANTEP)

Herkunft:	Gaziantep, Südostanatolien
Zubereitung:	20 Minuten zzgl. 35 Minuten Ruhezeit
Backzeit:	1 Stunde zzgl. 5–20 Minuten
Personen:	4

100 g	Mehl zum Bestäuben

Für den Teig:	
250 g	Mehl
20 g	Frischhefe, zerkrümelt (oder 1½ Päckchen Trockenhefe)

Für den Belag:	
320 g	Lammfleisch (Rücken oder Schulter), Knochen und Sehnen entfernt, fein gehackt
200 g	Tomaten, in feine Scheiben geschnitten
1½ TL	Tomatenmark (Seite 492)
4 TL	Rote Paprikapaste (Seite 492)
1	kleine rote Paprika, in feine Ringe geschnitten
10	Knoblauchzehen, in feine Scheiben geschnitten
1 Bund	glatte Petersilie, fein geschnitten
4 TL	Chiliflocken

1 kg	Auberginen

Seite 381

Ansonsten als „Lahmacun mit Gemüse" bekannt, sind natürlich auch andere Geschmacksrichtungen wie frischer Knoblauch, Oliven oder Trüffel denkbar. Ayran (Seite 452) ist ein guter Begleiter und gerne serviert man auch Radieschen, glatte Petersilie und Zitrone dazu.

Die Auberginen bei 200 °C 1 Stunde im Backofen backen. Herausnehmen, abkühlen lassen, schälen und beiseitestellen.

Für den Teig das Mehl und ½ Teelöffel Salz in einer großen Schüssel vermischen. In einer zweiten Schüssel die Hefe in 175 ml Wasser auflösen. Eine Vertiefung ins Mehl drücken und die aufgelöste Hefe hineingießen, gut vermischen und in 5 Minuten zu einem Teig verkneten. Mit einem feuchten Küchentuch abdecken und 30 Minuten ruhen lassen.

Den Teig in 8 gleiche Stücke teilen, zu Kugeln rollen und weitere 5 Minuten ruhen lassen.

Für den Belag alle Zutaten mit den Händen gründlich vermischen. Die Masse in 8 gleiche Portionen teilen.

Den Backofen auf 240 °C vorheizen.

Die Teigkugeln mit Mehl bestreuen, mit den Händen flach drücken, dann mit dem bemehlten Nudelholz Scheiben von 15 cm Durchmesser ausrollen. Die Füllung darauf verteilen und bis zu den Rändern hin verstreichen. Den Teig noch weiter auf 20 cm Durchmesser ausziehen. Fladen auf Backbleche legen (2 pro Blech) und im heißen Ofen 4–5 Minuten backen.

Sofort mit den gebackenen Auberginen servieren.

LAHMACUN MIT WÜRZIGEM LAMMFLEISCH
LAHMACUN (ŞANLIURFA)

Herkunft:	Şanlıurfa, Südostanatolien
Zubereitung:	20 Minuten zzgl. 35 Minuten Ruhezeit
Backzeit:	5–20 Minuten
Personen:	4

Für den Teig:

250 g	Mehl
20 g	Frischhefe, zerkrümelt (oder 1½ Päckchen Trockenhefe)

Für den Belag:

320 g	Lammrippchen und -schulter, Knochen und Sehnen entfernt, fein gewürfelt
3 (360 g)	mittelgroße Zwiebeln
1 Bund	glatte Petersilie, fein gehackt
250 ml	frischer Tomatensaft
4 TL	Rote Paprikapaste (Seite 492)
1 EL	Tomatenmark (Seite 492)
4 TL	*Isot* (geräucherte Chiliflocken)
¼ TL	gemahlener Zimt

100 g	Mehl zum Bestäuben

200 g	Radieschen, in dünne Scheiben geschnitten
½ Bund	glatte Petersilie, nur Blätter
1	Zitrone, geviertelt

Der Belag für diese Fladen wird zu Hause zubereitet, kann aber auch beim Metzger fertig gekauft werden. Traditionell bringt man sie zum Backen zum Holzofen des Dorfbäckers. Immer aber genießt man sie mit einem Glas Ayran (Gesalzenes Joghurtgetränk, Seite 452).

Für den Teig Mehl und ½ Teelöffel Salz in einer großen Schüssel vermischen. In einer zweiten Schüssel die Hefe in 175 ml Wasser auflösen. Eine Vertiefung ins Mehl drücken und die aufgelöste Hefe hineingießen, gut vermischen und in 5 Minuten zu einem Teig verkneten. Mit einem feuchten Küchentuch abdecken und 30 Minuten ruhen lassen.

Den Teig in 8 gleiche Stücke teilen, zu Kugeln rollen und weitere 5 Minuten ruhen lassen.

Für den Belag alle Zutaten in einer großen Schüssel behutsam mit den Händen vermischen. Die Masse in 8 gleiche Portionen teilen und 5 Minuten stehen lassen.

Den Backofen auf 240 °C vorheizen.

Die Teigkugeln mit Mehl bestreuen, mit den Händen flach drücken, dann mit einem bemehlten Nudelholz zu Scheiben von 15 cm Durchmesser ausrollen. Den Belag vorsichtig darauf verteilen und bis zu den Rändern verstreichen, dann den Teig auf 20 cm Durchmesser ausziehen, ohne ihn zu zerreißen. Auf Backbleche legen (2 pro Blech) und im heißen Ofen 4–5 Minuten backen.

Sofort mit Radieschenscheiben, Petersilie und Zitronenvierteln servieren.

LAHMACUN MIT LAMM UND ZWIEBELN
SOĞANLI LAHMACUN

Herkunft:	Gaziantep, Südostanatolien
Zubereitung:	20 Minuten zzgl. 35 Minuten Ruhezeit
Backzeit:	5–20 Minuten
Personen:	4

100 g	Mehl zum Bestäuben

Für den Teig:

250 g	Mehl
20 g	Frischhefe (oder 1½ Päckchen Trockenhefe)

Für den Belag:

320 g	Lammrippchen und -schulter, Knochen und Sehnen entfernt, fein gehackt
2 (240 g)	mittelgroße Zwiebeln, fein gehackt
100 g	Walnusskerne, fein gehackt
2 TL	Rote Paprikapaste (Seite 492)
1 EL	Tomatenmark (Seite 492)
4 TL	Chiliflocken
60 ml	Granatapfelmelasse (Seite 490)

200 g	Radieschen, in dünne Scheiben geschnitten
½ Bund	glatte Petersilie, nur Blätter
4 Stängel	frische Minze, nur Blätter
1	Zitrone, geviertelt

Dieses Gericht wird in den Wintermonaten zubereitet und stets mit einem Glas Ayran (Gesalzenes Joghurtgetränk, Seite 452) genossen. Manche verwenden anstelle der Walnüsse lieber Pistazien oder Pinienkerne.

♦

Für den Teig Mehl und ½ Teelöffel Salz in einer großen Schüssel vermischen. In einer zweiten Schüssel die Hefe in 175 ml Wasser auflösen. Eine Mulde ins Mehl drücken und die aufgelöste Hefe hineingießen, gut vermischen und in 5 Minuten zu einem Teig verkneten. Mit einem feuchten Küchentuch abdecken und 30 Minuten ruhen lassen.

Den Teig in 8 gleiche Stücke teilen, zu Kugeln rollen und weitere 5 Minuten ruhen lassen.

Für den Belag in einer großen Schüssel alle Zutaten mit den Händen gründlich vermischen. 100 ml Wasser unterrühren, um die Masse etwas aufzulockern. In 8 gleiche Portionen teilen.

Den Backofen auf 240 °C vorheizen.

Die Teigkugeln mit Mehl bestäuben, dann mit den Händen flach drücken und mit dem bemehlten Nudelholz zu Scheiben von 15 cm Durchmesser ausrollen. Belag behutsam auf die Scheiben verteilen und bis zum Rand verstreichen. Dann den Teig auf 20 cm Durchmesser ausziehen, ohne ihn zu zerreißen. Die Fladen auf Backbleche legen (2 pro Blech) und im heißen Ofen 4–5 Minuten backen.

Sofort mit Radieschenscheiben, Petersilie, Minze und Zitronenvierteln servieren.

TÜRKISCHE JOGHURT-RAVIOLI
BORANAŞI

Herkunft:	Sinop, Schwarzmeerregion
Zubereitung:	30 Minuten zzgl. 15 Minuten Ruhezeit
Garzeit:	10 Minuten
Personen:	4

100 g	Mehl zum Bestäuben

Für den Teig:

250 g	Mehl
1	Ei, geschlagen

Für die Füllung:

400 g	Joghurt aus Kuhmilch, abgetropft
½ Bund	Dill, fein gehackt
4	Knoblauchzehen, gehackt

Für die Sauce:

100 g	Butter
4 Stängel	Dill, fein gehakct
1 TL	Chiliflocken

V

Als Sommergericht tauchen diese Teigwaren auf vielen Festivals und Feierlichkeiten auf.

♦

Für den Teig das Mehl und ¼ Teelöffel Salz in einer großen Schüssel vermischen. Eine Vertiefung hineindrücken, Ei und 95 ml Wasser dazugeben und vorsichtig vermischen. In 10 Minuten zu einem festen Teig verkneten. In 2 Teile teilen. Mit einem feuchten Küchentuch abdecken und 15 Minuten ruhen lassen.

Den Teig mit Mehl bestäuben und jedes Stück mit dem Nudelholz zu einer Scheibe von 40 cm Durchmesser ausrollen. Beide Scheiben in 4 cm große Quadrate schneiden.

Für die Füllung alle Zutaten in einer großen Schüssel gut vermischen.

Die Masse gleichmäßig auf die Teigquadrate verteilen, diese zu Dreiecken falten und Seiten zusammendrücken.

2 Liter Wasser mit ¾ Teelöffel Salz in einem großen Topf bei mittlerer Hitze aufwallen lassen. Die Teigwaren in das kochende Wasser geben und 3–4 Minuten garen; ab und zu umrühren, damit sie nicht zusammenkleben. Mit einem Schaumlöffel auf Teller heben.

Für die Sauce die Butter in einem kleinen Topf bei mittlerer Hitze zerlassen, Dill und Chiliflocken dazugeben und 10 Sekunden braten.

Die Ravioli mit der Sauce beträufeln und servieren.

TÜRKISCHE MINI-TORTELLINI MIT LAMM
BÖREK AŞI

Herkunft:	Kayseri, Zentralanatolien
Zubereitung:	30 Minuten zzgl. Einweichen über Nacht und 15 Minuten Ruhezeit
Garzeit:	1½ Stunden für die Kichererbsen zzgl. 15 Minuten
Personen:	4

Für den Teig:

250 g	Mehl
1	Ei, geschlagen

100 g	Mehl zum Bestäuben
100 g	Butter
6	Knoblauchzehen, gehackt
1½ TL	Tomatenmark (Seite 492)
4 TL	Rote Paprikapaste (Seite 492)
1 TL	Chiliflocken
200 g	Tomaten, gerieben
100 g	Kichererbsen, über Nacht in Wasser eingeweicht, abgetropft, 1½ Stunden in 1,5 l Wasser vorgekocht und geschält, oder aus der Dose
2 l	Fleischbrühe (Seite 491)
250 ml	Sumachextrakt (Seite 491)
2 TL	getrocknete Minze

Für die Füllung:

400 g	Lammfleisch, mit einem Hackmesser fein gehackt oder durchgedreht
1 TL	Chiliflocken
50 g	Walnusskerne, fein gehackt

Tüchtige *Mantı*-Köchinnen prahlen, dass bei ihnen 40 dieser Mini-Tortellini auf einen Esslöffel passen. Auch wenn Sie sie nicht so winzig hinbekommen wie im Rezept verlangt, versuchen Sie es zumindest. Manche träufeln vor dem Servieren etwas Joghurt über die Pasta.

◆

Für den Teig Mehl und ½ Teelöffel Salz in einer großen Schüssel vermischen. In die Mitte eine Vertiefung eindrücken, Ei und 95 ml Wasser dazugeben und vorsichtig vermischen. In 10 Minuten zu einem festen Teig verkneten. In 2 gleiche Teile teilen. Mit einem feuchten Küchentuch abdecken und 15 Minuten ruhen lassen.

Den Teig mit Mehl bestäuben und mit dem Nudelholz die Stücke zu Scheiben von 40 cm Durchmesser ausrollen. Beide Scheiben in 1 cm große Quadrate schneiden.

Für die Füllung Lammhack, Chiliflocken, ½ Teelöffel Salz und die Walnüsse 5 Minuten miteinander verkneten.

Die Masse gleichmäßig auf die Teigquadrate verteilen und diese zu Säckchen bündeln, die die Füllung umschließen.

Die Butter in einem Topf bei mittlerer Hitze zerlassen und den Knoblauch 10 Sekunden darin anschwitzen. Tomatenmark, Paprikapaste und Chiliflocken hinzufügen und 2 Minuten mitbraten. Tomaten und Kichererbsen dazugeben und 5 Minuten unter gelegentlichem Umrühren mitgaren.

Die Fleischbrühe und ½ Teelöffel Salz in einem großen Topf bei mittlerer Hitze zum Kochen bringen. Die Pasta in die sprudelnde Brühe geben und 4 Minuten garen; dabei gelegentlich umrühren, um sicherzustellen, dass sie nicht zusammenklebt.

Die gegarten Tortellini mit einem Schaumlöffel aus der Brühe heben und zur Tomatenmischung in den anderen Topf geben. 1 Minute lang köcheln lassen, dann Sumachextrakt und getrocknete Minze unterrühren und sofort servieren.

TÜRKISCHE KALBSTORTELLINI
MANTI

Herkunft:	Kayseri, Zentralanatolien
Zubereitung:	40 Minuten zzgl. 5 Minuten Ruhezeit
Garzeit:	10 Minuten
Personen:	4

Für den Teig:

250 g	Mehl
1	Ei, geschlagen

100 g	Mehl zum Bestäuben

Für die Füllung:

500 g	Kalbsbrust und -keule, fein gehackt
60 g	mittelgroße Zwiebel, fein gewürfelt

Für die Joghurtsauce:

500 g	griechischer Joghurt (Kuhmilch)
4	Knoblauchzehen, gehackt

Für die Buttersauce:

100 g	Butter
1 TL	Chiliflocken

Zuweilen werden diese gefüllten Teigwaren mit getrockneter Minze und Sumach serviert, aber auch eingelegte Paprika sind eine beliebte Beilage. *Mantı* können auch noch kleiner gemacht werden, wobei man lediglich 1 cm große Teigquadrate schneidet.

Wer kein großer Joghurtfan ist, kann anstelle der Joghurtsauce auch aus ½ Teelöffel Tomatenmark, 2 Teelöffel Paprikapaste, 4 Knoblauchzehen, ¼ Teelöffel gemahlenem Sumach und 250 ml frischem Tomatensaft eine Tomatensauce zubereiten.

◆

Für den Teig Mehl und ½ Teelöffel Salz in einer großen Schüssel vermischen. Eine Vertiefung hineindrücken, Ei und 95 ml Wasser dazugeben und vorsichtig vermischen. In 10 Minuten zu einem festen Teig verkneten. In 2 gleiche Teile teilen. Mit einem feuchten Küchentuch abdecken und 5 Minuten ruhen lassen.

Den Teig mit Mehl bestreuen und mit dem Nudelholz jedes Stück zu einem Kreis von 40 cm Durchmesser ausrollen. Beide Scheiben in 2 cm große Quadrate schneiden.

Für die Füllung alle Zutaten in einer großen Schüssel verkneten. Die Füllung gleichmäßig auf die Teigquadrate verteilen und kleine, fest verschlossene Täschchen formen.

3 Liter Wasser mit ¾ Teelöffel Salz in einem großen Topf zum Kochen bringen. Die *Mantı* hineingeben und 5 Minuten garen; umrühren, damit sie nicht zusammenkleben. Die *Mantı* mit einem Schaumlöffel auf eine Servierplatte heben.

Für die Joghurtsauce Joghurt, ¼ Teelöffel Salz und Knoblauch 3 Minuten verrühren, bis alles gut vermischt ist.

Für die Buttersauce Butter in einem Topf bei mittlerer Hitze zerlassen und die Chiliflocken darin 10 Sekunden braten.

Erst Joghurtsauce über die *Mantı* gießen, dann die heiße Buttersauce. Sofort servieren.

ZIEGENKÄSE-RAVIOLI
PİRUHİ

Herkunft:	Bilecik, alle Landesteile
Zubereitung:	30 Minuten zzgl. 30 Minuten Ruhezeit
Garzeit:	10 Minuten
Personen:	4

Für den Teig:

250 g	Mehl
1	Ei, geschlagen

100 g	Mehl zum Bestäuben

Für die Füllung

300 g	Ziegenkäse, zerkrümelt
2	Frühlingszwiebeln, fein gehackt
2 Stängel	frische Minze, fein gehackt
4 Stängel	glatte Petersilie, fein gehackt
2 Stängel	frisches Basilikum, fein gehackt

Für die Sauce:

100 g	Butter
1	Frühlingszwiebel, fein gehackt
4 Stängel	glatte Petersilie, fein gehackt
1	frischer Basilikumzweig, fein gehackt

V

Piruhi sind Käse-Ravioli. Als Füllungen sind *Lor, Çökelek* und *Keş* gleichermaßen beliebt, und auch eine *Labneh*-Variante gibt es. Sie alle werden mit Buttersauce serviert.

♦

Für den Teig Mehl und ½ Teelöffel Salz in einer großen Schüssel vermischen. Eine Mulde hineindrücken, Ei und 100 ml Wasser dazugeben und behutsam vermischen. In 10 Minuten zu einem festen Teig verkneten. In 2 gleiche Teile teilen. Mit einem feuchten Küchentuch abdecken und 30 Minuten ruhen lassen.

Den Teig mit Mehl bestäuben und die Teigstücke in Scheiben von 40 cm Durchmesser ausrollen. Beide Scheiben in 4 cm große Quadrate schneiden.

Für die Füllung alle Zutaten 5 Minuten in einer großen Schüssel miteinander verkneten.

Die Füllung gleichmäßig auf die Teigquadrate verteilen, zu Dreiecken falten und die Seiten fest zusammenpressen.

2 Liter Wasser und ¾ Teelöffel Salz in einem großen Topf zum Kochen bringen. Die Teigtäschchen dazugeben und 5 Minuten kochen, dabei umrühren, damit sie nicht zusammenkleben. Pasta mit einem Schaumlöffel auf eine Servierplatte heben.

Für die Sauce die Butter in einem Topf bei mittlerer Temperatur erhitzen, die gehackte Frühlingszwiebel dazugeben und 2 Minuten anschwitzen. Petersilie und Basilikum hinzufügen und 1 Minute mitgaren.

Die Pasta mit der Sauce beträufeln und sofort servieren.

GEBACKENE GEFÜLLTE PASTA
DİZME MANTI

Herkunft:	Kayseri, Zentralanatolien
Zubereitung:	30 Minuten zzgl. 30 Minuten Ruhezeit
Backzeit:	15 Minuten
Personen:	4

100 g	Mehl zum Bestäuben
60 g	Butter, zerlassen
2 Stängel	frisches Basilikum, fein geschnitten
4 Stängel	glatte Petersilie, fein geschnitten
1 kräftige Prise	gemahlener Sumach

Für den Teig:	
250 g	Mehl
1	Ei, geschlagen
75 ml	Milch
1 EL	natives Olivenöl extra

Für die Füllung:	
400 g	Kalbshackfleisch
½ (60 g)	mittelgroße Zwiebel, fein gewürfelt
½ TL	Chiliflocken

Für die Sauce:	
150 g	Butter
4	Knoblauchzehen
1 TL	Chiliflocken
1½ TL	Tomatenmark (Seite 492)
200 g	Tomaten, in feine Scheiben geschnitten
100 ml	heiße Kalbsbrühe (Seite 489)

Seite 389

Diese auch als „Ofen-*Mantı*" bekannten Teigwaren werden gerne mit einer Joghurtsauce (aus 500 g griechischem Joghurt, 5 gehackten Knoblauchzehen und 1 Prise Salz) serviert.

◆

Für den Teig das Mehl und ½ Teelöffel Salz in einer großen Schüssel vermischen. In die Mitte eine Vertiefung eindrücken, Ei, Milch und Olivenöl dazugeben und vorsichtig vermischen. In 10 Minuten zu einem festen Teig verkneten. In 2 gleiche Teile teilen. Mit einem feuchten Küchentuch abdecken und 30 Minuten ruhen lassen.

Den Backofen auf 220 °C vorheizen. Eine runde Auflaufform von 25 cm Durchmesser mit 2 Esslöffel der Butter einfetten.

Für die Füllung Kalbshack, Zwiebel, je ¼ Teelöffel Salz und frisch gemahlenen Pfeffer sowie Chiliflocken gründlich verkneten.

Den Teig mit Mehl bestäuben und mit dem Nudelholz jedes Stück zu einer Scheibe von 30 cm Durchmesser ausrollen. Den Teig in 5-cm-Quadrate schneiden.

Die Füllung gleichmäßig auf die Teigquadrate verteilen, die Ecken so zusammendrücken, dass sie in der Mitte offen bleiben. *Mantı* in die vorbereitete Form setzen. Mit den restlichen 2 Esslöffel Butter beträufeln und im heißen Ofen 8 Minuten backen.

Währenddessen für die Sauce die Butter in einem Topf bei mittlerer Hitze zerlassen und darin den Knoblauch 20 Sekunden anschwitzen. Chiliflocken hinzufügen und weitere 10 Sekunden mitbraten. Tomatenmark dazugeben und 1 Minute braten, dann Tomaten und ½ Teelöffel Salz zufügen und 5 Minuten erhitzen. Zum Kochen bringen, dann Hitze reduzieren, die heiße Brühe angießen und weitere 3 Minuten kochen.

Die Sauce über die gebackene Pasta gießen. Basilikum, Petersilie, Sumach und ¼ Teelöffel frisch gemahlenen Pfeffer darüber streuen. Für 1 Minute in den Ofen schieben und sofort servieren.

KÄSE-PASTETEN
PEYNİRLİ SEMSEK

Herkunft:	Gaziantep, Südostanatolien
Zubereitung:	25 Minuten zzgl. 45 Minuten Ruhezeit
Backzeit:	10 Minuten
Personen:	4

100 g	Mehl
60 ml	natives Olivenöl extra

Für den Teig:	
250 g	Mehl , mehr zum Bestreuen
50 g	Frischhefe, zerkrümelt (oder 3 Päckchen Trockenhefe)

Für die Füllung:	
400 g	ungesalzener Schafskäse
5	Frühlingszwiebeln
3	Knoblauchzehen
½ Bund	glatte Petersilie
2 Stängel	frischer Estragon
1 TL	getrocknete Minze
2 TL	Chiliflocken

◆ V

Diese Pasteten, die in Nizip *Peynirli Semsek* und in Antep *Peynirli Börek* heißen, kennt man auch unter der schlichten Bezeichnung Käse-Börek. Mit frischem Schafs- oder Ziegenkäse von den Hausfrauen zubereitet, werden sie zum örtlichen Bäcker getragen und dort im Holzofen gebacken.

◆

Für den Teig Mehl und ½ Teelöffel Salz in einer Schüssel vermischen. In einer zweiten Schüssel die Hefe in 175 ml Wasser auflösen. Eine Vertiefung ins Mehl drücken, die Hefe hinzufügen und vermischen, dann 5 Minuten kneten. Den Teig mit einem feuchten Küchentuch abdecken und 30 Minuten ruhen lassen. In 8 gleiche Teile teilen, alle zu Kugeln rollen und weitere 15 Minuten ruhen lassen.

Für die Füllung den Käse zerkrümeln. Frühlingszwiebeln, Knoblauch, Petersilie und Estragon fein schneiden. Alle Füllungszutaten mit ¼ Teelöffel frisch gemahlenem Pfeffer und ½ Teelöffel Salz in einer Schüssel vermischen. In 8 gleiche Portionen teilen.

Den Backofen auf 220 °C vorheizen. Mehl über die Teigkugeln streuen und sie mit den Händen flach drücken. Die Arbeitsfläche bemehlen und den Teig zu Scheiben von 15 cm Durchmesser ausrollen. Füllung auf die Teigscheiben geben, die Ränder 1 cm hochfalten und zusammendrücken, sodass jeweils ein Oval entsteht. Auf ein Backblech legen, mit Olivenöl bepinseln und im Ofen in 7–8 Minuten goldbraun backen. Auf Tellern servieren.

◆

JOGHURTNUDELN
ÖKSÜZ MANTI

Herkunft:	Manisa, alle Landesteile
Zubereitung:	5 Minuten
Garzeit:	15 Minuten
Personen:	4

250 g	Hausgemachte Nudeln (Seite 493)

Für die Buttersauce:	
80 g	Butter
2	Knoblauchzehen, gehackt
1 TL	Chiliflocken
1½ TL	Tomatenmark (Seite 492)

Für die Joghurtsauce:	
3	Knoblauchzehen
500 g	griechischer Joghurt aus Schafsmilch

V ✕

Aus unerfindlichen Gründen verbirgt sich hinter dem türkischen Begriff *Öksüz Mantı* nichts Tortelliniartiges, sondern schlichte Nudeln. Die wortwörtliche Übersetzung Waisen-Tortellini bezieht sich auf die Tatsache, dass hier die Füllung fehlt, weswegen man das Gericht auch als „Arme-Leute-Tortellini" bezeichnet.

◆

3 Liter Wasser und ¾ Teelöffel Salz in einem Topf bei mittlerer Hitze zum Kochen bringen. Die Nudeln hineingeben und 5 Minuten kochen. Vom Herd nehmen und 2 Minuten ruhen lassen. Währenddessen die Saucen fertigstellen.

Für die Buttersauce Butter in einem Topf bei mittlerer Hitze zerlassen und Knoblauch und Chiliflocken 10 Sekunden darin anschwitzen. Das Tomatenmark dazugeben und 2 Minuten köcheln lassen. 2 Esslöffel Nudelkochwasser dazugeben und weitere 2 Minuten köcheln lassen.

Für die Joghurtsauce den Knoblauch zu einer Paste zerstampfen. Joghurt und ¼ Teelöffel Salz 3 Minuten verrühren und gut mit dem Knoblauch vermischen.

Die Nudeln abgießen und auf Teller verteilen. Erst die Joghurt-, dann die Buttersauce darüberschöpfen und servieren.

BROT & BACKWAREN

GEBACKENE NUDELSPIRALEN
SİRON

Herkunft:	Tunceli, alle Landesteile
Zubereitung:	30 Minuten zzgl. 30 Minuten Ruhezeit
Backzeit:	30 Minuten
Personen:	4

100 g	Weizenvollkornmehl zum Bestäuben

Für den Teig:

250 g	Weizenvollkornmehl

Für die Joghurtsauce:

500 g	Joghurt aus Schafsmilch
4	Knoblauchzehen, zu einer Paste zerstampft
1 TL	Chiliflocken

Für die Buttersauce:

100 g	Butter
1 TL	Chiliflocken
2 Stängel	frisches Basilikum, fein gehackt
4 Stängel	glatte Petersilie, fein gehackt

V

Dieses Gericht – mancherorts auch als *Ziron, Silor, Sırın* oder *Sırım* bekannt – wird zu besonderen Anlässen zubereitet und auf einem großen Gemeinschaftstisch auf einem Tablett aufgeschichtet. Es gibt auch Rezeptvarianten, die Lamm oder Hähnchen enthalten.

◆

Für den Teig Mehl und ½ Teelöffel Salz in einer großen Schüssel vermischen. Eine Vertiefung hineindrücken, 165 ml Wasser dazugeben und vermischen. In 10 Minuten zu einem festen Teig verkneten. In 2 gleiche Stücke teilen und 30 Minuten ruhen lassen.

Den Teig mit Mehl bestreuen und die Stücke mit einem Nudelholz zu Scheiben von 40 cm Durchmesser ausrollen.

Den Backofen auf 200 °C vorheizen.

Eine *Saç*, eine gusseiserne Pfanne oder einen Grill in etwa 10 Minuten sehr heiß werden lassen. Jedes Teigblatt 50 Sekunden von jeder Seite darin braten und dann so fest wie möglich zusammenrollen. Die Rollen in 2 cm breite Streifen schneiden. Die Streifen mit der Naht nach oben auf ein Backblech legen und im heißen Ofen 15 Minuten backen.

Für die Joghurtsauce Joghurt, Knoblauch, Chiliflocken und ¼ Teelöffel Salz 3 Minuten verrühren.

Für die Buttersauce die Butter in einem Topf bei mittlerer Hitze zerlassen, getrocknete Chiliflocken dazugeben und 10 Sekunden braten.

Die gebackenen Nudelspiralen auf einer Servierplatte zu drei Haufen aufschichten. Joghurt- und Buttersauce darübergießen, mit frischem Basilikum und Petersilie bestreuen und in die Tischmitte stellen, damit alle sich bedienen können.

HANGEL-NUDELN
HANGEL

Herkunft:	Kars, Ostanatolien
Zubereitung:	20 Minuten zzgl. 15 Minuten Ruhezeit
Backzeit:	15 Minuten
Personen:	4

100 g	Mehl zum Bestäuben

Für den Teig:

250 g	Mehl
1	Ei, geschlagen

Für die Sauce:

100 g	Butter
2 (240 g)	mittelgroße Zwiebeln, in Ringen

V

Hangel-Nudeln isst man das ganze Jahr hindurch nach der Hauptmahlzeit, vor allem aber im Winter.

◆

Für den Teig Mehl und ¾ Teelöffel Salz in einer großen Schüssel vermischen. Eine Vertiefung hineindrücken, Ei und 95 ml Wasser dazugeben und vorsichtig vermischen. In 10 Minuten zu einem festen Teig verkneten. In 2 gleiche Teile teilen. Mit einem feuchten Küchentuch abdecken und 15 Minuten ruhen lassen.

Die Teigstücke mit Mehl bestäuben und mit dem Nudelholz zu Scheiben von 30 cm Durchmesser ausrollen. Beide Scheiben in 2 cm große Quadrate schneiden.

Für die Sauce die Butter in einem Topf bei mittlerer Hitze zerlassen und die Zwiebeln 10 Minuten darin anschwitzen. ¼ Teelöffel Salz unterrühren und 1 weitere Minute garen.

Inzwischen 2,25 l Wasser mit ¾ Teelöffel Salz in einem Topf zum Kochen bringen. Die Nudeln ins sprudelnde Wasser geben und 3–4 Minuten garen; gelegentlich umrühren, damit sie nicht zusammenkleben. Mit einem Schaumlöffel auf Teller heben.

Mit 2 Esslöffel Kochwasser besprenkeln, dann mit der Sauce beträufeln und servieren.

◆

NUDELN MIT ENTE
ÖRDEKLİ MANTI

Herkunft:	Çanakkale, Marmararegion
Zubereitung:	15 Minuten
Garzeit:	1 Stunde 50 Minuten
Personen:	4

1 (1,5 kg)	Wild- oder Bauernente , küchenfertig
6	Knoblauchzehen, gehackt
5	Pfefferkörner
400 g	*Uzun Erişte* (Lange hausgemachte Nudeln, Seite 493)

Wenn ein Ehemann mit einer Ente von der Jagd heimkam, bereitete seine Frau für die Familie diese Nudeln zu. Enten-Nudeln gibt es vor allem im Winter.

◆

Die Ente mit 3 Liter Wasser in einen Topf geben und bei mittlerer Hitze zum Kochen bringen. Aufsteigenden Schaum mit einem Schaumlöffel abschöpfen. Hitze reduzieren, Knoblauch, Pfefferkörner und ¾ Teelöffel Salz hinzufügen und 1½ Stunden köcheln lassen. Die Ente herausnehmen und das Fleisch von den Knochen lösen. Beiseitestellen. Hitze weiter reduzieren und die Brühe weiter köcheln lassen.

Den Backofen auf 220 °C vorheizen.

Die langen Nudeln in der Mitte durchschneiden. Die Hälfte davon in einen Bräter geben und das Entenfleisch darüber verteilen. Die restlichen Nudeln darübergeben und das restliche Fleisch darauf verteilen. Mit der köchelnden Brühe übergießen.

20 Minuten im heißen Ofen backen.

Auf Teller verteilen und servieren.

NUDEL-FLEISCH-TOPF
ŞİŞ BÖREK

Herkunft:	Gaziantep, Südostanatolien und Mittelmeerregion
Zubereitung:	40 Minuten zzgl. Einweichen über Nacht und 10 Minuten Ruhezeit
Backzeit:	1½ Stunden
Personen:	4

600 g	Lammschulter, in 2-cm-Würfel geschnitten
100 g	Kichererbsen, über Nacht in Wasser eingeweicht, abgetropft
100 g	Mehl zum Bestäuben

Für den Teig:

250 g	Mehl

Für die Füllung:

400 g	Hammelkeulenfleisch, fein gehackt
60 g	Zwiebel, fein gehackt

Für die Joghurtsauce:

300 g	abgetropfter Joghurt aus Schafsmilch

Für die Buttersauce:

60 g	Butter
2 TL	getrocknete Minze

Dieses Gericht wird zu besonderen Anlässen zubereitet. Es gibt auch eine Variante mit Tomatenmark, eine mit Knoblauch sowie eine saure Variante mit Granatapfelmelasse. Manche geben auch noch Walnüsse in die Füllung.

◆

Lammschulter und Kichererbsen mit 3 Liter Wasser und ½ Teelöffel Salz in einen großen Topf geben und bei mittlerer Hitze zum Kochen bringen. Den aufsteigenden Schaum abschöpfen. Die Hitze reduzieren, Deckel auflegen und 1 Stunde 20 Minuten garen.

Für den Teig das Mehl und ½ Teelöffel Salz in einer großen Schüssel vermischen. Eine Vertiefung hineindrücken, 165 ml Wasser dazugießen und vermischen. In 10 Minuten zu einem festen Teig verkneten. In 2 gleich große Teile teilen und zu Kugeln rollen. Mit einem feuchten Küchentuch abdecken und 10 Minuten ruhen lassen.

Die Teigstücke mit Mehl bestäuben und mit dem Nudelholz zu Scheiben von 30 cm Durchmesser ausrollen. Beide Scheiben in 2 cm große Quadrate schneiden.

Für die Füllung alle Zutaten in einer großen Schüssel 5 Minuten verkneten.

Die Masse gleichmäßig auf die Teigquadrate verteilen. Die Enden nach oben ziehen und Teig zu Säckchen falten, sodass die Füllung eingeschlossen ist.

Für die Joghurtsauce den abgetropften Joghurt mit 250 ml Wasser in einem kleinen Topf bei mittlerer Hitze 3 Minuten rühren. Die Hitze reduzieren und in dieselbe Richtung rühren, bis der Joghurt kocht. 2 Minuten lang kochen, dann vom Herd nehmen.

Die gefüllten Nudeln in den Topf mit dem Lammfleisch geben und ohne Deckel 5 Minuten garen. Die Joghurtsauce und ¼ Teelöffel frisch gemahlenen Pfeffer dazugeben und weitere 2 Minuten garen.

Für die Buttersauce die Butter in einem Topf bei mittlerer Temperatur erhitzen, getrocknete Minze hinzufügen und 10 Sekunden mitbraten.

Den fertigen Eintopf auf Teller geben, mit der Buttersauce übergießen und servieren.

GERILLTES BROT
AÇIK EKMEK

Herkunft:	Gaziantep, Südostanatolien und Mittelmeerregion
Zubereitung:	10 Minuten zzgl. 20 Minuten Ruhezeit
Backzeit:	20 Minuten
Personen:	4

Für den Teig:

250 g	Weizenvollkornmehl
50 g	Frischhefe, zerkrümelt (oder 3 Päckchen Trockenhefe)

Für den Mehlkleister:

2 EL	Mehl
60 g	Mehl

Es gibt noch eine zweite Variante dieses Brots, ohne Mehlkleister; sie wird über einem Tandoor gegart und heißt *Lavash*. Statt eines Nudelholzes nehmen die Frauen dafür die bemehlten Hände zu Hilfe.

♦

Für den Teig Mehl und ½ Teelöffel Salz in einer Schüssel vermischen, eine Mulde eindrücken, Hefe und 175 ml Wasser dazugeben. Vermischen und in 10 Minuten zu einem Teig verkneten. Mit einem feuchten Küchentuch abdecken und 10 Minuten ruhen lassen.

Den Teig in 4 gleiche Stücke teilen. Zu Kugeln rollen, mit einem feuchten Küchentuch abdecken und weitere 10 Minuten ruhen lassen.

Den Backofen auf 240 °C vorheizen. Einen Pizzastein oder ein schweres Backblech zum Aufheizen in den Ofen schieben.

Für den Mehlkleister das Mehl mit 75 ml Wasser in einer Schüssel vermischen.

Die Teigkugeln mit Mehl bestreuen und flach drücken. Die Stücke mit dem Nudelholz zu 30 × 20 cm großen Quadraten ausrollen. Den Mehlkleister auf dem Brot verteilen und dabei mit den Fingerrücken Furchen eindrücken. Mit den Fingerspitzen Riffel in den Kleister drücken.

Die Brote nacheinander 4 Minuten auf dem Pizzastein oder Backblech im heißen Ofen backen.

♦

BAZLAMA-FLADEN
BAZLAMA

Herkunft:	Bolu, Schwarzmeerregion, Marmararegion und Zentralanatolien
Zubereitung:	20 Minuten zzgl. 1 Stunde Ruhezeit
Backzeit:	20 Minuten
Personen:	4

250 g	Weizenvollkornmehl
75 ml	warme Milch
50 g	Frischhefe, zerrümelt (oder 3 Päckchen Trockenhefe)
2 TL	Zucker

Dieses Fladenbrot wird normalerweise auf einer *Saç* (einer konkaven Eisenplatte), einem Schiefer- oder Keramikteller gegart. Man isst es vor allem ums Marmarameer, am westlichen Schwarzen Meer und in Zentralanatolien.

♦

Das Weizenvollkornmehl mit ½ Teelöffel Salz in einer großen Schüssel vermischen. In einer zweiten Schüssel Milch, Hefe und Zucker mit 100 ml warmem Wasser verrühren. Eine Mulde ins Mehl drücken, Hefemischung hineingießen, gut vermischen und 10 Minuten kneten. Eventuelle Luftblasen aus dem Teig drücken und ihn zu einer Kugel rollen. In 2 Stücke teilen, mit einem feuchten Küchentuch abdecken und 30 Minuten ruhen lassen.

Den Teig jeweils auf 15 cm Durchmesser ausziehen, mit einem feuchten Küchentuch abdecken und weitere 30 Minuten ruhen lassen.

Eine *Saç*, eine gusseiserne Pfanne oder einen Grill in etwa 10 Minuten stark erhitzen. Die Brote darauf 10 Minuten backen und alle 2 Minuten wenden.

FRITTIERTES BROT
PİŞİ

Herkunft:	İstanbul, alle Landesteile
Zubereitung:	15 Minuten zzgl. 40 Minuten Ruhezeit
Garzeit:	35 Minuten
Personen:	4

250 g	Mehl
20 g	Frischhefe, zerkrümelt
500 ml	natives Olivenöl extra

Dieses Brot wird traditionell an Menschen verschenkt, denen man unrecht getan hat. Der *Pişi*-Teig ist hier meist fester als in der *Şanlıurfa*-Variante. *Pişi* wird mit der Olivenernte in Bursa und Umgebung assoziiert, wo man es mit Schaum-*Helva* genießt.

Das Mehl und 1 Teelöffel Salz in einer großen Schüssel vermischen. Die Hefe in einer zweiten Schüssel mit 200 ml lauwarmem Wasser verrühren. Eine Vertiefung ins Mehl drücken und Hefe hinzufügen. Behutsam vermischen und in 5 Minuten zu einem Teig verkneten. Die Schüssel mit einem feuchten Küchentuch abdecken und bei Zimmertemperatur 30 Minuten ruhen lassen.

Den Teig in 8 gleiche Teile teilen. Diese zu Scheiben von 15 cm Durchmesser ausziehen und mit dem Finger ein Loch in die Mitte jeder Scheibe drücken. Mit einem feuchten Küchentuch abdecken und weitere 10 Minuten ruhen lassen.

Das Olivenöl in einem großen Topf bei mittlerer Temperatur auf 155 °C erhitzen. Jedes Brot unter mehrmaligem Wenden 4 Minuten frittieren. Sofort servieren.

FRITTIERTES ŞANLIURFA-FLADENBROT
PİŞİ (ŞANLIURFA)

Herkunft:	Şanlıurfa, Südostanatolien
Zubereitung:	15 Minuten zzgl. 40 Minuten Ruhezeit
Backzeit:	30 Minuten
Personen:	4

250 g	Mehl
1 TL	Zucker
1 TL	Schwarzkümmel
40 g	Frischhefe (oder 2 ½ Päckchen Trockenhefe), zerkrümelt
500 ml	natives Olivenöl extra

Hier wird der Teig dünn ausgerollt wie bei einem Lahmacun und in Olivenöl knusprig ausgebacken. Mit Zucker und Zimt bestreut wird das Brot als Almosen verteilt.

Mehl, ½ Teelöffel Salz, Zucker und Schwarzkümmel in einer Schüssel vermischen. Die Hefe in einer zweiten Schüssel in 150 ml Wasser auflösen. Eine Mulde ins Mehl drücken und die Hefe hineingeben. Vorsichtig mischen und in 5 Minuten zu einem Teig verkneten. Die Schüssel mit einem feuchten Küchentuch abdecken und 30 Minuten ruhen lassen.

Den Teig in 8 gleiche Teile teilen. Zu Kugeln formen, mit einem feuchten Tuch abdecken und weitere 10 Minuten ruhen lassen.

Die Teigkugeln mit dem Nudelholz zu Scheiben von 20 cm Durchmesser ausrollen.

Das Olivenöl in einem großen Topf bei mittlerer Temperatur auf 155 °C erhitzen. Jeden Fladen 1 Minute pro Seite frittieren, dann nochmals 30 Sekunden pro Seite – 3 Minuten insgesamt. Sofort servieren.

FLADENBROT MIT LAMM
ETLİ EKMEK (MARDİN)

Herkunft:	Mardin, Südostanatolien
Zubereitung:	25 Minuten zzgl. 45 Minuten Ruhezeit
Backzeit:	10 Minuten
Personen:	4

Für den Teig:

250 g	Mehl
50 g	Frischhefe, zerkrümelt (oder 3 Päckchen Trockenhefe)
400 g	Lammbrust und -rücken
1½ TL	Tomatenmark (Seite 492)
½ TL	*Mahleb* (Steinweichselgewürz)
2 TL	getrockneter Oregano
½ TL	gemahlene Gewürznelken
¼ TL	gemahlene Fenchelsamen

50 g	Mehl
60 ml	natives Olivenöl extra

Zum ganzjährig geschätzten Fladenbrot *Etli Ekmek* schmecken im Sommer Wassermelonenscheiben. Die Einheimischen tragen es in die nächste Bäckerei, um es im dortigen Holzofen backen zu lassen. Eine scharfe Chilivariante gibt es auch.

♦

Für den Teig Mehl und ½ Teelöffel Salz in einer Schüssel vermischen. Die Hefe in 175 ml Wasser auflösen. Eine Mulde ins Mehl drücken und die Hefe hineingeben. Das Lamm entbeinen, von Sehnen befreien im fein hacken oder durchdrehen. Fleisch, Tomatenmark, *Mahleb*, Oregano, Gewürznelken und Fenchelsamen und ¼ Teelöffel frisch gemahlenen Pfeffer dazugeben. In 10 Minuten zu einem Teig verkneten, mit einem feuchten Küchentuch abdecken und 30 Minuten ruhen lassen. Teig in 4 gleiche Teile teilen, zu Kugeln rollen und mit einem feuchten Küchentuch abgedeckt weitere 10 Minuten stehen lassen.

Den Backofen auf 240 °C vorheizen. Ober- und Unterseiten der Kugeln mit Mehl bestreuen und Teig zu Scheiben flach drücken. Hände einölen und die Scheiben auf 15 cm Durchmesser ausziehen. Auf ein geöltes Backblech legen, mit einem feuchten Küchentuch bedecken und 5 Minuten ruhen lassen. 9–10 Minuten im heißen Ofen backen. Herausnehmen, mit Olivenöl bepinseln und sofort servieren.

♦

PIZZA MIT LAMM
ETLİ EKMEK

Herkunft:	Konya, Zentralanatolien
Zubereitung:	25 Minuten zzgl. 45 Minuten Ruhezeit
Backzeit:	10 Minuten
Personen:	4

Für den Teig:

250 g	Mehl
50 g	Frischhefe, zerkrümelt (oder 3 Päckchen Trockenhefe)

Für den Belag:

400 g	Lammbrust und -schulter
1 (120 g)	mittelgroße Zwiebel
2	milde grüne Spitzpaprika
200 g	Tomaten
4 Stängel	glatte Petersilie
2 TL	Rote Paprikapaste
1 TL	Chiliflocken

100 g	Mehl

Der Belag für dieses Gericht wird daheim zubereitet, die Pizza jedoch gegen ein kleines Entgelt im Holzofen der örtlichen Bäckerei gebacken. Die Bäckereien in dieser Region sind auf 60 cm × 1 m große Fladen spezialisiert.

♦

Für den Teig Mehl und ½ Teelöffel Salz in einer Schüssel vermischen. Die Hefe in 175 ml Wasser auflösen. Eine Mulde ins Mehl drücken und die Hefe hineingeben. In 5 Minuten zu einem Teig verkneten, mit einem feuchten Küchentuch abdecken und 30 Minuten ruhen lassen. Den Teig in 4 gleiche Teile teilen, zu Kugeln formen und abgedeckt weitere 15 Minuten ruhen lassen.

Für den Belag das Fleisch entbeinen, von Sehnen befreien und fein hacken oder durchdrehen. Zwiebel, Spitzpaprika, Tomaten und Petersilie fein schneiden und alle Belagzutaten in einer Schüssel vermischen. Mit ¼ Teelöffel frisch gemahlenem Pfeffer und ½ Teelöffel Salz würzen. In 4 Portionen teilen.

Den Backofen auf 240 °C vorheizen. Den Teig mit Mehl bestreuen und zu Scheiben flach drücken. Hände bemehlen und jede Scheibe zu einem 8 × 30 cm großen Rechteck ausziehen. Den Belag gleichmäßig auf den Pizzen verteilen. Auf ein Backblech legen und 6–7 Minuten backen.

Aus dem Ofen nehmen, die Pizzen in 4 cm breite Streifen schneiden und servieren

KÄSEFLADEN
KATIKLI EKMEK

Herkunft:	Hatay, Mittelmeerregion
Zubereitung:	25 Minuten zzgl. 45 Minuten Ruhezeit
Backzeit:	10 Minuten
Personen:	4

Für den Teig:

250 g	Mehl
50 g	Frischhefe, zerkrümelt (oder 3 Päckchen Trockenhefe)

Für den Belag:

1 Rezept	*Sürk* (Seite 484)
1 (120 g)	mittelgroße Zwiebel, fein gewürfelt
2 TL	Rote Paprikapaste
2 TL	Chiliflocken
½ TL	gemahlener Kreuzkümmel
2 TL	getrockneter Oregano
½ TL	Sesamsamen
3 EL	getrocknetes Basilikum
200 ml	natives Olivenöl extra
100 g	Mehl

V

Dieser pizzaähnliche Fladen wird in den Dörfern meist in Tandooröfen, in den Städten in Haushaltsöfen gebacken. Einheimische tragen die Fladen gern zur nächstgelegenen Bäckerei, um sie dort im Holzofen backen zu lassen. Wer möchte, kann den *Sürk* (Seite 485) auch durch 200 g *Lor* sowie 100 g Feta (aus Ziegenmilch) ersetzen.

◆

Für den Teig Mehl und ½ Teelöffel Salz in einer Schüssel vermischen. Die Hefe in 175 ml Wasser auflösen. Eine Mulde ins Mehl drücken und die Hefe untermischen. In 5 Minuten zu einem Teig verkneten, mit einem feuchten Küchentuch abdecken und 30 Minuten ruhen lassen. Den Teig in 4 gleiche Stücke teilen, zu Kugeln rollen und abgedeckt weitere 15 Minuten ruhen lassen.

Für den Belag den *Sürk* in einer Schüssel zerkrümeln. Die anderen Belagzutaten, ¼ Teelöffel frisch gemahlenen Pfeffer und ½ Teelöffel Salz hinzufügen und mit den Händen vermischen. In 4 gleiche Portionen teilen.

Den Backofen auf 240 °C vorheizen.

Den Teig mit Mehl bestreuen und zu Scheiben flach drücken. Hände bemehlen und jede Scheibe auf 20 cm Durchmesser ausziehen. Füllung gleichmäßig über die Fladen verteilen. Auf ein Backblech legen und 6–7 Minuten im heißen Ofen backen.

Auf Teller legen und servieren.

PIDE MIT KALBFLEISCH
KAVURMALI PİDE

Herkunft:	Giresun, Schwarzmeerregion
Zubereitung:	25 Minuten zzgl. 45 Minuten Ruhezeit
Backzeit:	10 Minuten
Personen:	4

Für den Teig:

250 g	Mehl
1 TL	Zucker
50 g	Frischhefe, zerkrümelt (oder 3 Päckchen Trockenhefe)
100 g	Mehl
500 g	Kalbfleisch-Confit
50 g	Butter, zerlassen
1	*Çoban Salatası* (Hirtensalat, Seite 54)

Diese von den Bäckereien bei Tagesanbruch produzierte Pide ist ein Favorit fürs Wochenendfrühstück und wird stets von einem Glas Ayran (Seite 452) begleitet.

◆

Für den Teig Mehl, Zucker und ½ Teelöffel Salz in einer Schüssel vermischen. Die Hefe in 175 ml Wasser auflösen. Eine Mulde ins Mehl drücken und die Hefe unterrühren. In 5 Minuten zu einem Teig verkneten, mit einem feuchten Küchentuch abdecken und 30 Minuten ruhen lassen. Den Teig in 4 gleiche Teile teilen und abgedeckt weitere 15 Minuten ruhen lassen.

Den Backofen auf 240 °C vorheizen. Hände bemehlen und Teig flach drücken. Jede Scheibe auf 20 cm Durchmesser ausziehen. Das Kalbs-Confit auf einer Scheibenhälfte verteilen, andere Hälfte darüberklappen und Ränder zusammendrücken. Ziehen und die Seiten ein wenig verlängern.

Die gefüllten Brote auf ein Backblech legen. 9–10 Minuten im Ofen backen und sicherstellen, dass sie rundum gar sind. Aus dem Ofen nehmen und mit zerlassener Butter bestreichen. In 4 cm breite Streifen schneiden und mit *Çoban Salatası* servieren.

◆

PIDE MIT SCHARFEM RINDFLEISCH
PASTIRMALI PİDE

Herkunft:	Kayseri, Zentralanatolien
Zubereitung:	25 Minuten zzgl. 45 Minuten Ruhezeit
Backzeit:	10 Minuten
Personen:	4

Für den Teig:

250 g	Mehl
1 TL	Zucker
50 g	Frischhefe, zerkrümelt (oder 3 Päckchen Trockenhefe)

100 g	Mehl zum Bestäuben
400 g	*Pastırma* (Gepökeltes Rindfleisch, Seite 497), in dünne Scheiben geschnitten
8	Eier
50 g	Butter zerlassen

◖ Seite 399

Der Ramadan-Favorit Pide erinnert an die Mondsichel und wird auf der *Saç* gegart. Ersetzen Sie den *Pastırma* durch *Sucuk* (Scharf gewürzte Salami, Seite 496), so bekommen Sie eine *Sucuklu Pide*.

◆

Für den Teig Mehl und Zucker mit ½ Teelöffel Salz vermischen. Die Hefe in 175 ml Wasser auflösen. Eine Mulde ins Mehl drücken und die Hefe untermischen. In 5 Minuten zu einem Teig verkneten, mit einem feuchten Küchentuch abdecken und 30 Minuten ruhen lassen. Den Teig in 4 gleiche Teile teilen, zu Kugeln rollen und abgedeckt weitere 15 Minuten ruhen lassen.

Den Backofen auf 240 °C vorheizen. Hände bemehlen und Teig flach drücken. Jede Scheibe zu einem 12 × 25 cm großen Rechteck ausziehen. *Pastırma* auf die Rechtecke verteilen und parallel zu den Längsseiten anordnen. Einen 3 cm breiten Teigrand hochziehen und an den Schmalenden zusammendrücken.

Die Fladen auf ein Backblech legen. 7 Minuten im Ofen garen. Herausnehmen, 2 Eier in jede Pide schlagen, sodass die Dotter ganz bleiben, und die Seiten mit Butter bepinseln. Nochmals 3 Minuten in den Ofen schieben. Herausnehmen, in 4 cm breite Streifen schneiden und servieren.

◆

PIDE MIT KÄSE
PEYNİRLİ PİDE

Herkunft:	İstanbul, alle Landesteile
Zubereitung:	25 Minuten zzgl. 45 Minuten Ruhezeit
Backzeit:	10 Minuten
Personen:	4

Für den Teig:

250 g	Mehl
1 TL	Zucker
50 g	Frischhefe, zerkrümelt (oder 3 Päckchen Trockenhefe)

Für die Füllung:

300 g	ungesalzener Schafskäse, zerkrümelt
4 Frühlingszwiebeln	
1 Bund	glatte Petersilie
5 Stängel	Dill
2	Eier
½ TL	Chiliflocken

100 g	Mehl
50 g	Butter, zerlassen

Das ist ein beliebter Sommer-Imbiss. Auch andere Käsesorten eignen sich dafür, und es gibt auch eine Eier-Variante, bei der das Ei entweder unter den Käse gemischt oder wie bei *Pastırmalı Pide* (siehe oben) über das Brot geschlagen wird.

◆

Für den Teig den obigen Anweisungen folgen.

Für die Füllung den Käse in eine Schüssel krümeln. Frühlingszwiebeln, Petersilie und Dill fein hacken und mit allen anderen Füllungszutaten zum Käse geben. Mit ¼ Teelöffel frisch gemahlenem Pfeffer und ½ Teelöffel Salz würzen und vorsichtig mit den Händen vermischen. In 4 gleiche Portionen teilen.

Den Backofen auf 240 °C vorheizen. Hände bemehlen und den Teig flach drücken. Jede Scheibe zu einem 10 × 25 cm großen Rechteck ausziehen. Die Füllung gleichmäßig darauf verteilen. Den Teig ringsum 2 cm hochziehen und die Ecken an den Schmalseiten zusammendrücken.

Die Brote auf ein Backblech legen. 9–10 Minuten im Ofen backen und darauf achten, dass sie gleichmäßig gar sind. Herausnehmen und mit zerlassener Butter bestreichen, dann in 4 cm breite Streifen schneiden und servieren.

◖ V

SÜSSE HÖRNCHEN
AY ÇÖREĞİ

Herkunft:	İstanbul, alle Landesteile
Zubereitung:	40 Minuten zzgl. 55 Minuten Ruhezeit
Backzeit:	30 Minuten
Personen:	4

Für die Füllung:

80 g	Rosinen
100 g	Walnusskerne, gehackt
1 TL	Zucker
3 TL	gemahlener Zimt
1	saurer Apfel, gerieben
1 TL	gemahlene Gewürznelken

Für den Teig:

200 g	Mehl
2 EL	Zucker
1¾ EL	Milch
50 g	Butter, zerlassen
¾ TL	*Mahleb* (Steinweichselgewürz)
1	Eiweiß
50 g	Frischhefe (oder 3 Päckchen Trockenhefe), zerkrümelt

100 ml	natives Olivenöl extra
1	Eigelb
50 g	Mandelsplitter

V Seite 401 📷

Der Sage nach backten die Menschen in heidnischen Zeiten diese süßen Hörnchen, um den Göttern für die Erfüllung ihrer Wünsche zu danken. Mit Buttergebäck werden auch Ostern und *Nevruz, Hıdrellez*, der Ramadan und das Opferfest begangen. Außerdem verschenkt man die Hörnchen, die traditionell von den Dorffrauen verteilt werden, um Leistungen oder Erfolge zu feiern.

◆

Für die Füllung Rosinen, Walnüsse, Zucker, Zimt, Apfel und Gewürznelken in einem Mörser zu einer feinen Paste zerstoßen. In 4 gleiche Portionen teilen.

Für den Teig Mehl, Zucker und ½ Teelöffel Salz in einer großen Schüssel vermischen. Eine Mulde hineindrücken und Milch, Butter, *Mahleb*, Eiweiß und Hefe dazugeben. Gut verrühren und in 10 Minuten zu einem festen Teig verkneten. Mit einem feuchten Küchentuch abdecken und 10 Minuten ruhen lassen.

Den Teig in 4 gleiche Stücke teilen, mit 2 Teelöffel Olivenöl leicht bepinseln und weitere 10 Minuten stehen lassen.

Jedes Teigstück auf 30 cm Durchmesser ausrollen. Die Mitte jeder Scheibe mit 1 Teelöffel Olivenöl bestreichen und Teig wie ein Kuvert falten. Nochmals 10 Minuten ruhen lassen.

Mit eingeöltem Nudelholz jeweils ein frisch eingeöltes Teig-Kuvert zu einem 6 × 15 cm großen Oval ausrollen. Mit einem feuchten Küchentuch abdecken und 10 Minuten ruhen lassen.

Den Backofen auf 180 °C vorheizen und ein großes Backblech einölen.

Dic Füllung dcr Längc nach auf das Oval löffcln, zusammenrollen und wieder mit Olivenöl bepinseln.

Die gerollten Gebäckstücke zu Hörnchen formen und auf das vorbereitete Backblech setzen. Mit Eigelb bestreichen, das Blech mit einem feuchten Küchentuch abdecken, ohne dass dieses das Gebäck berührt, und 15 Minuten ruhen lassen.

Die Hörnchen mit den Mandelsplittern bestreuen und 30 Minuten backen. Auf Teller legen und servieren.

SÜßSPEISEN

SÜßSPEISEN IN DER TÜRKISCHEN KULTUR

Baklava, *Kadayıf* und *Helva*, Fruchtdesserts, Milchpuddings, Pfannkuchen, süße Würste, Pasteten,
und Gelees sowie Nachspeisen mit Käse, Melasse
und Honig – all das macht unsere reiche Dessert-
kultur aus. Und diese Nachspeisen sind ausnahms-
los eng mit der Tradition verknüpft. Pasteten aus
Filoteig und *Kadayıf* (Engelshaarteig, Seite 436)
gelten, dicht gefolgt von den Milchpuddings, als
Königinnen der türkischen Süßspeisenküche.

Für jedes Dessert gibt es eine ideale Zeit.
Milchpuddings sind das ganze Jahr über
geschätzt, vor allem gekühlt in den Sommermonaten. Kompotte werden ebenfalls kalt genossen.
Die Fülle an Früchten in der wärmeren Jahreszeit
bringt eine große Vielfalt an frischen Obstdesserts
hervor. Und natürlich bevorzugt man im Sommer
Eiscreme und aus Eis zubereitete Nachspeisen.

Der Winter ist die Zeit der Dörrobst-Desserts,
süßer Pasteten und Süßigkeiten aus Winterfrüch-
ten. Den ganzen Winter über isst man warme
Nachspeisen. Und zum Frühstück gibt es Marmeladen. Süße Würste, Fruchtleder und Trockenfrüchte zählen ebenfalls zu den winterlichen
Geschmacksnoten.

Baklava, *Kadayıf* und süßes Gebäck machen
Feste, Hochzeiten, Verlobungsfeiern und andere
wichtige Anlässe noch spektakulärer. Ein weiteres
populäres Dessert für Feste und Feiertage ist der
Ganzjahresklassiker Reispudding.

DESSERT-TECHNIKEN

Filoteig für Baklava ist normalerweise 40–50 cm breit, da Baklava traditionell in Tranchen von 4 bis 5 Kilogramm pro Blech gebacken wird. Dieser Teig wird mit einem Spezial-Nudelholz namens *Oklava* und Weizenstärkemehl ausgerollt. Um das Rezept für die heimische Küche und 4 Personen abzuwandeln, habe ich die Teigbreite auf 25 cm reduziert. Hausgemachter *Baklava Yufkası* (Filoteig, Seite 496) wird Ihre Baklava zum Hochgenuss machen, doch gekaufter Filo ist auch nicht schlecht.

Baklava und alle anderen Blechkuchen gelingen noch besser, wenn man sie in einem Holzofen backt, und schmecken noch köstlicher, wenn man ein Kupferblech verwendet. Ist das nicht möglich, wird man mit Standardbackofen und -ausrüstung vorliebnehmen müssen, wie es in den Rezepten beschrieben ist.

Als entscheidender Tipp bei Milchpuddings, vor allem *Muhallebi* (Muhallebi-Reispudding, Seite 414) sowie *Tavukgöğsü* (Hähnchenbrustpudding, Seite 432) gilt: Machen Sie sich die Mühe und bereiten Sie Ihre eigene Reis-Andickmasse zu. Das Ergebnis spricht für sich.

SÜSSE RITUALE

Es gibt zahllose kulturelle Dessert-Rituale – manche Nachspeisen werden zu Leichenschmäusen zubereitet, wie das osmanisch-griechische *Koliva*, oder um als Almosen verteilt zu werden, wie etwa *Lokma*. Zu traditionellen Hochzeitsbanketten gehört immer ein Kompott, vor allem in den Dörfern. Eine andere verbreitete Tradition ist die Zubereitung von *Aşure* (Noahs Pudding, Seite 418), der nach dem Fasten im Monat *Muharrem* gekocht und verteilt wird. Bei den Armeniern gibt es ein ähnliches Dessert, nämlich *Anuşabur* (Süßes Porridge mit Trockenfrüchten, Seite 438), zu Silvester.

Und dann wäre da die wichtige Rolle, die Baklava bei Hochzeiten spielt. Sobald man sich über eine Verbindung geeinigt hat, wird die Verlobung organisiert. Die findet traditionell im Elternhaus der Braut statt, wo sich der Bräutigam und seine Verwandten mit einem *Kelim* und einem Baklavablech einfinden. Wo ich herkomme, nennt man diesen Besuch *Şirinleme* (Versüßung). Sollte sich die Beziehung im Anschluss verschlechtern, gibt die Familie der Braut die Geschenke zurück mit den Worten „Das Süße ist sauer geworden", was demn Austauch von allerlei Bosheiten einleitet. Aber nur im schlimmsten Falle, denn in der Regel werden die meisten Probleme bei einem Teller Süßigkeiten bereinigt.

In meiner Heimatstadt Nizip in der Provinz Gaziantep war ein *Bayram* nur dann ein richtiger Feiertag, wenn es eine Schüssel *Sütlaç* (Reispudding, Seite 426) gab. Meine Mutter bereitete ihn ausschließlich für diese Feiertage zu, niemals sonst.

Helva dagegen ist ein Winterdessert, dem viele Funktionen und Bedeutungen zukommen. Ist jemand gestorben, röstet man als Erstes ein Helva für seine Seele. Ein *Un Helvası* (Mehl-*Helva*, Seite 410) wäre hier die erste Wahl. Familien im ganzen Land folgen dieser Tradition. *Helva* wird am siebten und vierzigsten Tag nach dem Tod zubereitet und an Verwandte und Nachbarn verteilt. Nichts zu kosten, gilt als schlechtes Benehmen – schon ein winziges Stückchen davon soll Glück bringen.

Und zum Schluss noch ein amüsantes Sprichwort für Schwangere, die sich einen Jungen wünschen: *ye tatlı'yı çıkar Hakkı'yı* (iss dein Dessert, und es wird ein Bert!). Klingt ein bisschen lächerlich, zeigt jedoch, welch bedeutende Stellung Süßspeisen in unserer Kultur eingeräumt wird.

MUSKA PESTİLİ
BEYAZ
44,00₺ 171

MUSKA PESTİLİ
PEKMEZLİ
44,00₺ 172

64,00₺ 222

ATOM CEZERYE
DÖKME
85,00₺ [312]

[373]

80,00₺ [225]

TAHIN-HELVA
TAHİNLİ HELVA

Herkunft:	Kastamonu, alle Landesteile
Zubereitung:	15 Minuten
Garzeit:	30 Minuten zzgl. 1 Stunde Ruhezeit
Personen:	4

150 g	Butter
100 g	Mehl
150 g	Puderzucker
120 g	Tahin (Sesampaste), mit 5 EL Wasser verdünnt
80 g	Walnusskerne, gehackt und geröstet
2 EL	Sesamsamen, geröstet

◈ ✦ V   Seite 409 ▣

Dieses üppige Dessert wird vor allem in den Wintermonaten zubereitet. Die Sommervariante ist weniger süß. Es ist üblich, die Speise stets mit sieben Nachbarn zu teilen, damit das Aroma die ganze Nachbarschaft durchzieht.
✦
Die Butter in einem großen Topf bei mittlerer Hitze zerlassen. Hitze reduzieren, langsam das Mehl einstreuen und 15 Minuten anschwitzen; dabei mit einem Holzlöffel ständig rühren. Hitze nochmals reduzieren, ¼ Teelöffel Salz, Puderzucker und 100 g des Tahin hinzufügen und 5 Minuten rühren. Restliches Tahin zugeben und weitere 5 Minuten rühren. Walnüsse und Sesam hinzufügen und unterrühren.

Die Masse in eine Schüssel geben und 1 Stunde bei Zimmertemperatur fest werden lassen. Auf Tellern servieren.

KRÜMELIGES GRIEßHELVA
İRMİK HELVASI

Herkunft:	Antalya, alle Landesteile
Zubereitung:	10 Minuten
Garzeit:	30 Minuten zzgl. 5 Minuten Ruhezeit
Personen:	4

150 g	Zucker
¼ TL	abgeriebene Schale einer unbehandelten Orange
200 ml	Orangensaft
½ TL	abgeriebene Schale einer unbehandelten Zitrone
2 EL	Zitronensaft
1	Zimtstange
120 g	Butter
3 EL	Pinienkerne
120 g	Grieß

V

Dieses Wintergericht wird traditionell zu Leichenschmäusen und am siebten Tag nach dem Tod eines Menschen zubereitet, an dem man es als Almosen verteilt. Auch einen kürzlich Verschiedenen im Traum zu sehen, ist ein guter Vorwand, um diese Speise zuzubereiten und zu verschenken.
✦
Zucker, Orangenschale und -saft, Zitronenschale und -saft sowie die Zimtstange mit 500 ml Wasser in einen großen Topf geben und bei mittlerer Hitze zum Kochen bringen. Die Hitze reduzieren und 15 Minuten köcheln lassen.

Inzwischen die Butter in einem zweiten kleinen Topf bei mittlerer Temperatur zelassen. Hitze reduzieren, Pinienkerne, Grieß und ¼ Teelöffel Salz hinzufügen, 20 Minuten anrösten und fortwährend rühren, damit nichts anbrennt. Vom Herd nehmen.

Den kochenden Sirup über die Grießmischung gießen und 2 Minuten rühren. Topf mit einem Küchentuch abdecken und 5 Minuten ruhen lassen.

Grießhelva umrühren, auf Teller geben und servieren.

SÜßSPEISEN

MEHL-HELVA
UN HELVASI

Herkunft:	Çorum, alle Landesteile
Zubereitung:	5 Minuten
Garzeit:	25 Minuten
Personen:	4

1 l	Milch
150 g	Zucker
150 g	Butter
100 g	Mehl

V X ⁘

Seite 411

Mehl-*Helva* ist mit den Bestattungsriten assoziiert. Es wird von der Famlie des Verstorbenen zubereitet und verteilt. Am 7., 14. und 25. Tag nach dem Tod wird das Ritual wiederholt. Auch bei *Mevlits* und *Kandils* (Tage, an denen Muslime wichtiger Meilensteine im Leben Mohammeds gedenken) ist es populär. Das Aroma des gerösteten Mehls, so glaubt man, schenkt der Seele des Verstorbenen Frieden.
♦

Milch und Zucker in einem kleinen Topf zum Kochen bringen, dann die Hitze reduzieren und 15 Minuten weiterköcheln lassen.

Inzwischen die Butter in einem zweiten kleinen Topf bei mittlerer Temperatur zerlassen Die Hitze reduzieren, das Mehl hinzufügen und 15 Minuten mit dem Holzlöffel rühren und anschwitzen, bis es zu bräunen beginnt. Nicht verbrennen lassen. Hitze nochmals reduzieren und langsam die kochende Milchmischung zugießen. 5 Minuten kochen und rühren. Vom Herd nehmen und 2 Minuten bei aufgelegtem Deckel ruhen lassen. Auf Teller geben und servieren.

♦

WALNUSS-SCHNITTEN
NEVZİNE

Herkunft:	Kayseri, Zentralanatolien
Zubereitung:	20 Minuten
Garzeit:	1 Stunde zzgl. 1 Stunde 30 Minuten Ruhezeit
Personen:	4

Für den Sirup:	
200 g	Zucker
1 EL	Zitronensaft
2 EL	Traubenmelasse

2 EL	Butter zum Einfetten

Für den Teig:	
200 g	Mehl und etwas mehr zum Bestäuben
¾ TL	Backpulver
2 EL	Sesamsamen
40 ml	Tahin (Sesampaste)
35 g	Butter, zerlassen
2 EL	natives Olivenöl extra
40 ml	Milch
100 g	Walnusskerne, fein gehackt

V

Das sind beliebte Schnitten, die in der Gegend von Kayseri vor allem zu Hochzeiten, beim offiziellen Heiratsantrag des Bräutigams sowie nach der Entbindung gebacken werden.
♦

Für den Sirup Zucker, Zitronensaft, Traubenmelasse und 300 ml Wasser in einen kleinen Topf geben und bei mittlerer Hitze auf den Herd stellen. Etwa 20 Minuten erhitzen, bis die Temperatur auf einem Kochthermometer 95 °C erreicht, dabei rühren, bis der Zucker sich aufgelöst hat. Vom Herd nehmen und 1 Stunde abkühlen lassen.

Den Backofen auf 180 °C vorheizen. Eine tiefe quadratische Form von 20 cm Kantenlänge mit der Butter einfetten.

Für den Teig Mehl, Backpulver, Sesam und ¼ Teelöffel Salz in einer großen Schüssel vermischen. Eine Vertiefung hineindrücken und Tahin, Butter, Olivenöl und Milch dazugeben. Mit bemehlten Händen 5 Minuten kneten. Auf die Arbeitsfläche legen und 5 Minuten weiterkneten, bis ein elastischer Teig entsteht. Walnüsse hinzufügen und weitere 5 Minuten kneten.

Den Teig in die vorbereitete Backform geben, hineindrücken und ziehen, sodass er den gesamten Boden bedeckt. Oberseite flach drücken und mit einem scharfen Messer in 3 cm große Quadrate schneiden. 40 Minuten im heißen Ofen backen.

Herausnehmen, Sirup gleichmäßig darübergießen und 30 Minuten stehen lassen. Auf Teller geben und servieren.

SÜßSPEISEN

GEFÜLLTE MA'MOUL-PLÄTZCHEN
KEREBİÇ (GEREBİÇ)

Herkunft:	Kilis und Hatay, Mittelmeerregion und Südostanatolien
Zubereitung:	25 Minuten
Garzeit:	40 Minuten zzgl. Abkühlen
Personen:	4

Für den Teig:	
200 g	Mehl
120 ml	natives Olivenöl extra

Für die Füllung:	
150 g	Walnusskerne, fein gehackt
3 TL	gemahlener Zimt
60 g	Zucker

2 EL	Puderzucker
1½ TL	gemahlener Zimt

▮ ◆ ▮ V   Seite 413

In manchen Rezepten zieht man für dieses Gebäck eher Butter vor, doch in Kilis und Umgebung wird ausschließlich Olivenöl verwendet. Wer keine speziellen *Ma'moul*-Model hat, kann sie auch mit der Hand formen.
◆
Den Backofen auf 160 °C vorheizen. Ein Backblech mit Backpapier belegen.

Für den Teig Mehl und Öl in einer Schüssel 5 Minuten verkneten. Auf eine Arbeitsfläche legen und weitere 10 Minuten kneten, bis ein elastischer Teig entsteht. In 8 gleiche Teile teilen.

Für die Füllung die Walnüsse, Zimt und Zucker in einer Schüssel gut vermischen. In 8 gleiche Portionen teilen.

Jedes Teigstück in die *Ma'moul*-Form drücken, Füllung daraufgeben, verschließen, dann aus der Form klopfen. Oder aber die Teigstücke mit den Händen zu flachen Ovalen formen. In die Mitte eine Vertiefung eindrücken, Füllung hineingeben und verschließen.

Die Plätzchen auf das ausgelegte Blech legen und 30–40 Minuten im heißen Ofen backen. Gebäck einige Minuten abkühlen lassen, dann zum weiteren Abkühlen auf ein Kuchengitter legen.

Das abgekühlte Gebäck mit Puderzucker und Zimt bestäuben und servieren.

◆

KURABIYE-KEKSE
UN KURABİYESİ

Herkunft:	Antalya, alle Landesteile
Zubereitung:	20 Minuten
Garzeit:	1 Stunde 30 Minuten
Personen:	4

100 g	Butterschmalz (Seite 485), zerlassen
100 g	Zucker
5 Tropfen	Vanilleextrakt
1 TL	Backpulver
200 g	Mehl
50 g	Puderzucker

◆ V

Diese Kekse, die so gut zu Tee passen, werden zu besonderen Anlässen gebacken. Was die Form betrifft, gibt es unzählige lokale Varianten. Oft verteilt man sie auch, wenn sich Wünsche erfüllt haben, oder aber als Almosen oder bei Beerdigungen. War der Verstorbene jung, wird eine herzhafte Variante davon gebacken, war er alt, eine süße.
◆
Den Backofen auf 110 °C vorheizen. Ein Backblech mit Backpapier belegen.

Das zerlassene Butterschmalz und Zucker in eine große Schüssel geben, gut vermischen, dann 5 Minuten kneten. Vanilleextrakt, Backpulver und Mehl hinzufügen und zu einem elastischen Teig verkneten. In 2 gleich große Stücke teilen und zu Kugeln formen.

Die Kugeln auf der Arbeitsfläche zu 15 cm langen Würsten rollen. Diese schräg in 4 cm dicke Scheiben schneiden, auf das Backblech legen und 1½ Stunden im Ofen backen, bis die Kekse gar sind.

Mit Puderzucker bestäuben und servieren.

SÜßSPEISEN

BAKLAVA
BAKLAVA

Herkunft:	Gümüşhane, alle Landesteile
Zubereitung:	20 Minuten
Garzeit:	40 Minuten zzgl. 15 Minuten Ruhezeit
Personen:	4

175 g	Butterschmalz (Seite 485), zerlassen
30 (25 cm breite)	Filoteigblätter (Seite 496)
250 g	Walnusskerne, fein gehackt
250 g	Zucker
1 EL	Zitronensaft

◐ V ⁂   Seite 415

Eine Feier ohne Baklava? Undenkbar. Ob man es mit Pistazien oder Haselnüssen herstellt, hängt ganz von den örtlichen Vorlieben ab.

◆

Den Backofen auf 180 °C vorheizen. Eine tiefe, quadratische Backform mit 2 Esslöffel Butterschmalz einfetten. 15 Filoteigblätter hineinschichten und dabei jedes einzelne Blatt mit Butterschmalz bestreichen. Die Walnüsse über den Teigblättern verteilen, mit den restlichen 15 Teigblättern abdecken, dabei wieder jedes Blatt mit Butterschmalz bepinseln. Den Teig an den Rändern nach unten drücken. Die Teigblätter schräg in etwa 3 cm breite Streifen schneiden, dann in die entgegengesetzte Richtung schneiden, sodass Rauten entstehen. Restliches Butterschmalz darübergießen und 30–40 Minuten im Ofen backen.

Inzwischen Zucker, Zitronensaft und 350 ml Wasser in einem Topf in etwa 20 Minuten auf 100 °C erhitzen.

Die Form aus dem Ofen nehmen und überschüssiges Schmalz (so vorhanden) abgießen. Den Sirup gleichmäßig über das Gebäck gießen und 15 Minuten stehen lassen. Auf Teller geben und servieren.

◆

MUHALLEBI-REISPUDDING
MUHALLEBİ

Herkunft:	Bursa, alle Landesteile
Zubereitung:	15 Minuten
Garzeit:	30 Minuten zzgl. 4 Stunden Einweichen und 6 Stunden Ruhezeit
Personen:	4

1 l	Milch
¼ TL	Mastix, mit 1 TL Zucker zerstoßen
4 Tropfen	Vanilleextrakt
120 g	Zucker
1 TL	gemahlener Zimt zum Servieren

Reismasse zum Andicken:
100 g	Mittelkornreis (oder 100 g Reismehl)

▲ ◐ V

Ein persischer Koch präsentierte diesen historischen Milchpudding einst dem arabischen General al Muhallab ibn Abi Sufra, der so begeistert von ihm war, dass er ihm seinen Namen gab. *Muhallebicis* (Pudding-Läden) sind eine ehrwürdige kulinarische Institution, die sich von İstanbul aus in andere große Städte verbreitete. Ein gemütliches Treffen mit dem Liebsten beim *Muhallebici* ist İstanbuler Tradition. Entscheidend für einen guten *Muhallebi* ist frische Büffelmilch und dass der Reis in einer Steinmühle vermahlen wird. Hausfrauen verwenden Reismehl, Weizen- oder Maisstärke als Dickungsmittel.

◆

Den Reis 4 Stunden in 400 ml Wasser einweichen. Das Ganze in einen Mixer geben und glatt pürieren.

Milch, zerkleinerten Reis, Mastix, Vanilleextrakt und Zucker in einem großen Topf 2 Minuten rühren, bis alles gut vermischt ist. Bei mittlerer Hitze auf den Herd stellen und unter ständigem Rühren in 5 Minuten zum Kochen bringen. Auf schwacher Hitze weitere 20–30 Minuten garen, bis der Pudding so zähflüssig wird, bis er auf einem Löffelrücken haften bleibt.

In Glasschälchen gießen. 1 Stunde bei Zimmertemperatur abkühlen lassen, dann 5 Stunden in den Kühlschrank stellen. Mit gemahlenem Zimt bestäuben und servieren.

PUDDINGSCHNITTEN
PAPONİ (LAZ BÖREĞİ)

Herkunft:	Rize, Schwarzmeerregion
Zubereitung:	15 Minuten
Garzeit:	1 Stunde 15 Minuten zzgl. 2 Stunden Abkühlen und 15 Minuten Ruhezeit
Personen:	4

Für den Sirup:

250 g	Zucker
1 EL	Zitronensaft

Für den Pudding:

70 g	Weizenstärke
400 ml	Milch
10	Pfefferkörner
2 TL	Zucker

30 (20 cm breit)	Filoteigblätter (Seite 496)
175 g	Butter, zerlassen

V

Seite 417

Ursprünglich in 4 Stücke geschnitten, war ein Viertel für die Bäckerin gedacht, eins für ihre Eltern, eins für ihre Kinder und das übrige für die Nachbarschaft.

◆

Für den Sirup Zucker, Zitronensaft und 350 ml Wasser in einem Topf auf mittlerer Temperatur erhitzen, bis das Kochthermometer 95 °C anzeigt. Vom Herd nehmen und 1 Stunde abkühlen lassen.

Für den Pudding Weizenstärke und Milch in einem Topf gründlich verrühren und bei mittlerer Hitze zum Kochen bringen. 20 Minuten kochen, dann Hitze reduzieren, Pfefferkörner, Zucker und ¼ Teelöffel Salz dazugeben und weitere 10 Minuten unter Rühren kochen, bis der Pudding so zähflüsig wird, dass er auf einem Löffelrücken haften bleibt. 1 Stunde abkühlen lassen.

Den Backofen auf 180 °C vorheizen. Eine quadratische Backform von 20 cm Kantenlänge mit 2 Teelöffel Butter fetten. 15 Teigblätter in die Form schichten und jedes mit Butter bepinseln. Den Pudding darauf verteilen, mit den restlichen Teigblättern abdecken und wieder jedes Teigblatt mit Butter bepinseln. Das Gebäck mit einem scharfen Messer in Viertel zerschneiden. Mit der restlichen Butter begießen und 30–40 Minuten im Ofen backen.

Aus dem Ofen nehmen, mit dem Sirup übergießen und 15 Minuten ziehen lassen. Auf Teller geben und servieren.

◆

BAKLAVA MIT GRIEßFÜLLUNG
ŞÖBİYET

Herkunft:	Gaziantep, Südostanatolien
Zubereitung:	30 Minuten
Garzeit:	45 Minuten zzgl. 1 Stunde Abkühlen und 15 Minuten Ruhezeit
Personen:	4

320 g	Butterschmalz (Seite 485), zerlassen
16 (20 cm breit)	Filoteigblätter (Seite 496)
400 ml	Schafsmilch
160 g	geschälte Pistazien

Für die Grießfüllung:

400 ml	Schafsmilch
80 g	Grieß

Für den Sirup:

300 g	Zucker
1 EL	Zitronensaft

◆ V

Ist auch unter dem Namen *Muska Baklavası* bekannt.
◆
Für die Füllung Milch und Grieß in einem Topf bei mittlerer Hitze zum Kochen bringen. 10 Minuten kochen, bis die Mischung eingedickt ist. Vom Herd nehmen und abkühlen lassen. In 16 Portionen teilen.

Den Backofen auf 180 °C vorheizen. Eine quadratische Form von 25 cm Kantenlänge mit 2 Esslöffel Butterschmalz einfetten. Ein Teigblatt auf die Arbeitsfläche legen, in 3 Streifen schneiden, jeden mit 1 Teelöffel Butterschmalz bestreichen und aufeinanderlegen. In drei Quadrate schneiden. Pistazien fein hacken und 1 Teelöffel auf jedem Quadrat verteilen. Darauf 1 Portion Grießfüllung geben und nochmals 1 Teelöffel Pistazien. Die Ecke eines Quadrats über die Füllung schlagen, sodass ein Dreieck entsteht, Ränder andrücken. Für alle 16 Teigblätter wiederholen. In die vorbereitete Form legen, sodass sich die Ecken der Dreiecke berühren. Restliches Butterschmalz darübergießen und 30 Minuten im Ofen backen.

Für den Sirup den Anweisungen oben folgen. Form aus dem Ofen nehmen und überschüssiges Butterschmalz wegschütten. Den Sirup über das Gebäck gießen und 15 Minuten stehen lassen. Auf Teller legen und servieren.

BROTAUFLAUF MIT SAUERKIRSCHEN
VİŞNELİ EKMEK KADAYIFI

Herkunft:	Afyon, alle Landesteile
Zubereitung:	10 Minuten
Garzeit:	1 Stunde 30 Minuten zzgl.
	4 Stunden Kühlzeit
Personen:	4

1 (15 cm)	rundes Weizenvollkornbrot, nur die Kruste

Für den Sirup:	
300 g	Zucker
350 ml	Sauerkirschsaft
1	Zimtstange
3	Gewürznelken

100 g	Walnusskerne, gehackt
200 g	*Kaymak* (Seite 486, oder *Lor*, Frischer Molkenkäse, Seite 485)

◆ V   Seite 419

Diese Süßspeise macht man im Sommer, wenn es frische Sauerkirschen gibt. Für die Wintervariante wird Melasse oder Zuckersirup verwendet.

◆

Den Backofen auf 120 °C vorheizen.

Die Brotkruste auf ein Backblech legen und 1 Stunde im Ofen trocknen.

Für den Sirup Zucker, Sauerkirschsaft und Zimt bei mittlerer Hitze zum Kochen bringen, bis das Kochthermometer 87 °C anzeigt.

Die Gewürznelken hinzufügen. Hitze reduzieren, das Brot dazugeben und 10 Minuten auf jeder Seite garen.

Vom Herd nehmen und bei Zimmertemperatur 1 Stunde abkühlen lassen. In den Kühlschrank stellen und 3 Stunden kühlen.

In 4 Stücke schneiden, mit Walnüssen bestreuen und mit *Kaymak* servieren.

◆

NOAHS PUDDING
AŞURE

Herkunft:	Tunceli, alle Landesteile
Zubereitung:	10 Minuten zzgl. Einweichen über Nacht
Garzeit:	1 Stunde 35 Minuten
	zzgl. 6 Stunden Abkühlen
Personen:	4

100 g	Perlgraupen, über Nacht eingeweicht
70 g	Kichererbsen, über Nacht eingeweicht
70 g	weiße Bohnen, über Nacht eingeweicht
100 g	getrocknete Aprikosen
100 g	Sultaninen
100 g	Walnusskerne, gehackt
60 g	Haselnusskerne
150 g	Zucker
50 g	Sesamsamen, geröstet
2 EL	Pinienkerne
½ TL	abgeriebene Schale einer unbehandelten Orange
50 g	getrocknete Feigen
50 g	getrocknete Maulbeeren
100 g	Granatapfelkerne

◆ ❀ ◆ V

Aleviten fasten im Monat *Muharrem*, dem ersten Monat des Mondjahres. Der zehnte Tag des *Muharrem* heißt *Aşure* und ist der Tag, an dem Hüseyin in Kerbela getötet wurde. Diese Speise der Trauer wird traditionell am Ende des Fastens an sieben Nachbarn verteilt. Sunnitische Muslime bereiten das Gericht ebenfalls zu, da der Monat *Muharrem* auch ihnen heilig ist. Der Legende nach soll Noah dieses Gericht aus den Resten auf seiner Arche gekocht haben, um sein Überleben zu feiern.

◆

Kichererbsen und weiße Bohnen weich kochen, dann abgießen. 2,25 l Wasser in einem Topf bei mittlerer Hitze zum Kochen bringen. Die Graupen dazugeben, Hitze reduzieren und 5 Minuten köcheln. Schaum abschöpfen. Den Deckel auflegen und 55 Minuten kochen. Die garen Kichererbsen und weißen Bohnen hinzufügen und 10 Minuten weitergaren. Die getrockneten Aprikosen vierteln und mit Sultaninen, zwei Dritteln der Walnüsse, Haselnüssen, Zucker, Sesam, Pinienkernen und Orangenschale dazugeben und 15 Minuten kochen. Getrocknete Feigen und Maulbeeren hinzufügen und weitere 5 Minuten garen.

Vom Herd nehmen. Auf 4 Servierschälchen verteilen und bei Zimmertemperatur 1 Stunde abkühlen lassen. Mit den restlichen Walnüssen und den Granatapfelkernen verzieren, dann 5 Stunden in den Kühlschrank stellen und servieren.

HASELNUSSPLÄTZCHEN IN SIRUP
ŞEKERPARE

Herkunft:	Bursa, alle Landesteile
Zubereitung:	25 Minuten
Garzeit:	40 Minuten zzgl. 20 Minuten Ruhezeit
Personen:	4

Für den Sirup:

300 g	Zucker
1 EL	Zitronensaft

	Butter zum Fetten
1	Ei, getrennt
80 g	Puderzucker
50 g	Grieß
100 ml	natives Olivenöl extra
300 g	Mehl
1 TL	Backpulver
4 Tropfen	Vanilleextrakt
100 g	Butterschmalz (Seite 485)
16	Haselnusskerne, geschält

V   Seite 421 ◻

Diese Süßspeise wird traditionell für Feiertage zubereitet.

◆

Für den Sirup Zucker, Zitronensaft und 350 ml Wasser in einem Topf auf mittlerer Temperatur vermischen. Etwa 20 Minuten erhitzen, bis das Kochthermometer 95 °C anzeigt. Vom Herd nehmen und abkühlen lassen.

Den Backofen auf 180 °C vorheizen. Ein großes Backblech mit Rand leicht buttern.

Inzwischen das Eiweiß in eine große Schüssel geben und mit Puderzucker und Grieß 5 Minuten rühren. Das Öl dazugießen und 1 weitere Minute rühren. Mehl, Backpulver, Vanilleextrakt und Butterschmalz mit ¼ TL Salz hinzufügen. In 5 Minuten zu einem elastischen Teig kneten. Den Teig in 16 gleiche Stücke teilen und zu Scheiben flach drücken. Auf dem vorbereiteten Blech verteilen, Scheiben mit Eigelb bestreichen und mit je 1 Haselnuss verzieren. 20 Minuten im heißen Ofen backen.

Aus dem Ofen nehmen und den abgekühlten Sirup über die Plätzchen gießen. 20 Minuten stehen lassen, bis der Sirup vollständig eingezogen ist. Kalt servieren.

◆

WALNUSSPLÄTZCHEN IN SIRUP
KALBURABASTI

Herkunft:	Sivas, alle Landesteile
Zubereitung:	25 Minuten
Garzeit:	30 Minuten zzgl. 20 Minuten Ruhezeit
Personen:	4

Für den Sirup:

300 g	Zucker
1 EL	Zitronensaft

50 g	Butter, zerlassen
70 g	Joghurt
40 ml	natives Olivenöl extra
1	Ei
350 g	Mehl
1¼ TL	Backpulver
8	Walnusskerne, geviertelt

◈ V

Der türkische Name *Kalburabastı* heißt grob übersetzt „an ein Sieb gedrückt". Diese Plätzchen werden zu besonderen Anlässen und während des heiligen Monats Ramadan gebacken.

◆

Für den Sirup Zucker, Zitronensaft und 350 ml Wasser in einem kleinen Topf bei mittlerer Hitze etwa 20 Minuten erhitzen, bis ein Kochthermometer 102 °C anzeigt. Vom Herd nehmen und abkühlen lassen.

Den Backofen auf 160 °C vorheizen. Butter, Joghurt, Öl, Ei, Mehl, ¼ Teelöffel Salz und Backpulver in einer Schüssel vermischen und 5 Minuten kneten. Auf die Arbeitsfläche legen, weitere 5 Minuten kneten und dabei zu einem elastischen Teig ziehen und kneten. In 16 Stücke teilen und diese zu Kugeln rollen. In jede Kugel eine Delle drücken, 2 Walnussstückchen hineingeben und den Teig um sie herum schließen. Auf der Arbeitsfläche zu flachen, ovalen Scheiben formen, dann den Teig auf die feine Seite einer Reibe oder eines Siebs drücken, um ihm Textur zu verleihen. Ein Backblech mit Backpapier belegen, die Plätzchen darauf verteilen und 20–30 Minuten im Ofen backen.

Aus dem Ofen nehmen und den Sirup darübergießen. Die Plätzchen 20 Minuten ziehen lassen. Auf Teller geben und servieren.

KNACKIGER KANDIERTER KÜRBIS
KABAK (BOYNUZ) TATLISI AYVA TATLISI

Herkunft:	Hatay, alle Landesteile
Zubereitung:	15 Minuten zzgl. 1 Tag Ruhezeit und 5 Stunden Beizen
Garzeit:	1 Stunde 20 Minuten, zzgl. 3 Stunden Abkühlen
Personen:	4

Für die Kalklake:	
250 g	Kalziumhydroxid in Lebensmittelqualität (Kalkmilch, Seite 502)
800 g	Kürbis, geschält, geputzt und in 4 Stücke geschnitten
Für den Zuckersirup:	
350 g	Zucker
1 EL	Zitronensaft
¼	Vanilleschote
80 g	Walnusskerne, gehackt
60 g	Tahin (Sesampaste)

💧 🌿 ♦ V   Seite 423 ◻

Dieses beliebte Dessert hat lokale Namen, etwa *Reçel*, *Murabba* oder *Macun*. Ob Quitten, Tomaten, Auberginen oder Paprikaschoten, Bohnen, Melonen und Oliven – nach dieser Methode eingelegt werden alle zu einer Nachspeise mit Biss. Manche geben auch noch Honig oder Traubenmelasse dazu.

♦

Für die Kalklake das Kalziumhydroxid in einer Glas- oder Edelstahlschüssel mit 3 Liter Wasser vermischen. Rühren, bis es sich aufgelöst hat. 5 Stunden stehen lassen, bis es zu Boden sinkt.

Die Kürbisstücke in eine zweite Glas- oder Edelstahlschüssel geben und 2,25 Liter der Einlegeflüssigkeit dazugießen. 24 Stunden stehen lassen. Die Stücke aus der Lake heben (Lake für eine spätere Verwendung aufheben) und fünfmal gründlich mit reichlich kaltem Wasser abspülen, um allen Kalk zu entfernen.

2 Liter Wasser in einem großen Topf zum Kochen bringen. Kürbisstücke dazugeben, 5 Minuten kochen und abgießen. Kürbis erneut mit reichlich kaltem Wasser abspülen.

Für den Zuckersirup Zucker, Zitronensaft, Vanille und 600 ml Wasser 5 Minuten aufkochen. Die Hitze reduzieren, den Kürbis dazugeben, Deckel auflegen und 1 Stunde köcheln lassen.

Den Topf vom Herd nehmen und bei Zimmertemperatur abkühlen lassen, dann für weitere 2 Stunden in den Kühlschrank stellen. Mit Walnüssen bestreuen, mit Tahin beträufeln und servieren.

♦

KANDIERTER KÜRBIS
FIRINDA BALKABAĞI TATLISI

Herkunft:	Sakarya, alle Landesteile
Zubereitung:	5 Minuten zzgl. 1 Tag Ruhezeit
Garzeit:	1 Stunde zzgl. 1 Stunde Ruhezeit und 3 Stunden Kühlen
Personen:	4

4 (3 × 6 cm)	Kürbisstücke
1	Zimtstange
160 g	Zucker
100 g	*Kaymak* (Seite 486)
80 g	Walnusskerne, gehackt

🌿 ♦ V ⁝⁝

Dieses Kürbisgericht kann im Topf zubereitet werden, allerdings verbessert ein mit Holz befeuerter Backofen seinen Geschmack beträchtlich. Manche geben vor dem Servieren gern Tahin und gehackte Walnüsse dazu.

♦

Kürbisstücke und Zimtstange in einen kleinen Bräter geben und mit dem Zucker bestreuen. Abdecken und für 24 Stunden in den Kühlschrank stellen.

Am nächsten Tag den Backofen auf 180 °C vorheizen.

250 ml Wasser über den Kürbis gießen, mit Alufolie abdecken und 40 Minuten im heißen Ofen garen. Hitze auf 160 °C reduzieren, Folie entfernen und weitere 20 Minuen garen. Aus dem Ofen nehmen und bei Zimmertemperatur 1 Stunde abkühlen lassen.

3 Stunden in den Kühlschrank stellen. Den kalten Kürbis auf Servierteller legen, mit Sirup aus dem Bräter beträufeln, mit Walnüssen bestreuen und mit *Kaymak* servieren.

SÜßSPEISEN

KANDIERTE FRISCHE WALNÜSSE
TAZE CEVİZ TATLISI

Herkunft:	Hatay, alle Landesteile
Zubereitung:	10 Minuten zzgl. 1 Woche Einweichen, 1 Tag Ruhezeit, 5 Stunden Beizen
Garzeit:	2 Stunden 35 Minuten zzgl. 4 Stunden Abkühlen
Personen:	4

16	frische grüne Walnusskerne, äußere Schale entfernt
5	Gewürznelken
250 g	Zucker

Für die Kalklake:

250 g	Kalziumhydroxid in Lebensmittelqualität (Kalkmilch, Seite 502)

100 g	*Lor* (Frischer Molkenkäse, Seite 485)

🌾 ◆ V

Dieses sehr zeitaufwendige Rezept ist quasi ein anderes Wort für „Liebesmüh". Eine echte Delikatesse, die man nur den geschätztesten Gästen serviert. Hergestellt wird sie aus weichen, frischen Walnüssen, die, im Mai und Juni gepflückt, von den Landbewohnern eine Woche in Kartoffelsäcken in Bach- und Flussbetten ausgelegt werden. Das ständig sich verändernde Wasser, die noch kleinen und frischen Walnüsse, das alles steigert den Geschmack. Aus grünen Walnüssen tritt beim Aufschneiden eine farblose Flüssigkeit aus, die hartnäckige Flecken auf den Fingern hinterlässt – daher beim Schälen Handschuhe und einen Kartoffelschäler benutzen. Die Nüsse müssen eine Woche lang eingeweicht werden. Die Lake lässt sich bis zu zehnmal wiederverwenden.

◆

Die geschälten Walnüsse eine Woche lang in 2 Liter Wasser einweichen; dabei das Wasser alle 24 Stunden wechseln und die Walnüsse abspülen. Unbedingt Handschuhe tragen, um die Hände zu schützen.

Für die Kalklake 2 Liter Wasser mit dem Kalziumhydroxid in eine Glas- oder Edelstahlschüssel geben. Rühren, bis es sich aufgelöst hat. 5 Stunden stehen lassen, bis der Kalk auf den Schüsselboden sinkt.

Die Walnüsse in eine zweite Glas- oder Edelstahlschüssel geben und 1,5 Liter der Lake hinzufügen. 24 Stunden stehen lassen. Walnüsse aus der Flüssigkeit nehmen (Lake für eine andere Verwendung aufheben) und fünfmal gründlich mit viel kaltem Wasser abspülen, um allen Kalk zu entfernen.

2 Liter Wasser in einem großen Topf zum Kochen bringen, die Walnüsse dazugeben, 5 Minuten kochen, dann über einer Schüssel abgießen und 300 ml des Kochwassers zurückbehalten. Dieses Kochwasser sofort mit Walnüssen, Gewürznelken und Zucker in einen zweiten Topf geben, Deckel auflegen und Walnüsse bei sehr schwacher Hitze 15 Minuten köcheln. Vom Herd nehmen und 15 Minuten stehen lassen. Diesen Garvorgang viermal wiederholen. Dann ein letztes Mal 15 Minuten kochen. 1 Stunde bei Zimmertemperatur abkühlen lassen, dann für 3 Stunden in den Kühlschrank stellen.

Mit frischem *Lor* servieren.

WALNUSSPFANNKUCHEN MIT ZIMT
ŞİLKİ (ŞILLIK) TATLISI

Herkunft:	Adıyaman, Südostanatolien
Zubereitung:	20 Minuten
Garzeit:	40 Minuten
Personen:	4

Für den Pfannkuchenteig:

200 ml	Milch
200 g	Mehl

3 EL	Butter

Für die Füllung:

200 g	Walnusskerne, gehackt
1½ TL	gemahlener Zimt

Für den Sirup:

120 ml	Traubenmelasse

100 g	Butterschmalz (Seite 485)

♦ V

Diese Pfannkuchen sind die Belohnung für die harte Arbeit der Dorffrauen, wenn sie gemeinsam Unmengen an *Yufka Ekmeği* (Dünnes Fladenbrot, Seite 378) produzieren, da sie aus den Teigresten zubereitet werden.

♦

Für den Teig Milch und ½ Teelöffel Salz mit 200 ml Wasser 2 Minuten gründlich verrühren. Nach und nach das Mehl hinzufügen und weitere 5 Minuten rühren, bis ein glatter Teig entsteht.

Eine beschichtete *Saç* (oder gusseiserne Pfanne) sehr heiß werden lassen. Mit etwa 1 Teelöffel der Butter fetten. Einen Schöpflöffel Teig in die Pfanne geben und zu einem dünnen Pfannkuchen verstreichen. 2 Minuten von jeder Seiten backen. Wiederholen, bis der Teig aufgebraucht ist; dabei vor jedem Pfannkuchen Butter dazugeben; es sollte für 8 Pfannkuchen reichen.

Für die Füllung Walnüsse und Zimt in einer Schüssel vermischen und in 7 gleiche Portionen teilen.

1 Pfannkuchen in eine tiefe Backform legen und 1 Portion Füllung darauf verteilen. Eine zweiten Pfannkuchen und anschließend eine zweite Füllungsportion daraufgeben. Wiederholen, bis Pfannkuchen und Füllung aufgebraucht sind. Das gefüllte Pfannkuchengebilde in 8 gleiche Stücke schneiden (Quadrate von 4 cm Kantenlänge).

Für den Sirup 60 ml Wasser und die Traubenmelasse in einem kleinen Topf zum Kochen bringen.

Das Butterschmalz in einem zweiten Topf sehr heiß werden lassen.

Den kochenden Sirup über die Pfannkuchen gießen, danach das heiße Butterschmalz. Auf Teller geben und servieren.

ROSENMARMELADE
GÜL REÇELİ

Herkunft:	Isparta, alle Landesteile
Zubereitung:	5 Minuten zzgl. Ruhezeit über Nacht
Garzeit:	15 Minuten zzgl. 3 Tage Ruhezeit
Personen:	4

200 g	rosa Rosenblütenblätter, weiße Teile entfernt, gewaschen, noch feucht
1 EL	Zitronensaft
200 g	Zucker

🌢 🌿 ◆ ◆ V ⁝⁝   Seite 427 📷

Als Frühstücksklassiker wird Rosenmarmelade in großen Mengen eingekocht. Stadtbewohner versiegeln sie luftdicht in Gläsern, während Dörfler sie unabgedeckt aufbewahren. Manche Rezepte verzichten auf den Zusatz von Wasser und manche sparen sich sogar das Kochen; stattdessen lässt man die Marmelade 3 Tage in der Sonne stehen. Diese Technik ist auch bei der Herstellung von Erdbeer-, Kirsch- und Quittenmarmelade anwendbar.
◆

Die Rosenblütenblätter, Zitronensaft und Zucker in einem großen, nichtreaktiven Topf vermischen. 200 ml heißes Wasser darübergießen und abgedeckt 24 Stunden stehen lassen.

Am nächsten Tag vorsichtig umrühren, aufkochen und 10 Minuten weiterkochen. Nach oben steigenden Schaum mit Löffel oder Küchenpapier abschöpfen. Die Masse in eine Glasschüssel geben und 3 Tage an einen sonnigen Ort stellen; bei Sonnenuntergang ins Haus holen. Über Nacht abdecken und bei Sonnenaufgang an denselben sonnigen Ort zurückstellen.

◆

REISPUDDING
SÜTLAÇ

Herkunft:	Trabzon, alle Landesteile
Zubereitung:	10 Minuten
Garzeit:	40 Minuten zzgl. 6 Stunden Abkühlen
Personen:	4

100 g	aromatischer Kurzkornreis, gewaschen, abgetropft
1,5 l	Milch
2 EL	Reismehl
150 g	Zucker
4 Tropfen	Vanilleextrakt
1	Eigelb

100 g	Haselnusskerne, geröstet, in Blättchen geschnitten

🌿 V

Zu diesem auch als *Sütlü Aş* (Milch-Speise) bezeichneten Pudding gibt es zahlreiche Rezeptvariationen. Manche verzichten auf Eier, andere ersetzen den Reis durch Bulgur und wieder andere lassen auch den Vanilleextrakt weg. Manche Köchinnen backen den Pudding 5 Minuten in Keramikförmchen bei 220 °C im Ofen, um die Oberseite zu bräunen. Reispudding wird im ganzen Land geliebt. Wo ich groß wurde, war *Sütlaç* bei allen Festen der Dessertfavorit. Und er wurde einzig und allein mit Reisstärke gekocht. Die Dorffrauen sind überzeugt: Alles Elend hat ein Ende, wenn sie diesen Pudding gekocht haben.
◆

Den Reis mit 250 ml Wasser in einem großen Topf zum Kochen bringen und 5 Minuten weiterkochen. Hitze reduzieren, 1,3 Liter der Milch dazugießen und 30 Minuten kochen. Damit die Milch nicht überkocht, einen Metalllöffel in den Topf geben.

Inzwischen das Reismehl in den restlichen 200 ml Milch auflösen. In den Topf gießen und 10 Minuten kochen, dann Zucker und Vanilleextrakt dazugeben und weitere 10 Minuten kochen. Vom Herd nehmen.

Das Eigelb in eine kleine Schüsssel geben, 60 ml heiße Milch aus dem Topf nehmen und mit dem Eigelb verschlagen. Die Mischung langsam und unter ständigem Rühren in den Topf zurückgießen.

Den Reispudding auf 4 Servierschälchen verteilen. 1 Stunde bei Zimmertemperatur abkühlen lassen, dann 5 Stunden in den Kühlschrank stellen. Mit Haselnüssen bestreut servieren.

SÜßSPEISEN

ANGEBRANNTER MILCHPUDDING
KAZANDİBİ

Herkunft:	İstanbul, Marmararegion
Zubereitung:	5 Minuten
Garzeit:	55 Minuten zzgl. 7 Stunden Ruhezeit
Personen:	4

80 g	Butter
100 g	Reismehl
25 g	Mehl
1,5 l	Milch
¼ TL	Mastix, mit 1 EL
	Zucker zerstoßen
200 g	Zucker
4 Tropfen	Vanilleextrakt
1 TL	gemahlener Zimt

V Seite 429

Eines Tages, so die Legende, brannte der Pudding an. Und als die Köchinnen merkten, dass er köstlich schmeckte, ließen sie ihn künftig absichtlich anbrennen. Die angebrannte Variante von *Tavuk Göğsü* (Hähnchenbrust-Pudding, Seite 432) erfreut sich ebenfalls großer Beliebtheit. Milchdesserts haben sich von İstanbul aus übers ganze Land verbreitet.

♦

Die Butter bei mittlerer Temperatur heiß werden lassen. Die Hitze reduzieren, beide Mehle dazugeben und 3 Minuten unter ständigem Rühren anschwitzen. Milch und Mastix hinzufügen und 3 Minuten rühren. Die Hitze erhöhen und 5 Minuten kochen. Hitze wieder reduzieren und in 20–30 Minuten eindicken lassen. 150 g Zucker und den Vanilleextrakt hinzufügen und weitere 5 Minuten kochen, dann vom Herd nehmen.

Den restlichen Zucker und 20 ml Wasser in eine 20 × 25 cm große feuerfeste Backform aus Aluminium oder Gusseisen geben und mit einem Gummispatel gleichmäßig verteilen. Den Zucker auf starker Temperatur auf dem Herd erhitzen, bis er schmilzt, aber nicht verbrennt. Die Milchmischung darübergießen und gründlich vermischen. Währenddessen den Zucker im Auge behalten. Sobald er anzubrennen beginnen, Topf vom Herd nehmen und 2 Minuten stehen lassen. 2 Stunden bei Zimmertemperatur abkühlen lassen, dann für 5 Stunden in den Kühlschrank stellen.

Den Pudding mit einem Gummispatel in Quadrate schneiden. Die Stücke mit der verbrannten Seite nach oben und mit Zimt bestreut servieren.

♦

MANDEL-REISPUDDING
KEŞKÜL

Herkunft:	İstanbul, alle Landesteile
Zubereitung:	10 Minuten zzgl. 4 Stunden Einweichen
Garzeit:	35 Minuten zzgl. 6 Stunden Ruhezeit
Personen:	4

Für die Reismasse zum Andicken:	
100 g	Mittelkornreis

1 l	Milch
1	Eigelb
4 Tropfen	Vanilleextrakt
150 g	Zucker
60 g	Mandelmehl
50 g	Pistazienkerne, zu Mehl zerstoßen

🌿 ♠ V

Von diesem Pudding schwärmen Generationen von Leckermäulern. Eigentlich eher Imbiss als Dessert, wird er meist in speziellen Läden, sogenannten *Muhallebici*, genossen.

♦

Für die Reis-Andickmasse Reis oder Reismehl 4 Stunden in 400 ml Wasser einweichen. Alles in einen Mixer geben und glatt pürieren.

Milch, Eigelb, Vanilleextrakt und Reismasse 2 Minuten in einem großen Topf verrühren. Bei mittlerer Hitze auf den Herd stellen und unter ständigem Rühren 20 Minuten kochen. Den Zucker hinzufügen und weitere 5 Minuten garen. Mandel- und Pistazienmehl dazugeben und 5 Minuten unter ständigem Rühren weiterkochen.

Den Pudding auf Glasschälchen verteilen. 1 Stunde bei Zimmertemperatur abkühlen lassen, dann für 5 Stunden in den Kühlschrank stellen und servieren.

SÜßSPEISEN

GEDENKPUDDING MIT SAMEN UND NÜSSEN

KOLİVA

Herkunft:	İstanbul, Marmararegion
Zubereitung:	20 Minuten zzgl. 1 Stunde Einweichen über Nacht
Garzeit:	15 Minuten
Personen:	4

100 g	Weizenschrot
1 EL	Mehl, 5 Minuten angeröstet
100 g	Mandelmehl
100 g	Haselnusskerne
100 g	Walnusskerne, gehackt
10 g	kandierte Koriandersamen
50	Granatapfelkerne
40 g	Korinthen, 1 Stunde in 250 ml Wasser eingeweicht
½ TL	gemahlener Zimt
¼ TL	Kreuzkümmel
2 EL	Zucker

30 g	Puderzucker
50 g	Granatapfelkerne
10 g	kandierte Koriandersamen
10 g	kandierte Mandeln
1 TL	gemahlener Zimt

💧 ◆ ◆ V

Gerichte aus ganzen Weizenkörnern, die man zu Festen wie Weihnachten, Neujahr und Ostern isst, Festen, die Erneuerung und Wiedergeburt symbolisieren, haben uralte Wurzeln. In der British Library gibt es ein byzantinisches Manuskript aus dem 14. Jahrhundert mit einem *Koliva*-Rezept. Dieser beliebte Beerdigungskuchen ist angeblich heidnischen Ursprungs, seine Zutaten verweisen auf griechische Götter. Traditionell wird er auf orthodoxen Begräbnissen verteilt, wobei man auch ein Stück auf dem Grab des Verstorbenen zurücklässt. An Jahrestagen und an Allerheiligen wird das Ritual wiederholt. Dieses Dessert ist am Schwarzen Meer, in der Ägäisregion und Zentralanatolien beliebt.

◆

1 Liter Wasser in einem großen Topf zum Kochen bringen. Das Weizenschrot hinzufügen und erneut zum Kochen bringen; entstehenden Schaum abschöpfen. Deckel auflegen und 5 Minuten kochen. Vom Herd nehmen und über Nacht stehen lassen.

Am nächsten Tag folgende Zutaten in der folgenden Reihenfolge in einen tiefen Servierteller geben: Weizenschrot, Mehl, Mandelmehl, Haselnüsse, Walnüsse, Koriandersamen, Granatapfelkerne, Korinthen, Zimt, Kreuzkümmel und Zucker. Vorsichtig vermischen.

Mit dem Puderzucker bestreuen. Am Rand abwechselnd mit den Granatapfelkernen und Koriandersamen garnieren. Dann auf einer Seite die Mandeln hinzufügen und die Oberseite mit gemahlenem Zimt in Form eines Kreuzes verzieren. Sofort servieren.

◆

HONIG-EIERCREME

HİLİNDOR (XİLİNDOR)

Herkunft:	Erzincan, Ostanatolien
Zubereitung:	5 Minuten
Garzeit:	20 Minuten zzgl. 1 Stunde Abkühlen
Personen:	4

6	Eier
1 l	Milch
80 g	Oreganohonig

🌿 ◆ V ⁘

Honig-Eiercreme wird traditionell aus der ersten Milch einer Kuh nach dem Kalben gekocht. Manchmal wird der Honig auch weggelassen.

◆

Eier und Milch in einem großen Topf 3 Minuten verrühren. Mit aufgelegtem Deckel bei schwacher Hitze 20 Minuten kochen. 1 Stunde bei Zimmertemperatur abkühlen lassen.

Auf 4 Servierschälchen verteilen, mit Honig beträufeln und servieren.

◆

SAFRAN-PUDDING
ZERDE

Herkunft:	İstanbul, alle Landesteile
Zubereitung:	10 Minuten zzgl. Einweichen über Nacht
zzgl. 1 Stunde	und 1 Stunde für den Reis
Garzeit:	40 Minuten zzgl. 6 Stunden Abkühlen
Personen:	4

80 g	Reis, 1 Stunde in 500 ml Wasser eingeweicht, abgegossen und gründlich durchgespült
30 g	Maisstärke, 5 Minuten in 60 ml kaltem Wasser aufgelöst, glatt gerührt
60 ml	Rosenwasser
1 Prise	Safran, 1 Stunde in 2 EL heißem Wasser eingeweicht
3 EL	Pinienkerne
200 g	Zucker
1 EL	Zitronensaft
¼ TL	abgeriebene Schale einer unbehandelten Zitrone
80 g	Korinthen, über Nacht in 500 ml Wasser eingeweicht
40 g	Granatapfelkerne

◑ ◆ ◆ V

Manche essen diesen Pudding gern warm.

◆

2 Liter Wasser in einem Topf bei starker Hitze zum Kochen bringen, den Reis hinzufügen und 5 Minuten kochen. Schaum mit einem Schaumlöffel abschöpfen. Hitze reduzieren und weitere 15 Minuten kochen. Die aufgelöste Maisstärke dazugeben und 5 Minuten unter ständigem Rühren kochen. Rosenwasser, Safran, Pinienkerne, Zucker, Zitronensaft, Zitronenschale und Korinthen hinzufügen und weitere 10 Minuten unter kräftigem Rühren garen.

Auf 4 Servierschälchen verteilen und bei Zimmertemperatur 1 Stunde abkühlen lassen, dann 5 Stunden in den Kühlschrank stellen. Mit Granatapfelkernen garnieren und servieren.

◆

FEIGEN IN ZIEGENMILCH
TELEME

Herkunft:	Adıyaman, alle Landesteile
Zubereitung:	35 Minuten
Garzeit:	5 Minuten zzgl. Ruhezeit über Nacht
Personen:	4

1 l	Ziegenmilch
250 g	getrocknete Feigen, fein gehackt
100 g	Walnusskerne, gehackt und geröstet

🌿 V ✣

Das auch als Hirtendessert bekannte *Teleme* ist ein frisch zubereiter, noch nicht abgetropfter Käse. Nach einem Tag in den Bergen bei seiner Herde gönnt sich der Hirte diese Speise, wenn er eine kleine Stärkung braucht. Sobald er die Ziege gemolken hat, gibt er Feigen oder Feigenblätter zur Milch, damit sie gerinnt, dann noch etwas Zucker oder Honig ... und das war's schon! Das Gericht hat viele lokale Namen wie *Incir Donması, Incir Uyutması, Incir Kestirmesi.*

◆

Die Milch in einem kleinen Topf zum Kochen bringen, dann auf 50 °C (auf dem Kochthermometer) abkühlen lassen.

Die getrockneten Feigen mit 500 ml der Milch in eine große Schüssel geben und mit einem Holzlöffel zerdrücken, bis sie die Milch absorbiert haben. Restliche Milch dazugießen und etwa 30 Minuten weiter zerdrücken, bis die Milch absorbiert ist. (Man kann auch einen Pürierstab verwenden und die Milch langsam zugießen.)

Walnüsse unterziehen und auf Servierschälchen verteilen. Abdecken und bei Zimmertemperatur 1 Stunde stehen lassen. 24 Stunden kühl stellen und servieren.

HÄHNCHENBRUST-PUDDING
TAVUKGÖĞSÜ

Herkunft:	İstanbul, alle Landesteile
Zubereitung:	15 Minuten zzgl. Einweichen über Nacht
Garzeit:	1 Stunde und 50 Minuten zzgl. 6 Stunden Abkühlen
Personen:	4

1 (100 g)	frische Hähnchenbrust
1,5 l	Milch
4 Tropfen	Vanilleextrakt
200 g	Zucker
1 TL	gemahlener Zimt

Zum Andicken:
250 g	Mittelkornreis, über Nacht in 500 ml Wasser eingeweicht

Seite 433

Milchpuddings mit Hähnchenbrust gehören seit Jahrhunderten zur türkischen Kochkultur. Frühe Quellen bezeichnen dieses Gericht als „Byzantinischen Brei". Das Hähnchen muss frisch sein, sobald es im Kühlschrank war, kann man es vergessen. Falls Sie keine Reismasse zum Andicken herstellen können, einfach Reismehl verwenden. Die Karamellisiermethode bei der Zubereitung von *Kazandibi* (Angebrannter Milchpudding, Seite 428) kommt auch bei diesem Dessert zum Einsatz.

◆

2 Liter Wasser in einem Topf zum Kochen bringen, Hähnchenbrust dazugeben und bei schwacher Hitze mit aufgelegtem Deckel 30 Minuten pochieren. Aus dem Topf nehmen und in dünne Streifen zerzupfen. Dreimal gründlich mit kaltem Wasser abspülen, bis das Fleisch nicht mehr riecht. In ein Mulltuch (Käsetuch) schlagen und mit der Faust bearbeiten, sodass dünne Streifen entstehen. Wieder mit kaltem Wasser abspülen.

Für die Andickmasse den eingeweichten Reis oder das Reismehl in eine Küchenmaschine geben und zu einer glatten Flüssigkeit mixen.

Milch und Reismasse bei mittlerer Hitze in einem großen Topf vermischen und in 5 Minuten zum Kochen bringen. Hitze reduzieren und 30 Minuten weiterkochen. Hähnchenbrust und Vanilleextrakt hinzufügen und 30 Minuten unter Rühren weitergaren, bis sich die Fleischfasern aufgelöst haben. Den Zucker unterrühren und weitere 15 Minuten garen. Vom Herd nehmen.

Eine 20 × 25 cm große, tiefe Form befeuchten und die Puddingmischung hineingießen. 1 Stunde bei Zimmertemperatur abkühlen lassen, dann 5 Stunden in den Kühlschrank stellen. In gleich große Stücke schneiden und zu Rollen formen. Umgedreht, mit der Unterseite nach oben, servieren und mit Zimt bestreuen.

◆

MILCH-KÜRBIS-PUDDING
SÜTLÜ KABAK

Herkunft:	Rize, Schwarzmeerregion
Zubereitung:	10 Minuten
Garzeit:	55 Minuten zzgl. 5 Stunden Ruhezeit
Personen:	4

500 g	Kabocha-Kürbis, geschält, Kerne entfernt, fein gewürfelt
1 l	kochende Milch
100 g	Zucker
100 g	Haselnusskerne, geröstet und gehackt

In den Herbst- und Wintermonaten, wenn es viele Kürbisse gibt, ist diese Nachspeise bei den Einheimischen unglaublich beliebt.

◆

In einem großen Topf 250 ml Wasser zum Kochen bringen, den Kürbis dazugeben und abgedeckt 30 Minuten köcheln. Den garen Kürbis mit einem Holzlöffel zerdrücken. Die kochende Milch zugießen, 15 Minuten köcheln, dann den Zucker unterrühren und weitere 5 Minuten garen.

In Glasschälchen geben, 1 Stunde bei Zimmertemperatur abkühlen lassen, dann 4 Stunden in den Kühlschrank stellen. Mit den Haselnüssen bestreuen und servieren.

KAROTTENSCHNITTEN
HAVUÇ DİLİMİ

Herkunft:	Gaziantep, Südostanatolien
Zubereitung:	15 Minuten
Garzeit:	40 Minuten zzgl. 15 Minuten Ruhezeit
Personen:	4

175 g	Butterschmalz (Seite 485), zerlassen
30 (25 cm breite)	Filoteigblätter
200 g	Pistazien, gehackt

Für den Sirup:	
250 g	Zucker
1 EL	Zitronensaft

V ⁘

Seite 435 📷

Diese Süßigkeit wird in unterschiedlich großen Dreiecks-, Quadrat- oder Rautenformen serviert. Technisch betrachtet, handelt es sich um eine Baklava-Variante.

◆

Den Backofen auf 180 °C vorheizen. Eine tiefe, 20 cm breite quadratische Backform mit 2 EL Butterschmalz einfetten. 15 Filoteigblätter in die Form schichten, dabei jedes mit Butterschmalz bepinseln. Pistazien darauf verteilen, dann mit den restlichen 15 Teigblättern abdecken; wieder jedes einzelne mit Butterschmalz bepinseln. Mit einem scharfen Messer einen Kreis von 5 cm Durchmesser in die Teigmitte schneiden, dann in regelmäßigen Abständen 8 karottenförmige Schnitte zwischen Kreis und Formrand machen. Restliches Butterschmalz über den Teig gießen und 30–40 Minuten im heißen Ofen backen.

Inzwischen Zucker, Zitronensaft und 350 ml Wasser in einem Topf bei mittlerer Hitze vermischen. Unter ständigem Rühren in etwa 20 Minuten auf 100 °C erhitzen. Vom Herd nehmen.

Die Backform aus dem Ofen nehmen. Eventuell überschüssiges Butterschmalz weggießen. Die Einschnitte bis zum Formboden durchschneiden. Den Sirup gleichmäßig über das Gebäck gießen und 15 Minuten stehen lassen. Auf Teller geben und servieren.

◆

GRIEẞKUCHEN
REVANİ

Herkunft:	İstanbul, alle Landesteile
Zubereitung:	25 Minuten
Garzeit:	20 Minuten zzgl. 30 Minuten
	und 1 Stunde Ruhen und 4 Stunden Abkühlen
Personen:	4

2	Eier
2 EL	Zucker
80 g	griechischer Joghurt
75 ml	natives Olivenöl extra
2 Tropfen	Vanilleextrakt
1 Prise	abgeriebene Schale einer unbehandelten Zitrone
45 g	Mehl
85 g	Grieß
1¼ TL	Backpulver
2 TL	Butter

Für den Sirup:	
275 g	Zucker

V

Dieser Kuchen wird seit Jahrhunderten daheim zubereitet. Häufig wird er mit İstanbul und dem osmanischen Palast assoziiert. Manche nennen ihn auch „Joghurtkuchen", andere „Eierkuchen". In İstanbul gab es früher Lokale, die auf *Revani*, *Tulumba* oder *Lokma* spezialisiert waren. Heute führen Hausfrauen diese Tradition fort.

◆

Für den Sirup Zucker und 400 ml Wasser in einem Topf bei mittlerer Hitze vermischen. Unter ständigem Rühren in etwa 15 Minuten auf 87 °C (auf dem Kochthermometer) erhitzen. Vom Herd nehmen und 1 Stunde ruhen lassen.

Inzwischen den Backofen auf 160 °C vorheizen. Die Eier in einer großen Schüssel 5 Minuten schlagen. Zucker dazugeben und weitere 5 Minuten rühren. Joghurt, Olivenöl, Vanilleextrakt und Zitronenschale hinzufügen und 5 Minuten rühren. Dann Mehl, Grieß und Backpulver dazugeben und erneut 5 Minuten rühren, bis alles gründlich vermischt ist.

Eine tiefe, quadratische Backform (20 cm) mit der Butter einfetten. Teig hineingießen und 30 Minuten im Ofen backen. Aus dem Ofen nehmen und den Sirup darübergießen. Die Form so mit einem Küchentuch abdecken, dass es den Teig nicht berührt. 1 Stunde bei Zimmertemperatur abkühlen lassen, dann für 3 Stunden in den Kühlschrank stellen. In 4 Stücke teilen und servieren.

ENGELSHAAR MIT WALNÜSSEN
CEVİZLİ TEL KADAYIF

Herkunft:	Şanlıurfa, alle Landesteile
Zubereitung:	10 Minuten
Garzeit:	1 Stunde 10 Minuten zzgl.
15 Minuten Ruhezeit	
Personen:	4

400 g	Kadayif (Engelshaar)-Teig
150 g	Butterschmalz (Seite 485)
200 g	Walnusskerne, gehackt

Für den Sirup:	
300 g	Zucker
1 EL	Zitronensaft

◆ V ⁙   Seite 437 ◘

Kadayif heißen die hauchdünnen, aus Mehl und Wasser bestehenden Teigfäden. Sie können auch aus der gleichen Menge der Langen hausgemachten Nudeln (Seite 493) hergestellt werden, die man sehr fein schneidet. Statt Walnüssen kann man auch Pistazien, *Kaymak*, Frischkäse, Käse, Reis oder Bulgur verwenden.

◆

Den Backofen auf 180 °C vorheizen. Das Engelshaar in eine Schüssel geben und ein Drittel des Butterschmalzes darübergießen. Nudeln mit den Fingern zerzupfen, bis sie etwa 5 mm groß sind. Eine tiefe, quadratische Backform (20 cm) großzügig mit einem weiteren Drittel des Schmalzes einfetten, den Teig hineingeben und die Form schütteln, um ihn gleichmäßig zu verteilen. Die Hälfte des Teigs entfernen, den Rest in die Form drücken. Die Walnüsse darüberstreuen. Den restlichen Teig auf den Walnüssen verteilen und festdrücken. Die Form mit Alufolie abdecken und 30 Minuten im Ofen backen. Das restliche Butterschmalz über den *Kadaifi* gießen, ihn zurück in den Ofen stellen und ohne Folie 15–20 Minuten backen, bis er ein wenig Farbe hat. Aus dem Ofen nehmen. Auf eine große Servierplatte stürzen.

Für den Sirup Zucker, Zitronensaft und 350 ml Wasser in einem Topf bei mittlerer Hitze vermischen. Unter ständigem Rühren etwa 20 Minuten erhitzen, bis das Kochthermometer 102 °C anzeigt. Vom Herd nehmen. Den Sirup gleichmäßg über den Walnuss-*Kadayif* gießen, 15 Minuten ruhen lassen und servieren.

◆

REISWAFFELN MIT NÜSSEN UND GRANATÄPFELN
GÜLLAÇ

Herkunft:	İstanbul, Marmararegion
Zubereitung:	10 Minuten zzgl. 2 Stunden Kühlen
Garzeit:	5 Minuten zzgl. 30 Minuten Abkühlen
Personen:	4

1 l	Milch
150 g	Zucker
60 ml	Rosenwasser
4	quadratische Reispapierblätter
	(25 cm lang)
150 g	Mandelsplitter, blanchiert
150 g	Walnusskerne, gehackt
100 g	Pistazien, geschält
150 g	Granatapfelkerne

❀ V

Dieses Ramadan-Dessert wird mit saisonalen Früchten wie Beeren, Kirschen oder Granatapfelkernen garniert. Beliebt sind auch Abwandlungen mit Pistazien und Walnüssen.

◆

Milch, Zucker und Rosenwasser in einem Topf bei mittlerer Hitze zum Kochen bringen. Die Mischung in eine Form gießen (in der die Reispapierblätter Platz finden) und 30 Minuten abkühlen lassen.

Nach dem Abkühlen die Reispapierblätter darin einweichen, bis sie durchfeuchtet sind. Das erste Reispapierblatt beschneiden, wenn nötig, damit es exakt in eine weitere tiefe Form passt, und auf deren Boden legen. Reispapierreste gleichmäßig auf der ersten Reispapierschicht verteilen. Mit dem zweiten Reispapierblatt wiederholen. Die Hälfte der Mandelsplitter, Walnüsse, Pistazien und Granatapfelkerne gleichmäßig darüberstreuen. Die 2 verbliebenen Reispapierblätter wie gehabt darüberschichten. Mit einer weiteren Nuss- und Granatapfelschicht bestreuen; ein paar Granatapfelkerne zum Verzieren zurückbehalten. 2 Stunden in den Kühlschrank stellen.

Aus dem Kühlschrank nehmen, in 4 Quadrate schneiden und mit Granatapfelkernen bestreut servieren.

BITTERORANGENMARMELADE
TURUNÇ REÇELİ

Herkunft:	Antalya, Mittelmeerregion
Zubereitung:	10 Minuten
Garzeit:	2 Tage Ruhezeit zzgl. 30 Minuten
Ergibt:	1 kleines Glas

5	unbehandelte Bitterorangen
300 g	Zucker
2 EL	Bitterorangensaft

❘ ✿ ◗ ❘ V ✜

Diese Zitrusmarmelade ist in Adana, Hatay und Mersin sehr populär. Auf gleiche Weise kann man auch Bergamotte-, Orangen- und Mandarinenmarmelade herstellen. Man benötigt dafür einen 30 cm langen Baumwollfaden und eine dicke Nähnadel.

◆

Die Schale (ohne bittere weiße Haut) in einem Stück von den Orangen schälen. Jedes Stück in Viertel schneiden. Orangenschale mit 2 Liter Wasser in einen Topf geben und zum Kochen bringen. 3 Minuten kochen, dann abgießen und weitere 2 Liter Wasser hinzufügen. Dieses Verfahren dreimal am Tag 2 Tage lang wiederholen. Nachdem die Schale zum letzten Mal abgegossen wurde, alles Wasser herausquetschen, die Schalenenden zusammennehmen und die Nadel mit dem Faden hindurchziehen. Die Fadenenden verknoten.

Zucker und Orangensaft zusammen mit 500 ml Wasser in einen Topf geben und bei mittlerer Hitze zum Kochen bringen. 5 Minuten unter ständigem Rühren kochen. Hitze reduzieren, die zusammengebundenen Schalen dazugeben und etwa 5 Minuten kochen, bis das Kochthermometer 108 °C anzeigt. Vom Herd nehmen. Schalen entfernen.

Noch warm in sterilisierte Gläser gießen.

◆

SÜßES PORRIDGE MIT TROCKENFRÜCHTEN
ANUŞABUR

Herkunft:	İstanbul, alle Landesteile
Zubereitung:	10 Minuten zzgl. Einweichen über Nacht, 1 Stunde Einweichen und 5 Minuten
Garzeit:	35 Minuten zzgl. 1 Stunde Abkühlen
Personen:	4

150 g	Weizenschrot, gewaschen
60 ml	Rosenwasser
¼ TL	abgeriebene Schale einer unbehandelten Orange
100 g	getrocknete Aprikosen, fein gewürfelt, 1 Stunde in 500 ml Wasser eingeweicht
100 g	Sultaninen, 1 Stunde in 500 ml Wasser eingeweicht
100 g	Zucker

❘ ❘ V

Auf Armenisch bedeutet *anusch* süß, heißt *anusch'ella* so viel wie „guten Appetit" und *Anuschabur* ist die süße Suppe. Dies ist ein „heiliges" armenisches Dessert, das man zu Neujahr und in der Fastenzeit zubereitet. Häufig mit Granatapfelkernen und Walnüssen serviert, mögen manche es auch warm.

◆

In einem großen Topf 1,5 Liter Wasser aufkochen lassen. Das Weizenschrot dazugeben und erneut zum Kochen bringen; aufsteigenden Schaum mit einem Löffel abschöpfen. Deckel auflegen und 10 Minuten kochen. Vom Herd nehmen, den Topf in ein Küchentuch schlagen und Weizenschrot über Nacht einweichen.

Am nächsten Morgen Weizenschrot und 500 ml Wasser in einem großen Topf bei mittlerer Hitze zum Kochen bringen. 5 Minuten kochen, dann Rosenwasser und Orangenschale dazugeben und mit aufgelegtem Deckel 10 Minuten garen. Die getrockneten Aprikosen und Sultaninen hinzufügen und weitere 15 Minuten garen. Zucker dazugeben und unter ständigem Rühren nochmals 5 Minuten köcheln.

Vom Herd nehmen und 1 Stunde bei Zimmertemperatur abkühlen lassen. In Schälchen verteilen und servieren.

SÜßER KATMER-BLÄTTERTEIG
TATLI KATMER

Herkunft:	Gaziantep, Südostanatolien
Zubereitung:	15 Minuten zzgl. 24 Stunden Ruhezeit und 30 Minuten
Garzeit:	30 Minuten
Personen:	4

Für den Teig:

150 g	Hartweizenmehl
60 ml	natives Olivenöl extra

Für die Füllung:

200 g	Pistazienkerne, fein gehackt
120 g	Butterschmalz (Seite 485)
300 g	*Lor* (frischer Molkenkäse, Seite 485)
160 g	Zucker
2 EL	Pistazienkerne, gehackt
1½ TL	gemahlener Zimt

 V

Dieses Gebäck ist ein Frühstücksklassiker. Die heimischen Meisterinnen ziehen den Teig mit den Händen aus. Die Herstellung ist eine Gemeinschaftsangelegenheit, nach der die Bäckerinnen sich fast immer mit *Katmer* belohnen. Die Familie eines Bräutigams in spe bringt ein Blech Baklava zum Haus der künftigen Braut, sobald sicher ist, dass die Heirat stattfinden wird. Das ist die erste „Versüßung" der Beziehung oder *Şirinleme*. Nach der Hochzeit schickt die Familie des Bräutigams ein Blech mit süßem *Katmer*-Blätterteig zu den Eltern der Braut, um ihre Zufriedenheit über die neue Schwiegertochter kundzutun.

Für den Teig das Mehl und ¼ Teelöffel Salz in eine Schüssel geben. Eine Vertiefung machen und 100 ml Wasser hineingießen. Vermischen, dann 5 Minuten kneten. Auf die Arbeitsfläche legen und in weiteren 5 Minuten zu einem elastischen Teig verkneten. Zu einer Kugel rollen und in 4 Teile teilen. Mit 1 Esslöffel Öl bepinseln, sodass jedes Stück gut eingeölt ist. Mit einem feuchten Küchentuch abdecken und 24 Stunden in den Kühlschrank stellen.

Den Backofen auf 160 °C vorheizen. Den gekühlten Teig auf die Arbeitsfläche legen. Ein Schälchen mit 3 Esslöffel Öl bereitstellen. Finger ins Öl tunken und den Teig zu Scheiben von 10 cm Durchmesser ausziehen, dann mit dem Nudelholz auf 40 cm ausrollen. Pistazien, Butterschmalz, *Lor* und Zucker in 4 gleiche Portionen teilen. 2 Teigseiten nach innen schlagen, bis die Ränder sich berühren und nacheinander Pistazienkerne, Butterschmalz und *Lor* daraufgeben. Mit Zucker bestreuen und die restlichen beiden Ränder nach innen schlagen, sodass ein Quadrat entsteht. Die Ecken wie ein Kuvert zusammenfalten. Mit allen Teigblättern wiederholen.

Auf ein 40 cm breites Backblech geben und 30 Minuten im Ofen backen. Auf Teller legen und mit Pistazien und Zimt bestreut servieren.

FRUCHTLEDER-PFANNKUCHEN
PESTİL ÇULLAMASI

Herkunft:	Erzurum, Ostanatolien
Zubereitung:	5 Minuten
Garzeit:	5 Minuten
Personen:	4

4	Eier
200 g	Fruchtleder aus Trauben, in schmale Streifen geschnitten
100 g	Butter
50 g	Walnusskerne, geröstet, fein gehackt

Dieses Gericht wird in den Wintermonaten zubereitet.

Eier und Traubenlederstreifen in einer Schüssel vermischen.

Die Butter in einer Pfanne bei mittlerer Hitze zerlassen. Eimischung hineingießen und mit aufgelegtem Deckel 30 Sekunden stocken lassen. Deckel abnehmen, umrühren und weitere 3 Minuten garen. Mit Walnüssen bestreut auf Tellern servieren.

GETRÄNKE

GETRÄNKE IN DER TÜRKISCHEN KULTUR

Getränke gibt es viele und für jeden Geschmack. Kaffee, Tee, Ayran (Seite 452), *Şerbet* (süße Getränke), *Tükenmez* (Unerschöpfliche Frucht-bowle, Seite 450), *Salep* (Orchideenknollen-Milch, Seite 450), *Şalgam Suyu* (Steckrübensaft, Seite 454) und viele andere zeigen, welch große Palette volks-tümlicher Getränke die Türkei zu bieten hat. Und da sind auch noch Rakı, Wein und Liköre. Es gibt wärmende Getränke und Getränke mit und ohne Alkohol. Obwohl viele Rezepte einen Gärungspro-zess verlangen, habe ich auch viele aufgenommen, die nur einen kurzen oder gar keinen erfordern.

Kaffee und Tee werden täglich konsumiert. Ayran und *Şalgam Suyu* begleiten mit regionalen Abweichungen Kebabs, Lahmacun und gefüllte Fladenbrote. Rakı und Wein werden zu Kebab wie Lahmacun gern getrunken. Was Alkohol angeht, ist Rakı bei Weitem der Spitzenreiter.

Unsere Getränke sind, genau wie unser Essen, saisonabhängig. *Boza* (Vergorener Hirse-Smoothie, Seite 454) und *Salep* sind Getränke für die Winter-monate in İstanbul und Umgebung. *Salep* wärmt uns am Morgen, *Boza* am Abend. Während die eiskalten Fruchtsaftgetränke dem Sommer ihren einzigartigen Geschmack verleihen.

TEE UND KAFFEE

Unser Tag beginnt mit einem Glas *Çay* (Tee, Seite 446). Und ein durchschnittlicher Tee-Aficio-nado bringt es wohl auf 20 bis 30 Gläser täglich. Schon am Morgen trinkt er seine drei bis fünf Gläser, begleitet von Oliven, Käse, Honig, *Kaymak*, Butter, Marmelade, Eiern, *Simit*, Brot, Börek und süßen Brötchen. Ich behaupte einfach, dass es nicht einen türkischen Haushalt gibt, in dem man morgens keinen Tee trinkt. Ob daheim oder im Kaffeehaus – Tee spielt die erste Geige.

Unsere Kaffeekultur ist sogar noch älter. Der Kaffeekonsum begann im 16. Jahrhundert und fand immer größeren Zuspruch. Und obwohl Tee den Kaffee Mitte des 20. Jahrhundertes als bevor-zugtes Getränk abgelöst hat, wird Kaffee noch immer mit ganz anderer Ehrerbietung behandelt. Das türkische Wort für Frühstück ist *Kahvaltı*, das sich aus den Wörtern *Kahve* (Kaffee) und *altı* (unter) zusammensetzt. Die Idee dabei ist, vor dem Morgenkaffee einen Happen zu sich zu nehmen. Und der gesellschaftliche Raum, in dem Tee getrunken wird, nennt sich Kaffeehaus. Der durch-schnittliche Kaffeeliebhaber trinkt zwischen drei und fünf Tassen pro Tag.

Türkischer Kaffee muss frisch gemahlen und schaumig sein. Sobald man ausgetrunken hat, dreht man die Tasse um und lässt sie „für die Kaf-feesatzleserin" abkühlen. Glück, Schicksal, Sorgen und aktueller Klatsch, alles verrät der Kaffeesatz. Es gibt ein augenzwinkerndes Ritual, wenn der künftige Bräutigam mit seinen Eltern das Haus seiner Auserkorenen besucht, um um deren Hand anzuhalten. Die künftige Braut gibt Salz in den Kaffee des Bräutigams, damit er kapiert, wer die Hosen anhat, falls aus der Hochzeit etwas wird.

SÜSSE GETRÄNKE

DIE GESCHICHTE
DES KAYNAR

Andere sehr populäre Getränke sind die Sirup- und Limonadengetränke, die *Şerbet* genannt werden. Die Kultur ihrer Herstellung hat sich in der Mittelmeerregion, in Südost- und Ostanatolien bis heute bewahrt. Limonadenhersteller verkaufen in den Sommermonaten Lakritzgetränke auf den Märkten.

Der Brauch des *Sebil* (Verteilens von Getränken an Arme) ist immer noch beliebt, vor allem beim Totengedenken. Ein Gönner beauftragt den Limonadenhersteller, das Lieblingsgetränk des Verstorbenen zuzubereiten und es für dessen Seelenheil zu verteilen. Der Limonadenverkäufer ruft den Namen des Verstorbenen aus, während er sein Getränk ausgibt. Menschen stellen sich mit ihren Bechern an. Dieser Teil unserer Getränkekultur ist sehr populär und wird immer noch weithin praktiziert.

Kaynar (Gewürzter Kräutertee, Seite 446) ist ein süßer Kräutertee, den man traditionell um die Zeit der Niederkunft serviert. 15 Tage vor dem Geburtstermin wird die Schwangere zur Geburtsvorbereitungszeremonie ins Hamam gebracht. Ihre Freundinnen und Verwandten massieren ihr mit einer Paste aus Gewürzen, Honig und Melasse den Bauch, um sie anschließend mit 41 Schüsseln Wasser zu waschen – was die leichte Entbindung eines gesunden Kindes begünstigen soll. Übrige Paste wird aufgehoben, mit heißem Wasser verdünnt und auf den heißen Ofen gestellt. Von dem Getränk bietet man allen Gästen an, die der jungen Mutter und ihrem Baby Glück wünschen wollen, wobei man die erste Tasse, mit gemahlenen Walnüssen bestreut, der jungen Mutter gibt, um die Milchproduktion anzuregen.

Ist sie keine Muslimin, wird die Paste mit Wein aufgekocht – oder vor die Haustür gestellt, damit jeder eine Fingerspitze des süßen Kräutertees kosten kann. Dies ist eine wichtige Tradition, die bis heute überdauert hat.

TEE
ÇAY

Herkunft:	Rize, alle Landesteile
Zubereitung:	5 Minuten
Garzeit:	25 Minuten
Personen:	4

10 g	schwarze lose Teeblätter

♦ ❧ ◐ ♦ V X ⦂ Seite 447

Tee wird seit den 1930er-Jahren in der Türkei angebaut und hat den Kaffee als Nationalgetränk abgelöst. Er gehört einfach zum gesellschaftlichen Austausch dazu. Jede Zeit ist eine gute Zeit für ein Glas Tee; der durchschnittliche tägliche Teekonsum bewegt sich zwischen fünf und 20 Gläsern. Ein Muss ist er zum Frühstück, zusammen mit Oliven, Käse, Eiern, Marmelade, Honig und *Kaymak*. Ein türkisches Teegeschirr besteht aus zwei Teekesseln. Der größere untere ist für das heiße Wasser, mit dem man den aufgebrühten Tee im oberen Kessel auf die gewünschte Stärke verdünnt. Zum Aufbrühen kann kochendes Wasser verwendet werden, sodass der Tee nur 10 Minuten ziehen muss. Manche trinken ihn mit Zucker.

♦

Den Tee mit 300 ml Wasser in die kleinere Kanne eines türkischen Teegeschirrs geben. 700 ml Wasser in die größere untere Kanne gießen. Die Tülle der kleineren Kanne mit einem Pilz oder einem Tuchfetzen abdichten. Bei schwacher Hitze etwa 20 Minuten lang köcheln lassen.

Zum Servieren etwa 60 ml aus der oberen Kanne durch ein Teesieb in ein Glas gießen. Mit etwa 75 ml heißem Wasser aus der unteren Kanne auffüllen.

♦

GEWÜRZTER KRÄUTERTEE
KAYNAR

Herkunft:	Adana und Mersin, Mittelmeerregion
Zubereitung:	10 Minuten
Garzeit:	25 Minuten
Personen:	4

10	Pimentkörner
3 Stücke	getrocknete Ingwerwurzel
10	Gewürznelken
1	Zimtstange
¼ TL	gemahlene Gewürznelken
120 g	Oreganohonig

40 g	Walnussmehl
60 g	Walnüsse, gehackt
¼ TL	gemahlener Zimt

♦ ❧ ◐ V

Im Dorf bringen Frauen ihre schwangere Freundin ins Badehaus und massieren ihr mit dieser würzigen Kräuterteemischung den Bauch; das soll eine raschere und schmerzfreiere Geburt bewirken. Nach der Niederkunft wird die Mischung zu einem Getränk verdünnt. Die junge Mutter nimmt den ersten Schluck, der Rest wird den Gratulierenden angeboten. *Kaynar* wird allein zu diesen beiden Anlässen zubereitet.

♦

Alle Gewürze mit 750 ml Wasser in einen Topf oder Teekessel geben. Deckel auflegen und aufkochen lassen. 15 Minuten kochen, dann den Honig hinzufügen und weitere 5 Minuten kochen. Durch ein Sieb in Gläser gießen. Mit Walnussmehl garnieren, dann gehackte Walnüsse und etwas Zimt darüberstreuen. Sofort servieren.

TÜRKISCHER MOKKA
KAHVE

Herkunft:	İstanbul, alle Landesteile
Zubereitung:	5 Minuten
Garzeit:	10 Minuten
Personen:	4

30 g	frisch geröstete Kaffeebohnen, fein gemahlen
4	Lokum-Würfel (türkische Süßigkeit)

Seite 449

Kaffee wird mit variierenden Zuckermengen zubereitet, mit wenig, mittel, viel oder gar keinem. Der Kaffeesatz sinkt in diesem klassischen Gebräu auf den Tassenboden. Allerdings kommt in Südostanatolien eine Kardamomkapsel in den Topf und durch das längere Brühen verteilt sich der Satz im Kaffee. Diese Variante heißt auch *Mırra*. Falls Sie keinen *Çesve* (türkischen Mokka-Stieltopf) besitzen, können Sie auch eine verchromte oder Porzellankanne nehmen. Und statt Lokum kann man auch Nüsse und dragierte Mandeln dazu servieren.

◆

Den Kaffee und 250 ml kaltes Wasser in den *Çesve* geben und 30 Sekunden rühren. Langsam und ohne umzurühren bei sehr schwacher Hitze zum Kochen bringen. Aufpassen, dass er nicht überkocht. Oben bildet sich dicker Schaum. Sobald der überzukochen beginnt, den Topf vom Herd nehmen.

Eine gute Tasse Kaffee ist eine mit Schaum, daher als Erstes den Schaum auf die Tassen verteilen. Mit Kaffee aufgießen und mit Lokum servieren.

◆

TÜRKISCHER MOKKA, MIT MANDELN BESTREUT
CİLVELİ KAHVE

Herkunft:	Manisa, Ägäisregion
Zubereitung:	5 Minuten
Garzeit:	10 Minuten
Personen:	4

30 g	frisch gerösteter Kaffee, fein gemahlen
½ TL	Zucker
40 g	gemahlene Mandeln, zweifach geröstet

Mag ein Mann eine Frau, verlangt es die Tradition, dass er seine Familie zum Haus der Frau schickt, damit sie um ihre Hand anhält. Willigt sie ein, kocht sie diesen Kaffee. Er wird in einem *Çesve* zubereitet und in türkischen Kaffeetassen etwa so groß wie Espressotässchen serviert.

◆

Kaffee, Zucker und 250 ml Wasser in einen *Çesve* geben und verrühren. Langsam, ohne umzurühren bei sehr schwacher Hitze zum Kochen bringen. Aufpassen, dass er nicht überkocht. Langsam bildet sich oben ein dicker Schaum. Sobald der überzukochen beginnt, Topf vom Herd nehmen.

Eine gute Tasse Kaffee hat Schaum, daher diesen als Erstes auf die Tassen verteilen. Mit Kaffee vorsichtig aufgießen. Mit den gemahlenen Mandeln bestreuen und servieren.

PISTAZIENKAFFEE
MELENGİÇ KAHVESİ

Herkunft:	Gaziantep, Südostanatolien
Zubereitung:	5 Minuten
Garzeit:	20 Minuten zzgl. Abkühlen
Personen:	4

100 g	Terpentin-Pistazien
250 ml	Milch
60 g	Zucker

❧ V X ⁝

Eigentlich ist Pistazienkaffee gar kein Kaffee. Für dieses Getränk werden die Terpentin-Pistazien geröstet und zerstoßen; oft bereitet man es auch aus einer Fertigpaste zu.
◆

Eine Grillplatte oder gusseiserne Pfanne erhitzen. Die Pistazien dazugeben und 10 Minuten rösten. Auf einen Teller geben und abkühlen lassen. Pistazien im Mörser zu einer Paste zerstoßen.

Terpentin-Pistazien, Milch und Zucker mit 250 ml Wasser in einen *Çesve* oder Stieltopf geben. Bei schwacher Hitze unter ständigem Rühren zum Kochen bringen. Sobald der Inhalt überschäumt, vom Herd nehmen. Die Kaffeetassen erst bis zur Hälfte, dann ganz füllen und servieren.

◆

ORCHIDEENKNOLLEN-MILCH
SALEP

Herkunft:	İstanbul, alle Landesteile
Zubereitung:	5 Minuten
Garzeit:	40 Minuten
Personen:	4

20 g	*Salep*-Pulver (Orchideenknollenpulver)
120 g	Zucker
2 l	Milch

❧ ● V ⁝

Salep wird aus den Knollen verschiedener Orchideenarten gewonnen. Es ist ein wärmendes Wintergetränk, Seelenbalsam und angeblich auch Allheilmittel. Traditionell wurde es bei Tagesanbruch von Straßenverkäufern gekocht. In England war es im 17. und 18. Jahrhundert populär, ehe in der zweiten Hälfte des 19. der Kaffee den Markt zu dominieren begann.
◆

Das *Salep*-Pulver und Zucker in einen Topf geben und gut vermischen. Die Milch dazugießen und gründlich verquirlen. 40 Minuten bei schwacher Hitze unter ständigem Rühren kochen, bis die Mischung eindickt. In Tassen gießen und servieren.

◆

UNERSCHÖPFLICHE FRUCHTBOWLE
TÜKENMEZ

Herkunft:	İstanbul und Bursa, Marmararegion
Zubereitung:	15 Minuten zzgl. 5 Tage Fermentieren und 4 Stunden Kühlen
Personen:	4

100 g	Muscovadozucker
Je 1	Quitte, Birne, Apfel, in je 8 Stücke geschnitten
300 g	Mispeln, geviertelt
1 ½ TL	schwarze Senfkörner
2 EL	Sultaninen

● ❧ ● ◆ V

Bei diesem traditionell im Holzfass hergestellten Fruchtgetränk füllt man sein Glas durch einen Zapfhahn unten am Fass. Anschließend wird das Fass mit derselben Menge Wasser aufgefüllt, weswegen man das Getränk auch „unerschöpflich" nennt. Um den Alkoholgehalt zu minimieren, die Gärungszeit möglichst kurz halten.
◆

Den Zucker direkt hinter dem Zapfhahn unten ins Fass oder einen sterilisierten Gärballon geben. Quitte, Birne und Apfel mit den Mispeln, zerdrückten Senfkörnern, Sultaninen und 2 Liter Wasser ins Fass geben. Verschließen und an einem kühlen, dunklen Ort 5 Tage stehen lassen.

Nach 5 Tagen in den Kühlschrank stellen und 4 Stunden kühlen. In Gläsern servieren.

GETRÄNKE

VERGORENE TRAUBEN MIT SENFKÖRNERN

HARDALİYE

Herkunft:	Kırklareli, Marmararegion
Zubereitung:	10 Minuten zzgl. 30 Tage Fermentieren zzgl. Kühlen
Personen:	4

2 kg	blaue Weintrauben, jede geviertelt
100 g	Sauerkirschblätter
20 g	schwarze Senfkörner, zerstoßen
1 l	roter Traubensaft

Dieses Getränk wird aus blauen Weintrauben hergestellt, die im September noch an den Rebstöcken hängen. Es wird in Fässern gelagert, um im Winter getrunken zu werden. Statt der Sauerkirschblätter kann man auch Kirschen mit Stein verwenden, statt des Fasses einen Gärballon.

◆

Trauben und Sauerkirschblätter in je 2 Portionen teilen. In einem Holzfass von 20 cm Durchmesser oder einem sterilisierten Gärballon mit Zapfhahn eine Lage blaue Trauben geben, dann eine Lage Sauerkirschblätter, eine weitere Lage blaue Trauben, dann die schwarzen Senfkörner und schließlich nochmals Sauerkirschblätter. Den Traubensaft darübergießen und Fass oder Ballon verschließen. 30 Tage an einen kühlen, trockenen Ort stellen.

Den Saft alle 5 Tage in eine Schüssel abzapfen, wieder über die Blätter gießen und erneut verschließen.

Nach 30 Tagen die Flüssigkeit abseihen, kühlen und in Gläsern servieren.

◆

ESSIGWASSER

TURŞU SUYU

Herkunft:	Ankara, alle Landesteile
Zubereitung:	30 Minuten zzgl. 30 Minuten Kühlen und 4 Tage Ruhezeit
Garzeit:	10 Minuten
Personen:	4

100 g	Weißkohl
100 g	Wirsing
1	Karotte
1	Steckrübe
200 g	rote Tomaten
200 g	grüne Tomaten
250 ml	Traubenessig
60 ml	Zitronensaft
6	Knoblauchzehen, geviertelt
1	milde Chilischote, geviertelt
1	scharfe Chilischote, geviertelt
1	Selleriestange
4	Pfefferkörner
2 TL	Chiliflocken
5	Kichererbsen
60 g	Honig
2 Stängel	Dill
2 Stängel	glatte Petersilie
2 Stängel	frische Minze

Essigwasser wird in den Wintermonaten zubereitet. Ein großes Holzfass ist der bevorzugte Gärbehälter, doch es eignet sich auch ein Gärballon. Die jeweilige Gärzeit ist geschmacksabhängig. Familien mit kleinen Kindern halten sie eher kurz, da der Alkoholgehalt mit der Zeit steigt. Wann immer ein Glas am unteren Ende des Fasses abgezapft wird, gießt man oben ein Glas Wasser nach, was zu jenem anderen Namen des Getränks führte: *tükenmez*, was „endlos" bedeutet – weil es sich ständig erneuert. Das Gemüse ist bei diesem Essigwasser optional.

◆

Kohl, Wirsing, Karotte, Steckrübe und Tomaten in 2 cm große Stücke schneiden.

Traubenessig, Zitronensaft, 2 Teelöffel Salz, Knoblauch, Chilis, Selleriestange, Kohl, Wirsing, Karotte, Steckrübe, Tomaten, Pfefferkörner, Chiliflocken mit 1,5 Liter Wasser in einen großen Topf geben und zum Kochen bringen. 5 Minuten kochen, dann vom Herd nehmen. Die Kichererbsen und den Honig dazugeben und 30 Minuten in den Kühlschrank stellen.

Die Mischung in einen großen sterilisierten Gärballon mit Zapfhahn gießen und Dill, Petersilie und frische Minze dazugeben. Alles nach unten drücken und verschließen. 3 Tage bei Zimmertemperatur stehen lassen, dann 1 Tag in den Kühlschrank stellen.

In Gläsern servieren.

AYRAN
AYRAN

Herkunft:	Diyarbakır, alle Landesteile
Zubereitung:	10 Minuten
Personen:	4

300 g	griechischer Joghurt

❧ ◆ V Ⅹ ✛　　　　　　　Seite 453 📷

Das ist ein Sommergetränk, das man einfach so, mit Eis oder als erfrischende Ergänzung zu Kebabs, Pilaws und Pides servieren kann.

◆

Den Joghurt mit ¼ Teelöffel Salz und 1 Liter kaltem Wasser in einer großen Schüssel 5 Minuten verquirlen. Um mehr Schaum zu erzeugen, die Mischung aus einer Höhe von 50 cm in eine andere große Schüssel gießen. Aus der gleichen Höhe in die erste Schüssel zurückgießen. 5 Mal wiederholen, um möglichst viel Schaum zu erhalten. In Gläser gießen und eiskalt servieren.

◆

VERJUS MIT ZWIEBELN
SOĞANLI GORUK SUYU (KORUK SUYU)

Herkunft:	Isparta, Mittelmeerregion
Zubereitung:	10 Minuten zzgl. 2 Stunden Kühlen
Personen:	4

500 g	unreife Trauben
2 (240 g)	mittelgroße Zwiebeln, in Ringe geschnitten

💧 ❧ ◆ V ✛

Im Juli und August, der Zeit der unreifen Trauben, werden diese Zwiebeln in einem Verjus eingelegt, der Essigsud ähnelt. Sie passen hervorragend zu Kebabs und Pilaws aus dem Tandoor.

◆

Die Trauben durch den Entsafter geben. Den Saft in eine Schüssel gießen und 1 Liter Wasser hinzufügen. 1 Minute vermischen.

Zwiebeln ausdrücken, um Saft freizusetzen, dann in ein Sieb geben und gründlich unter fließendem Wasser abspülen. Zwiebeln und 1 Prise Salz in eine Schüssel geben. Traubensaft abseihen und darübergießen. 2 Stunden kühl stellen.

In Schalen servieren.

◆

MANDELMILCH
SOMATA

Herkunft:	Manisa, Ägäisregion
Zubereitung:	10 Minuten
Garzeit:	1 Stunde 10 Minuten
Personen:	4

20	blanchierte Bittermandeln
40	blanchierte Mandeln
100 g	Zucker
1 TL	gemahlener Zimt

💧 ❧ ◆ ◆ V ✛

Mandelmilch wird in großen Mengen zubereitet und dann gekühlt. Vor dem Servieren kocht man sie mit heißem Wasser auf. Die heiße, in İstanbul *Kınalı* genannte Variante wird mit Zimt serviert.

◆

Die Mandeln in einem Mörser zu Mandelmehl zerstoßen. Zucker hinzufügen und gründlich vermischen. Die Mischung mit 1 Liter Wasser in einen Topf geben und bei schwacher Hitze 1 Stunde unter ständigem Rühren kochen. Die Mandelmilch abseihen und zurück in den Topf gießen. 500 ml kochendes Wasser dazugeben und weitere 3 Minuten kochen.

In Tassen gießen, mit Zimt bestreuen und servieren.

STECKRÜBENSAFT
ŞALGAM SUYU

Herkunft:	Adana, Mittelmeerregion
Zubereitung:	15 Minuten zzgl. 28 Tage Fermentieren
Personen:	4

Für die Starterkultur:	
60 g	feiner Bulgur
1 EL	Vollkornweizenmehl

400 g	violette Karotten, geschält, längs geviertelt, dann halbiert
1 kg	rote Steckrüben, geschält und in Scheiben geschnitten

 ▲ ✿ ◆ V   Seite 455 📷

Steckrübensaft – ursprünglich ein Wintergetränk – wird heute das ganze Jahr über getrunken und ist vor allem in Hatay, Mersin und Umgebung populär. Es gibt sogar Verkäufer, die nur Rübensaft anbieten. Häufig wird er als Erstes am Morgen genossen, aber *Şalgam* ist auch ein wunderbarer Begleiter von Bulgurgerichten, Pilaws und Kebabs. Manchmal gibt man eine scharfe rote Chili hinein.

◆

Für die Starterkultur Bulgur und Mehl mit ¼ Teelöffel Salz und 2 Esslöffel Wasser in einer Schüssel vermischen. Das Ganze in ein Musselintuch geben und oben zubinden. In ein sterilisiertes Einweckglas geben, verschließen und 3 Tage beiseitestellen.

Nach 3 Tagen in einer Schüssel 2 Teelöffel Salz in 3 Liter Wasser auflösen. Zusammen mit den Karotten, Steckrüben und dem Startersäckchen in ein Holzfass oder einen sterilisierten Gärballon geben, versiegeln und 25 Tage an einem dunklen Ort stehen lassen.

Nach 25 Tagen das Startersäckchen entfernen. Den *Şalgam* kühlen und mit dem eingelegten Gemüse servieren.

◆

VERGORENER HIRSE-SMOOTHIE
BOZA

Herkunft:	İstanbul, Marmararegion
Zubereitung:	5 Minuten zzgl. 3 Tage Ruhezeit und 5 Stunden Kühlen
Garzeit:	1 Stunde 10 Minuten
Personen:	4

150 g	Hirse, geschrotet
50 g	Reisschrot
1 EL	Traubenessig
100 g	weiße Traubenmelasse (oder 200 g Zucker)
1 TL	gemahlener Zimt

 ▲ ✿ ◆ ◆ V

Hirse ist die Hauptzutat von *Boza*, einem vergorenen Getreidegetränk, dessen Vergärungsgrad je nach persönlichem Geschmack zwischen fünf Stunden und fünf Tagen variiert. Da *Boza* als Aphrodisiakum gilt, trinkt man es bis tief in die dunklen langen Winternächte. Heute sind *Boza*-Verkäufer aus İstanbul fast völlig verschwunden. Laut Mevlüt, dem *Boza*-Verkäufer aus Orhan Pamuks Roman *Diese Fremdheit in mir*, liegt das wahre Verkaufsargument für *Boza* in der leidenschaftlichen Stimme des Verkäufers. Erst mit *Leblebi* aber ist das *Boza*-Glück perfekt. *Leblebi* erhält man durch das Einweichen und Rösten von Kichererbsen. In kleinen Dörfern wird noch die alte Methode, eingeweichte Kichererbsen unter heißem Sand und Asche zu vergraben, praktiziert. Daheim tut es auch die Pfanne. *Leblebi* sind in türkischen Nussläden erhältlich. Und sowohl in weißen, gelben als auch kandierten und pikanten Varianten begehrt.

◆

Hirse und Reisschrot mit 3 Liter Wasser in einen großen Topf geben, mit einem Küchentuch abdecken und über Nacht stehen lassen.

Am nächsten Tag zum Kochen bringen und 4–5 Minuten bei mittlerer Hitze garen. Mit einem Löffel den Schaum abschöpfen. Hitze reduzieren und 1 Stunde unter gelegentlichem Umrühren köcheln lassen, bis die Masse Pfannkuchenteig ähnelt. Abseihen und den Getreidebrei entsorgen. Essig und weiße Traubenmelasse oder Zucker hinzufügen und 2 Tage bei Zimmertemperatur stehen lassen. Nach 2 Tagen 5 Stunden in den Kühlschrank stellen. Mit etwas gemahlenem Zimt bestreut in Gläsern servieren.

GETRÄNKE

TRAUBENSAFTGETRÄNK
ŞIRA

Herkunft:	Bursa, alle Landesteile
Zubereitung:	5 Minuten zzgl. 4 Tage Fermentieren und 5 Stunden Kühlen
Personen:	4

1,5 l	roter Traubensaft
2	Gewürznelken
1 EL	Gerste, in Musselin- oder Käsetuchsäckchen gebunden

◦ ☘ ⬥ ◦ V ⬥ Seite 457 ◻

Şıra wird in den Wintermonaten aus zerdrückten Rosinen zubereitet, während man im Sommer frische Weintrauben dafür verwendet. Es wird gern allein getrunken, schmeckt aber auch zu Kebabs, Pilaws und Böreks.

♦

Traubensaft, Nelken und Gerste in einen sterilisierten Gärballon geben und 4 Tage in den Kühlschrank stellen.

Nach 4 Tagen umrühren und abseihen. Dann weitere 5 Stunden in den Kühlschrank stellen.

TAMARINDENSAFT
DEMİRHİNDİ ŞERBETİ

Herkunft:	İstanbul, Marmararegion
Zubereitung:	10 Minuten zzgl. 1 Tag Ruhezeit und 5 Stunden Kühlen
Personen:	4

150 g	Tamarinde, geschält
200 g	Blütenhonig

◦ ☘ ⬥ V ⬥

Traditionell werden *Şerbet*-Macher beauftragt, dieses populäre Sommergetränk herzustellen und dann als Almosen an die Armen zu verteilen – was man *Sebil* nennt.

♦

Tamarinde, Honig und 1 Liter frisch gekochtes Wasser in eine Schüssel geben. Abdecken und 1 Tag stehen lassen.

Am nächsten Tag verrühren und die Mischung gründlich verkneten, bis alle Tamarindenkerne entfernt sind. Abseihen und die Flüssigkeit in einen Krug gießen. Den Tamarindenbrei in eine Schüssel geben und mit weiteren 500 ml gekochtem Wasser aufgießen. 1 Minute umrühren, erneut abseihen und die Flüssigkeit in den Krug gießen. Krug abdecken und 5 Stunden kühlen. Eiskalt servieren.

MELONENKERN-GETRÄNK
SÜBYE

Herkunft:	İzmir, Ägäisregion
Zubereitung:	15 Minuten zzgl. 4 Stunden Kühlen
Personen:	4

150 g	Melonenkerne
150 g	Zucker

◦ ☘ ⬥ ◦ V ⬥

Das in Ostanatolien auch als *Şemmame-e sübi* bekannte Sommergetränk wird dort von spezialisierten *Şerbet*-Verkäufern hergestellt.

♦

Melonenkerne und Zucker in einem Mörser zu einer zähen Paste zerstoßen. In einen Krug geben, 1,2 Liter Wasser darübergießen, bis sie sich auflöst und das Ganze milchig wirkt. Durch ein Musselin- oder Käsetuch abseihen, dann für 4 Stunden in den Kühlschrank stellen. Eiskalt in Gläsern servieren.

GETRÄNKE

RHABARBERTRUNK
IŞKIN ŞERBETİ

Herkunft:	Hakkâri, Ostanatolien
Zubereitung:	25 Minuten zzgl. 4 Stunden Kühlen
Personen:	4

300 g	Rhabarber, geschält
2 EL	Zucker
100 g	Oreganohonig

Seite 459

Rhabarber wird schon gleich zu Frühlingsbeginn gepflückt. Er wird geschält und roh oder gekocht verzehrt oder zu diesem Getränk verarbeitet.

◆

Rhabarber und Zucker in einem Mörser in 10 Minuten zu einer Paste zerstoßen. Mit Honig und 1,2 Liter kaltem Wasser in eine große Schüssel geben und innerhalb von 15 Minuten alle 5 Minuten umrühren. In einen Krug abseihen, abdecken und 4 Stunden kalt stellen.

◆

EICHEN-HONIGTAU-TRANK
GEZO (KUDRET) ŞERBETİ

Herkunft:	Bitlis, Südostanatolien
Zubereitung:	5 Minuten zzgl. 5 Stunden Kühlen
Garzeit:	1 Stunde 10 Minuten
Personen:	4

500 g	Eichenblätter mit Honigtau

Alle 15, 20 Jahre erscheint Ende des Sommers auf den Blättern der Eichen eine honigartige Substanz. Für die Einheimischen das Zeichen, dass wieder mal *Gezo*-Zeit ist. Die gesammelten Blätter werden in Kessel mit kochendem Wasser getunkt, um den Honig zu sammeln, der sich in Melasse verwandelt. Im Kessel verbliebene Melasse wird mit Schnee aus den Bergen zu einem Getränk verdünnt.

◆

1,5 Liter Wasser in einem Topf bei mittlerer Hitze zum Kochen bringen. Blätter dazugeben und 5 Minuten kochen. Blätter mit einer Zange herausfischen und abschütteln, damit der Honig im Wasser bleibt. Blätter in eine Schüssel geben. 500 ml frisch gekochtes Wasser daraufgießen, um auch den letzten Honig zu lösen. Blätter entfernen und das Wasser in den Topf gießen. Hitze reduzieren und 1 Stunde kochen. Das Getränk abseihen, in eine Flasche oder Krug gießen und 1 Stunde abkühlen lassen. Abgedeckt 4 Stunden kühl stellen. Eiskalt servieren.

◆

VERJUS-GETRÄNK
KORUK ŞERBETİ

Herkunft:	Aydın, alle Landesteile
Zubereitung:	35 Minuten zzgl. 4 Stunden Kühlen
Personen:	4

500 g	unreife Trauben
150 g	Zucker

Verjus wird im Juli aus unreifen Trauben gewonnen. Auch der Sirup (ein stärker konzentrierter Verjus) wird um diese Zeit hergestellt. Von lokalen Straßenverkäufern und auch daheim, wo man ihn wichtigen Gästen kredenzt.

◆

Trauben und Zucker in eine große Schüssel geben und 10 Minuten gründlich mischen und zerdrücken, um den Saft herauszupressen. Abgedeckt 20 Minuten bei Zimmertemperatur stehen lassen. 1,2 Liter Wasser dazugießen und 2 Minuten rühren. Abseihen, Trester wegwerfen und Saft in die Schüssel zurückgeben. 4 Stunden kühlen und servieren.

GETRÄNKE

SAUERKIRSCHLIKÖR
VİŞNE LİKÖRÜ

Herkunft:	İstanbul, alle Landesteile
Zubereitung:	10 Minuten zzgl. 97 Tage
Personen:	4

1 kg	Sauerkirschen
300 g	Zucker
400 ml	reiner Alkohol (Wodka)
30 g	Gewürznelken
30 g	frischer Ingwer
3	Zimtstangen
1	Muskatnuss

⦁ ❧ ◆ ⦁ V

Seite 461 ◙

Istanbuler Christen servieren diesen Likör ihren Gästen vor allem bei Leichenschmäusen oder auch zum Kaffee. Er wird auch aus anderen Früchten hergestellt, doch die Sauerkirsche ist die beliebteste.

◆

Sauerkirschen samt Blättern und Stielen, Zucker, Alkohol und 1 Liter Wasser in ein sterilisiertes 4-Liter-Einmachglas geben.

Die Gewürze in ein Leinensäckchen geben und zerstampfen. Säckchen zubinden und in das Glas geben. Glas verschließen und 1 Woche an einen sonnigen Ort stellen; dabei jeden Tag einmal kurz umdrehen, um alles zu mischen. Glas nach 1 Woche an einen dunklen Ort bringen und 3 Monate stehen lassen.

Den Likör nach 3 Monaten kühlen und mit oder ohne Sauerkirschen servieren.

◆

PISTAZIEN-GETRÄNK
FISTIK ŞERBETİ

Herkunft:	Gaziantep, Südostanatolien
Zubereitung:	20 Minuten zzgl. 5 Stunden Kühlen
Garzeit:	10 Minuten
Personen:	4

150 g	geschälte Pistazien
150 g	Zucker

⦁ ❧ ◆ ⦁ V ⸭

Dieses Getränk wird im September aus frischen, sonst aus getrockneten Pistazien zubereitet. Traditionell macht man es für den künftigen Bräutigam, wenn er das Haus der Braut besucht. Nach dem salzigen Kaffee serviert, steht es für den Wechsel von salzig zu süß und lässt so den Besuch versöhnlich ausklingen.

◆

Pistazien und Zucker 15 Minuten in einem Mörser fein zerstoßen. 1,2 Liter Wasser zum Kochen bringen, das Pulver hinzufügen und 5 Minuten kräftig rühren. Abseihen und die Pistazienreste wegwerfen. 1 Stunde bei Zimmertemperatur stehen lassen, dann 4 Stunden kühlen und servieren.

◆

TRAUBENESSIGGETRÄNK
SİKENCEBİN

Herkunft:	İstanbul, alle Landesteile
Zubereitung:	15 Minuten zzgl. 1 Tag Ruhezeit und
	4 Stunden Kühlen
Personen:	4

60 ml	Traubenessig
2 EL	Zitronensaft
110 g	Blütenhonig

⦁ ❧ ◆ V ⸭

Dieses traditionell zu Pilaws servierte Getränk wird während der Sommermonate als Almosen an die Armen verteilt. Als sein ursprünglicher Name wird in alten Quellen *Sikencebin* oder *Sirkencebin* genannt.

◆

1 Liter kochendes Wasser, Traubenessig und Zitronensaft in einen Krug gießen. Abdecken und 10 Minuten stehen lassen, dann den Honig einrühren. Erneut abdecken und 1 Tag stehen lassen. 4 Stunden kalt stellen und in Gläsern servieren.

SUMACHGETRÄNK

SUMAK ŞERBETİ

Herkunft:	Siirt, Südostanatolien
Zubereitung:	10 Minuten zzgl. Ruhezeit über Nacht und 4 Stunden Kühlen
Garzeit:	20 Minuten
Personen:	4

200 g	Sumachbeeren
150 g	Zucker

◓ 🌿 ◓ ◓ V ⁜　　　　　　Seite 463 📷

Falls Beeren nicht aufzutreiben sind, kann man auch gemahlenen Sumach für dieses Getränk verwenden. Zu herzhaften Fleischgerichten serviert, wird es das ganze Jahr über geschätzt.

◆

Die Sumachbeeren in eine große Schüssel geben und mit 1,2 Liter kochendem Wasser übergießen. 20 Minuten kochen, dann abgedeckt über Nacht bei Zimmertemperatur stehen lassen.

Am nächsten Tag Sumachbeeren mit den Händen gut auspressen. Abseihen und Beerenreste wegwerfen. Den Zucker zum Saft geben und 3 Minuten unterrühren. Abdecken und 4 Stunden kühlen. Eiskalt in Gläsern servieren.

◆

MAULBEERSIRUP

DUT ŞURUBU

Herkunft:	Hatay, alle Landesteile
Zubereitung:	10 Minuten zzgl. 1 Stunde Ruhezeit
Garzeit:	25 Minuten
Personen:	4

200 g	saure schwarze Maulbeeren
1 EL	Zitronensaft
50 g	Zucker

◓ 🌿 ◓ ◓ V ⁜

Traditionell wird Maulbeersirup im Juni und Juli hergestellt. Der konzentrierte Sirup ähnelt Gelee und ist ein beliebter Frühstücksaufstrich. Zum Trinken wird er mit Wasser verdünnt.

◆

Saure Maulbeeren, Zitronensaft und Zucker in einen Topf geben und 5 Minuten zerstampfen. Abdecken und 1 Stunde stehen lassen.

500 ml Wasser darübergießen und zum Kochen bringen. 20 Minuten kochen. Abseihen, ausdrücken und Beerenreste wegwerfen. Den Sirup mit 500 ml kaltem Wasser verdünnen und kühl stellen. Kalt servieren.

◆

SAFRANGETRÄNK

SAFRAN ŞERBETİ

Herkunft:	Karabük, alle Landesteile
Zubereitung:	15 Minuten zzgl. 4 Stunden Kühlen
Garzeit:	5 Minuten
Personen:	4

1 Prise	Safran
2 TL	Zucker
½ TL	gemahlener Ingwer
1	unbehandelte Zitrone, in dünne Scheiben geschnitten
110 g	Honig

◓ 🌿 ◓ V ⁜

Dieses Getränk ist eine willkommene Erfrischung an langen, schwülen Sommertagen. Und gilt als zuverlässiger Schutz vor dem „bösen Blick". Wenn jemand auf ebener Straße völlig unerwartet stolpert, wird das dem bösen Blick zugeschrieben, und man gießt zur Abwehr einen Tropfen Safrangetränk auf die betreffende Stelle.

◆

Safran mit Zucker in einem Mörser zu einem Pulver zerstoßen. 1 Liter Wasser mit dem gemahlenen Ingwer und den Zitronenscheiben in einem Topf zum Kochen bringen. 2 Minuten kochen, dann vom Herd nehmen. Das Safran-Zucker-Pulver einrühren und 10 Minuten stehen lassen. Honig einrühren, dann abdecken und 4 Stunden kühlen.

Eiskalt servieren (gerne auch mit den Zitronenscheiben).

GETRÄNKE

ROSENSIRUP
GÜL ŞURUBU

Herkunft:	Isparta, alle Landesteile
Zubereitung:	10 Minuten zzgl. 2 Stunden Ruhezeit und Ziehenlassen über Nacht und Kühlen
Garzeit:	30 Minuten
Personen:	4

250 g	frische, aromatische rosa Rosenblütenblätter
2 EL	Zitronensaft
100 g	Zucker

i ❀ ◉ ♦ V ⁘　　　　　　　Seite 465 📷

Schnee aus den Bergen wird gefroren aufbewahrt, um im Sommer mit Rosensirup genossen zu werden. Ist kein Schnee vorhanden, tun es auch Eisspäne. Dies ist ein Lieblingsgeschmack meiner Kindheit.

♦

Blütenblätter, Zitronensaft und Zucker in eine Schüssel geben und 5 Minuten verkneten. Abdecken und 2 Stunden ruhen lassen. Mit 500 ml kochendem Wasser übergießen, abdecken und über Nacht stehen lassen.

Am nächsten Tag abseihen und allen Saft aus den Blütenblättern drücken. Saft in einem Topf bei mittlerer Hitze zum Kochen bringen. 5 Minuten kochen, Hitze reduzieren und 20 Minuten weiterköcheln. Mit 500 ml kaltem Wasser verdünnen. Kühlen und servieren.

♦

NEVRUZ-GETRÄNK
NEVRUZ ŞERBETİ

Herkunft:	Ağrı, Ostanatolien
Zubereitung:	35 Minuten zzgl. 4 Stunden Kühlen
Personen:	4

100 g	Brunnenkresse, fein geschnitten
100 g	Sauerampfer, fein geschnitten
2 Stängel	Dill, fein geschnitten
2	Malvenblätter, fein geschnitten
1 Stängel	frisches Basilikum, fein geschnitten
50 g	Vogelmierenblätter, fein geschnitten
1	grüner Apfel, gerieben
100 g	Weizensprossen, fein geschnitten
2 EL	Zitronensaft
150 g	Oreganohonig

i ◉ V

Das Frühlingsfest *Nevruz* ist in Ostanatolien eine große Sache. Dieses Getränk serviert man im März und April zu einem Spezial-Dessert aus zerstampften Weizensprossen. Solche Rituale, glauben die Einheimischen, bringen sie mit Mutter Natur in Einklang, wehren Übel ab und läuten, ähnlich wie unser Silvester, ein neues Jahr ein.

♦

In einem Mörser Brunnenkresse, Sauerampfer, Dill, Malvenblätter, Basilikum, Vogelmierenblätter, grünen Apfel, Weizensprossen, Zitronensaft und Honig zerstampfen. Die Masse in eine Schüssel geben und langsam mit 1,2 Liter kaltem Wasser vermischen. 5 Minuten rühren, bis alles gut vermischt ist. Weitere 10 Minuten rühren, dann abseihen und in ein Weckglas oder einen Krug gießen. Verschließen oder mit Frischhaltefolie abdecken und 4 Stunden kalt stellen. Gut gekühlt in Gläsern servieren.

GASTKÖCHE

♦

SABİT İSKENDEROĞLU

KEBAPÇI İSKENDER, BURSA

Kebapçı Iskender wurde von Iskender Dede (dem Sohn
Mehmets) auf dem Kayhan-Basar in Bursa gegründet
und wird inzwischen in vierter Generation
von der Familie geführt.

DÖNER KEBAB
DÖNER KEBABI

Zubereitung:	30 Minuten zzgl. Kühlen über Nacht
Garzeit:	50 Minuten
Personen:	4

---

1 kg	Lammkeule, Sehnen entfernt, durch den Fleischwolf gedreht
1 (120 g)	mittelgroße Zwiebel

Für die Tomatensauce:	
250 ml	Saft von angesengten Tomaten
250 ml	Fleischbrühe (Seite 489)
1	Knoblauchzehe, gehackt

---

100 g	Butter (Ziegenmilch)
300 g	Geriffeltes Sauerteig-Fladenbrot, mit Wasser bespritzt, gewürfelt
300 g	griechischer Joghurt
400 g	*Schisch Köfte* (Lammrippchenfleisch, durchgedreht, auf Spießen gegrillt)
4 (400 g)	*Külbastı* (gegrillte Rinderfilets), jedes in 3 Stücke geschnitten
480 g	Tomaten, geviertelt, angesengt
8	milde grüne Spitzpaprika, angesengt

Für dieses Rezept braucht man einen Döner-Grill.

In einer großen Schüssel Lammhack und geriebene
Zwiebeln mit 1 Teelöffel Salz verkneten. Über Nacht in den
Kühlschrank stellen. In 4 gleiche Portionen teilen.

Am nächsten Tag den Döner-Grill erhitzen (bei holzbe-
feuertem Grill Eichenholzkohle verwenden). Das Fleisch
auf den Spieß schichten und darauf achten, dass es gut
befestigt ist. Den Spieß im Grill verankern und 6 Minuten
garen. Mit einem Döner-(Säge-) Messer seitlich eine dünne
Scheibe abschneiden. Die Fleischscheibe 5 Minuten kneten, dann erneut auf den Spieß stecken. Weitere 30 Minuten grillen, bis sie gar ist. Mit dem Dönermesser mit einer
Bewegung wie beim Geigenspiel dünne Scheiben des garen
Fleisches absäbeln. Das Grillen und Säbeln wiederholen,
bis der Döner aufgebraucht ist.

Für die Tomatensauce Tomatensaft, Fleischbrühe und
Knoblauch sowie ¼ Teelöffel frisch gemahlenen Pfeffer
und ½ Teelöffel Salz in einen großen Topf geben und
10–15 Minuten kochen, dann beiseitestellen.

Die Butter in einem kleinen Topf erhitzen und warm
halten.

4 Teller vorwärmen, geriffelte Brotstücke darauf verteilen,
dann 200 ml Tomatensauce darübergeben. Den Joghurt
verquirlen und je 1 Portion auf den Tellerseiten anrichten, Dönerfleisch daraufgeben und die *Schisch-Köfte-* und
*Külbastı-*Stücke hinzufügen. Die angesengten Tomaten und
Paprika dazugeben und mit der restlichen Tomatensauce
und heißer Butter übergießen. Sofort servieren.

◆

ALI ELHAKAN

MARDİN KEBAP EVİ, YENIŞEHIR, DIYARBAKII

Ali Elhakans Kebabhaus in Mardin ist seit 1965 in Betrieb.

SCHARFE KEBABS
ACILI KEBAP

Zubereitung:	20 Minuten zzgl. Kühlen über Nacht
Garzeit:	15 Minuten
Personen:	4

---

1 kg	Hammelkeule und -brust, Sehnen entfernt
250 g	Schwanzfett vom (männlichen) Schaf
60 g	Zwiebel
10 Stängel	glatte Petersilien
50 g	Rote Paprikapaste (Seite 492)

1	*Piyaz Salatası* (Zwiebelsalat, Seite 67)

🌢 🌿

Fleisch und Schwanzfett mit einem *Zırh* (gebogenen Hackmesser) fein hacken. In eine Schüsssel geben, mit ¼ Teelöffel Salz vermischen, abdecken und über Nacht in den Kühlschrank stellen.

Am nächsten Tag wieder herausholen. Zwiebel und Petersilie fein schneiden, mit der Paprikapaste zum Fleisch geben und alles gut verkneten. In 4 gleiche Stücke teilen, dann einen Spieß durch jede Fleischportion führen und in regelmäßigen Abständen zwischen den Handflächen andrücken; sicherstellen, dass die beiden Enden fest am Spieß haften. Es sollen vier 15 cm lange abgeflachte Rollen entstehen.

Einen Grill vorbereiten. Spieße 8 cm über der glühenden Holzkohle platzieren und 6 Minuten grillen; dabei alle 30 Sekunden wenden.

Kebabs auf Teller legen und mit *Piyaz Salatası* servieren.

MURAT KARGILI

KANAAT LOKANTASI, ÜSKÜDAR, İSTANBUL

Die *Kanaat Lokantası* gibt es seit 1933, sie wird seit Langem
von einer thrakischen Familie betrieben.

GESCHMORTES MILCHLAMM
ELBASAN TAVA

Zubereitung:	30 Minuten
Garzeit:	2 Stunden 20 Minuten
Personen:	4

1	Milchlammkeule, geviertelt, 30 Minuten in 2 l Wasser eingeweicht, abgetropft
2	Eier
150 g	Joghurt (Schafmilch)
100 g	Butter
130 g	Mehl
50 g	Tomatenmark (Seite 492)
250 ml	Fleischbrühe (Seite 489)

Die Lammstücke und ¾ Teelöffel Salz mit 3 Liter Wasser in einen Topf geben und bei mittlerer Hitze 2 Stunden garen. Das Lamm herausnehmen und die Brühe aufheben. Fleisch vom Knochen lösen und beiseitestellen.

Eier und Joghurt 3 Minuten in einer Schüssel verrühren und beiseitestellen.

Die Butter in einem Topf bei mittlerer Hitze zerlassen, das Mehl dazugeben und 3 Minuten unter Rühren anschwitzen. Joghurt-Ei-Mischung mit 750 ml der aufgehobenen Brühe dazugeben. 1 Minute rühren.

Den Backofen auf 220 °C vorheizen.

Die Lammstücke in einen großen Bräter legen und mit der Saucenmischung übergießen. Das Tomatenmark mit der Fleischbrühe verdünnen, dann in den Bräter gießen. Im heißen Ofen 15 Minuten braten, bis das Fleisch zu bräunen beginnt.

Auf Teller geben und servieren.

◆

SEFA BOYACIOĞLU

BOĞAZIÇI LOKANTASI, ULUS, ANKARA

Von Mehmet Recai Boyacıoğlu gegründet, ist das *Boğaziçi Lokantası* seit 1956 in Betrieb.

LAMMBRATEN ANKARA
ANKARA TAVA

Zubereitung:	20 Minuten
Garzeit:	2 Stunden 5 Minuten zzgl.
	15 Minuten Ruhezeit
Personen:	4

---

200 g	Butter
4 × 250 g	Lammbruststücke, mit Knochen, gewaschen
1 (120 g)	mittelgroße Zwiebel
2	Lorbeerblätter
5	Pfefferkörner
480 g	Mittelkornreis, 20 Minuten in
	2 l Wasser eingeweicht, abgetropft
360 g	Tomaten, geviertelt
4	milde grüne Chilischoten, geviertelt
100 g	gesalzene Butter

❧

Die Butter in einem großen Schmortopf zerlassen. Das Fleisch dazugeben und bei mittlerer Hitze anbraten. Zwiebel, Lorbeerblätter, Pfefferkörner, 2 Teelöffel Salz und 3 Liter Wasser hinzufügen oder so viel, dass das Fleisch gerade bedeckt ist. Deckel auflegen und 1½ Stunden garen.

Den Backofen auf 220 °C vorheizen.

Das gegarte Lamm abgießen und die Garflüssigkeit aufheben; Zwiebel, Lorbeerblätter und Pfefferkörner wegwerfen. Lamm und Garflüssigkeit zurück in den Topf geben, Reis hinzufügen und mit aufgelegtem Deckel etwa 20 Minuten garen, bis der Reis alle Flüssigkeit aufgesogen hat. Tomaten und Chilis dazugeben. Ohne Deckel 10 Minuten im heißen Backofen garen, bis die Tomaten und Chilis etwas Farbe angenommen haben und der Reis alle Flüssigkeit absorbiert hat. Aus dem Ofen nehmen.

Inzwischen die gesalzene Butter in einem kleinen Topf bei mittlerer Hitze zerlassen. Die geschmolzene Butter in den Schmortopf gießen. Abdecken und 15 Minuten ruhen lassen. Auf Teller geben und servieren.

FERİDUN ÜGÜMÜ

HÜNKÂR LOKANTASI, NIŞANTAŞI, İSTANBUL

Seit 1998 führen die Gebrüder Galip, Feridun und Faruk
Ügümü ihre *Hünkâr Lokantası*. Falls das gegarte Gericht zu viel
Kochflüssigkeit enthält, einfach abschöpfen, in einem zweiten
Topf reduzieren und zum Ragout zurückgießen.

LAMMRAGOUT MIT QUITTEN
AYVALI YAHNİ

Zubereitung:	15 Minuten
Garzeit:	2 Stunden 15 Minuten zzgl.
	15 Minuten Ruhezeit
Personen:	4

60 ml	Sonnenblumenöl,
600 g	Lammschulter, in 2-cm-Würfel geschnitten
100 g	Butter
2 (240 g)	mittelgroße Zwiebeln, in Ringe geschnitten
1 (250 g)	Quitte, in 16 Stücke geschnitten
1 TL	gemahlener Zimt
2 EL	Traubenmelasse (oder Maulbeermelasse)

Das Sonnenblumenöl in einem großen Topf bei mittlerer Temperatur erhitzen, Lammschulter dazugeben, Hitze erhöhen und Fleisch 15 Minuten anbraten. Hitze reduzieren, Deckel auflegen und 10 Minuten ohne umzurühren garen, bis das Fleisch seinen eigenen Saft absorbiert hat. Unter gelegentlichem Umrühren etwa 15 Minuten bei mittlerer Hitze weitergaren, bis das Fleisch karamellisiert. 400 ml heißes Wasser dazugießen, Hitze nochmals reduzieren, Deckel auflegen und 1 Stunde köcheln lassen.

Inzwischen in einem zweiten Topf die Hälfte der Butter bei mittlerer Hitze zerlassen und die Zwiebeln 20–30 Minuten darin anschwitzen, bis sie karamellisieren. Zwiebeln herausnehmen und beiseitestellen. Restliche Butter und Quitten dazugeben und etwa 15 Minuten braten und karamellisieren lassen. Die Zwiebeln mit 100 ml heißem Wasser in den Topf zurückgeben, aufkochen lassen und 5 Minuten garen.

Die Zwiebel-Quitten-Mischung in den Topf mit dem Fleisch geben, dann 1 Teelöffel Salz, Zimt und Melasse unterrühren. 30 Minuten bei schwacher Hitze köcheln lassen. Vom Herd nehmen und 15 Minuten ruhen lassen. Warm servieren.

◆

ŞENOL ÖZTÜRK

DENİZ RESTAURANT, ALSANCAK, İZMİR

Das Restaurant *Deniz* wurde 1982 von Yılmaz Ramazan
Çelikkaya gegründet und wird heute von seinen
Söhnen geführt.

WOLFSBARSCH IN BÉCHAMELSAUCE
SÜTLÜ BALIK

Zubereitung:	15 Minuten
Garzeit:	1 Stunde 10 Minuten
Personen:	4

1,5 kg	Wolfsbarsch, ausgenommen, filetiert
50 g	Butter
50 g	Mehl
500 ml	Milch
1	Ei
50 g	*Kaşar*-Käse, gerieben
1	rote Paprika, gewürfelt
5	Champignons, in Scheiben geschnitten

Die Wolfsbarschfilets mit 1,5 Liter Wasser in einen Topf geben und zum Kochen bringen, dann Hitze reduzieren und 30 Minuten köcheln lassen. Abgießen, abkühlen lassen, Gräten entfernen.

Den Backofen auf 200 °C vorheizen. Die Hälfte der Butter bei mittlerer Hitze in einem Topf zerlassen, Mehl hinzufügen und 10 Minuten unter Rühren anschwitzen. Nach und nach die Milch zugießen und rühren. Das Ei in den Topf schlagen, unterrühren und weitere 10 Minuten garen. Sobald die Sauce andickt, vom Herd nehmen.

Die Hälfte der Sauce in einen Bräter gießen. Fisch und die restliche Sauce hinzufügen und gut vermischen. *Kaşar*, Paprika, Champignons sowie die restliche Butter und ½ Teelöffel Salz unterziehen. 20 Minuten im Ofen backen, bis Fisch und Sauce gebräunt sind. Auf Teller geben.

GASTKÖCHE

LEVON BALIKÇIOĞLU

LEVON PATISSERIE, İÇERENKÖY, İSTANBUL

2000 gründete Küchenchef Levon Balıkçıoğlu die Patisserie *Levon*, um den Menschen, die im Viertel leben und arbeiten, leckere und gesunde Speisen anzubieten. Darüber hinaus richtet er Feierlichkeiten und Geschäftsempfänge für Kunden in ganz Istanbul aus.

GEBACKENER PUDDING
HAVİDZ

Zubereitung:	5 Minuten
Garzeit:	45 Minuten zzgl.
	4 Stunden Kühlen
Personen:	4

---

120 g	Butter
70 g	Mehl
1 l	Milch
200 g	Zucker
50 g	Semmelbrösel
1 TL	gemahlener Zimt

V

100 g der Butter in einem großen Topf bei schwacher Hitze zerlassen, und das Mehl darin unter ständigem Rühren goldbraun rösten. Hitze erhöhen und unter ständigem Rühren nach und nach die Milch hinzufügen. Sobald sie zu köcheln beginnt, den Zucker dazugeben. Hitze reduzieren und weitere 15 Minuten garen; ab und zu umrühren.

Den Backofen auf 180 °C vorheizen.

Eine Backform von 20 cm Durchmesser (am besten aus Glas) mit der restlichen Butter einfetten und mit den Semmelbröseln bestreuen. Den Pudding hineingießen und im heißen Ofen 25 Minuten backen, bis die Oberfläche braun ist.

4 Stunden kühlen. Mit dem gemahlenen Zimt bestreuen und servieren.

ABDULLAH KORU

HACI ABDULLAH LOKANTASI, BEYOĞLU, İSTANBUL

Hacı Abdullah gehört zu den ältesten İstanbuler Restaurants,
die die traditionelle türkische Kochkultur pflegen.

FRÜCHTE-EINTOPF
KARIŞIK HOŞAF

Zubereitung:	10 Minuten
Garzeit:	15 Minuten zzgl. 5 Stunden Kühlen
Personen:	4

400 g	Zucker
4	Gewürznelken
1	Quitte, geschält, geviertelt, Kerngehäuse entfernt
1	Apfel, geschält, geviertelt, Kerngehäuse entfernt
1	Birne, geschält, geviertelt, Kerngehäuse entfernt
1	Pfirsich, geschält, geviertelt, entsteint
4	Aprikosen, entsteint
8	Sauerkirschen, entsteint
4	Pflaumen, entsteint

100 g	Granatapfelkerne
20	schwarze Maulbeeren
1	Banane, in 16 dünne Scheiben geschnitten

Zucker und Nelken mit 1 Liter Wasser in einen großen
Topf geben und bei mittlerer Hitze zum Kochen bringen.

Die Hitze reduzieren, Quitte, Apfel, Birne, Pfirsich,
Aprikosen, Sauerkirschen und Pflaumen hinzufügen und
weitere 10 Minuten köcheln lassen.

Vom Herd nehmen und bei Zimmertemperatur 1 Stunde
abkühlen lassen. In den Kühlschrank stellen und 4 Stunden kühlen.

In Schälchen geben, mit Granatapfelkernen, Maulbeeren
und Bananenscheiben verzieren und servieren.

♦

VORRÄTE

♦

LINDENBLÜTEN-STARTERKULTUR
ÇİÇEK MAYASI

Herkunft:	İstanbul, alle Landesteile
Zubereitung:	15 Minuten zzgl. Ruhezeit über Nacht
Garzeit:	5 Minuten
Ergibt:	1

30 g	Lindenblüten mit Blättern
20 g	Honig
100 g	Vollkornweizenmehl

Diese Starterkultur verleiht dem Brot Aroma. Man verwendet 2 Esslöffel auf 100 g Mehl. Die Gärdauer liegt zwischen 5 Stunden und einem Tag. Geben Sie jeden Tag 50 g Mehl hinzu, um die Starterkultur zu „füttern". Sie kann auch aus Rosen, Geranien oder Hopfen gemacht werden.

◆

Blüten und Blätter mit dem Honig in einem Mörser zerstoßen. In einen Topf geben, 3 Esslöffel ungechlortes Wasser hinzufügen, Deckel auflegen und bei mittlerer Hitze zum Kochen bringen. Vom Herd nehmen, den Topf in ein Küchentuch schlagen und über Nacht stehen lassen.

Am nächsten Tag die Mischung kneten, dann abseihen, Rückstände wegwerfen und die Flüssigkeit aufheben. Mehl und ¼ Teelöffel Salz in einer kleinen Schüssel vermischen, Lindenblütenflüssigkeit dazugeben, vermischen und 5 Minuten kneten.

◆

ASCHE-STARTERKULTUR
KÜL MAYASI

Herkunft:	Sivas, alle Landesteile
Zubereitung:	5 Minuten zzgl. Ruhezeit über Nacht
Ergibt:	1

100 g	pulverisierte Eichenholzasche, gesiebt

Backnatron hat das Asche-Triebmittel in Keksen, Kuchen, *Kalburabastı* und *Şekerpare* ersetzt, doch traditionelle Köchinnen schwören nach wie vor darauf. Durch Hinzufügen von Mehl kann man *Kül Mayası* auch als Triebmittel für Brot verwenden. Man nimmt 20 ml Starterkultur auf je 100 g Mehl. Man kann sie einen Tag im Voraus zubereiten, aber sie ist weder haltbar noch vermehrbar.

◆

Die Eichenasche mit 50 ml Wasser in eine Schüssel geben und 1 Minute gut vermischen. Abdecken und über Nacht an einen warmen Ort stellen. Benötigte Menge entnehmen und vor dem Verwenden abseihen.

◆

KICHERERBSEN-TRIEBMITTEL
NOHUT MAYASI

Herkunft:	Yozgat, alle Landesteile
Zubereitung:	5 Minuten zzgl. Ruhezeit über Nacht
Ergibt:	1

50 g	Kichererbsen aus der Dose, in einem Mörser zerstoßen

Ein Kichererbsen-Starter macht ölige Gebäcke wie *Çörek*, *Külçe* und *Kete* knuspriger und süßer. Auch als „süße Starterkultur" bekannt, wird *Nohut Mayası* sowohl bei der Brotherstellung als auch beim Backen von *Simit* oder *Kahke* (Sesamkringel, Seite 370) verwendet. Dabei nimmt man 40 g Triebmittel auf 100 g Mehl. Zur Förderung der Schaumbildung kann man es auch 2 Stunden in den warmen Backofen stellen.

◆

Die zerstoßenen Kichererbsen in ein Einmachglas geben. 500 ml lauwarmes Wasser dazugießen und über Nacht an einen warmen Ort stellen. Die Starterkultur lebt und arbeitet, wenn sich oben Schaum gebildet hat.

SAUERTEIG

EKŞİ MAYA

Herkunft:	Tekirdağ, alle Landesteile
Gärzeit:	mindestens 5 Stunden
Zubereitung:	15 Minuten zzgl. 2 Tage Ruhezeit
Ergibt:	1

3,1 kg	Vollkornweizenmehl
20 g	Traubenmelasse
2 EL	Traubenessig
10	frische Weinblätter

Mit Sauerteig wird Brot und Pide hergestellt. In den Dörfern bewahrt man ihn bis zur Wiederverwendung unter einer dicken Mehlschicht auf, und wenn man ihn regelmäßig mit frischem Teig füttert, hält er sich eine Ewigkeit. Je länger man ihn ruhen lässt, umso saurer wird er – doch das ist Geschmackssache. Die Sauerteigmenge sollte halb so viel wiegen wie das für den Brotlaib benötigte Mehl. Falls man seinen Brotteig saurer wünscht, kann man auch gleiche Mengen an Mehl und Sauerteig verwenden. Der Starter sollte vor dem Gebrauch mit Wasser verdünnt werden. Sobald ein neuer Laib aufgegangen ist, ein wenig davon abnehmen und zum Vorteig hinzufügen, um ihn für einen späteren Laib zu verwenden. Jedes Füttern verbessert die Qualität des Starters. Das Mengenverhältnis sollte 40 g Starter auf 100 g Mehl betragen. Sauerteig kann man auch aus vergorenen Früchten herstellen.

◆

100 g Mehl, ¼ Teelöffel Salz, 60 ml Wasser, Traubenmelasse und Traubenessig in eine große Schüssel geben und 5 Minuten verkneten. Den Teig auf die bemehlte Arbeitsfläche legen und 10 Minuten kneten, bis er glatt und elastisch ist.

Die restlichen 3 kg Mehl in eine große Schüssel geben. Den Sauerteig in frische Weinblätter wickeln, im Mehl vergraben und vor der Verwendung 2 Tage ruhen lassen. So kann er einige Wochen in Mehl aufbewahrt werden; der Geschmack des Brotes hängt von seiner Reife ab.

◆

KÄSE

PEYNİR

Herkunft:	Gaziantep, alle Landesteile
Zubereitung:	5 Minuten
Garzeit:	20 Minuten zzgl. 3 Stunden Ruhezeit
	und 1 Stunde Abtropfen
Ergibt:	1 kg

5 l	Milch (frische Schafmilch, wenn möglich)
50 g	Schafsblättermagen (oder 1 EL Lab)

Für die Käseherstellung wird – trotz vieler unterschiedlicher lokaler Sorten – meist frische Frühlingsmilch verwendet. Die Einheimischen kochen sie nicht ab, sondern beginnen mit dem Blättermagen des Schafs und fügen frisch gemolkene Schafsmilch hinzu. Je nach Verfügbarkeit und Vorliebe können Schaf-, Ziegen-, Wasserbüffel-, Kamel- oder Kuhmilch Verwendung finden. Der Käse wird vor dem Verzehr 6 Monate in Salzlake eingelegt. Aus der dabei angefallenen Molke, die man mittels Zitronensaft zum Gerinnen bringt, wird *Lor* (Frischer Molkenkäse Seite 485) gewonnen.

◆

Die Milch in einem großen Topf auf 40 °C (Kochthermometer) erhitzen. Blättermagen oder Lab hinzufügen und weiterkochen, bis 45 °C erreicht sind, dann vom Herd nehmen. Den Topf mit einem Küchentuch abdecken und 3 Stunden bei Zimmertemperatur stehen lassen.

Blättermagen entfernen. Den Käsebruch in eine mit einem Käsetuch ausgelegte Schüssel geben. Ein 500 g schweres Gewicht auf den Bruch legen, um das Herauspressen der Molke zu erleichtern, und 1 Stunde beschwert lassen. Den Käse auswickeln und genießen. Die Molke für die *Lor*-Herstellung (Seite 485) aufheben.

TROCKENER HÜTTENKÄSE
ÇÖKELEK

Herkunft:	Çankırı, alle Landesteile
Zubereitung:	5 Minuten zzgl. 27 Stunden Ruhezeit
Garzeit:	20 Minuten
Ergibt:	600 g

2 EL	Zitronensaft
3 kg	griechischer Joghurt

Ekşimik und *Minci* sind andere Namen für diesen Käse, der je nach Gegebenheiten und Vorlieben aus der Milch von Schafen, Ziegen, Wasserbüffeln, Kamelen oder Kühen hergestellt wird. In manchen Gegenden wird die Molke von der *Çökelek*-Produktion in großen Gläsern aufbewahrt und als saures Getränk oder, zu einer dicken Melasse eingekocht, als säuerliche Beilage genossen. Der Joghurt kann auch durch Ayran (Seite 452) ersetzt werden.

◆

Zitronensaft und Joghurt mit 1 Liter Wasser in einen großen Topf geben. Bei schwacher Hitze zum Kochen bringen und ohne umzurühren 15 Minuten weiterkochen, bis die Mischung zu gerinnen beginnt. Um Überkochen zu verhindern, am besten einen Metalllöffel in den Topf geben.

Vom Herd nehmen und 3 Stunden stehen lassen.

Den Joghurt in ein großes Käsetuch geben, Ecken zusammenbinden und im Kühlschrank über eine große Schüssel hängen. Nach 24 Stunden, wenn alle Flüssigkeit abgetropft ist, ist der *Çökelek* fertig. Das Tuch entfernen und genießen. In den Kühlschrank stellen und innerhalb von 3 Tagen aufbrauchen. In Olivenöl eingelegt hält er sich etwas länger.

◆

WÜRZIGER HATAY-KÄSE
SÜRK

Herkunft:	Hatay, Mittelmeerregion
Zubereitung:	15 Minuten zzgl. 15 Tage Kühlen
Garzeit:	5 Stunden Trocknen
Ergibt:	600 g

400 g	*Lor* (Seite 485)
400 g	*Çökelek* (oben)
100 g	bulgarischer oder griechischer Feta-Käse, zerkrümelt
30 g	Chiliflocken
1 TL	gemahlener Zatar
¾ TL	gemahlener Kreuzkümmel
1 TL	gemahlener Koriander
¼ TL	gemahlene Fenchelsamen
120 ml	Olivenöl

Nach traditioneller Methode wird *Sürk* einen Tag lang an einem kühlen Ort getrocknet, in feuchtes Papier geschlagen und in Gläsern kühl aufbewahrt, bis er zu schimmeln beginnt. Man kann ihn auch in Tonkrügen fermentieren lasssen. Die Einheimischen zerkrümeln ihn und übergießen ihn mit reichlich Olivenöl zum Frühstück. Auch zu Salaten, Frühstücksgebäck und als Begleiter zu Rakı ist er beliebt. Gibt man ihn mit Granatapfelmelasse zu *Çoban Salatası* wird daraus ein *Sürk Salatası*.

◆

Den Backofen auf 75 °C vorheizen und ein Backblech mit Backpapier belegen.

Lor, Çökelek, Feta, Chiliflocken, Zatar, Kreuzkümmel, Koriander, Fenchelsamen, Olivenöl und ½ Teelöffel Salz 10 Minuten in einer großen Schüssel gründlich verkneten. Die Masse zu kleinen, an einem Ende spitz zulaufenden Kügelchen rollen. Käsestücke auf das vorbereitete Backblech legen.

Im Ofen 5 Stunden trocknen, dann bei Zimmertemperatur abkühlen lassen. Danach mit einem feuchten Küchentuch abdecken und mindestens 15 Tage kühl stellen. Weiter im Kühlschrank aufbewahren.

FRISCHER MOLKENKÄSE
LOR

Herkunft:	Muş, alle Landesteile
Zubereitung:	5 Minuten zzgl. 27 Stunden Ruhezeit
Garzeit:	15 Minuten
Ergibt:	400 g

3 l	abgeseihte Molke (von der Käseherstellung Seite 483 oder 2 l Milch)
2 EL	Zitronensaft
2 l	Kuhmilch

❧ ◆ V ✥

Lor oder Molkenkäse erhält man durch das Säuern von Milch mit Zitronensaft oder Essig. Übrig gebliebene Molke findet oft beim Backen Verwendung. Geeignet dafür ist je nach Verfügbarkeit oder Präferenz die Milch von Ziegen, Wasserbüffeln, Kamelen oder Schafen.

◆

Die Molke oder Milch, Zitronensaft und Kuhmilch in einen großen Topf geben und 15 Minuten kochen, bis sich Käsebruch bildet. Ein Metalllöffel im Topf ist die beste Methode, um ein Überkochen zu verhindern. Vom Herd nehmen und ohne Deckel 3 Stunden stehen lassen.

Den Topfinhalt in ein Käsetuch geben, Ecken verknoten und im Kühlschrank über eine Schüssel hängen. 24 Stunden ruhen lassen, bis alle Molke abgetropft ist. Den *Lor* aus dem Tuch nehmen und genießen.

◆

KASCHK
KEŞ

Herkunft:	Van, alle Landesteile
Zubereitung:	15 Minuten zzgl. 7 Tage Ruhezeit
Ergibt:	200 g

200 g	abgetropfter griechischer Joghurt
200 g	*Lor* (oben) oder *Çökelek* (Seite 484)
50 g	Butter

❧ ◆ V ✥

Der auch als *Keşk*, Cortan, Pakan, Torak und Kurut bekannte Kaschk ist eine wichtige Zutat für hausgemachte Nudeln, Keledoş und verschiedene Suppen. Je nach Verfügbarkeit und Vorlieben kann er aus jeder Milch hergestellt werden, ebenso wie aus abgetropftem oder normalem Joghurt oder *Çökelek* (Seite 484). Im Kühlschrank ist er gut haltbar.

◆

Joghurt, *Lor* oder *Çökelek* und Butter mit 2 Teelöffel Salz 2 Minuten in einer Schüssel verrühren. Verkneten und alle Luftblasen herausdrücken. Zu 5 cm breiten Kuppeln formen und auf ein Käsetuch setzen. Eine Woche an einem kühlen, dunklen Ort trocknen lassen; nach 3 Tagen wenden. In einem Musselintuch aufgehängt bei Zimmertemperatur aufbewahren.

◆

BUTTERSCHMALZ
SADEYAĞ

Herkunft:	Şanlıurfa, alle Landesteile
Zubereitung:	5 Minuten zzgl. 1 Stunde Abkühlen
Garzeit:	10 Minuten
Ergibt:	160 g

200 g	Butter (Schafmilch)

❧ ◆ V ✥

Butterschmalz kann je nach Geschmack aus jeder Milch hergestellt werden. Im Kühlschrank aufbewahrt hält sie sich bis zu einem Jahr.

◆

Die Butter in einen Topf geben und bei schwacher Hitze zerlassen; darauf achten, dass die Temperatur auf dem Kochthermometer nicht über 130 °C steigt. Schaum abschöpfen, bis die Butter klar ist. Ein Sieb mit einem Baumwolltuch auslegen und die Butter in eine Schüssel seihen. Gefilterte Butter in sterilisierte Schraubgläser füllen. 1 Stunde bei Zimmertemperatur abkühlen lassen, dann verschließen und in den Kühlschrank stellen.

VORRÄTE

KAYMAK
KAYMAK

Herkunft:	İstanbul, alle Landesteile
Zubereitung:	5 Minuten zzgl. 26 Stunden Ruhezeit
Garzeit:	2 Stunden
Ergibt:	300 g

3 l	frische Wasserbüffelmilch

🌿 ◆ V ⁘

Auch die Milch von Schafen, Ziegen, Kamelen und Kühen kann je nach Erhältlichkeit und Präferenz zur Herstellung dieser fetten Sahne verwendet werden. Normalerweise wird sie zu Desserts oder mit Honig zum Frühstück serviert. Die zurückbleibende Milch kann als Starter für Joghurt (unten), Käse (Seite 483) oder *Lor* (Frischer Molkenkäse, Seite 485) dienen oder mit Zitrone zum Gerinnen gebracht werden.

◆

Die Milch bei schwacher Hitze in einem Topf zum Kochen bringen. Sofort vom Herd nehmen und bei Zimmertemperatur 20 Minuten stehen lassen. Das Ganze bei schwacher Hitze erneut ohne Umrühren zum Kochen bringen. Sofort wieder vom Herd nehmen. Diesen Vorgang dreimal wiederholen.

Milch 2 Stunden bei Zimmertemperatur stehen lassen, dann 24 Stunden kühlen. Mit Hilfe eines Baumwollfadens die oben schwimmende dicke Sahne abheben. Frisch servieren.

◆

JOGHURT
YOĞURT

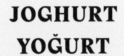

Herkunft:	Ankara, alle Landesteile
Zubereitung:	5 Minuten zzgl. Ruhezeit über Nacht
Garzeit:	20 Minuten zzgl. 5 Stunden
	und Kühlen über Nacht
Ergibt:	2 kg

2 l	frische Milch
5	Kichererbsen aus der Dose, zerdrückt

🌿 V ⁘

Verwendbar sind hier je nach Verfügbarkeit und Vorliebe Schaf-, Ziegen-, Wasserbüffel-, Kamel- oder Kuhmilch. Die Einheimischen heben sich gern 4 Teelöffel von Starterkultur und Joghurt fürs spätere Joghurtmachen auf.

◆

Für die Starterkultur 2 Esslöffel der Milch in einem kleinen Topf auf 45 °C (auf dem Kochthermometer) erhitzen. Die Milch in eine kleine Schüssel gießen. Zerdrückte Kichererbsen dazugeben, mit Küchentuch und Deckel abdecken. Die Schüssel in ein weiteres Tuch schlagen und über Nacht stehen lassen.

Am nächsten Tag die restliche Milch in einem großen Topf zum Sieden bringen und 10 Minuten kochen. Dann kühlen und aufschäumen, indem man sie aus einer Höhe von 50 cm zwischen zwei großen Schüssel hin- und herschüttet. Auf 45 °C abkühlen.

Den Joghurtstarter auspacken, abseihen und die Kichererbsen entfernen. Den Starter behutsam in die Milch in der Schüssel rühren. Deckel auflegen und in ein Küchentuch schlagen. Bei Zimmertemperatur 5 Stunden stehen lassen, dann über Nacht kühlen. Im Kühlschrank aufbewahren.

ABGETROPFTER JOGHURT
SÜZME YOGURT

Herkunft:	Edirne, alle Landesteile
Zubereitung:	5 Minuten zzgl. 24 Stunden Ruhezeit
Ergibt:	1,25 kg

2 kg	griechischer Joghurt (Schafmilch)

🌿 ◆ V ⁘

Wer möchte, kann auch Ziegen-, Wasserbüffel-, Kamel- und Kuhmilchjoghurt verwenden. Die zurückbleibende Flüssigkeit wird beim Backen gerne anstelle von Wasser genommen.

◆

Den Joghurt in ein Käsetuch gießen, Ecken verknoten und im Kühlschrank über eine Schüssel hängen. 24 Stunden stehen lassen, bis der Joghurt gänzlich abgetropft ist.

◆

JOGHURTBUTTER
YAYIK YAĞI (YOĞURT TEREYAĞI)

Herkunft:	Giresun, alle Landesteile
Zubereitung:	2 Stunden 10 Minuten
Ergibt:	400 g

3 kg	griechischer Joghurt
4	Eiswürfel

🌿 ◆ V ⁘

Je nach Verfügbarkeit und Präferenz Joghurt von Schafen, Ziegen, Wasserbüffel, Kamelen oder Kühen verwenden.

◆

Den Joghurt und 2 Liter kaltes Wasser in ein Butterfass geben. 2 Stunden buttern, dabei alle 30 Minuten 1 Eiswürfel dazugeben. Deckel und mittleres Loch des Fasses verschlossen halten, um Luftzirkulation zu verhindern. Die an Deckel und Seiten sich bildende Butter mit den Händen abstreifen. Butter zu einer Kugel formen, abspülen, ausdrücken und auf einen Teller legen. Gekühlt aufbewahren.

◆

BUTTER
TEREYAĞI

Herkunft:	Erzincan, alle Landesteile
Zubereitung:	2 Stunden und 10 Minuten
Ergibt:	500 g

3 l	frische Milch
500 g	frischer *Kaymak* (Seite 486)
4	Eiswürfel

🌿 ◆ V ⁘

Jede Milchsorte ist hier verwendbar, und die Methode bleibt gleich, egal ob man einen hölzernen Butterquirl oder eine Maschine benutzt. Anfallende Buttermilch kann man durch Zugabe von 2 Esslöffel Essig oder Zitrone stocken lassen. Nach 15 Minuten Kochen und Abtropfen in einem Musselintuch erhält man *Lor* (Frischen Molkenkäse, Seite 485).

◆

Milch und *Kaymak* in eine Buttermaschine geben. 2 Stunden buttern; alle 30 Minuten 1 Eiswürfel hinzufügen. Deckel und mittleres Loch der Maschine verschlossen halten, um Luftzirkulation zu verhindern. Die an Deckel und Seiten sich bildende Butter mit den Händen abstreifen. Zu einer Kugel rollen, abspülen, ausdrücken und auf einen Teller legen. Gut gekühlt aufbewahren.

GEMÜSEBRÜHE
SEBZE SUYU

Herkunft:	Aydın, alle Landesteile
Zubereitung:	15 Minuten
Garzeit:	45 Minuten
Ergibt:	2,25 Liter

6 Stängel	glatte Petersilie, gehackt
2 Stängel	frische Minze, gehackt
1 Stängel	Fenchelgrün, gehackt
1 Stängel	frisches Basilikum, gehackt
2	Schalotten, gewürfelt
120 g	Kartoffel, gewürfelt
70 g	Karotte, gewürfelt
100 g	Knollensellerie, gewürfelt
5	Pfefferkörner
60 ml	natives Olivenöl extra

♦ ❧ ♦ V

Diese Brühe kann abgeseiht oder auch mit dem gewürfelten Gemüse zu Suppen hinzugefügt werden. Sie soll heilende Wirkung entfalten und wird den Suppen Genesender beigemischt, die keine feste Nahrung vertragen. Es gibt sie in zahllosen Varianten: manche geben gern Gerste, Orzo-Nudeln oder Weizen dazu; Manche kochen sie mit Tomaten und Oregano, andere nur mit Karotten oder ersetzen die Kartoffeln durch Zucchini. Ein weiteres Rezept verlangt Wildkräuter wie Malve, Eisenkraut, Sauerampfer, Wegerich oder Giersch. In manchen Rezepten wird das Gemüse nicht angebraten, sondern in kaltem Wasser angesetzt. Getrocknete und frische Früchte werden nach derselben Methode pochiert und der Saft dann Suppen und anderen Gerichten zugesetzt.

♦

Den Backofen auf 200 °C vorheizen.

Alle Zutaten mit 500 ml Wasser in einen großen Bräter geben und gut vermischen. Im heißen Ofen 20 Minuten garen.

Das geröstete Gemüse in einen großen Topf geben und bei mittlerer Hitze auf den Herd stellen. 2,25 Liter kochendes Wasser darübergießen und 20 Minuten köcheln lassen. Aufsteigenden Schaum abschöpfen. Abseihen oder so verwenden. Kühl stellen und innerhalb von 3 Tagen verbrauchen. Oder in Eiswürfelbehältern oder Gefrierbeuteln einfrieren und innerhalb von 2 Monaten verbrauchen.

♦

FISCHBRÜHE
BALIK SUYU

Herkunft:	İstanbul, Marmara- und Ägäisregion
Zubereitung:	10 Minuten
Garzeit:	2 Stunden 15 Minuten
Ergibt:	3 Liter

60 ml	natives Olivenöl extra
4 (1 kg)	Knurrhahnköpfe
1	Selleriestange
1 Stängel	Fenchelgrün
½ Bund	glatte Petersilie
70 g	Karotte, geviertelt
1 (120 g)	mittelgroße Zwiebel, geviertelt
6	Knoblauchzehen
10	Pfefferkörner
120 g	Kartoffel , grob geschnitten
4	Lorbeerblätter
1	unbehandelte Zitrone, halbiert

♦ ❧ ⬟

Die Brühe kann aus Köpfen und Gräten jedes Fisches zubereitet werden. Wenn man nach dem Abseihen das Fleisch von den Köpfen löst und mit Gemüse zum Fond gibt, erhält man eine köstliche Suppe. Mit Olivenöl beträufelt ergeben die Fischstücke auch einen tollen Salat.

♦

Das Olivenöl in einem großen Topf bei mittlerer Hitze heiß werden lassen. Fischköpfe, Sellerie, Fenchel, Petersilie, Karotte, Zwiebel, Knoblauch, Pfefferkörner, Kartoffeln, Lorbeerblätter und ¾ Teelöffel Salz dazugeben und 10 Minuten unter ständigen Rühren andünsten. 3 Liter Wasser darübergießen. Zitronenhälften auspressen, Saft und Hälften in den Topf geben und weitere 5 Minuten kochen. Aufsteigenden Schaum abschöpfen. Deckel auflegen und 2 Stunden bei schwacher Hitze köcheln lassen.

Die Brühe vor der Verwendung abseihen. Kühl aufbewahren und innerhalb von 2 Tagen verbrauchen. Oder in Eiswürfelbehältern oder Tiefkühlbeuteln einfrieren und innerhalb von 2 Monaten aufbrauchen.

FLEISCHBRÜHE
ET SUYU

Herkunft:	İzmir, Ägäisregion
Zubereitung:	10 Minuten
Garzeit:	3 Stunden 10 Minuten
Ergibt:	2 Liter

500 g	Lammhaxe, mit Knochen
500 g	Lammnacken
2	Lammknochen, mit Mark
1 (120 g)	mittelgroße Zwiebel, geviertelt
70 g	Karotte, geviertelt
4	Knoblauchzehen
4	Pfefferkörner
1 EL	Zitronensaft
4	Lorbeerblätter

Fleischbrühe kann auch aus Ziegen- oder Hammelhaxe oder Rinderwaden hergestellt werden. Vor der Verwendung mit heißem Wasser verdünnen, wobei ein Verhältnis von 1 Liter Wasser : 500 ml Brühe günstig ist. Das Fleisch kann man, wenn die Brühe abgeseiht ist, kalt verzehren; oft wird es in Omeletts, Pilaws und Suppen wie etwa in *Beyran Çorbası* (Suppe mit Lammfleisch und Reis, Seite 42) oder *Demirci Kebabı* (Eisenhändler-Kebab, Seite 200) verwendet. Der Fond lässt sich auch so, ohne Abseihen, genießen. Im Dampftopf benötigt man für dieses Rezept (mit 2 Liter Wasser) 1 Stunde.

◆

Alle Zutaten mit 4 Liter Wasser in einen großen Topf geben. Zum Kochen bringen und bei mittlerer Hitze 5 Minuten kochen. Aufsteigenden Schaum abschöpfen. 3 Stunden bei schwacher Hitze köcheln lassen.

Die Brühe vor der Verwendung abseihen. Im Kühlschrank aufbewahren und innerhalb von 3 Tagen verbrauchen. Oder in Eiswürfelbehältern oder Tiefkühlbeuteln einfrieren und innerhalb von 2 Monaten verbrauchen.

◆

HÜHNERBRÜHE
TAVUK SUYU

Herkunft:	Manisa, alle Landesteile
Zubereitung:	10 Minuten
Garzeit:	2 Stunden 10 Minuten
Ergibt:	4 Liter

1 (2,5 kg)	Suppenhuhn
200 g	Knollensellerie, gewürfelt
120 g	Kartoffel, gewürfelt
70 g	Karotte, geviertelt
200 g	Erbsen, enthülst
½ Bund	glatte Petersilie
2 ½ TL	Kreuzkümmelsamen
10	Fenchelsamen
10	Pfefferkörner
½	unbehandelte Zitrone

Diese Brühe ist eine tolle Bereicherung für viele Gerichte, vor allem Pilaws. Man kann das Hühnerfleisch von den Knochen lösen, das Gemüse fein schneiden und in Gerichten wie *Arabaşı* (Scharfe Hühnersuppe mit Mehlklößchen, Seite 224), *Perde Pilavı* (Verschleierter Reis-Pilaw, Seite 314) und *Tavuk Çullama* (frittierte pochierte Hähnchenschenkel, Seite 230) verwenden. Oder man bereitet sie nach der gleichen Methode aus anderem gebratenem oder frischem Geflügel oder Wild zu. Bei einer weiteren Methode landet das Huhn auf dem oberen Einsatz eines Dampfgartopfs, die anderen Zutaten unten im Topf, sodass das Huhn im aromatischen Dampf gart. Vor dem Weiterverwenden die Brühe im Verhältnis 1 : 2 mit Wasser verdünnen. Im Dampfkochtopf benötigt man für das mit 2 Liter Wasser umgesetzte Rezept 1 Stunde.

◆

Alle Zutaten (außer der Zitrone) mit 4 Liter Wasser in einen großen Schmor- oder Suppentopf geben, die Zitronenhälfte darüber ausdrücken und anschließend dazugeben. Zum Kochen bringen und bei mittlerer Hitze 5 Minuten kochen. Entstehenden Schaum abschöpfen. Hitze reduzieren, Deckel auflegen und 2 Stunden köcheln lassen, dabei wenn nötig, den Schaum abschöpfen.

Die Brühe vor dem Verwenden abseihen. Im Kühlschrank aufbewahren und innerhalb von 2 Tagen verbrauchen. Oder aber in Eiswürfelbehältern oder Tiefkühlbeuteln einfrieren und innerhalb von 2 Monaten aufbrauchen.

KNOCHENBRÜHE
KEMİK SUYU

Herkunft:	Ankara, alle Landesteile
Zubereitung:	5 Minuten
Garzeit:	3 Stunden 5 Minuten
Ergibt:	4 Liter

4	Lammknochen mit Mark, nicht allzu fleischig, halbiert
2	Lammschwanzknochen, halbiert
1 (120 g)	mittelgroße Zwiebel, geviertelt
70 g	Karotte, geviertelt
4	Knoblauchzehen
1 EL	Zitronensaft

Ziegen- und Schafsknochen werden für diese Brühe lieber genommen als Rindsknochen, und nach dem Abseihen werden sie getrennt von ihr verzehrt. Die Brühe vor der Verwendung im Verhältnis 1 : 2 mit Wasser verdünnen. Im Dampfkochtopf dauert ihre Zubereitung 1 Stunde. Mancherorts werden die Knochen getrocknet, gesalzen und in Tonbehältnissen aufbewahrt, um bei Bedarf zur Herstellung von Knochenbrühe zu dienen.

◆

Alle Zutaten mit 4 Liter Wasser in einen großen Schmor- oder Suppentopf geben. Zum Kochen bringen und bei mittlerer Hitze 5 Minuten garen. Entstehenden Schaum abschöpfen. Deckel auflegen, Hitze reduzieren und 3 Stunden köcheln lassen, bis die Brühe klar wird.

Brühe vor dem Verwenden abseihen. In den Kühlschrank stellen und innerhalb von 2 Tagen aufbrauchen. Oder aber in Eiswürfelbehälter oder Tiefkühlbeuteln einfrieren und innerhalb von 2 Monaten verbrauchen.

◆

GRANATAPFELMELASSE
NAR EKŞİSİ

Herkunft:	Hatay, Mittelmeerregion und Südostanatolien
Zubereitung:	5 Minuten
Garzeit:	20 Minuten
Ergibt:	1 Liter

5 l	Granatapfelsaft, frisch gepresst und abgeseiht

In Dörfern werden die Granatapfelkerne 2 Stunden im Freien unter der Sonne gekocht. Dann wird der Saft in ein Becken gefüllt und 15 Tage unter gelegentlichem Umrühren direkter Sonneneinstrahlung ausgesetzt. In einer anderen Rezeptvariante werden große Mengen Granatapfelkerne (50–100 kg) in einen groben Leinensack zusammengepresst. Den Sack auf einem Hausdach auf einen Dreifuß über ein Becken stellen und 15 Tage in der Sonne liegen lassen.

◆

Den Granatapfelsaft in einem großen Topf köcheln lassen (ohne dass er anbrennt), bis ein Kochthermometer 108 °C anzeigt. Entstehenden Schaum abschöpfen.

Abkühlen lassen, in eine sterilisierte Flasche füllen und gut verschließen. An einem kühlen Platz hält sich die Melasse bis zu 1 Jahr.

KORNELKIRSCHENEXTRAKT
KIZILCIK EKŞİSİ

Herkunft:	Artvin, alle Landesteile
Zubereitung:	15 Minuten zzgl. 1 Stunde Ruhezeit
Garzeit:	1 Stunde
Ergibt:	1,5 Liter

1 kg	frische Kornelkirschen
1 EL	natives Olivenöl extra

Produkte aus der Kornelkirsche wie Melasse, Saft oder Fruchtleder sind überaus beliebt. Dieser Extrakt wird zum Sommerende und im Herbst eingekocht.

♦

Die Kornelkirschen und 1,2 Liter Wasser in einen Topf geben und bei schwacher Hitze 1 Stunde kochen. Vom Herd nehmen und 1 Stunde bei Zimmertemperatur stehen lassen.

Die Kornelkirschen mit der Hand zerdrücken und die Kerne entfernen. Durch ein Sieb streichen und den Saft in einer Schüssel auffangen. Den Saft in die sterilisierte Flasche füllen. Das Olivenöl daraufgießen. Flasche verschließen und kühl stellen. An einem kühlen Ort hält sich der Saft bis zu 1 Jahr.

♦

SAURER PFLAUMENEXTRAKT
ERİK (KORUĞU) EKŞİSİ

Herkunft:	Ordu, alle Landesteile
Zubereitung:	15 Minuten zzgl. 1 Stunde Ruhezeit
Garzeit:	1 Stunde
Ergibt:	1 Liter

1 kg	unreife Renekloden oder saure Pflaumen
1 EL	natives Olivenöl extra

Diesen Extrakt gibt man an gefüllte Gerichte wie *Dolmas*. Man kann ihn auch ungefiltert abfüllen.

♦

Früchte, ¾ Teelöffel Salz und 1 Liter Wasser in einen großen Topf geben und bei schwacher Hitze mit aufgelegtem Deckel 1 Stunde köcheln lassen.

Vom Herd nehmen und 1 Stunde bei Zimmertemperatur stehen lassen.

Früchte mit der Hand zerdrücken und entsteinen. Durch ein Sieb streichen und den Saft in einer Schüssel auffangen. In eine sterilisierte Flasche gießen. Olivenöl daraufgießen, Flasche verschließen und in den Kühlschrank stellen. An einem kühlen Ort hält sich der Saft bis zu 1 Jahr.

♦

SUMACHEXTRAKT
SUMAK EKŞİSİ

Herkunft:	Diyarbakır, Südostanatolien
Zubereitung:	10 Minuten zzgl. 1 Stunde Ruhezeit
Ergibt:	1 Liter

200 g	Sumach

Sumachextrakt wird frisch zubereitet und soll *Dolmas* (gefüllten Speisen) und Getränken eine säuerliche Note verleihen. Man kann ihn auch schon am Vortag mit kaltem Wasser anrühren.

♦

Den Sumach und ¾ Teelöffel Salz in eine große Schüssel geben. 1 Liter kochendes Wasser darübergießen, umrühren und 1 Stunde stehen lassen. Ausdrücken und abseihen. Sofort verwenden.

ROTE PAPRIKAPASTE
BİBER PEKMEZİ (SALÇASI)

Herkunft:	Gaziantep, alle Landesteile
Zubereitung:	20 Minuten zzgl. 3 Tage Ruhezeit
Garzeit:	1 Stunde
Ergibt:	1 kg

1,5 kg	rote Paprika, halbiert, Stiele und Samen entfernt
500 g	scharfe rote Paprika, halbiert, Stiele und Samen entfernt

⬥ ❀ ⬥ ⬥ V ⬥

In einer lokalen Rezeptvariante wird auf das Garen verzichtet, die Paprika einfach nur durch das Fleischwolf gedreht und in tiefen Backblechen sonnengetrocknet. Eine Woche stehen sie in der Sonne und werden zweimal täglich umgerührt.

♦

Paprika mit 4 Liter Wasser in einem großen Topf 20 Minuten köcheln lassen. Entstehenden Schaum abschöpfen. Paprika gut abtropfen und 10 Minuten stehen lassen.

Durch den Fleischwolf drehen oder in einer Küchenmaschine grob pürieren.

Paprikamasse in einen großen Topf geben und bei schwacher Hitze 30 Minuten köcheln lassen. ½ Teelöffel Salz hinzufügen und 1 Minute rühren. Die Masse auf einem großen Backblech verstreichen und 3 Tage mit einem Musselintuch bedeckt in der prallen Sonne stehen lassen. Oder aber bei niedriger Temperatur (50 °C) im Backofen trocknen. Die Masse 2-mal täglich gründlich verrühren. An einem kühlen, trockenen Ort in verschlossenen sterilisierten Gläsern aufbewahren. So hält sich die Paste bis zu 1 Jahr.

♦

TOMATENMARK
DOMATES PEKMEZİ (SALÇASI)

Herkunft:	Gaziantep, alle Landesteile
Zubereitung:	5 Minuten zzgl. 3 Tage Ruhezeit
Garzeit:	2 Stunden
Ergibt:	400 g

2 l	Tomatensaft, aus reifen Tomaten frisch gepresst

⬥ ❀ ⬥ ⬥ V ⬥

Die Einheimischen kochen den Tomatensaft 30 Minuten lang, verstreichen ihn dann auf Backformen und lassen ihn in der heißen Sonne stehen, wo sie ihn 2-mal täglich umrühren.

♦

Den Tomatensaft in einem großen Topf 2 Stunden köcheln lassen; dabei regelmäßig Schaum abschöpfen. 1 Teelöffel Salz unterrühren, dann Saft in ein tiefes Backblech geben. Mit einem Musselintuch bedeckt 3 Tage in die Sonne stellen und 2-mal täglich rühren. Oder aber im auf 50 °C vorgeheizen Backofen trocknen. In verschlossenen sterilisierten Gläsern an einem kühlen Ort aufbewahrt, ist *Domates Pekmezi* bis zu 1 Jahr haltbar.

LANGE HAUSGEMACHTE NUDELN
UZUN ERİŞTE

Herkunft:	Ağrı, alle Landesteile
Zubereitung:	30 Minuten zzgl. 1 Stunde
	20 Minuten Ruhezeit
Ergibt:	150 g

200 g	Weizenmehl Type 550
2	Eier
60 g	Mehl

◦ ◆ V ⋄

Die Dicke dieser Nudeln variiert von Region zu Region.

◆

Weizenmehl und ¼ Teelöffel Salz in eine große Schüssel geben und eine Vertiefung hineindrücken. Langsam die Eier dazugeben und in 10 Minuten zu einem elastischen Teig verkneten. Teig halbieren, mit einem feuchten Küchentuch abdecken und 20 Minuten ruhen lassen.

Die Teigkugeln mit dem Nudelholz etwa 8 mm dick ausrollen. Den Teig um das Nudelholz wickeln, davon heruntergleiten lassen und in 3 mm breite Streifen schneiden. Er sollte inzwischen etwa 1 mm dick sein. Mit etwas Mehl bestreuen und in 1 mm breite Streifen schneiden. Erneut mit Mehl bestreuen und Teigstreifen darin wenden, bis sie davon überzogen sind. 1 Stunde ruhen lassen, dann überschüssiges Mehl abschütteln.

◆

HAUSGEMACHTE NUDELN
ERİŞTE

Herkunft:	Kars, alle Landesteile
Zubereitung:	30 Minuten zzgl. 35 Minuten
	Ruhezeit
Ergibt:	150 g

200 g	Weizenmehl Type 550
2	Eier
60 g	Mehl

◦ ◆ V ⋄

Das Rezept für *Tutmaç* (1 cm große Nudelquadrate) basiert auf demselben Teig. Und man kann auch Nudel-*Kuskus* daraus machen, indem man den Teig in 2 mm große Quadrate schneidet.

◆

Das Mehl und ¼ Teelöffel Salz in eine große Schüssel geben, Eier hinzufügen, vermischen und 5 Minuten kneten. Den Teig auf eine glatte Arbeitsfläche geben und weitere 10 Minuten kneten. Mit einem feuchten Küchentuch abdecken und 10 Minuten ruhen lassen.

Den Teig in 4 Portionen teilen. Mit einem feuchten Küchentuch abdecken und weitere 10 Minuten stehen lassen. Mit dem Nudelholz auf der leicht bemehlten Arbeitsfläche 1 mm dünn ausrollen, dann in 2 cm x 3 mm große Streifen schneiden. Mit Mehl bestreuen und 15 Minuten ruhen lassen. Getrocknet und in einem Musselinsack aufbewahrt sind die Nudeln 1 Jahr haltbar.

TARHANA-PULVER
TOZ TARHANASI (UN TARHANASI)

Herkunft:	Bolu, alle Landesteile
Zubereitung:	35 Minuten zzgl. 15 Minuten Abkühlen und bis zu 13 Tage Ruhezeit
Garzeit:	20 Minuten
Ergibt:	500 g

100 g	Tomate, geviertelt
2	Chilischoten, gehackt
2 Stängel	frische Minze
1 (100 g)	Zwiebel, in 8 Stücke geschnitten
3	Knoblauchzehen
50 g	Tomatenmark (Seite 492)
1 TL	Paprikapulver
300 g	griechischer Joghurt, abgetropft
200 g	Vollkornweizenmehl

◓ V

Tarhana-Pulver ist toll zum Andicken von Wintersuppen. Das hier verwendete Getreide variiert je nach lokalen Geschmacksvorlieben. Man kann es auch durch Grieß, Gerste, Mais- oder Hirsemehl ersetzen. Und aromatisieren lässt es sich auch durch andere Früchte und Gemüse (Kornelkirschen, Spargel, Wildbirne), Dörrfleisch oder Milch.

◆

Tomaten, Chilis, Minze, Zwiebel, Knoblauch, Tomatenmark, Paprikapulver und ¾ Teelöffel Salz in einen großen Topf geben und mit aufgelegtem Deckel 20 Minuten bei mittlerer Hitze kochen. Die Mischung mit einem Holzlöffel zerdrücken, über einer Schüssel durch ein Sieb drücken und die Rückstände wegwerfen. Die gefilterte Flüssigkeit 15 Minuten abkühlen lassen.

Den griechischen Joghurt zur Flüssigkeit geben und 2 Minuten verrühren. Mehl hinzufügen und weitere 5 Minuten vermischen. Mit feuchtem Küchentuch abdecken und bei Zimmertemperatur 1 Woche ruhen lassen, dabei täglich den Teig kneten und das feuchte Küchentuch erneuern, bis der Teig nicht mehr aufgeht.

Ein Musselinquadrat von 50 cm Kantenlänge auf die Arbeitsfläche legen. 5 cm große Teigstücke abreißen und auf dem Tuch verteilen. Unabgedeckt 5–6 Tage im Haus trocknen lassen.

Trockenes Tarhana von Hand oder in der Küchenmaschine zerkrümeln und durch ein feines Sieb drücken. Herausgesiebte Stücke erneut zerbröseln und sieben. Wiederholen, bis ein Pulver entsteht.

Kühl und in verschlossenen Gläsern gelagert ist Tarhana bis zu 1 Jahr haltbar.

◆

VERJUS
KORUK EKŞİSİ

Herkunft:	Kilis, alle Landesteile
Zubereitung:	10 Minuten zzgl. 5 Stunden Ruhe- und Kühlzeit
Garzeit:	1 Stunde
Ergibt:	1,25 Liter

1 kg	unreife Trauben, zerstampft
1 EL	natives Olivenöl extra

Verjus wird im Juli aus unreifen Trauben gekeltert. Gleichzeitig wird auch ein Sirup (etwas konzentrierterer Saft) hergestellt. Und zwar sowohl von Straßenhändlern als auch daheim, wo man ihn wichtigen Gästen kredenzt.

◆

Die zerstampften Trauben in einen Topf geben. 1 Liter Wasser und 2 Teelöffel Salz hinzufügen und 1 Stunde köcheln lassen.

Vom Herd nehmen und 1 Stunde bei Zimmertemperatur stehen lassen.

Die Trauben weiter zerdrücken, dann über einer Schüssel durch ein Sieb pressen. Den Saft in eine sterilisierte Flasche gießen. Olivenöl daraufgießen, Flasche verschließen und 4 Stunden kühlen. An einem kühlen Ort hält sich der Verjus bis zu 1 Jahr.

♦

GRAUPEN-TARHANA
DÖVME TARHANA (DİŞ TARHANA)

Herkunft:	Şanlıurfa, alle Landesteile
Zubereitung:	35 Minuten, am nächsten Tag
	zzgl. Ruhezeit über Nacht,
	und 4 Tage, dann 10 Stunden Trocknen
Garzeit:	2 Stunden 10 Minuten
Ergibt:	350 g

150 g	Weizengraupen
600 g	griechischer Joghurt, abgetropft
	(Schafmilch)

♦ V ⁘

Tarhana-Formen variieren von Region zu Region; manche mögen Kreise, Dreiecke oder flache Scheiben; manche bohren ein Loch in die Mitte; in der Provinz Kahramanmaraş trocknet man sie in einem dünnen flachen Stück auf Schilfmatten. Der Geschmack variiert von fruchtig (Schlehe), Gemüsearoma (Kohl), Hülsenfrucht bis zu getrocknetem Ziegenfleisch. Man isst sie einfach so oder gibt sie zu Suppen. Gut ist *Tarhana* auch in Salaten, Pilaws und *Tirit*. Und ansonsten ist sie ein beliebter Imbiss, der meist mit Nüssen geknabbert wird.

♦

1,5 Liter Wasser in einem großen Topf zum Kochen bringen. Graupen zugeben, kurz ehe das Wasser den Siedepunkt erreicht, und 5 Minuten kochen. Entstehenden Schaum abschöpfen. Topf vom Herd nehmen und über Nacht mit aufgelegtem Deckel stehen lassen.

Am nächsten Tag weitere 1,5 Liter Wasser in den Topf geben. Mit aufgelegtem Deckel bei schwacher Hitze 1½ Stunden kochen, bis alle Flüssigkeit absorbiert ist. 2 Teelöffel Salz hinzufügen, gut unterrühren und vom Herd nehmen. 30 Minuten mit leicht geöffnetem Deckel stehen lassen.

Den Joghurt hinzufügen und mit einem Holzlöffel 30 Minuten unterrühren. Die Masse in 8 gleiche Stücke teilen und zwischen den Fingern ausdrücken. 4 Tage in der prallen Sonne trocknen und darauf achten, dass die *Tarhana* von oben und unten belüftet ist. Oder aber bei sehr niedriger Temperatur (75 °C) 10 Stunden im Backofen trocknen.

♦

COUSCOUS
KUSKUS

Herkunft:	Çanakkale, Marmararegion
	und Zentralanatolien
Zubereitung:	25 Minuten zzgl. 3 Tage Ruhezeit
Ergibt:	200 g

200 g	grober Bulgur, gewaschen und getrocknet
1	Ei, verquirlt
150 g	Mehl

i ♦ V ⁘

Couscous kann man als Pilaw, Salat oder Eintopf genießen. Auch griechischer Joghurt, *Kaschk* (Seite 485) und Walnüsse sind beliebte Würzzutaten. In manchen Rezepten wird Grieß und feiner Bulgur anstelle des groben verlangt, und das Ei kann durch je 250 ml Milch und Wasser ersetzt werden.

♦

Bulgur, Ei und ¼ Teelöffel Salz in eine große Schüssel geben und mit den Fingerspitzen 1 Minute vermischen. Das Mehl hinzufügen und mit den Fingerspitzen weitere 20 Minuten zusammenreiben, bis kleine Kügelchen oder Körnchen entstehen. Die Couscous-Körner auf einem großen Blech verteilen und an einem kühlen Ort unter gelegentlichem Umrühren 3 Tage trocknen lassen. In einem gut verschlossenen Glas aufbewahren. Getrocknet und in einem Musselinsack gelagert hält er sich bis zu 1 Jahr.

FILOTEIG

BAKLAVA YUFKASI

Herkunft:	Gaziantep, alle Landesteile
Zubereitung:	35 Minuten zzgl. 30 Minuten Ruhezeit
Ergibt:	800 g

350 g	Weizenmehl Type 550, und etwas mehr zum Bestäuben (etwa 200 g)
1	Ei, verquirlt
1 TL	Zitronensaft
1 EL	Traubenessig
3 EL	Buter, zerlassen zum Bepinseln

Profibäcker rollen Filoteig mit Stärkemehl auf 40 cm Breite aus, während Hausfrauen lieber Mehl verwenden. Auf den Teigblättern sollten weder Mehl noch Stärke zurückbleiben. Je frischer der Filoteig, umso knuspriger das Gebäck. In manchen Rezepten wird ausdrücklich Weizenstärke zum Ausrollen verlangt.

♦

Mehl und ¼ Teelöffel Salz in eine Schüssel geben, Ei, Zitronensaft, Essig und 175 ml Wasser dazugeben, gründlich vermischen und 5 Minuten kneten. Den Teig auf eine Arbeitsfläche geben und weitere 10 Minuten kneten, bis er elastisch ist. Mit einem feuchten Küchentuch abdecken und 20 Minuten ruhen lassen.

Den Teig in 40 Kugeln teilen. Mit einem feuchten Küchentuch abdecken und weitere 10 Minuten ruhen lassen. Die Scheiben flach drücken und mit dem Nudelholz auf der bemehlten Arbeitsfläche zu Scheiben von 10 cm Durchmesser ausrollen. Jeweils 10 Scheiben aufeinanderlegen, dabei Mehl auf jede Scheibe streuen. So entstehen 4 Stapel. Einen Stapel um ein *Oklava*, ein dünnes langes Nudelholz schlagen, das überschüssige Mehl abschütteln und alle Scheiben des Stapels auf einmal auf 25 cm Durchmesser ausrollen. Mit den verbliebenen 3 Teigstapeln wiederholen.

Die Teigblätter auf ein Backblech schichten. Jede Schicht mit Butter bepinseln. Sofort verwenden, es sei denn, man macht *Cendere Baklavası*, eine Baklavasorte, die aus getrockneten Filoblättern hergestellt wird.

♦

SCHARF GEWÜRZTE SALAMI

SUCUK

Herkunft:	Kayseri, alle Landesteile
Zubereitung:	1 Stunde 5 Minuten zzgl. 8 Tage und 1 Stunde Ruhezeit
Ergibt:	1,5 kg

2 kg	mittelfettes Ziegenfleisch, durch den Fleischwolf gedreht
100 g	Knoblauch, gehackt
50 g	Paprikapulver
3 EL	Chiliflocken
1¾ TL	Kreuzkümmel
1 EL	*Poy* (Seite 502)
1	Schafsdarm
250 ml	Traubenessig

Auch Rind-, Schaf- und sogar Kamelfleisch lässt sich für die Herstellung von *Sucuk* verwenden.

♦

Ziegenfleisch, Knoblauch, Paprika, Chiliflocken, Kreuzkümmel, *Poy*, 1 Esslöffel Pfeffer und 1 Esslöffel Salz in einer großen Schüssel vermischen und 20 Minuten kneten. Abdecken und 24 Stunden in den Kühlschrank stellen.

Am nächsten Tag den Schafsdarm in einer Schüssel mit 1 Liter Wasser und dem Essig übergießen. Abdecken und 1 Stunde stehen lassen. Inzwischen die Wurstfülle aus dem Kühlschrank nehmen und 20 Minuten kneten.

Den Naturdarm abgießen und gründlich durchspülen. Einen Trichter an einem Ende der Wursthülle befestigen und mit dem Füllen beginnen. Die Wurstmasse mit den Händen zum Ende der Hülle drücken. An beiden Wurstenden einen festen Knoten machen und darauf achten, dass alle Luftblasen herausgedrückt sind. Die Salami an einem gut belüfteten kühlen Ort 1 Woche trocknen. In den Kühlschrank legen. Hier oder an einem kühlen Ort hält sie sich 6 Monate. Nach dem Aufschneiden innerhalb von 2 Wochen verzehren.

VORRÄTE

GEPÖKELTES RINDFLEISCH
PASTIRMA

Herkunft:	İstanbul, alle Landesteile
Zubereitung:	15 Minuten zzgl. 23 Tage Ruhezeit und 10 Minuten
Ergibt:	1,7 kg

2,5 kg	Kalbsentrecôte (Zwischenrippe), sichtbare Sehnen entfernt
3 kg	Steinsalz

Für die Würzpaste:	
8 EL	*Poy* (gemahlener Bockshornklee)
100 g	Paprikapulver
1½ EL	Chiliflocken
3 EL	gemahlener Kreuzkümmel
20	Knoblauchzehen, gehackt

Im Spätsommer und zu Herbstbeginn trocknet man *Pastırma*. Deshalb bezeichnet man die warmen, sonnigen Tage dieser Jahreszeit auch als *Pastırma*-Sommer. In manchen Varianten wird *Pastırma* aus Hackfleisch gemacht. Anderswo werden Filetstücke in Leinensäcke, Pansen oder Blättermagen gepackt und unterirdisch gepökelt. Oder man lässt die Würzpaste weg oder verwendet ein Fleischstück mit Knochen. *Pastırma* wird in sehr dünne Scheiben aufgeschnitten.

◆

Das Kalbsentrecôte in eine tiefe Form legen. Steinsalz hinzufügen und darauf achten, dass es das Fleich völlig bedeckt. Mit einem 4-kg-Gewicht beschweren. 7 Tage stehen lassen und austretende Flüssigkeit entfernen.

Tag 8: das Fleisch in reichlich Wasser abspülen. Dann in einer Schüssel mit kaltem Wasser einweichen. Wasser alle 2 Stunden erneuern. 5-mal wiederholen, dann das Fleisch über Nacht im Wasser lassen.

Tag 9: Fleisch herausnehmen und trocken tupfen. Mit Küchenschnur zusammenbinden und an einem sonnigen, aber kühlen Ort im Freien aufhängen. 4 Tage hängen lassen und dabei vor Fliegen schützen, indem man es in einen Fliegenschrank hängt.

Tag 13: die Gewürzpaste zubereiten. Dafür *Poy*, Paprikapulver, Chiliflocken, Kreuzkümmel, Knoblauch, 1¼ Teelöffel Pfeffer und ¾ Teelöffel Salz mit 250 ml Wasser in eine große Schüssel geben und in 5 Minuten zu einer Paste vermischen.

Das Fleischstück mit der Paste einreiben. An einen gut belüfteten Ort hängen und 10 Tage trocknen lassen. In ein Käsetuch einschlagen und kühl lagern.

◆

LAMMCONFIT
KAVURMA (TOPAÇ)

Herkunft:	Gaziantep, alle Landesteile
Zubereitung:	10 Minuten zzgl. 1 Stunde Ruhezeit
Garzeit:	1 Stunde 10 Minuten
Ergibt:	1,3 kg

2 kg	Lammkeule, -schulter und -bruststück (fett), in 2-cm-Würfel geschnitten

Kavurma wird am Schwarzen Meer und in Ostanatolien aus Rindfleisch hergestellt, während man in den anderen Landesteilen eher Lamm oder Ziege verwendet. Auch Ochsen-, Kalb- und Hammelfleisch kann so haltbar gemacht werden. In großen, weiten Tongefäßen, ihrer Form wegen *Topaç Kavurması* genannt, hält sich das gebratene Fleisch jahrelang.

◆

Das Lammfleisch in einen schweren Topf geben und bei mittlerer Hitze unter gelegentlichem Umrühren 1 Stunde garen. Rundum mit Salz bestreuen und weitere 10 Minuten schmoren.

Vom Herd nehmen und 1 Stunde bei Zimmertemperatur stehen lassen.

Das Fleisch kurz umrühren, dann zu 8 cm großen Kugeln rollen und auf Teller legen. Liegen lassen, bis das Fett erstarrt ist. An einem kühlen Ort hält es sich in einem luftdicht verschlossenen Gefäß bis zu 6 Monate.

VORRÄTE

GLOSSAR

BÖREK
Bezeichnung für pikantes Gebäck und Pasteten.

CEMALCİ
Zu Beginn dieses in Biga, Provinz Çanakkale, gefeierten Erntedankfests werden Gewehrschüsse abgefeuert, um die Türklopfer anzukündigen: Die jungen Männer treffen sich am Friedhof, reiben ihren Oberkörper mit schwarzer Farbe ein, sprechen ein Totengebet und gehen dann von Haus zu Haus. Der Anführer der Gruppe ist als Ziegenbock verkleidet und trägt eine Glocke. Sie klopfen an jede Haustür und sammeln Lebensmittel ein. Mit einem Teil der Spenden wird ein gemeinsames Festmahl vorbereitet. Der Rest geht an künftige Brautpaare.

CEZVE
Kaffeekännchen aus Kupfer.

ÇİNÇAR
Nordostanatolische Bezeichnung für Brennnesseln. Im Schatten wachsenden Brennnesseln sagt man eine größere Heilkraft nach.

ÇİROZ
Makrelen wandern ins Schwarze Meer. Auf ihrem Rückweg werden die Fische im Marmarameer gefangen. Diese Makrelen werden auf Schnüren aufgehängt und 10 bis 15 Tage getrocknet. Dann grillt man die Fische (*Çiroz*) und zerstößt sie, damit sich Haut und Gräten besser entfernen lassen.

DİBLE
Eine in Ordu und Giresun gebräuchliche Kochtechnik, bei der eine in gekochte Bohnen gedrückte Mulde mit Getreide und Wasser gefüllt wird. Das Gericht wird nicht umgerührt. Viele Obst- und Gemüsegerichte werden so zubereitet.

GÂH ODER HÂH
Getrocknetes Fleisch oder Obst (besonders Äpfel oder Quitten). *Gâh* ist im Winter ein beliebter Snack.

GELBERI
Ein L-förmiges Werkzeug, mit dem das Feuer im Kebab-Ofen geschürt wird.

GEZO
Alle 15 bis 20 Jahre bedeckt eine klebrige Substanz die Blätter der Eichen – es ist *Gezo*-Zeit. Die Dorfbewohner eilen zu den Bäumen und sammeln die Blätter ein. Über offenem Feuer erhitzen sie Wasser in großen Kesseln. Die Blätter werden in das Wasser getaucht, um die honigartige Substanz zu gewinnen, die zu Melasse weiterverarbeitet wird.

GOGOL
Teigbällchen.

GOŞTEBERG
Goşteberg ist die kurdische Bezeichnung für Lammfleisch, aber auch für eine Kräuterart. Das Lammfleisch wird klein gehackt und mit *Goşteberg* vermengt. Die Mischung wird dann in Kutteln gefüllt und mit Schafshaut umwickelt. Die Einheimischen graben ein Loch in die Erde und entzünden darin ein Feuer. Sobald es in dem Loch heiß genug ist, wird das Brennmaterial entfernt. Steine werden hineingelegt und das Fleisch in der Schafshaut darauf platziert. Schließlich wird erneut ein Feuer entzündet. Das Gericht gart vier bis fünf Stunden. An *Nowrouz* (oder *Nevruz*; türkisches Neujahr) springt man traditionell über das Feuer. Die Menschen tanzen, machen Musik und feiern den Frühlingsbeginn.

HAMURSUZ (PESSACH)
Juden von der Iberischen Halbinsel suchten 1492 im Osmanischen Reich Zuflucht vor der Inquisition. *Pessach* (*Hamursuz* auf Türkisch) beginnt mit einem Frühjahrsputz. In den Bäckereien mancher Viertel in İstanbul wird ungesäuertes Gebäck angeboten. In der Türkei verwendete *Haggadahs* (Text, der die Reihenfolge der Riten für das *Seder*-Mahl festlegt) sind teils auf Ladino verfasst. Die Sprache ist eine Mischung aus kastilischem Spanisch und Türkisch.

HELİSE
Helise wird meist mit Lammfleisch zubereitet, kann aber auch aus Wild, Geflügel, Schaf oder Ziege bestehen. Das auch als *Harisa, Herise, Herse, Aşir, Aşür, Dövme, Keşkek* und *Keşka* bekannte Gericht ist ein Friedenssymbol und wird gerne auf Hochzeiten serviert. Bei manchen Rezepten lässt man den Honig weg. *Helise* ist ein typisches Wintergericht.

HIDRELLEZ
Die Roma und Aleviten der Regionen Marmara und Zentralanatolien sowie in Antalya führen in der ersten Maiwoche zu Beginn von *Hıdrellez* einen gründlichen Hausputz durch. Schmuck wird in Wassergläsern gesammelt und am Abend unter einen Rosenstock gestellt. Die Gegenstände werden einzeln aus dem Glas geholt, während man einige Verse spricht. Laut dem Volksglauben sind dabei die Propheten Hıdır (Al-Khidr) und İlyas (Elias) zugegen. Außerdem wird ungesäuertes Brot zubereitet. Gelingt es gut, gilt dies als Zeichen, dass Hıdır und İlyas tatsächlich anwesend waren. Das Brot wird später gesäuert und bis zum nächstjährigen *Hıdrellez* als Starterkultur verwendet. Hızır und Ilyas werden als Schöpfer des Frühlings verehrt; das Wort *Hıdrellez* ist eine Kombination ihrer Namen. *Hıdrellez* ist auch als Fest der Schäfer bekannt. Die Milch dieses Tages wird zu *Hoşmerim* (ein süßlicher Frischkäse) verarbeitet und an die Armen verteilt. Ziegen und männliche Schafe werden erst an *Hıdrellez* geschlachtet. Ihr Fleisch wird an die Weidenbesitzer verteilt als Dank für das Grünfutter.

HODAN
In der Türkei zeigt der wild wachsende Borretsch den Frühlingsbeginn und die Schneeschmelze an. Das nach Pilz schmeckende Kraut ist besonders in der Marmararegion und der westlichen Schwarzmeerregion beliebt. Dort kennt man es auch als *Zılbıt, Zıbıdık, Ispıt, Tomara* und *Galdirik*. Die Blüten werden meist eingelegt. In manchen Gegenden brät man sie oder gibt sie zu *Kavurma* (Lammconfit, Seite 497), Eiergerichten und *Pastırma* (Gepökeltes Rindfleisch, Seite 497).

KADAYIF

Kadayif oder *Kadaifi* wird auch Engelshaar genannt: Die 1 mm dünnen Teigfäden werden aus Mehl und Wasser zubereitet. Heute stellt man sie oft auf einem *Sac* (konkave Eisenplatte) her, traditionell aber auf Stein. Ein rechteckiger, flacher Stein mit Füßen wird über ein Holzfeuer gestellt und erhitzt. Der flüssige Sauerteig wird in Linien auf den Stein gegossen und von beiden Seiten gebacken.

KALBUR

Ein aus Leinen- oder Baumwollfäden geflochtenes Sieb (2 mm Abstand). Damit wird u. a. *Kalburabastı* (Seite 420), ein traditionelles Dessert, geformt.

KALKMILCH

Kalziumhydroxid in Lebensmittelqualität (Kalk-milch) entsteht, wenn man Kalziumoxid (Branntkalk) mit Wasser versetzt: Dazu sollte man einen langen Edelstahllöffel und -topf verwenden und einen Augenschutz tragen.

KAPAMA

Bei dieser Kochmethode stellt man eine Back- oder Auflaufform mit Fleisch, Börek oder Gemüse auf glü-hende Kohlen und verschließt die Form mit einem *Sac*-Deckel. Obenauf werden einige Zweige platziert und angezündet. Lamm-*Kapama* und *Kapama Böreği* wird auf diese Weise zubereitet. Während des Bratens darf man nicht umrühren; die Form muss luftdicht verschlossen sein. Das Wort *kapama* (versiegelt) bezieht sich auf dieses Verfahren.

KASCHK

Kaschk ist als leicht säuerlicher Snack besonders bei Schwangeren beliebt. Es ist auch eine Zutat für Suppen, Ayran und viele andere Gerichte und soll heilende und belebende Eigenschaften haben. Im Sommer isst man es kalt, im Winter dagegen warm mit Butter.

KETE

Moslems bereiten diese Brötchen für die beiden wich-tigsten religiösen Feste zu. Die Armenier dagegen verteilen *Kete* an Ostern zusammen mit rot gefärbten Eiern. Mütter backen die Brötchen, wenn ihre Kinder aus der Ferne zurückkehren. Oft werden Münzen oder Perlen darin versteckt. Wer sie findet, soll für den Rest seines Lebens mit Glück gesegnet sein.

KÜLEK

Ein *Külek* aus Fichtenholz duftet wunderbar. Außerdem bleibt der Inhalt schön kühl. Für die Her-stellung von Joghurt oder Butter existieren verschie-dene Formen. Der Kübel darf nicht mit einem *İbrik* verwechselt werden, der oft für einen Wasserkrug gehalten wird, obwohl man ihn traditionell nur für religiöse Waschungen verwendet.

KURBAN BAYRAMI

Kurban Bayramı oder *Eid-al-Adha*, das Opferfest, ist eines der beiden wichtigsten muslimischen Feste. Es erinnert an Abrahams Bereitschaft, seinen eigenen Sohn zu opfern. Traditionell wird an diesem Festtag ein Lamm, eine Ziege oder ein anderes Tier geopfert.

Das Fleisch teilt man mit Freunden, Nachbarn und den Armen. Wohlhabende Menschen behalten nur ein Drittel für sich selbst und verteilen den Rest. Wer Schulden hat, soll kein Lamm opfern. In der Schwarzmeerregion kommen die Familien zusam-men und opfern ein Rind. Stets wird ein Widder oder Ziegenbock geschlachtet, nicht das weibliche Tier. Früher aßen die Leute nur zu diesen Festtagen Fleisch.

LOQUAT

Die *Loquat* ist in der Türkei auch als Maltesische Pflaume bekannt. Zum Kochen eignet sich die dünn-häutige Sorte. Falls sie nicht erhältlich ist, kann man auch *Loquat* mit dicker Schale nehmen. Am besten verwendet man gerade reif gewordene Früchte.

LÜFER

Der Blaufisch ist ein typisches Produkt aus İstanbul. Seine Bedeutung für die kulinarische Kultur der Stadt ist so groß, dass der Fisch je nach Größe einen anderen Namen trägt – *Yaprak, Çinekop, Sarıkanat, Lüfer* und *Kofana*. *Lüfer* (28–35 cm) wird heutzutage aus Artenschutzgründen am meisten gefangen. Je nach Größe schmeckt der Blaufisch unterschiedlich: Am besten ist sicher der *Lüfer*. Blaufisch wird tradi-tionell mit der Hand gegessen. Falls Blaufisch nicht erhältlich ist, kann man auch Wolfsbarsch, Steinbutt, Makrele oder Bonito nehmen.

MAHLEPI

Ein aromatisches Gewürz aus den gemahlenen Ker-nen der Felsenkirsche.

MARUL BAYRAMI

Das Gartensalatfest. Der Gartensalat symbolisiert die Wiedergeburt. Junge Mädchen unterziehen sich in Türkischen Bädern einem Reinigungsritual, bevor sie auf die Salatfelder gehen, wo sie das Ende des Frühlings feiern, Wünsche aussprechen und nach einem guten Ehemann Ausschau halten. Mit Zitronensaft und Zucker oder Melasse verfeinerter Gartensalat wird gerne in Südostanatolien verspeist. Die ideale Temperatur für den Salatanbau liegt bei 22–24 °C. Bei Temperaturen über 30 °C schosst der Salat. Eier, Gartensalat und Melasse gelten bei Ehe-paaren als fruchtbarkeitsfördernd. Die Jesiden (eine religiöse Minderheit aus dem nördlichen Mesopota-mien) essen keine Pflanzen mit großen Blättern, da diese Blätter den Heiligen Pfau symbolisieren. Im Monat April gehen die Frauen in Südostanatolien, besonders in den Städten Adıyaman und Malatya, gemeinsam in die öffentlichen Bäder. Dieses Reini-gungsritual wird auf den Salatfeldern fortgesetzt, da der Aufenthalt dort beruhigend wirken soll. Die Frauen pflücken Salat, essen einen Teil davon direkt am Feld und nehmen den Rest mit nach Hause. Gartensalat lässt sich 7 bis 10 Tage lagern, danach entwickelt er ein bitteres Aroma. Der schlimmste Albtraum eines jeden Salatbauern sind Kinder, die Salat vom Feld stehlen.

MEVLID (MEVLİT)

Als *Mevlid* bezeichnet man die Totenrituale sowie die dabei vorgetragenen religiösen Gesänge. Sie erinnern an Ereignisse im Leben Mohammeds. Traditionelle Opfergaben sind Fleisch und Pilaw sowie *Halva*, dessen Aroma die Seele des kürzlich Verstorbenen trösten soll. Die *Mevlid*-Speisen werden an mindestens sieben Nachbarn und an Gäste verteilt.

MEYHANE
Ein *Meyhane* ist ein Gasthaus, in dem mehrgängige, tapasähnliche Mahlzeiten serviert werden. Dazu gibt es stets den Anisschnaps Rakı.

MONDFINSTERNIS
Zur Mondfinsternis trommeln die Kinder in Nizip auf Blechtrommeln und sammeln im Dorf Zutaten für ein Gemeinschaftsmahl. Die Erwachsenen feuern Gewehrsalven in die Luft, um die Mondfinsternis abzuwehren.

MÜHLİYE
Das beliebte auch als „Muskraut" oder *Molokhia* bezeichnete Kraut wird in einer Reihe von Gerichten verwendet. Laut einer Legende trugen die Sklaven, denen im Alten Ägypten die Flucht gelang, dieses Malvengewächs bei sich. Es ist auch unter dem Namen „Pharaokraut" bekannt und steht für Gesundheit und langes Leben. Zur Saison sollte man frisches *Mühliye* verwenden. Im Frühjahr trocknet man das Kraut für den Winter.

NEVRUZ
Eine alte Legende besagt, dass der assyrische König Dehak von schrecklichen Kopfschmerzen geplagt wurde. Von nah und fern eilten Ärzte herbei, um ein Heilmittel zu finden. Doch alles war vergebens. Ein Arzt schlug vor, der König solle die Gehirne junger Menschen verspeisen. Seine Untertanen waren ihm widerwillig zu Diensten, bis eines Tages der Schmied Kawa dem König den Kopf abschlug. Damit brach Dehaks arabisches Königreich zusammen. *Nevruz* („Neuer Tag" auf Farsi) wird am 21. März von vielen Einheimischen gefeiert, allerdings nicht von den Arabern. Es werden Feuer entzündet und die jungen Leute springen fröhlich darüber.

OBRUKÇU
Im Frühling wird der frische Käse in einen irdenen Topf, eine Schafs- oder Ziegenhaut gefüllt und an einen *Obrukçu* (Vorratsgrubenbesitzer) übergeben. Der Käse wird in den Bergen vergraben, um zu reifen. Der *Obrukçu* prüft im Januar, ob der Käse fertig ist. Doch er kann bis zu 3 Jahre in der Erde bleiben. Der Käsebesitzer verteilt die ersten sieben Portionen an seine Nachbarn, und zwar versteckt in Fladenbrot, um den Käse vor dem bösen Blick zu bewahren.

OKLAVA
Das Teigholz hat einen Durchmesser von 2 cm und ist 60–70 cm lang. In jeder Küche finden sich fünf bis zehn derartige Teighölzer. Am häufigsten werden sie aus Birnen-, Hainbuchen- und Eichenholz gefertigt. Das *Oklava* wird zur Herstellung von Fladenbrot, Börek, *Manti* und Baklava genutzt.

PAPARA
Ein weiteres Rezept zur Verwertung von altbackenem Brot. Bei diesem auch *Tirit* genannten Gericht wird das Brot in Fleischbrühe gekocht. Die Art des Toppings hängt von den finanziellen Möglichkeiten der Familie ab. Beliebt sind Fleisch- oder Hühnerbrühe, Hackfleisch oder Lammconfit. *Papara* wird auf einem Tablett serviert, von dem die ganze Familie isst. Die meisten Familien bereiten es mindestes 15- bis 20-mal pro Jahr zu. Manche essen es gerne mit *Topa*, *Kavurması* und mit Zitrone, Knoblauch und Chili. Dieses Gericht wird sogar in historischen Kochbüchern erwähnt.

PASKALYA (OSTERN)
Die türkischen Armenier halten sich an die Fastenzeit. In dieser Zeit werden oft Gerichte mit Olivenöl verzehrt. Das Ende der Fastenzeit wird mit einer Feier begangen, zu der es Fisch und Fleisch gibt. *Topik* (Seite 85) zählt zu den Lieblingsfastenspeisen der Armenier. Die Rum (osmanische Griechen) und Armenier aus İstanbul backen den traditionellen geflochtenen *Paskalya Çöreği* (Osterfladen, Seite 360). Häufig werden auch *Kete* (Seite 366) oder *Çörek* zubereitet. Man färbt Eier mit Zwiebelschalen rot und verteilt den Osterzopf an Nachbarn und Freunde. In İstanbul ist er das ganze Jahr über in den Bäckereien erhältlich.

PESTİL
Für das Fruchtleder *Pestil* wird Traubensaft mit Weizenstärke vermengt und auf Kalikostoff zum Trocknen ausgelegt.

PILEKI
Pileki sind schalenförmige Steine, in denen Eingelegtes, Brot und manchmal Fisch zubereitet werden. Zum Vorheizen wird darin ein Feuer angezündet, das Brennmaterial wird anschließend entfernt. Das Brot wird dann in den sauberen Stein gelegt und abgedeckt gebacken.

POY (ÇEMENOTU)
Bockshornklee ist die Hauptzutat dieser Paste, mit der *Pastırma* (Gepökeltes Rindfleisch, Seite 497) eingerieben wird.

PÜRPÜRÜM
Die Wildform des Portulaks, die im Sommer überall wächst und als knochenstärkend gilt, schmeckt sehr aromatisch. Portulaksalat mit Joghurt und Portulaksuppe sind im ganzen Land beliebt. Wenn der wilde Portulak reichlich wächst, bringt der Storch den sehnsüchtig wartenden Ehepaaren viele Babys, so heißt es. Besonders beliebt ist dieses Gemüse in Südostanatolien und am Mittelmeer. Man isst es warm oder kalt. Wenn es recht heiß ist, wird es gerne ohne Öl zubereitet.

RAKI
Rakı ist destillierter, mit Anissamen aromatisierter Traubensaft, eine Variante von Ouzo und Arak (*Arakı* in Südostanatolien). Eine hausgebrannte Sorte heißt *Boğma*. In Thrakien und Bulgarien wird er häufig aus Pflaumen hergestellt.

RAMAZAN BAYRAMI
Ramazan Bayramı oder *Şeker Bayramı* bedeutet Zuckerfest. *Eid-el-Fıtr*, eines der beiden großen muslimi-

schen Feste, wird am Ende des Ramadan gefeiert, des neunten Monats der *Hidschra*, des muslimischen Mondkalenders. *Hidschra* (arab. für Auswanderung, Auszug) steht für die Flucht des Propheten Mohammed von Mekka nach Medina im Jahr 622 n. Chr. Das Mondjahr ist elf Tage kürzer als der 365 Tage umfassende westliche Kalender. Wichtige Termine im muslimischen Kalender verschieben sich deshalb jedes Jahr um die entsprechende Anzahl Tage weiter nach vorne. Gläubige Muslime essen vor dem Sonnenaufgang und fasten bis Sonnenuntergang. Danach wird gemeinschaftlich gegessen. Das Ende des Ramadan, des heiligsten Monats des muslimischen Kalenders, wird durch eine Reihe von Festen gefeiert. Die Kinder küssen die Hand der Älteren und erhalten Süßigkeiten und Taschengeld. Wer mit anderen zerstritten ist, bemüht sich in dieser Zeit um Versöhnung.

SAÇ
Diese konkave, 2 mm dicke Eisenschale mit einem Durchmesser von 1 m wird zur Zubereitung von Fladenbrot, *Bazlama* und anderem Gebäck verwendet, aber auch für Fleisch und Gemüse. Traditionell legt man sie auf einem halbmondförmigen Ofen auf eine Lage Feuerholz. Doch die Schale kann auch umgedreht und wie ein Wok genutzt werden, um Lammconfit zuzubereiten. Ein steinerner *Saç* für die Fladenbrotzubereitung ist 2 cm dick und 60 cm bzw 24 cm im Durchmesser.

SAHAN
Ein flacher Topf mit zwei Griffen.

SALEP
Salep wird aus den Wurzelknollen verschiedener Orchideenarten hergestellt und gilt als Allheilmittel. Die zerriebene Wurzel wird zudem für ein Wintergetränk verwendet. Früher bereiteten türkische Straßenverkäufer das Getränk in der Morgendämmerung zu. Im 17. und 18. Jahrhundert war es in Großbritannien ein beliebtes Getränk, bevor es im 19. Jahrhundert vom Kaffee verdrängt wurde.

SONNENFINSTERNIS
Die Hemşin aus der östlichen Schwarzmeerregion sammeln zur Sonnenfinsternis Öl, Salz Mehl, Rahm und Feuerholz ein. Die Erwachsenen entzünden ein Feuer. Aus Kupferkesseln wird Öl mit einem Schöpflöffel in die Luft geschleudert, um mit diesem Ritual die Sonne wieder hervorzulocken.

SUMACH
Das im östlichen Mittelmeerraum sowie Ost- und Südostanatolien beliebte Gewürz wird aus den getrockneten und zerriebenen Steinfrüchten des Sumachstrauchs gewonnen. Es verleiht Gerichten eine säuerliche Note. Beim Kauf darauf achten, dass das Gewürz kein Salz enthält.

TANDIR
Es existieren zahlreiche Varianten des Tandoor-Ofens. In den flachen Öfen wird Fladenbrot gebacken. Der *Kuyu Tandırı* ist 2,5 m tief. Lamm und Ziege werden über der Glut gebraten. Ein Topf mit Gemüse und Salzwasser wird auf den vorgeheizten *Tandır*

in einer Grube gestellt. Lämmer oder Ziegen werden im Ganzen daraufgelegt, dann verschließt man die Grube. Das Fett des Fleisches tropft ins Wasser, während das Fleisch gedämpft wird. Diese Methode heißt *Büryan*, *Kuyu Kebab* oder *Büryan Kebab*, je nach Region.

TAPPUŞ
Der in Antakya und Umgebung gebräuchliche Begriff *tappuş* beschreibt, wie man (Fleisch-)Kugeln zu Frikadellen flach drückt.

TARHANA
Um den Ursprung dieses beliebten Erkältungsmittels ranken sich zahlreiche Legenden: Ein in einem Zelt lebendes Ehepaar stritt miteinander. Der Ehemann ging in die Stadt, die Ehefrau setzte eine Suppe mit Joghurt und Bulgur auf. Als sie ihn nach Hause kommen sah, schüttete sie die Suppe verärgert über die Binsen auf dem Boden. Später bemerkte sie, dass die Suppe eingetrocknet war und nun besser als zuvor schmeckte. Laut einer anderen Geschichte verlangte Sultan Selim diese Suppe vor seinem Teheran-Feldzug. Die Einheimischen gossen die Suppe zum Trocknen aus, als Erinnerung an den Sultan. Seitdem heißt sie *Tarhana*.

TARATOR
Diese Sauce wird meist zu geröstetem und gebratenem Gemüse serviert. Die Hauptzutat ist altbackenes Brot. Besonders beliebt ist sie in der Marmararegion und am Mittelmeer. Im Winter wird *Tarator* mit Lauch und Fisch serviert. Die Sauce wird auch zu pikantem Gebäck und Fleischgerichten gereicht. Statt Mandeln kann man Pinienkerne, Walnüsse oder Haselnüsse verwenden.

TAVLAMA
Das Braten von Zwiebeln und anderem Gemüse in etwas Öl.

TİRİT
Bei dieser Kochtechnik werden rechteckige Brotscheiben mit Fleisch, Hühnerbrühe oder Joghurt bedeckt. In manchen Regionen auch unter der Bezeichnung *Papara*, *Banduma* oder *Siron* bekannt. *İskender*, ein beliebtes Kebab-Gericht, wird so zubereitet.

TİRŞİK (YILAN PANCARI)
Das Wildkraut Krauser Ampfer trägt im Türkischen zahlreiche Namen und wird auf unterschiedlichste Weise zubereitet.

TULUG
Dieses Behältnis aus Ziegenhaut wird wie *Tulum* hergestellt. Es wird mit Wasser gefüllt, an den Enden zugebunden und horizontal im Boden vergraben. Getränke bleiben darin schön kühl. Wird auch zur Zubereitung von Ayran und Butter verwendet. Es gibt ähnliche Behältnisse aus Holz oder Steingut.

TULUM
Für diese Methode nimmt man eine eingesalzene und getrocknete Ziegenhaut. Der vorbereitete Käse wird in die Ziegenhaut gewickelt und im Erdboden vergraben oder zum Trocknen in einer Höhle aufgehängt.

REGISTER

REGISTER

REGISTER

ÜBER DEN AUTOR

Musa Dağdeviren wurde 1960 in Nizip (Provinz Gaziantep) geboren. Mit fünf Jahren half er bereits in der Bäckerei seines Onkels mit. In jungen Jahren eröffnete er mit zwei Freunden ein Restaurant in Gaziantep. 1977 zog er nach İstanbul und arbeitete mit seinem Onkel an einem Holzbackofen. So lernte Musa alles über Kebabs, Pide und Meze. 1981 begann er eine Ausbildung bei dem Koch Tomato. Die zwei unterhielten sich oft übers Essen, und Musa lernte die Kunst der Suppenzubereitung.

Während des Militärdienstes (1983–84) war Musa als Koch für den Offiziersclub bei Çanakkale verantwortlich. Er kehrte nach İstanbul zurück und arbeitete in diversen Restaurants als Kebab- und Vorspeisen-Chefkoch. Auch eine Bäckerei zählte zu seinen Stationen. 1987 eröffnete Musa schließlich zusammen mit drei Freunden das *Çiya/Kebab-Lahmacun*, wurde später aber der alleinige Besitzer. Das Wort „Çiya" heißt in der lasischen Sprache so viel wie „Funken". Bei den Osmanischen Griechen bedeutet es „Grill" und auf Kurdisch „Berg". Es ist der Name eines georgischen Kinderspiels und der Titel eines beliebten Liedes. Dieser schicke Straßenverkauf ist vielen Stammgästen noch in bester Erinnerung. Musa kochte für die Gäste besondere Gerichte, die sie sich bei klassischer Musik schmecken ließen.

1990 wurde Zeynep Calışkan, die später Musas Frau wurde, Teil des Çiya-Teems. Durch Musas Recherchen wuchs die Kebab-Karte auf ca. 100 Gerichte an. Er bereitete das erste vegetarische Lahmacun und Kebab zu. 1998 eröffnete er Çiya Sofrası. Dafür entwickelte er eine einzigartige Speisekarte mit regionalen Gerichten, Desserts und Getränken. 2001 eröffnete er Çiya Kebap II. Momentan recherchiert Musa in der ganzen Türkei und ist auf der Suche nach aussterbenden Kochtechniken, Gefäßen und Zutaten. Er besitzt eine Sammlung schriftlicher Quellen, regionaler Tage- und Kochbücher, Speisekarten aus Privathaushalten und Restaurants. Mit Überzeugung und Leidenschaft unterstützt er regionale Produzenten. 2005 brachte er erstmals die Zeitschrift *Yemek ve Kültür* (Essen und Kultur) dazu, einen Beitrag zur kulinarischen Geschichte, zu Folklore, Literatur, Kunst, Etymologie und Kultur zu leisten. Sein Verlagshaus Çiya Yayınları veröffentlichte einen Nachdruck des ersten osmanisch-türkischen Kochbuchs sowie viele weitere Werke über anatolische Küche und wichtige Werke internationaler Autoren. Er gewann zahlreiche einheimische und internationale Preise. Er nimmt weltweit an Konferenzen teil, leitet Workshops und arbeitet intensiv mit NGOs und Akademien zusammen.

DANKSAGUNG DES AUTORS

Zeynep, meiner besseren Hälfte, gebührt der größte Dank, denn sie war mir immer einen Schritt voraus. Mit ihrer Unterstützung und Geduld förderte sie den kreativen Prozess dieses Buches immens – ebenso wie unsere Tochter Elifsu. Die Mitglieder des Çiya- und Yemek-ve-Kültür-Teems teilten meine Begeisterung und mein Engagement für dieses Projekt.
Nazlı Pişkins Arbeit während der konzeptuellen Phase, bei der es um das Format und den ersten Austausch mit dem Verlag ging, war von unschätzbarem Wert. Yusufcan Hamarat, Aysu Erensoy und Hasan Hüseyin Çinay verbrachten viele Tage mit der Niederschrift der Rezepte. Der Dozent Özge Samancı redigierte die Kapiteleinführungen und gab uns wertvolles Feedback. Abdullah Koçak, Cenk Sinör und Büşra Macit bearbeiteten die Rezepte mit größter Sorgfalt.

Şengül Yüksel Toraman unterstützte den Prozess auf vielfältige Weise.

Nevin Göltaşı, die nicht nach Rezept kochen könnte, selbst wenn ihr Leben davon abhinge, verwöhnte uns zu Hause mit ihren traditionellen Gerichten, deren Rezepte sie alle auswendig weiß.

Burçak Gürün Muraben wurde zu meiner englischen Stimme – eine rundum angenehme Zusammenarbeit. Ein herzliches Dankeschön geht an Yusuf Muraben, der die Übersetzungen redigierte und ihnen Schwung verlieh.

Auch an Necdet Kaygın möchte ich gerne erinnern. Er wollte Teil dieses Buchprojekts sein, verstarb aber während des Entstehungsprozesses.

Phaidons Chefredakteurin Emily Takoudes begleitete dieses Buch von den ersten Schritten an, bis es sozusagen allein laufen konnte. Eve O'Sullivan übernahm die Projektbetreuung. Lisa Pendreigh betreute das Buch als Lektorin. Die Redakteurin Emily Preece-Morrison begeisterte durch ihre Sorgfalt. Im Layout und in Toby Glanvilles „Weniger ist mehr"-Fotografie spiegelt sich meine kulinarische Welt aufs Schönste. Julia Hasting bin ich zu Dank verpflichtet: Sie übernahm persönlich das Design und schuf ein wunderbares Werk.

Rezepthinweise

Es wird stets Vollmilch verwendet.

Es wird stets Schlagsahne verwendet.

Falls nicht anders angegeben, wird stets ungesalzene
Butter verwendet.

Es werden stets Eier der Gewichtsklasse M verwendet.

Falls nicht anders angegeben, werden stets frische
Kräuter und glatte Petersilie verwendet.

Falls nicht anders angegeben, wird stets weißer Haus-
haltszucker verwendet.

Als Mittelkornreis werden Baldo-Reis oder Risottoreis
wie z. B. Arborio verwendet.

Falls nicht anders angegeben, werden stets getrock-
nete Kichererbsen und weiße Bohnen verwendet.
Als Ersatz dienen gekochte Kichererbsen und weiße
Bohnen aus der Dose.

Gar- und Zubereitungszeiten sind lediglich als Richt-
linie gedacht, da die Zeiten je nach Backofen variieren. Bei einem Heißluftofen die Backofentemperatur
gemäß den Herstellerhinweisen wählen.

Um festzustellen, ob das Öl heiß genug zum Frittieren
ist, einen Würfel altbackenes Weißbrot hineinwerfen.
Falls es innerhalb von 30 Sekunden anbräunt, beträgt
die Temperatur 180–190 °C, also passend zum Frittieren. Bei gefährlichen Küchentechniken (wie Frittieren
bei hohen Temperaturen oder Braten über offener
Flamme) höchste Vorsicht walten lassen. Besonders
beim Frittieren das Frittiergut vorsichtig ins Öl gleiten lassen, sodass es nicht spritzt. Langärmliges Ober-
teil tragen und den Topf nie unbeaufsichtigt lassen.

Bei manchen Rezepten kommen rohe oder nur
leicht gekochte Eier zum Einsatz. Ältere Menschen,
Kleinkinder, Schwangere, Kranke und Menschen mit
eingeschränkter Immunabwehr sollten diese Gerichte
meiden.

Falls nicht anders angegeben, werden stets gestri-
chene Ess-/Teelöffel verwendet.

Falls keine Menge angegeben ist, z. B. bei Öl oder Salz
und bei Kräutern als Topping, kann die Menge nach
Belieben gewählt werden.

Bei der Herstellung fermentierter Produkte größte
Vorsicht walten lassen: Alle Gegenstände müssen
absolut sauber sein. Bei Unklarheiten besser an Fach-
leute wenden.

Kräuter, Sprossen, Blumen und Blätter sollten an
einem sauberen Standort frisch gepflückt werden. Bei
Wildsammlung besonders aufpassen: Das Sammel-
gut sollte nur verzehrt werden, wenn es von Experten
überprüft wurde.

Pilze sollten geputzt werden.

ZS Verlag GmbH
Die ZS Verlag GmbH ist ein Unternehmen der
Edel SE und Co KGaA, Hamburg
www.zsverlag.de

2. Auflage 2020
ZS Verlag GmbH
Kaiserstraße 14 b
D-80801 München

Dieses Ausgabe erscheint bei der ZS Verlag GmbH
als Lizenzausgabe von

Phaidon Press Limited
Regent's Wharf
All Saints Street
London N1 9PA, Großbritannien
www.phaidon.com

Original Title: The Turkish Cookbook
First published 2019
© 2019 Phaidon Press Limited

Projektkoordination der deutschen Ausgabe:
Dorothee Seeliger
Übersetzung: Martina Walter, Manuela Schomann,
Maria Mill
Erweitertes Korrektorat: Caroline Kazianka
Satz und Redaktion der deutschen Ausgabe:
bookwise medienproduktion GmbH, München

Grafik und Layout: Julia Hasting

Der Verlag dankt Burçak Gürün Muraben, Nazlı
Pişkin, Emily Preece-Morrison, Kelsey Kins,
Jo Ireson für ihre Beiträge zu diesem Buch.

This edition is published by
ZS Verlag GmbH, Germany, under licence from
Phaidon Press Limited
Regent's Wharf
All Saints Street
London N19PA, UK
© 2019 Phaidon Press Limited

Printed in China

ISBN: 978-3-947426-09-6